病態の理解と実践に役立つ

改訂版

下部尿路機能障害の治療とケア

編著
谷口珠実
山梨大学大学院総合研究部
医学域看護学講座 教授
武田正之
山梨大学 名誉教授／客員教授

チームでかかわる排尿ケア

“排尿自立支援加算”
“外来排尿自立指導料”
にも対応！

Treatment and care for Lower urinary tract dysfunction

MC メディカ出版

推薦の言葉

2016年の診療報酬改定で「排尿自立指導料」が新設され、初版『下部尿路機能障害の治療とケア』が刊行されました。これは、排尿自立を目的として多職種の排尿ケアチームが包括的排尿ケアを行う際に必要な知識をまとめたものでした。そして7年が経過して、下部尿路機能障害治療が進歩するとともに、同指導料は「排尿自立支援加算」となり、回復期リハビリテーション病棟や地域包括ケア病棟にも適応が拡大されました。さらに「外来排尿自立指導料」が新設され、退院から在宅復帰までのシームレスな包括的排尿ケアが、保険制度上可能になりました。

『改訂版　下部尿路機能障害の治療とケア』はこのような背景から刊行され、現在の排尿・蓄尿障害治療とケアの最新情報がまとめられています。目次を拝見すると、「排尿機能の基礎知識」「下部尿路機能障害の診断」「その分類と病態」「看護師に必要な排尿アセスメント」「下部尿路機能障害の治療とケア」「カテーテル留置と排尿自立支援」「関連する保険診療」「排尿ケアチームの連携」「病棟看護師に必要な研修」等からなり、書名の通り今日求められる「下部尿路機能障害の診断と治療」が、本書1冊で網羅されています。

排尿トラブルは人の尊厳・QOLを損なうと同時に、在宅復帰を妨げる大きな原因です。日本排尿機能学会は2023年に20年ぶりの下部尿路症状の本邦での大規模疫学調査を行いました。これによると、加齢とともにさまざまな排尿トラブルが増加し、フレイルや基礎疾患との関連が明らかになりました。また日本老年泌尿器科学会は長年、日本創傷・オストミー・失禁管理学会と連携して、排尿自立指導制度の普及に努めてきました。2022年には日本医学会連合に賛同して、「フレイル・ロコモ克服のための医学会宣言」に参加し、下部尿路機能障害をその対象疾患にし、「QOL維持改善のための排泄機能の保持」を宣言に盛り込みました。

一人でも多くの高齢者・障害を持つ方々が在宅で、ご家族と共に幸福な日々を送るために排尿ケアは大変重要です。一人でも多くの医療者の皆さまが、本書によって排尿ケアに興味を持ち、より質の高い排尿ケアを実践してくださることを願って推薦の言葉とさせていただきます。

日本大学医学部附属板橋病院病院長／泌尿器科主任教授
日本排尿機能学会／日本老年泌尿器科学会理事長
髙橋 悟

序文

2016（平成 28）年度診療報酬改定により、「排尿自立指導料」が新設掲載されました。この診療報酬以前は、治療や障害により施設に入ると、尿道カテーテルが留置されたまま在宅療養になることや、おむつ内の排泄となり在宅では介護ができず、再び施設を探すという状況が多くありました。当時の排尿ケアは、患者個々の状況に合わせたアセスメントは不十分で、臨床現場の経験に任されており、主に尿道留置カテーテルかおむつで対応されてきました。尿道カテーテルを留置することで感染をはじめとする合併症を生じ、長期にわたる留置カテーテルの使用は尿路感染を引き起こし、そのため抗生物質が繰り返し使用されてきました。また臨床現場の時間の余裕がないことや、トイレ移動時の転倒が問題になったことで、安易におむつを使用したことにより、尿意を訴えずおむつ内に排尿を続け、トイレへの移動をしなくなり、新たな廃用性の問題を発生してきました。高齢で運動機能障害があれば、排尿を自立するために安全な移乗動作を行う必要があり、理学療法の知識や技術は排尿ケアに不可欠です。高齢者の排尿ケアに対する多職種協働について日本老年泌尿器科学会で討議を重ね、日本創傷・オストミー・失禁管理学会では排尿ケアの専門的なアプローチを検討し排泄ケアの質を高めてきました。

一方で、排尿ケアに必要な下部尿路機能障害の診断や治療は近年めざましく発展しています。2003 年、日本排尿機能学会はわが国での下部尿路症状の実態について住民疫学調査を行い報告しました。下部尿路症状を有する割合が高いことが明らかになり、下部尿路機能障害に対する科学的根拠に基づく各種ガイドラインが次々と発行されてきました。男性・女性の『下部尿路症状診療ガイドライン』『過活動膀胱ガイドライン』『夜間頻尿ガイドライン』があり、その診療と治療の方向性が示されています。

そのようななか、尿道留置カテーテルを抜去したのち、下部尿路症状を有する患者に対して臨床現場でアセスメントを行い、診断と同時に治療・ケア・リハビリテーションをどのように実施すればよいのか詳しく学びたいという意見や、新たな診療報酬に即、実践に役立てられる書籍がほしいという要望などがあり、初版を 2017 年に発刊しました。

人が排尿を自立していくためには、下部尿路機能、運動機能、認知機能の維持や自立への意欲を高めるアプローチが必要です。排尿自立を支援するためには、最新の下部尿路症状の診断と治療の知識の習得と、その病態を理解したうえで、具体的なアセスメントや排尿ケアの実践方法を身に付けなければなりません。さらにはベッドサイドでの排泄動作を援助するための理学療法のポイントなど、理解すべき内容も多岐に渡ります。

下部尿路機能障害の治療を専門とする泌尿器科医、運動機能障害へのアプローチを専門とする理学療法士、そして排尿日誌や残尿測定から排尿をアセスメントし、排尿誘導や行動療法をアドバイスできる排尿の専門看護師らが連携し、排尿ケアチームをつくることで、それぞれの専門性を発揮し、病棟看護師を介して患者ケアに役立てられることが、排泄自立に向けた多職種連携であると考えます。

本書では最新の用具や機器も紹介しています。資源も十分に活用して、患者の負担の少ない、快適で根拠に基づいたケアの実践方法を網羅した体系的なテキストとなるよう、各職種の専門家にわかりやすく解説していただきました。

急性期から慢性期、病院から在宅、地域の中の施設など、すべての場で排泄ケアは行われています。入院中から排泄の自立を目指すことで、退院後の家族の介護負担が軽減し、在宅療養生活が継続しやすい状況が整います。2021（令和2）年の診療報酬改定時には、「排尿自立支援加算」と「外来排尿自立指導料」が新設され、算定施設が拡大され、入院から外来でも包括的排尿ケアが継続できます。地域包括ケアシステムの構想にあるように、地域での資源を有効活用しながら、できるだけ住み慣れた家で生活することを支援することは、これからの超高齢社会を支える私たち医療職の課題になっています。在宅での療養を継続するための要因の一つに排泄の自立があり、今回の診療報酬改定は地域包括ケアシステムの中の、各施設内で排尿自立を支援するための取り組みが加速されると期待します。排尿自立を支援する知識や技術の習得、提供は、現在推進されている地域包括ケアシステムの中のどの場所においても必要となることでしょう。本書が実用的に役立つことを願っています。

2023年8月

谷口珠実
武田正之

改訂版 下部尿路機能障害の治療とケア

CONTENTS

推薦の言葉 …… 3
序文 …… 4
執筆者一覧 …… 9

Chapter 1 下部尿路機能の基礎知識

Section 01 人の尊厳を守る排尿ケア …… 12
Section 02 下部尿路と骨盤底の解剖 …… 16
Section 03 下部尿路機能のメカニズム …… 20

Chapter 2 下部尿路機能障害の症状、病態、疾患、鑑別診断と診断法

Section 01 下部尿路症状と病態、疾患 …… 26
Section 02 下部尿路症状の疫学とQOL …… 35
Section 03 問診と諸検査 …… 43

Chapter 3 下部尿路機能障害の種類と病態

Section 01 神経疾患（中枢、脳神経、脊髄損傷など） …… 62
Section 02 過活動膀胱 …… 76
Section 03 尿失禁（腹圧性、切迫性、混合性、溢流性、機能性尿失禁）の種類と病態 …… 85
Section 04 下部尿路閉塞疾患 …… 93
Section 05 骨盤臓器脱 …… 99
Section 06 間質性膀胱炎・膀胱痛症候群の病態と治療 …… 109
Section 07 夜間頻尿 …… 117
Section 08 小児の下部尿路機能障害 …… 123
Section 09 認知症 …… 133
Section 10 フレイルと下部尿路症状 …… 141

Chapter 4 排尿のアセスメント（看護師が実践するアセスメント）

Section 01 排尿のアセスメント …… 150
Section 02 問診・質問票 …… 156
Section 03 排尿日誌 …… 160
Section 04 残尿測定・失禁量測定 …… 165

Chapter 5 下部尿路機能障害の治療とケア

1 治療
Section 01 手術療法：下部尿路障害に対する手術（主に尿失禁） …… 170
Section 02 薬物療法 …… 181
Section 03 神経変調療法 …… 194
2 ケアの実際
Section 01 下部尿路機能障害に必要な行動療法と生活指導 …… 199
Section 02 理学療法（骨盤底筋訓練・バイオフィードバック療法） …… 208
Section 03 清潔間欠自己導尿管理 …… 214
Section 04 膀胱瘻の管理方法 …… 223
Section 05 排泄用具（おむつ） …… 228
Section 06 排泄用具・排泄補助用具 …… 234
Section 07 トイレ環境・生活環境整備 …… 241
Section 08 排泄動作評価・練習 …… 248

Chapter 6 カテーテル管理と排尿自立支援

Section 01 尿道留置カテーテル管理の適応（カテーテル抜去の適応と不適応） …… 262
Section 02 尿道留置カテーテルの管理方法 …… 271
Section 03 排尿自立指導における尿道留置カテーテルの抜去 …… 277
Section 04 カテーテル抜去後に下部尿路症状を有する場合のアセスメントとケアプラン …… 281
Section 05 排尿自立支援の実施後の評価方法 …… 285

Chapter 7 下部尿路機能障害と保険診療

Section 01 下部尿路機能障害に対する保険診療のポイント …… 290

Chapter 8 排尿ケアチームの連携

Section 01 排尿ケアチームの連携 …… 302
Section 02 チーム構成員と職種の役割 …… 306

Chapter 9 病棟看護師が実施するための研修内容

Section 01 エコーによる残尿測定 …… 310
Section 02 エコーを用いた骨盤底筋訓練指導 …… 314
Section 03 残尿測定～膀胱用超音波画像診断装置 ブラッダースキャンシステム BVI6100の使い方～ …… 316
Section 04 残尿測定と排尿記録：定時測定の使い方 …… 319

APPENDIX 資料編

主要下部尿路症状スコア／国際失禁会議尿失禁質問票短縮版 …… 326
過活動膀胱症状スコア／国際前立腺症状スコア …… 327
排尿記録の3様式／1時間パッドテスト …… 328

索引 …… 330

List of Authors

執筆者一覧

赤井畑 秀則	福島県立医科大学医学部泌尿器科学講座（3-2）
秋山佳之	東京大学大学院医学系研究科泌尿器外科学（3-6）
朝倉博孝	行田総合病院泌尿器科/埼玉医科大学医学部泌尿器科学講座（2-2、5-1-1）
井上倫恵	名古屋大学大学院医学系研究科総合保健学専攻予防・リハビリテーション科学（5-2-2）
今西里佳	新潟医療福祉大学リハビリテーション学部作業療法学科（5-2-8）
片岡政雄	福島赤十字病院泌尿器科／福島県立医科大学医学部泌尿器科学講座（3-2）
橘田岳也	旭川医科大学腎泌尿器外科学講座（1-3）
小島祥敬	福島県立医科大学医学部泌尿器科学講座（3-2）
小柳礼恵	藤田医科大学保健衛生学部（9-1、9-2）
後藤百万	独立行政法人地域医療機能推進機構中京病院/名古屋大学（3-7）
斎藤忠則	医療法人伯鳳会東京曳舟病院泌尿器科（7-1）
榊原隆次	脳神経内科津田沼/医療法人同和会千葉病院（3-9）
鈴木康之	東京都リハビリテーション病院（6-1）
関戸哲利	東邦大学医療センター大橋病院泌尿器科（2-1、2-3）
帯刀朋代	東京医科大学病院看護部（6-4）
高崎良子	東京都リハビリテーション病院6階病棟（5-2-6）
髙橋 悟	日本大学医学部泌尿器科学系泌尿器科学分野（3-3）
瀧本 まどか	山梨大学大学院医工農学総合教育部（9-4）
武田正之	山梨大学（3-8、6-3）
田中純子	山梨大学大学院総合研究部医学域排泄看護学（5-2-3、5-2-4、6-2）
谷口珠実	山梨大学大学院総合研究部医学域看護学講座（1-1、4-1～4、6-3、9-4）
丹波光子	杏林大学医学部付属病院看護部（8-1、8-2）
津畑 亜紀子	公益社団法人日本看護協会看護研修学校（6-4）
巴 ひかる	東京女子医科大学附属足立医療センター骨盤底機能再建診療部・泌尿器科（3-5）
西井久枝	国立長寿医療研究センター泌尿器外科（5-1-2）
西村 かおる	コンチネンスジャパン株式会社（5-2-1）
野﨑祥子	慶應義塾大学病院医療連携推進部（9-3）
野宮正範	国立長寿医療研究センター泌尿器外科（5-1-2）
秦 淳也	福島県立医科大学医学部泌尿器科学講座（3-2）
林 暁	行田総合病院（2-2、5-1-1）
平山 千登勢	杏林大学医学部付属病院（5-2-5）
福島正人	福井大学泌尿器科学講座（3-1）
福多史昌	製鉄記念室蘭病院泌尿器科（3-4）
本間之夫	杏林大学医学部間質性膀胱炎医学講座（3-6）
舛森直哉	札幌医科大学医学部泌尿器科学講座（3-4）
松岡 香菜子	福島県立医科大学医学部泌尿器科学講座（3-2）
松本 香好美	日本歯科大学新潟生命歯学部耳鼻咽喉科学（5-2-7、5-2-8）
松本成史	旭川医科大学研究推進本部（1-2）
三井貴彦	山梨大学大学院総合研究部泌尿器科学（3-8）
山西友典	宇都宮脳脊髄センターシンフォニー病院泌尿器科（5-1-3）
横山 修	春江病院泌尿器科/福井大学（3-1）
横山剛志	愛知医科大学看護学部老年看護学（3-10、5-1-2）
吉澤 剛	日本大学医学部泌尿器科学系泌尿器科学分野（3-3）
吉田正貴	桜十字病院泌尿器科（3-10、5-1-2）
吉田 美香子	東北大学大学院医学系研究科保健学専攻ウィメンズヘルス・周産期看護学分野（6-5）

下部尿路機能の基礎知識

人の尊厳を守る排尿ケア

山梨大学大学院総合研究部 医学域看護学講座 教授 **谷口珠実**

Point

❶ 人の尊厳を守る排尿ケアには、
（1）根拠に基づいた治療と看護介入が必要である。
（2）医療者の態度や言葉遣いも影響する。
❷ 診療報酬の排尿自立の目的は、尿道留置カテーテル抜去による尿路感染防止と、排尿自立の方向に導くことである。

治療に至りにくい「排泄」という問題

生命体が生きるうえで、栄養を摂り代謝の結果生じた老廃物を排泄することは必要不可欠です。自分の身体の中で作られても、体外に出た瞬間から排泄物は不潔で汚いものと扱われ、社会では人目や話題に触れず、隠された存在になります。

人間が社会生活を営むためには、蓄尿と排尿機能を意図的にコントロールできる状態（continence）が維持できて、適切な場所で排泄することが求められます。このため幼小児期から親に躾けられ、成長するとともに蓄尿と排尿のタイミングを学び、成人期に至る頃には自分の排泄習慣を確立していきます。国や地域の文化や環境によっても排泄の社会常識や排泄文化は異なりますから、周囲の環境に合わせて調整を図りながら、自分なりの排泄スタイルを保っています。

しかし、何らかの原因により失禁や頻尿になると、日常生活はもちろんのこと、さまざまな影響が生じます。例えば、尿失禁のにおいが気になり人付き合いができなくなることで人間関係に支障をきたすことや、外出が億劫になり社会参加に影響を及ぼすことは容易に想像がつきます。また、自尊感情が低下し抑うつ的になるなど、気持ちや感情にも影響を与えることが多数報告されています。

このような排泄の問題は生活への影響が大きいにもかかわらず、解決するために根本の原因となっている疾患の治療を受けるという選択肢は近年まで周知されていませんでした。患者も医療者も出産などのライフイベントや加齢現象の一つとして、仕方がないこととしてあきらめていました。話題にせず社会からタブー視されてきた排泄ですが、最近ではおむつやパッド類のコマーシャルも増え、日常生活に支障をきたさないような、治療以外の失禁対策用具も増えてきました。治療をしても完治しない場合には、失禁用具を用いることで支障なく社会生活を営めるようになっています。このような状況をソーシャルコンチネンス（social continence）と表現しています。しかし、治療で解決できる状況でも、必ずしも治療に至っていないのが現状です。排泄の問題が治療に至りにくい理由の一つには、失禁や排泄の問題を他人に話すことへの抵抗があります。たとえ医療者に対してであっても、排泄の失敗談を語ることは羞恥心を伴うため、誰にも話さず、一人悩みを抱え続ける患者が多くいます。そのほかにも、治療や相談をしようと決意しても、受診先がわからず困っている人もいます。

ときとして、「排泄権利」が脅かされている

このように排泄に問題をもつ人が、何らかの精査治療目的で入院をしたときに、その問題を解決できるとよいのですが、これまでの調査によると、排尿のトラブルがあっても、施設で治療を受けている人は少なく、病院に入院している約半数に排泄の問題が生じていたと報告されています。その状況としては、尿道留置カテーテル管理（22%）、全失禁（19%）、尿失禁（7%）、頻尿（5%）となっています。特別養護老人ホームでは尿道留置カテーテルの割合は減るものの、全失禁が56%、尿失禁が30%と、頻尿を含めると問題のない人はごくわずかであったと報告されています[1]。さらに、その排泄問題をもつ多くの対象者は泌尿器科を受診していないことが示されており、排尿の専門医の判定では、カテーテル抜去が可能な人やおむつを外すことができる人が3～4割程度いるとのことでした。入院患者への排泄の対応については時間の確保が難しかったり、看護職側の知識や技術が不十分なこともあり、適切な対応に至っていないのが現状のようです。

このため排泄に問題をもつ人が施設に入り、何らかの排泄のケアを受けると、基本的人権として擁護されるべき排泄の行為「排泄権利」は、ときとして脅かされることもあると指摘されています[2]。それでは、擁護されるべき排泄の行為とはどのようなことでしょうか。

これまで筆者は、排泄障害をもつ多くの患者から体験談を伺ってきました。施設に入ると歩行時の転倒を防ぐためにトイレへの移動をさせてもらえず、おむつを当てられショックを受けたという体験や、尿意があってもそのままおむつ内に排尿するように言わ

れて恥ずかしい思いをしたことなどは繰り返し聞いています。排尿のためにナースコールを押したのに、なかなか来てもらえず、がまんできずに漏らしてしまったという悲痛な声を患者から聞くこともあります。また、夜間、排尿のためにナースコールで呼んだら、あからさまに不快な態度で乱暴に尿器を置かれて傷ついた体験など、看護師の態度や接し方が患者の自尊感情を傷つけていることもあります。

排泄ケアは、生活する人として守られるべきプライバシーを侵害することがあります。看護師は、羞恥心に配慮し、必要最小限の露出に留めてケアを行うことを忘れてはなりません。また、看護職は排泄物を見慣れてしまっているため、病棟内で、看護師が尿便器の排泄物を隠すことなく運んでいたり、カテーテル管理を行っている患者の蓄尿袋の尿が透けて見えたりしていることがあります。排泄物の観察も必要ですが、排泄物を隠す配慮も大切です。

患者とその家族からは、入院や入所など施設に入る前には自分で排泄行為を行っていたのに、退院したときには尿道留置カテーテルが入ったままだったとか、おむつがつけられていたため廃用症候群になっていたなど、排泄の自立が困難な状況になって困っているといった訴えを受けることもあります。もちろん、疾患や治療によっては排泄機能の回復が困難なこともありますが、問題になるのは看護師のマンパワー不足により患者が心地よく排泄できない状況や、看護職の知識不足から排泄の自立を促す排尿ケアが十分になされているとは言いがたい現状があることです。人の尊厳を守る排泄のケアとは、その機能の回復を検討する適切な治療とケアを行い、看護者の態度や言葉かけを適切に行うことが必要だと考えます。

よりよい排泄ケアの実践を後押しする診療報酬「排尿自立支援加算」「外来排尿自立指導料」

このように患者が受けた排泄のケアによっては、人としての尊厳を損なう危険があります。患者の尊厳を守る排泄ケアについて考え、よりよいケアの実践に取り組むことが大切です。患者の尊厳を守るためには、患者が望む排泄管理に向けて、下部尿路症状を的確に捉え、治療のできる下部尿路機能障害に対しては精査加療を行います。そして、排泄姿勢を保持してトイレに移動するための運動機能障害を回復するために、理学療法士や作業療法士と協働して支援します。排尿自立支援加算の対象者は尿道留置カテーテルが挿入されている患者ですが、抜去後に下部尿路症状が予測されたり、実際に生じたりした場合には、下部尿路症状のアセスメントを排尿日誌や残尿測定から導き、多職種で連携を取り、患者と家族が期待する結果に向かうようにケアの計画を立案して実施します。この過程を病棟の看護師と排尿ケアチームが協働して行うことで、早期に尿道留置カテーテルを抜去し、尿路感染を防ぎます。

そして患者のできる力を維持し回復するために、包括的排尿ケアを実践する看護師と、下部尿路機能障害を治療できる泌尿器科医、そして排泄動作の保持やトイレへの移動のための運動機能の回復を支える理学療法士・作業療法士が力を合わせることで、患者の可能な限りの自立に向かいます。

入院中に排尿自立に至らない患者に対しては、1990（平成2）年から「外来排尿自立指導料」を用いて、継続指導ができるようになりました。在宅での排泄が自立できるよう、今後は地域の生活を支える多職種との連携が必要になります。

本来、排泄ケアとは、医療的な側面以外にも介護や社会環境、文化や地域環境、栄養学や工学など、広い意味で、人が生きて排泄することにかかわるすべての学問が排泄学の礎になると考えます[3)]。将来は文化社会的な学問分野や住環境、工学など幅広い学問を含めた理想の多職種連携により、気持ちよく排泄できる体制や、社会環境をも整備することが必要になることでしょう。

引用・参考文献

1) 後藤百万ほか．老人施設における高齢者排尿管理に関する実態と今後の戦略：アンケートおよび訪問聴き取り調査．日本神経因性膀胱学会誌，12，2001，207-22.

2) 排泄を考える会．"「排泄学」ことはじめ―序にかえて"．「排泄学」ことはじめ．東京，医学書院，2003，3-9.

3) 谷口珠実．失禁領域のIPW：排泄学概論と多職種協働の必要性．日本創傷・オストミー・失禁管理学会誌．16，2012，119.

下部尿路と骨盤底の解剖

旭川医科大学研究推進本部 教授　**松本成史**

Point

❶「下部尿路と骨盤底の解剖」の一般的特徴を理解する。
❷ 男性の「下部尿路と骨盤底の解剖」の特徴を十分理解する。
❸ 女性の「下部尿路と骨盤底の解剖」の特徴を十分理解する。

下部尿路と骨盤底の解剖（図1 図2）

尿路とは、腎臓から尿道へ尿が排泄される道筋のことで、腎臓から尿管までの上部尿路と膀胱から尿道までの下部尿路に分類されます。男女ともに共通する下部尿路は膀胱と尿道ですが、男女では下部尿路そのものの解剖もかなり異なります。男性では尿道の一部を取り囲むように前立腺が存在し、また陰茎の分だけ女性に比べ尿道長も長く、女性は子宮や膣が存在するため骨盤内臓器の解剖は男性とは大きく異なります。膀胱や尿道の下部尿路および直腸、女性では子宮や膣という骨盤内臓器を支えているのが骨盤底筋と呼ばれる筋肉群であり、「下部尿路と骨盤底の解剖」は一体として理解すべきです。

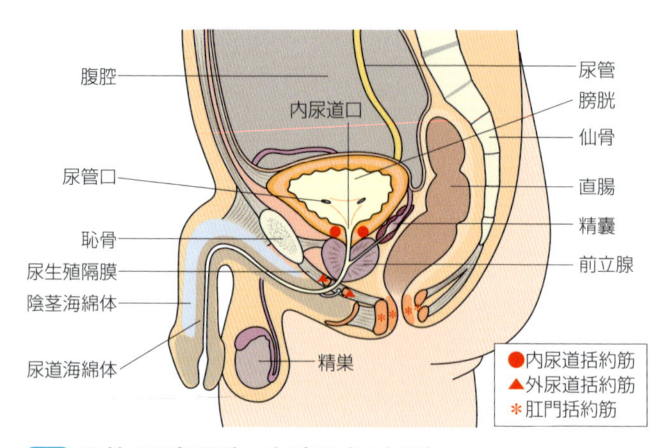

図1 男性の下部尿路・生殖器（正中断）

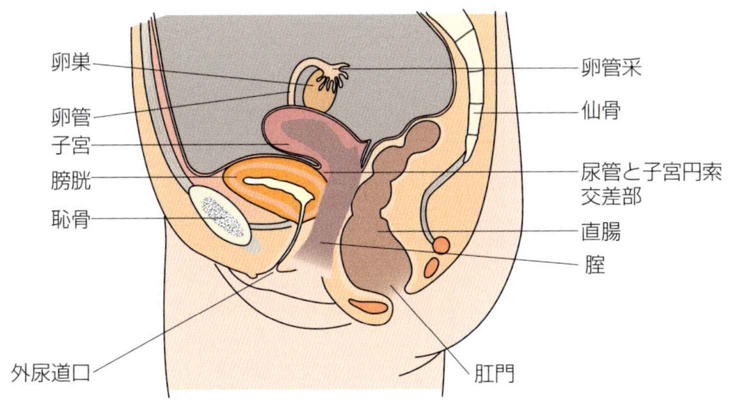

図2 女性の下部尿路・生殖器（正中断）

下部尿路である膀胱と尿道の機能を下部尿路機能と呼び、蓄尿機能と排尿機能を担っています。下部尿路機能の異常を下部尿路機能障害と呼ぶため、本書の「下部尿路機能障害の病態を理解した治療とケア」を実施するためには、この「下部尿路と骨盤底の解剖」に関する一般的知識、特に男女それぞれの特徴をしっかりと理解し、十分な問診から「下部尿路と骨盤底の解剖」のどの部分に問題があるかを予測し、治療やケアにつなげることが必要です。

膀胱の解剖

膀胱は、骨盤腔内の最前部に存在し、恥骨の後方、男性では直腸の前面、女性では子宮・腟の前面にある袋状の臓器で、蓄尿状態では丸みを帯びた形状をしています。膀胱の上面は腹膜に覆われ、膀胱後面から膀胱底にかけては、男性では直腸に、女性では子宮や腟に接しています。膀胱壁は、粘膜、筋層、漿膜の３層からなり、膀胱壁の主体を占めるのは筋層（平滑筋）で、蓄尿と排尿に働いているため排尿筋とも呼ばれます。膀胱内面は尿路上皮に覆われた粘膜で、部位により膀胱頂部、側壁・後壁、三角部、膀胱頸部に区別されます。膀胱頸部は尿の出口であり、内尿道口に移行します。膀胱頸部の周囲は筋線維が豊富で、内尿道括約筋を形成しており、男性ではこの部分に前立腺が接しています。

尿道の解剖

尿道は、膀胱の内尿道口から外尿道口に通じている尿を外部に排泄する管で、直径1cm以下、長さは男性で16～20cm、女性で3～4cmです。通常、粘膜面は密着（接着）

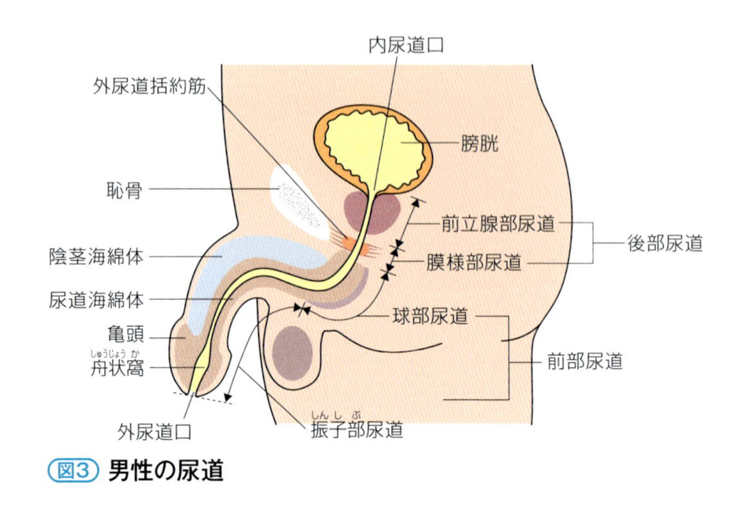

図3 **男性の尿道**

して内腔はほとんどないように見えますが、尿の通過（排尿）時には拡張します。前述のように内尿道口近くには、内尿道括約筋が存在し、さらにその先の尿道が骨盤腔を出る部位の周囲には外尿道括約筋（横紋筋）が存在します。女性の尿道では外尿道口近くに外尿道括約筋があり、男性の尿道は前立腺から陰茎の中をS状に湾曲して通り、亀頭尖端に開口します。女性の尿道は腟の前方を通り、腟口の前に開口します。

男性の尿道（図3）は非常に特徴的で、内尿道口から後部尿道と前部尿道に分けられます。後部尿道は前立腺部尿道（約3cm）と膜様部尿道（約1cm）に分けられ、前部尿道は球部尿道と振子部尿道に分けられ、その全長を非常に血管成分に富んだ尿道海綿体で囲まれています。前立腺部尿道は、尿道を取り囲むように前立腺が存在し、逆に言えば前立腺内を尿道が通っています。膜様部尿道は、恥骨結合の後方に位置し、尿道のなかで最も狭く尿禁制を維持している部分です。球部尿道は会陰部と呼ばれる部分で比較的内腔が広く、振子部尿道は陰茎部尿道のことです。

骨盤底の解剖（図4）

骨盤を意味するpelvis（pelvic）という言葉は、ラテン語で「水盤、たらい」の意味があり、まさしく「水盤、たらい」のような形状で、その中に骨盤内臓器が存在します。骨盤底の解剖は、男女で大きさも形状も異なります。この骨盤底の解剖で重要なのは、一般的に「骨盤底筋群」と呼ばれている骨盤底に存在する筋肉群の特徴を理解することです。骨盤底のすべての筋群は膀胱や尿道、子宮、直腸などの骨盤内臓器を下方からしっかりと支える役割を担っており、骨盤底を下方から見ると、筋肉の一部が肛門で一回り、尿道と腟で一回りといったように8の字型を描いています。

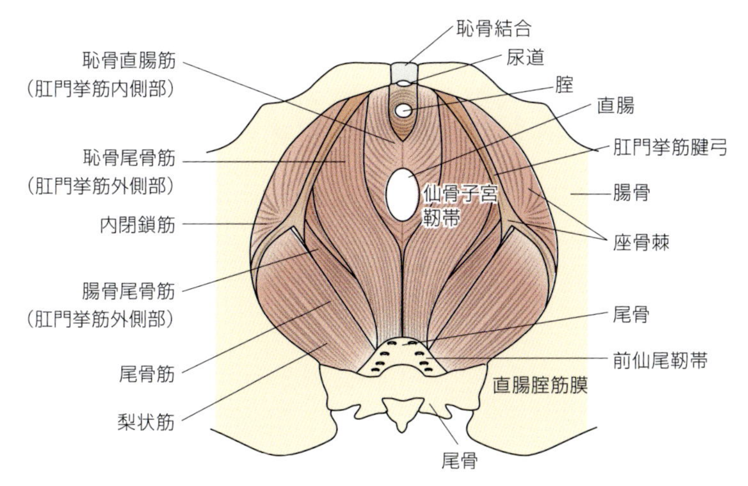

図4 **女性骨盤底の構造（骨盤隔膜：上方より）**

骨盤底部は上方から骨盤腔内の臓器間を埋める結合組織の臓側骨盤隔膜、骨盤内臓器を持ち上げしっかりと支える骨盤隔膜、そして骨盤隔膜を左右から引き締める会陰膜や会陰浅層の筋肉といった表層にある尿生殖隔膜で形成され、3層構造となっています。骨盤底筋群として重要となるのは第2層の骨盤隔膜内の筋群です。骨盤隔膜は主に肛門挙筋と尾骨筋から構成されており、肛門挙筋は、前方の恥骨直腸筋、恥骨尾骨筋と後方の腸骨尾骨筋から構成され、肛門挙筋と尾骨筋が骨盤隔膜を形成して骨盤出口を閉じています。左右の肛門挙筋は中央で交わらずに裂孔を形成し、尿道や腟、直腸が通っており、この裂孔は尿生殖隔膜によって覆われています。骨盤底筋群は尿道や腟、肛門を引き締める役割をも果たしています。骨盤底筋は下部尿路機能に対応しており、前方にある肛門挙筋の収縮は排尿を抑制し、後方は前方が緩んでいる状態では排尿を促す作用があります。

引用・参考文献

1) 赤座英之ほか編. “下部尿路 lower urinary tract（膀胱、尿道）の解剖と生理，性器 genital organs の解剖と生理”. 標準泌尿器科学. 第 8 版. 香川征監. 東京，医学書院，2012，17-23.

2) 河邊博史ほか. “腎・泌尿器の構造と機能”. 系統看護学講座 専門分野 II 成人看護学 8 腎・泌尿器. 第 14 版. 東京，医学書院，2015，32-5.

下部尿路機能のメカニズム

旭川医科大学 腎泌尿器外科学講座 准教授　**橋田岳也**

Point

1. 膀胱と尿道が協調して初めて正常な蓄尿と排尿が可能になる。
2. 下部尿路は骨盤神経、下腹神経、陰部神経の３つの神経によってコントロールされている。
3. 膀胱は主に骨盤神経、内尿道括約筋は主に下腹神経、外尿道括約筋は陰部神経が支配している。
4. 蓄尿中は橋排尿中枢は活動せず、排尿中に橋排尿中枢からのシグナルで排尿可能になる。

「下部尿路機能」には「蓄尿機能」と「尿排出機能」の２種類があります。「尿を正しく出す機能」という意味で「排尿機能」という用語も使用されますが、正式には「尿排出機能」を用います。

蓄尿と排尿

われわれは１日の大部分の時間を蓄尿して過ごしています。そして、約200mLの尿が溜まると、「おしっこがしたい」という尿意として認識されます。さらに400～500mL程度の尿が溜まると、強い尿意となり、排尿に適切なタイミングを考えます。何らかの事情により排尿できないとしても意識的に外尿道括約筋や骨盤底筋を収縮させて、強い尿意を感じたまま尿失禁を起こすことはありません。蓄尿時には、膀胱体部の排尿筋は収縮せずにゆるやかに弛緩しています（図1）。同時に膀胱の出口の筋肉である括約筋部の平滑筋と尿道周囲を取り囲む横紋筋である外尿道括約筋は尿道の内腔を閉じて、排尿をがまんするように働いています。排尿が可能となれば、大脳の判断により括約筋部尿道の平滑筋と外尿道括約筋は弛緩して尿道が開放され、さらに膀胱排尿筋が収縮することで尿を完全に排出します（図2）。この膀胱と尿道が協調した働きがうまくいかないと、排出障害や尿失禁などの原因になります。

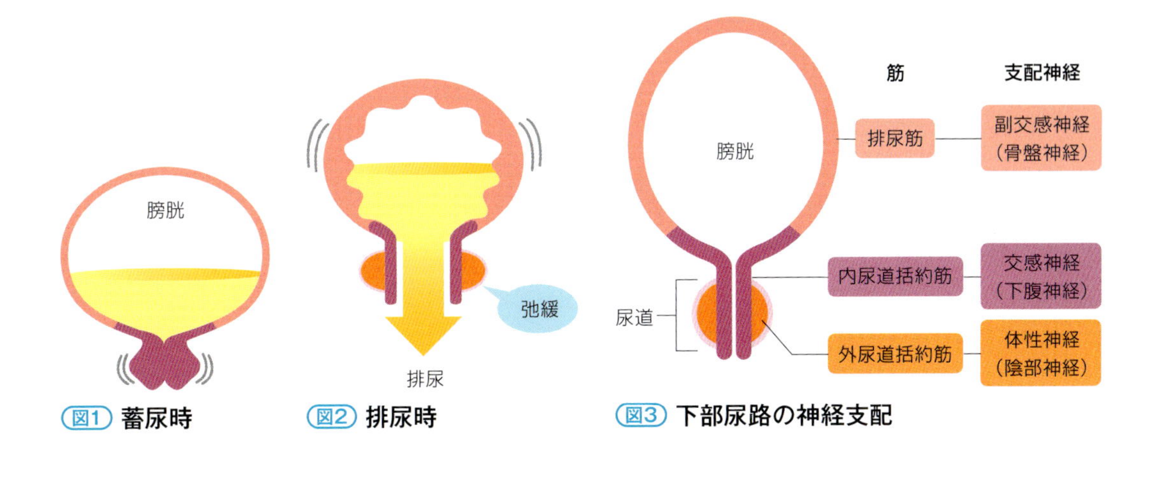

図1 蓄尿時

図2 排尿時

図3 下部尿路の神経支配

下部尿路の神経支配

下部尿路が正常に機能するためには、下部尿路を制御する神経が重要です。膀胱と尿道は副交感、交感、体性神経の3つによって支配されています(図3)。副交感神経である骨盤神経の興奮は排尿筋を収縮させ、交感神経である下腹神経の興奮は膀胱を弛緩させ、内尿道括約筋を収縮させます。体性神経である陰部神経の興奮は外尿道括約筋を収縮させます。これらの協調がわれわれの蓄尿・排尿をコントロールしています。

さらに、これら3つの末梢神経の中枢は、それぞれ骨盤神経(副交感神経):仙髄(S2-4)、下腹神経(交感神経):胸腰髄(T11-L2)、陰部神経(体性神経):仙髄(S2-4)(オヌフ核)です。そして、排尿をコントロールする重要な「排尿中枢」は2ヵ所とされ、一つは仙髄(S2-4)排尿中枢、もう一つは脳幹部にある橋排尿中枢です。

蓄尿時

それでは、具体的にどのように下部尿路は神経によってコントロールされているのか説明します。膀胱内の尿が増加すると膀胱壁は伸展され、知覚神経末端の伸展センサーに情報が感知されます。この情報が、骨盤神経を介して脊髄の下部にある仙髄へ伝わり(①)、さらに脊髄内を上行して脳幹部へ伝達されます(②)。大脳皮質と脳幹部の橋排尿中枢へ伝わることによって大脳は尿意を感知します。しかし、通常は、橋より上位の部分は排尿反射が起こらないように橋排尿中枢を意識的に抑制しています(③)。この状態で、排尿に適切なタイミングを判断します。この際の末梢神経の状態は、交感神経である下腹神経は興奮して膀胱を弛緩させ(④)、内尿道括約筋を収縮させます(⑤)。また、陰部神経も興奮することになり外尿道括約筋を収縮させます(⑥)。逆に副交感神経である骨盤神経は抑制状態となり、膀胱収縮は抑制されています。このように膀胱の充満に伴い、膀胱の弛緩と尿道括約筋の収縮が起こります(図4)。

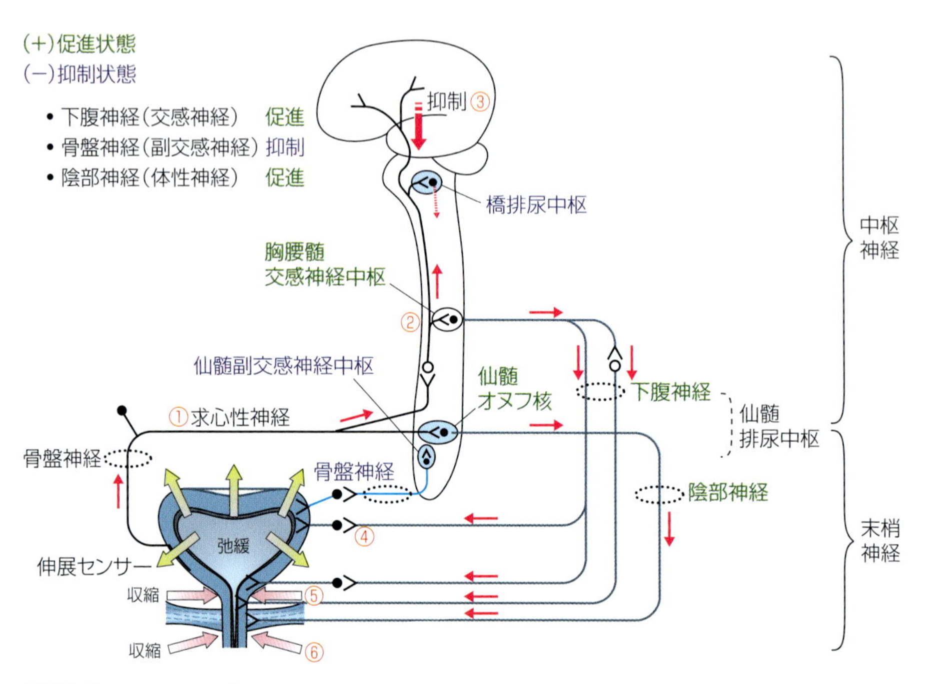

図4 **蓄尿のメカニズム**（文献1より引用）

排尿時

意識的に排尿を開始するまで、大脳全体は橋排尿中枢を抑制しています。排尿に適切な状況であることを判断すると、大脳は排尿開始の指令を出します。これによって橋排尿中枢への抑制が解除されて（①）、橋排尿中枢は興奮し、その情報は脊髄内を下行して腰仙髄へ伝達され、交感神経の下腹神経が抑制され（内尿道括約筋が弛緩〈②〉）、体性神経の陰部神経が抑制され（外尿道括約筋が弛緩〈③〉）、副交感神経の骨盤神経が興奮します（膀胱平滑筋が収縮〈④〉）。以上によって、括約筋部尿道の開放と同時に膀胱排尿筋を収縮させることで尿を排出します（膀胱と尿道の動きが協調した排尿反射が作動します）（図5）。

脳と排尿

これまでに行われてきたボランティアを対象にした脳の活動状態を知ることができるfMRI等によって、前頭前野・前部帯状回・補足運動野・島・基底核・小脳などが蓄尿、排尿に関連することが判明しています。蓄尿時には、膀胱からの情報は中脳水道灰白質に至り、視床や視床下部を経由しながら、前部帯状回、島、前頭前野に至ります。蓄尿中は抑制性の刺激が持続的に加わることで橋排尿中枢が抑制されています（①）。排尿を

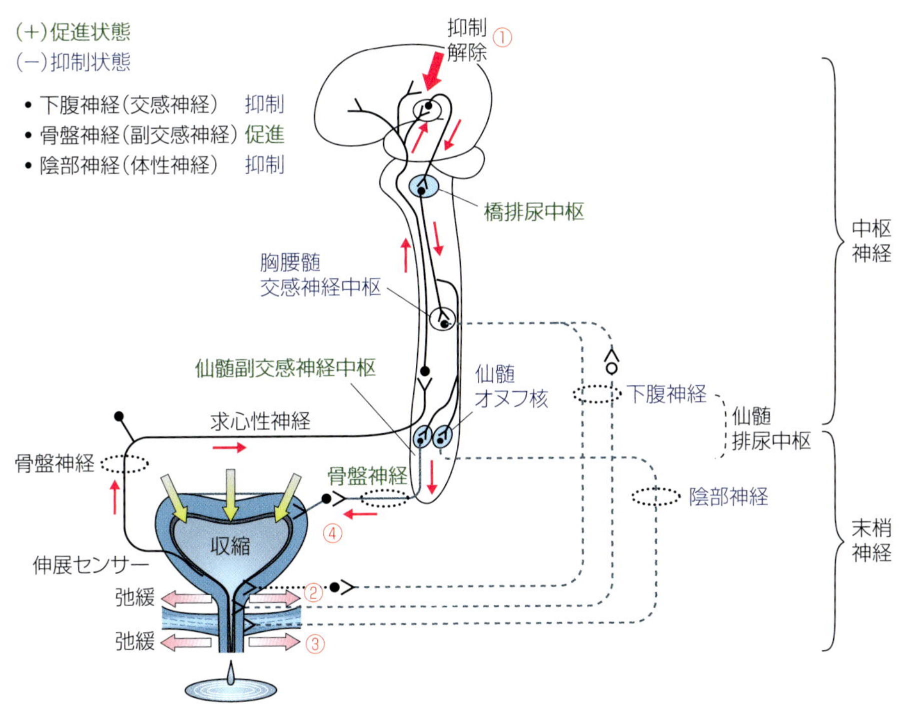

図5 **排尿のメカニズム**（文献1より引用）

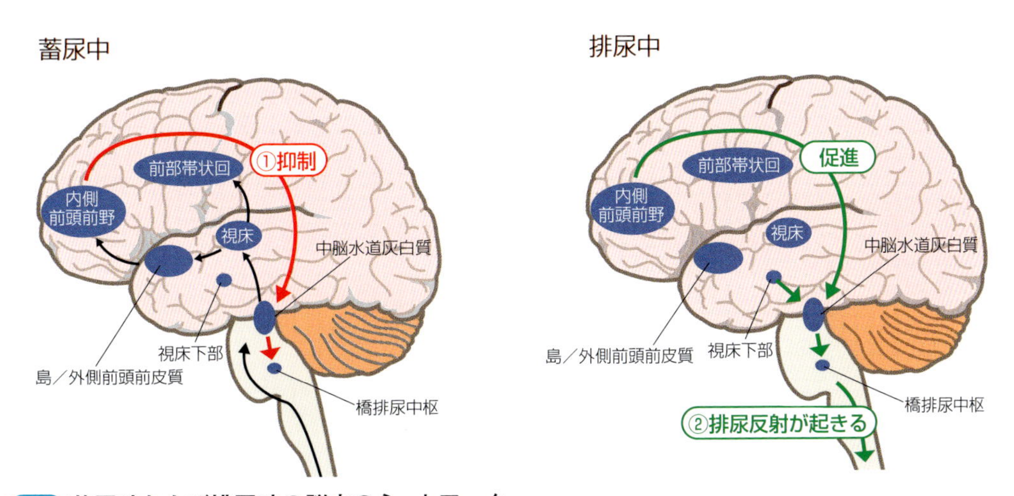

図6 **蓄尿時および排尿時の脳内のネットワーク**

決定すると、この抑制性のシグナルが押さえられる（解除される）ことで、結果的に中脳水道灰白質が橋排尿中枢を活動させて、下行性シグナルが脊髄を下行して排尿反射が引き起こされます（②）（図6）。そして、排尿が終了すると再び膀胱からのシグナルが中脳水道灰白質へ入力されるようになります。

引用・参考文献

1）後藤百万. "排尿のしくみと尿の性状の基礎知識". 排尿管理の技術 Q&A127：今日からケアが変わる. 泌尿器ケア冬季増刊. 後藤百万監. 大阪, メディカ出版, 2010, 14-21.

下部尿路機能障害の症状、病態、疾患、鑑別診断と診断法

下部尿路症状と病態、疾患

東邦大学医療センター大橋病院 泌尿器科 教授 関戸哲利

Point

❶ 下部尿路症状には、蓄尿症状、排尿症状、排尿後症状がある[1]。
❷ 下部尿路症状は系統的に問診する必要があり、主要下部尿路症状スコア[2]（p322「CLSS」参照）などのスコアを利用するのも一手である（CHAPTER4-02も参照）。
❸ 日本排尿機能学会が40歳以上の男女10,096人を対象として実施した疫学調査（解析対象は4,570人）によれば、下部尿路症状は加齢とともに有症状率が高くなり（図1）、生活全般に対して「少し」以上の影響がある割合もかなり高いことが示されている（図2）[3]。
❹ 医療従事者は、下部尿路症状は有症状率が高く、生活の質への影響が大きいという認識を共有しておくことが必要である。

「蓄尿機能」が障害されて起こる症状を「蓄尿症状」、「尿排出機能」が障害されて起こる症状を「排尿症状」と呼びます。それ以外に排尿が終了した後に起こる症状として「排尿後症状」があります。

蓄尿症状

蓄尿症状には頻尿、尿意切迫感、尿失禁が含まれます（表1）。

頻尿

排尿回数には、尿量と膀胱容量が関係します（図3）。頻尿は、尿量の増加、膀胱容量の低下、あるいはその双方で生じます。それぞれを引き起こす代表的な病態は図3の通りです（CHAPTER3も参照）。夜間頻尿に関しては、2回以上を臨床的に有意な夜間頻尿と考えます。夜間頻尿には、尿量や膀胱容量の問題のほかに睡眠障害なども関与します（CHAPTER3-07を参照）。わが国での報告では、夜間2回以上の排尿回数を有する患者は1回以下の患者に比べて生存率が有意に不良であることが示されています（図4）[4]。

尿意切迫感

尿意切迫感については、正常の尿意との違いを理解しておくことが重要です（表2）。尿意切迫感は、家の鍵を開けるとき、冷水で手を洗ったり食器を洗ったりするとき、冷たい床の上に立ったときなどに突然生じる異常な膀胱充満知覚として経験されることが多いようです。尿意切迫感は、ひとたび生じると、そのときに行っている活動（仕事など）を中断してトイレに駆け込まざるを得ないことが特徴です。突然起こるうえに活動の中断を余儀なくされるため困窮度が高い下部尿路症状の一つです。

過活動膀胱（CHAPTER3-02を参照）

過活動膀胱（overactive bladder：OAB）とは、尿意切迫感を必須の症状とし、通常は頻尿と夜間頻尿を伴い、切迫性尿失禁は伴う場合（OABウェット）と伴わない場合（OABドライ）がある症状症候群です（図5）[5]。

尿失禁

尿失禁は、そのタイプによって治療方針が異なりますので（CHAPTER5-1-01～03、CHAPTER5-2-01～02を参照）、問診によって切迫性、腹圧性、混合性に分ける必要があります。切迫性・腹圧性尿失禁の原因となる機能異常と代表的病態は表3の通りです（CHAPTER3も参照）。男性では、前立腺の手術後以外で有意な腹圧性尿失禁が認められることは少ないので、前立腺手術を受けていない男性で有意な腹圧性尿失禁が認められた場合には、原因精査のための専門的評価が必要となります。混合性尿失禁（通常女性）に関しては、切迫性と腹圧性のうち主体になっているほうに比重を置いた治療を行う必要があります。このため、問診では、どちらが主体になっているかをよく聞くことが大切です。

このほかに身体的かつ/または精神的障害のために、通常の時間内にトイレ/便器に到達することができない機能障害性（機能性）尿失禁も重要です[1]。機能障害性尿失禁は、運動機能障害性尿失禁（運動機能障害のために、通常の時間内にトイレに到達できずに尿が漏れる）と認知機能障害性尿失禁（認知機能障害のためにトイレを認知できずに尿が漏れる）とがあります。

慢性尿閉・溢流性尿失禁

蓄尿症状は蓄尿機能障害を反映する症状です。しかし、図6に示す通り、尿排出（排尿）機能障害による多量の残尿があるために機能的膀胱容量が減少し、頻尿や尿失禁を

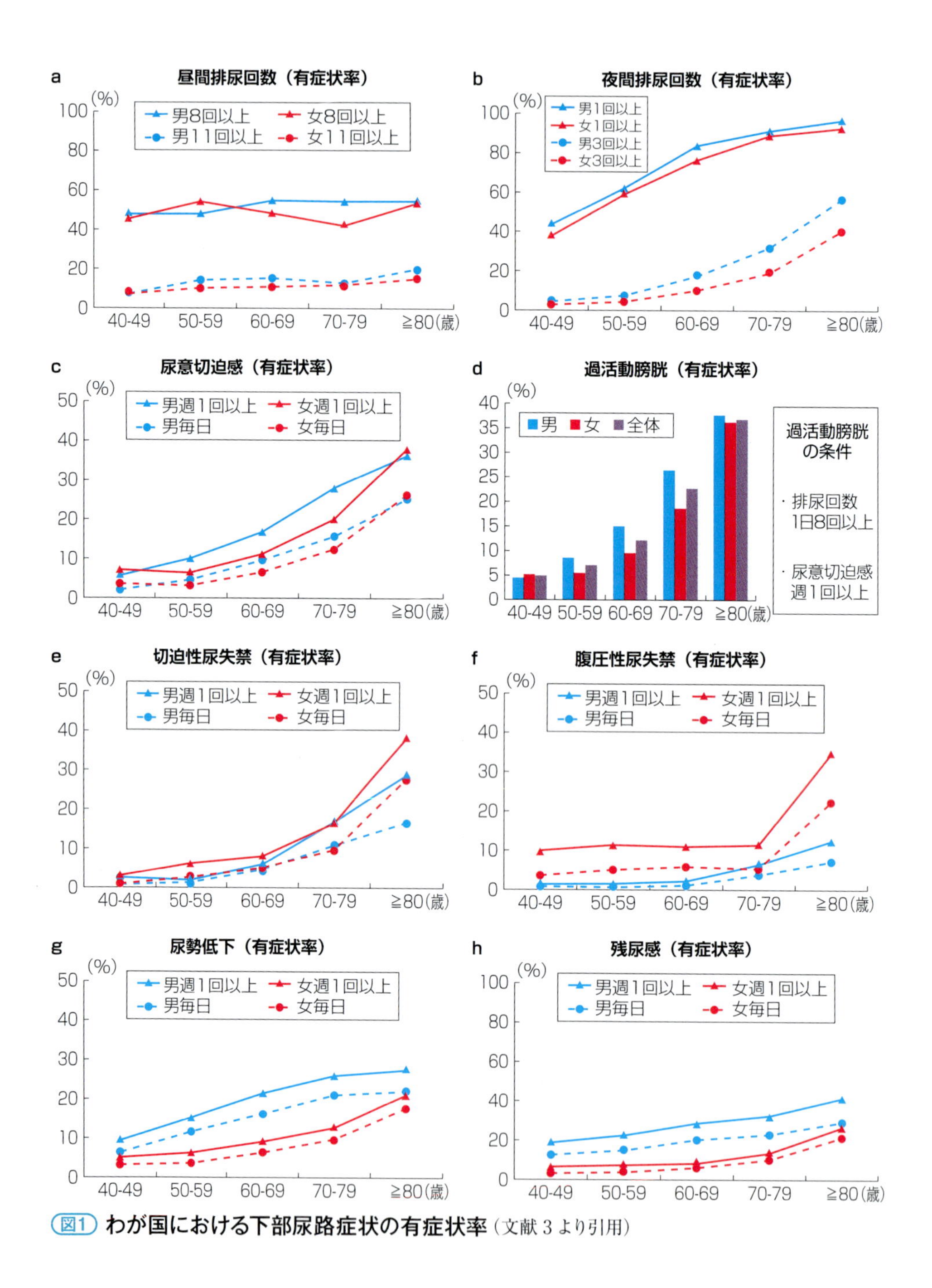

図1 **わが国における下部尿路症状の有症状率**（文献3より引用）

きたしている場合があります。この病態は慢性尿閉と呼ばれ、慢性尿閉時に生じる尿失禁は慣習的に溢流性尿失禁と呼ばれてきました。尿失禁という名称ではありますが、機能障害の本態は尿排出機能障害である点に注意が必要です。

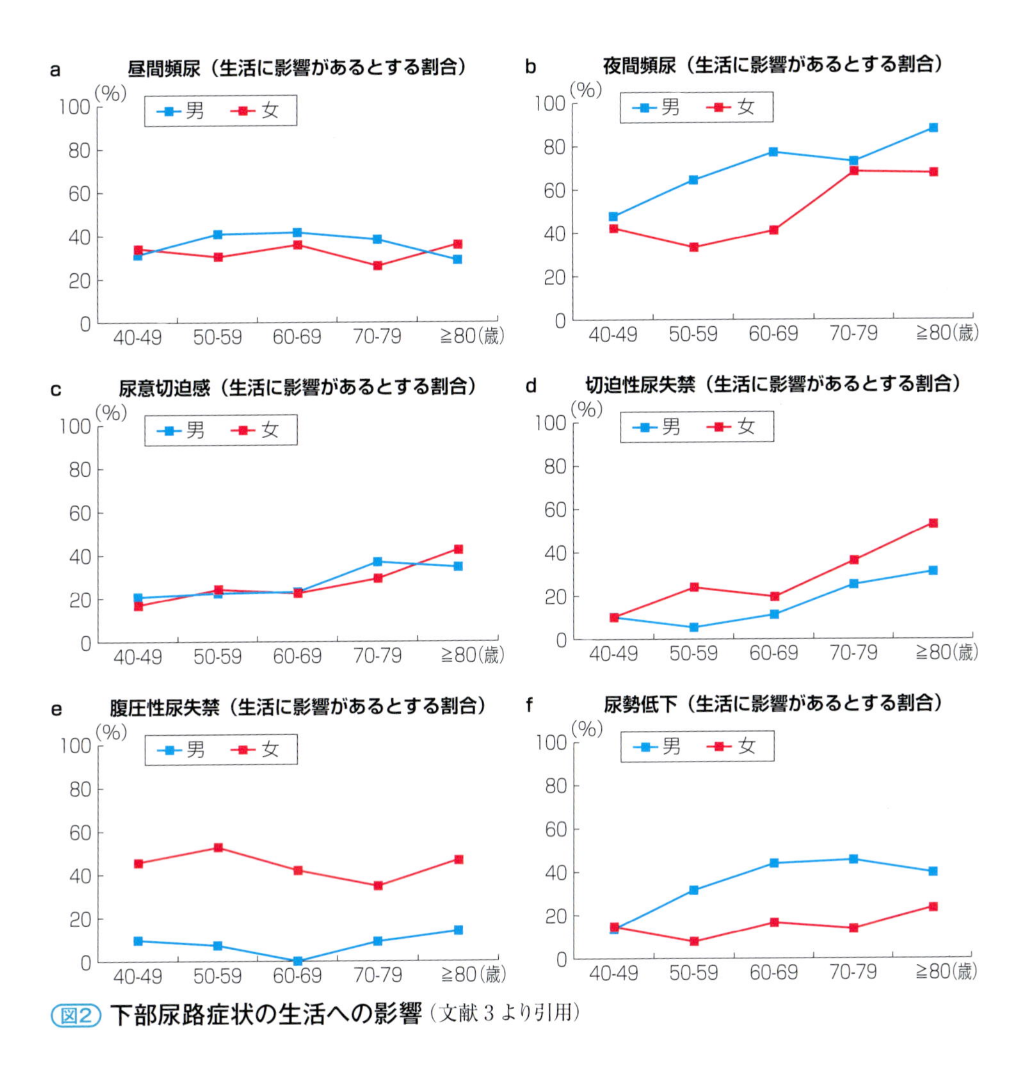

図2 **下部尿路症状の生活への影響**（文献 3 より引用）

排尿（尿排出）症状

排尿（尿排出）症状の原因

排尿症状は、尿排出機能障害を反映する症状であり、尿勢低下、尿線途絶、排尿遅延、腹圧排尿、終末滴下が含まれます（表1）。尿排出機能障害は図7に示した通り、排尿筋収縮障害や器質的・機能的な膀胱出口部閉塞（下部尿路閉塞）、あるいはこの双方によって生じます。排尿筋収縮障害と膀胱出口部閉塞の原因となる代表的病態を表4に示しました（CHAPTER3 も参照）。現時点では、問診だけで、排尿筋収縮障害と膀胱出口部閉塞を鑑別することは困難です。しかし、近年の研究によれば[6]、男性では、尿勢低下と排尿遅延は器質的膀胱出口部閉塞の人でやや高率に認められ、腹圧排尿は排尿筋

表1 主な下部尿路症状

蓄尿症状	昼間頻尿	昼間の排尿の回数が多過ぎるという患者（介護者）の愁訴
	夜間頻尿	夜間睡眠中に排尿のために1回以上起きなければならないという愁訴。 ※ここでの夜間とは就寝してから翌朝までの「眠っている」間のことで、起床するまで（「もう眠らない」状態）のこと。夜間頻尿の回数は、入眠時から（就寝時ではない点に注意！）翌朝起床時までの主要睡眠時間帯の排尿回数である。
	尿意切迫感	急に起こる、我慢することが困難な強い尿意
	尿失禁	尿が不随意に漏れるという愁訴。尿漏れは、汗や分泌物との鑑別が必要なこともある
	腹圧性尿失禁	労作時または運動時、もしくはくしゃみまたは咳の際に不随意に尿が漏れるという愁訴
	切迫性尿失禁	尿意切迫感に伴って不随意に尿が漏れるという愁訴
	混合性尿失禁	尿意切迫感だけでなく、運動・労作・くしゃみ・咳にも関連して不随意に尿が漏れるという愁訴
排尿症状	尿勢低下	尿の勢いが弱いという愁訴。通常は以前の状態あるいは他人との比較による
	尿線途絶	尿線が排尿中に1回以上途切れるという愁訴
	排尿遅延	排尿開始が困難で、排尿準備ができてから排尿開始までに時間がかかるという愁訴
	腹圧排尿	排尿の開始、尿線の維持または改善のために腹圧を加える必要があるという愁訴
	排尿終末時尿滴下	排尿終末時に尿勢が低下して尿が滴下するという愁訴
排尿後症状	残尿感	排尿後に膀胱が完全に空になっていない感じがするという愁訴
	排尿後尿滴下	排尿直後に不随意に尿が出て来るという愁訴。この場合の直後とは、通常は、男性では便器から離れた後、女性では立ち上がった後のことを意味する

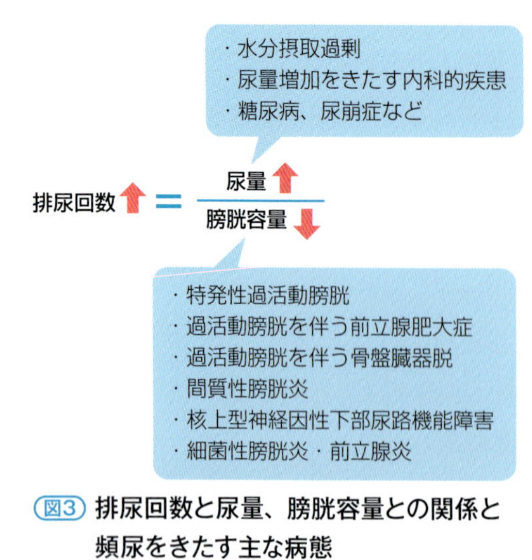

図3 排尿回数と尿量、膀胱容量との関係と頻尿をきたす主な病態

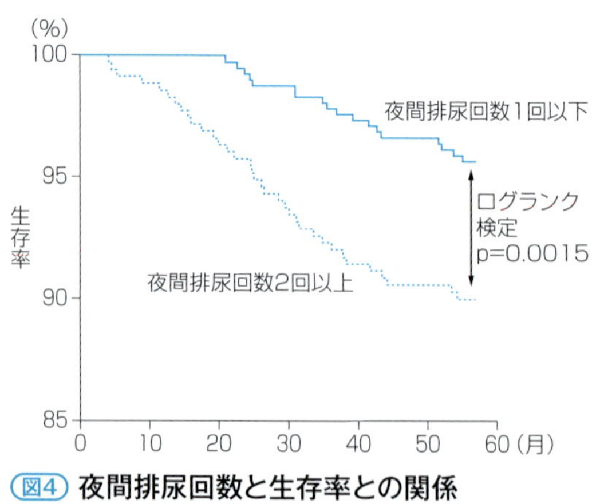

図4 夜間排尿回数と生存率との関係

（文献4より改変）

表2 通常の尿意と尿意切迫感との相違点

	通常の尿意	尿意切迫感
感覚の生じ方	徐々に生じる	突然生じる
感覚発生後の行動	排尿を後回しにすることが可能	排尿を後回しにすることが不可能

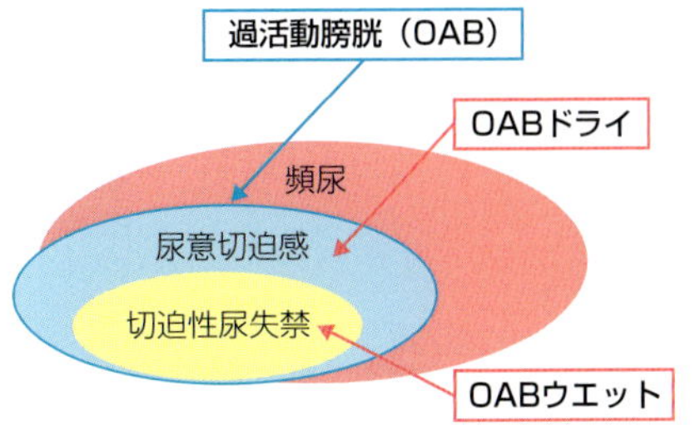

図5 過活動膀胱と頻尿、尿意切迫感、切迫性尿失禁との関係（文献5より作成）

表3 尿失禁の原因となる機能障害と代表的な病態

尿失禁のタイプ	原因となる下部尿路機能障害	代表的な病態
切迫性尿失禁	排尿筋過活動	特発性過活動膀胱、前立腺肥大症、核上型神経因性下部尿路機能障害、骨盤臓器脱
腹圧性尿失禁	骨盤底組織（骨盤底の筋膜、骨盤底筋）の脆弱化や機能不全、尿道括約筋不全（内因性括約筋不全）	女性腹圧性尿失禁、骨盤臓器脱、核・核下型神経因性下部尿路機能障害、前立腺手術による括約筋損傷

※神経因性膀胱は現在、神経因性下部尿路機能障害が正式名称である。

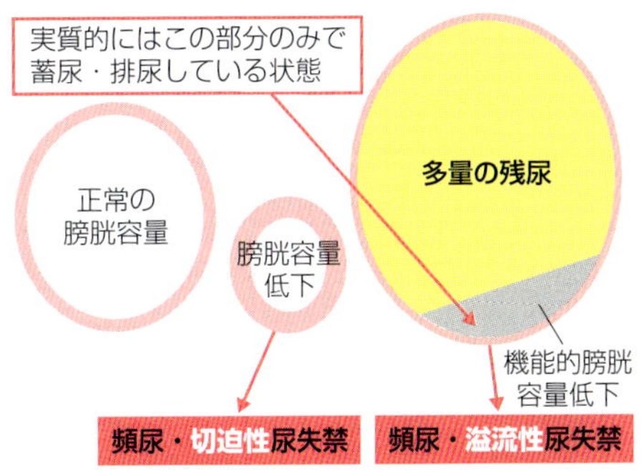

図6 慢性尿閉による頻尿・溢流性尿失禁の発生機序

収縮障害の人でやや高率に認められたと報告されています。さらに、排尿遅延が前立腺肥大症に伴う膀胱頸部開大不全と良好に相関したとする報告もあります[7]。将来的には、これらの症状を組み合わせることで、ある程度の鑑別が可能になるかもしれません。なお、過活動膀胱に対応する概念である低活動膀胱（underactive bladder：UAB）に関しては、現時点では以下のような暫定的な定義のみが示されています[1]。

“尿勢低下、排尿遅延および腹圧排尿で特徴づけられ、残尿感はある場合とない場合があり、ときに蓄尿症状を伴う。蓄尿症状は多様で、夜間頻尿、昼間頻尿、膀胱充満感減弱および尿失禁などがある。蓄尿症状の発症機序は多様であり、残尿量の増加が関与している場合も多い”[1]。

排尿（尿排出）症状の問診上の留意事項

下部尿路機能障害の治療においては、尿排出機能障害と蓄尿機能障害が合併している場合、通常、尿排出機能障害の治療を優先させます。これは、尿排出機能障害の治療を行わずに蓄尿機能障害の治療を行った場合、残尿増加や尿閉という事態に至る可能性があるからです。このため、排尿症状をきちんと問診することは、その後の検査や治療を

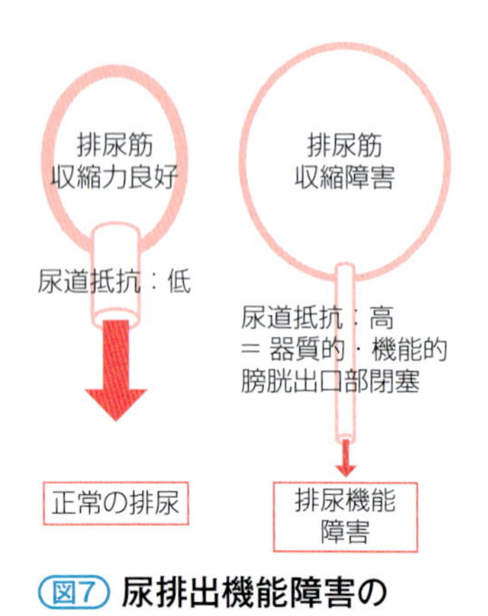

図7 尿排出機能障害の原因

表4 尿排出機能障害の原因と代表的な病態

尿排出機能障害のタイプ	原因となる下部尿路機能障害	代表的な病態
排尿筋収縮障害	排尿筋低活動、排尿筋無収縮	核・核下型神経因性下部尿路機能障害、膀胱出口部閉塞に対する代償不全
器質的・機能的膀胱出口部閉塞（下部尿路閉塞）	器質的膀胱出口部閉塞	前立腺肥大症、尿道狭窄、骨盤臓器脱
	排尿筋括約筋協調不全	核上型・橋下型神経因性下部尿路機能障害
	非弛緩性括約筋	核・核下型神経因性下部尿路機能障害

考えるうえで重要になります。しかし排尿症状は、蓄尿症状のように、回数（頻尿）あるいは有無（尿意切迫感や尿失禁）のような明瞭な指標がなく、医療従事者側が得たい情報を聞き出すのは必ずしも容易ではない点に注意する必要があります。尿勢低下に関しては、「以前（例：若い頃など）、あるいは他人と比べてどうであるか？」を問診します。尿線途絶は「尿は一息で出るか、それとも何回かに分けて出る感じか？」などを問診します。排尿遅延に関しては、「トイレで尿を出す準備ができてから、すぐに尿が出てくるか、あるいは実際に尿が出てくるまでに以前よりも時間がかかるか？」などとわかりやすく問診します。腹圧排尿は、習慣的に腹圧をかけて排尿していることが、特に女性などでは少なからずあるので、聞き出すことが難しい症状です。「尿を出すときに息ばりますか？」などと問診します。終末滴下は、「排尿の終わりの尿の切れはどうですか？」などと問診します。

尿閉

この他に重要なものとして、急性尿閉と慢性尿閉があります[1)]。急性尿閉とは、排尿しようと持続的に試みるが排尿できない状態が急性に発症したという愁訴で、通常、恥骨上部に充満した膀胱による疼痛を伴います。一方、慢性尿閉は、ある程度、尿は出せるにもかかわらず、慢性的に、または反復して尿が排出できないという愁訴で、結果的に、少量の頻回の排尿や尿失禁という症状で表出されたり、膨満した膀胱として自覚されたりする場合があります。

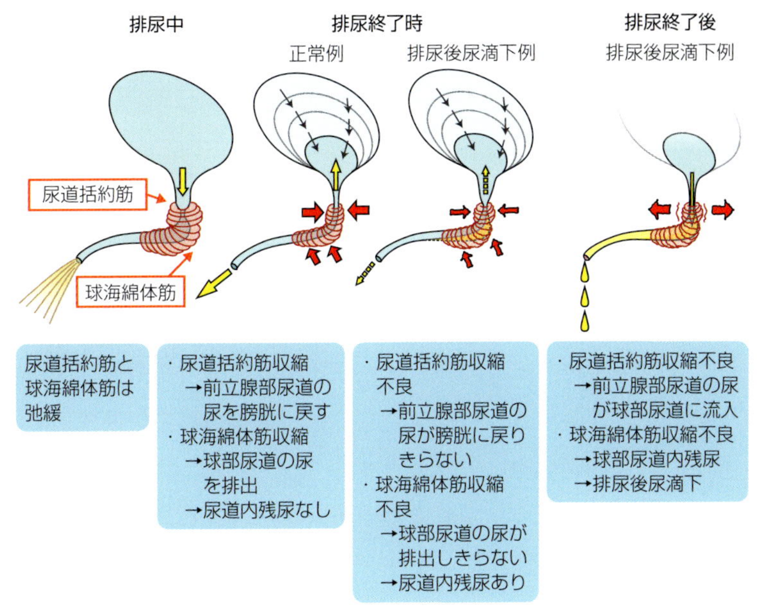

図8 排尿後尿滴下の機序

排尿後症状

排尿後症状には残尿感と排尿後尿滴下が含まれます。

残尿感

残尿感はあくまでも「残っている感じ」を指します。残尿量を反映する症状とは言いがたいことが、いくつかの研究で示されています[8~10]。

排尿後尿滴下

中年以降の男性で高率に認められる下部尿路症状です。患者は「尿が漏れる」と訴えるので、安易に「尿失禁」と診断しないことが重要です。きちんと問診すれば、切迫性、腹圧性、混合性のどのタイプの尿失禁にも当てはまらないことが明らかとなり、尿が漏れるタイミングを詳細に聴取することで排尿後尿滴下と診断できます。排尿後尿滴下の原因は図8に示した通り、球海綿体筋あるいは尿道固有横紋筋の機能低下により排尿後に球部尿道内に尿が0.5～1mL程度残り、これが漏れ出てくるものと考えられています[11]。

下部尿路痛（CHAPTER3-06 を参照）

国際禁制学会の用語基準では、この他に下部尿路痛と他の骨盤痛という項目があります[1]。このうち、膀胱痛は、「恥骨上部または恥骨後部に感じられる膀胱の痛み、圧迫感、または不快感であり、通常、膀胱充満につれて増強し、排尿後に持続することも、あるいは消退することもある」と定義されています。また、膀胱痛症候群は、「膀胱充満に関連する恥骨上部の疼痛があり、昼間頻尿・夜間頻尿などの他の症状を伴い、尿路感染症や他の明らかな病的状態が認められないもの」と定義されています。一方、本邦のガイドライン上は、間質性膀胱炎・膀胱痛症候群は、「膀胱に関連する慢性の骨盤部の疼痛、圧迫感または不快感があり、尿意亢進や頻尿などの下部尿路症状を伴い、混同しうる疾患がない状態」の総称とされています[12]。なお、間質性膀胱炎・膀胱痛症候群のうちハンナ病変のあるものをハンナ型間質性膀胱炎または間質性膀胱炎（ハンナ型）、それ以外を膀胱痛症候群と呼びます[12]。

引用・参考文献

1） 日本排尿機能学会用語委員会編．日本排尿機能学会標準用語集 第 1 版．東京，中外医学社，2020，60p.
2） 日本泌尿器科学会編．男性下部尿路症状・前立腺肥大症診療ガイドライン．東京，リッチヒルメディカル，2016，188p.
3） 本間之夫ほか．排尿に関する疫学的研究．日本排尿機能学会誌．14，2003，266-77.
4） Nakagawa, H. et al. Impact of nocturia on bone fracture and mortality in older individuals : a Japanese longitudinal cohort study. J Urol. 184, 2010, 1413-8.
5） 日本排尿機能学会過活動膀胱診療ガイドライン作成委員会編．過活動膀胱診療ガイドライン．第 2 版．東京，リッチヒルメディカル，2015，220p.
6） Gammie, A. et al. Signs and Symptoms of Detrusor Underactivity : An Analysis of Clinical Presentation and Urodynamic Tests From a Large Group of Patients Uundergoing Pressure Flow Studies. Eur Urol. 69, 2016, 361-9.
7） Yano, M. et al. A pilot study evaluating a new questionnaire for prostatic symptom scoring, the SPSS, and its sensitivity as constructed to objective measures of outflow obstruction. Int J Urol. 11, 2004, 288-94.
8） Jeffery, ST. et al. Are voiding symptoms really associated with abnormal urodynamic voiding parameters in women? Int J Urol. 15, 2008, 1044-8.
9） Dietz, HP. et al. Symptoms of voiding dysfunction : what do they really mean? Int Urogynecol J Pelvic Floor Disfunct. 16, 2005, 52-5.
10） Al-Shahrani, M. et al. Do subjective symptoms of obstructive voiding correlate with post-void residual urine volume in women? Int Urogynecol J Pelvic Floor Disfunct. 16, 2005, 12-4.
11） Stephenson, TP. et al. Urodynamic study of 15 patients with postmicturition dribble. Urology. 9, 1977, 404-6.
12） 日本間質性膀胱炎研究会・日本泌尿器科学会編．間質性膀胱炎・膀胱痛症候群診療ガイドライン．東京，リッチヒル・メディカル，2019，104p.

下部尿路症状の疫学とQOL

行田総合病院 泌尿器科 / 埼玉医科大学医学部 泌尿器科学講座 教授　**朝倉博孝**　行田総合病院 副院長　**林 暁**

Point

❶ 本邦における40歳以上男性の下部尿路症状を有する割合は、夜間頻尿、昼間頻尿が特に多い。
❷ 本邦における40歳以上女性の下部尿路症状を有する割合は、男性と同じく夜間頻尿、昼間頻尿が特に多く、次いで尿勢低下と腹圧性尿失禁の順となっている。
❸ 夜間頻尿は、加齢とともにその有病率は増加し、若年者で10〜30%、高齢者で40〜80%である。危険因子として、加齢、高血圧、糖尿病、脳血管障害、肥満、睡眠薬が想定されている。
❹ 尿失禁のタイプ別頻度は、男性では切迫性尿失禁（urgency incontinence：UUI）>混合性尿失禁（mixed urinary incontinence：MUI）>腹圧性尿失禁（stress urinary incontinence：SUI）、女性ではSUI > MUI > UUIである。
❺ 尿失禁の危険因子には、加齢、肥満、認知症、糖尿病などがあり、性別に特有のものとして、男性では前立腺摘出後、女性では妊娠、子宮摘出、分娩形式がある。
❻ 排尿症状よりも、蓄尿症状のほうがQOLを損ないやすい。

疫学

国民生活基礎調査・外来通院患者の実態（2019年度版）

現在公表されている国民生活基礎調査（厚生労働省ホームページ）より（表1）[1]、外来通院患者の通院理由となった疾患あるいは症状のデータを抽出し、本邦における外来通院患者の泌尿器科領域の疾患・症状についてまとめました。

疾患全体で見ると、65歳以上では男性・女性ともに高血圧がトップで、泌尿器科疾患では唯一、前立腺肥大症がランクインしており、男性全体では7位、65歳以上の男性に限定すると5位でした（表2）[1]。

今回の調査では、「熱がある」「腰痛」「目のかすみ」など合計40項目について検討されていますが、泌尿器科領域の症状として問われているのは、①頻尿、②尿が出にく

表1 2019年 国民生活基礎調査の症状項目（文献1より作成）

熱がある	食欲不振
体がだるい	腹痛・胃痛
眠れない	痔による痛み・出血など
いらいらしやすい	歯が痛い
もの忘れする	歯ぐきの腫れ・出血
頭痛	噛みにくい
めまい	発疹（蕁麻疹・できものなど）
目のかすみ	かゆみ（湿疹・水虫など）
物を見づらい	肩こり
耳鳴りがする	腰痛
聞こえにくい	手足の関節が痛む
動悸	手足の動きが悪い
息切れ	手足の痺れ
前胸部に痛みがある	手足が冷える
咳や痰が出る	足のむくみやだるさ
鼻がつまる・鼻汁が出る	尿が出にくい・排尿時痛
ゼイゼイする	頻尿（尿の出る回数が多い）
胃のもたれ・胸やけ	尿失禁（尿が漏れる）
下痢	月経不順・月経痛
便秘	骨折・捻挫・脱臼

表2 疾患別外来通院理由（文献1より作成）

（1,000人あたりの人数）

順位	総数				男性				女性			
	総数		65歳以上		総数		65歳以上		総数		65歳以上	
	世帯人数	123,873	世帯人数	37,631	世帯人数	59,809	世帯人数	16,914	世帯人数	64,064	世帯人数	20,667
	通院あり	50,045 (404.0)	通院あり	25,948 (689.6)	通院あり	23,214 (388.1)	通院あり	11,752 (692.8)	通院あり	26,831 (418.8)	通院あり	14,190 (686.9)
1	高血圧症	15,615 (126.1)	高血圧症	11,142 (296.1)	高血圧症	7,755 (129.7)	高血圧症	5,103 (300.8)	高血圧症	7,860 (122.7)	高血圧症	6,039 (292.2)
2	歯の病気	6,687 (54.0)	眼の病気	5,015 (133.3)	糖尿病	3,757 (62.8)	糖尿病	2,440 (143.9)	脂質異常症	4,002 (62.5)	眼の病気	3,003 (145.3)
3	眼の病気	6,658 (53.7)	糖尿病	4,218 (112.1)	歯の病気	2,943 (49.2)	眼の病気	2,012 (118.6)	眼の病気	3,900 (60.9)	脂質異常症	2,779 (134.5)
4	脂質異常症	6,630 (53.5)	脂質異常症	4,181 (111.1)	眼の病気	2,758 (46.1)	腰痛症	1,529 (90.2)	歯の病気	3,744 (58.4)	腰痛症	2,310 (111.8)
5	糖尿病	6,183 (49.9)	腰痛症	3,840 (102.0)	脂質異常症	2,628 (43.9)	前立腺肥大症	1,467 (86.5)	腰痛症	3,487 (54.4)	骨粗鬆症	1,967 (95.2)
6	腰痛症	5,937 (47.9)	歯の病気	3,159 (83.9)	腰痛症	2,450 (41.0)	歯の病気	1,403 (82.7)	糖尿病	2,427 (37.9)	糖尿病	1,778 (86.0)
7	その他	3,285 (26.5)	骨粗鬆症	2,103 (55.9)	前立腺肥大症	1,616 (27.0)	脂質異常症	1,402 (82.7)	骨粗鬆症	2,156 (33.7)	歯の病気	1,756 (85.0)

表3 症状別外来通院理由（文献1より作成）

（1,000人あたりの人数）

順位	総数	人数	65歳以上	人数
	世帯人数	123,873		37,631
	自覚症状あり	37,571 (302.5)	自覚症状あり	163,616 (433.6)
1	腰痛	12,710 (102.6)	腰痛	6,549 (174.0)
2	肩こり	10,711 (86.5)	手足の関節が痛む	4,120 (109.5)
3	手足の関節が痛む	6,949 (56.1)	肩こり	3,929 (109.5)
4	鼻がつまる・鼻汁が出る	6,216 (50.2)	聞こえにくい	3,306 (87.9)
5	咳や痰が出る	6,102 (49.2)	目のかすみ	3,187 (84.7)
6	体がだるい	5,713 (46.1)	頻尿	3,132 (83.2)
7	目のかすみ	5,215 (42.1)	もの忘れ	2,950 (78.2)

表4 泌尿器科症状別外来通院理由（文献 1 より作成） （1,000 人あたりの人数）

	男性		女性	
	人数（全体）	人数（65 歳以上）	人数（全体）	人数（65 歳以上）
最頻症状 人数（1,000 人あたり）	腰痛 5,452（91.3）	腰痛 2,760（162.7）	肩こり 7,289（113.8）	腰痛 3,789（183.3）
尿が出にくい・排尿時痛	707（11.8）	564（33.2）	305（4.8）	208（10.1）
頻尿	2,325（38.9）	1,837（108.3）	1,766（27.6）	1,295（62.7）
尿失禁	555（9.3）	483（28.5）	1,106（17.3）	896（43.4）

い・排尿時痛、③尿失禁の 3 つの症状でした。男女合わせて全体の 65 歳以上の患者を対象にすると、唯一頻尿のみが 6 位にランクインされていました（表3）[1]。前述の 3 つの泌尿器科関連症状のみを抽出して検討すると、男性では 1 位：頻尿、2 位：尿が出にくい・排尿時痛、3 位：尿失禁、女性では、1 位は同様に頻尿、2 位：尿失禁、3 位：尿が出にくい・排尿時痛となっていました。以上より、男女問わず頻尿で困っている人が多く、次いで男性では排尿困難（前立腺肥大症を示唆するものと思われます）、女性では尿失禁の訴えが多いことがわかりました（表4）[1]。

下部尿路症状の疫学調査

日本国内での報告

下部尿路症状に関する大規模な疫学調査としては、2002〜2003 年に日本排尿機能学会で実施した、全国 40 歳以上の男女 4,480 人を解析対象者とした集団ベース疫学調査があります[2]。男性では夜間頻尿（1 回以上：71.7%）、昼間頻尿（8 回以上：51.7%）、尿勢低下（週 1 回以上：37.0%）、残尿感（週 1 回以上 26.3%）、尿意切迫感（週 1 回以上 15.8%）、切迫性尿失禁（週 1 回以上：7.3%）の順で多く、女性でも男性と同様に夜間頻尿（1 回以上：66.9%）、昼間頻尿（8 回以上：48.7%）と多く、ついで尿勢低下（週 1 回以上：66.9%）と腹圧性尿失禁（週 1 回以上：12.6%）の順でした（表5）[1]。

このように、男性、女性ともに最も多かったのは夜間頻尿で、男性のほうが頻度が高いという結果でした。過活動膀胱症状（排尿回数：1 日 8 回以上、尿意切迫感：週 1 回以上）は、全体で 12.4% にみられ、男性（14.3%）は女性（10.8%）より高かったです。

海外での報告

一方、欧米 5 ヵ国の EPIC study[3] データ（2005 年）では、18 歳以上の 19,165 例の集計で、女性 66.6%、男性 62.5% が何らかの下部尿路症状を有していました。蓄尿症状は女性 59.2%、男性 51.3% と女性に多く、排尿症状は女性 19.5%、男性 62.5%、排尿後症状は女性 14.2%、男性 16.9% と女性のほうが少なかったです。男女とも、最も頻度の高

表5 下部尿路症状の頻度（本邦の疫学調査）（文献1より作成）　(%)

	週1回以上			1日1回以上		
	男性	女性	全体	男性	女性	全体
夜間頻尿				71.7	66.9	69.2
尿意切迫感	15.8	12.5	14.0	8.7	7.4	8.0
切迫性尿失禁	7.3	10.0	8.9	4.5	5.7	5.3
腹圧性尿失禁	3.0	12.6	8.0	1.6	6.1	3.9
尿勢低下	37.0	18.1	27.0	27.9	12.5	19.8
残尿感	2.4	10.3	17.8	18.0	6.6	12.0
膀胱痛	2.4	2.1	2.2	1.1	0.9	1.0

い症状は夜間頻尿（1回以上）で、女性54.5%、男性48.6%（2回以上では女性24.0%、男性20.9%）、次に頻度の高い下部尿路症状は尿意切迫感で、女性12.8%、男性10.8%でした。尿失禁は女性13.1%、男性5.4%と女性に多く、女性尿失禁の約半数（48.9%）を腹圧性尿失禁が占めていました。男性では、すべての下部尿路症状の頻度が加齢とともに上昇しました。2007～2008年に、欧米3ヵ国でインターネットを用いて行われた集団ベースの大規模疫学調査、EpiLUTS study[4]では、40歳以上を対象とした30,000例の解析が行われ、下部尿路症状がときどき以上あるが女性76.3%、男性72.3%、しばしば以上あるが女性52.5%、男性47.9%という結果でした。

頻度の高い夜間頻尿について、一貫して報告されているのは、夜間頻尿の頻度は年齢とともに急上昇すること、QOLに悪影響を与えること、さまざまなリスク因子と関連があることです。有病率は、報告者や対象者により異なりますが、若年者で10～30%、高齢者で40～80%です。

フィンランドにおける50～70歳の男性を10年間追跡した報告では、この間に夜間頻尿の頻度が56%から74%に上昇したとされています[5]。年間約10%の割合で1回以上の夜間頻尿が新たに出現し、重度（3回以上）の夜間頻尿は後期高齢者で特に急激に上昇します[2]。その他の縦断的研究においても、夜間頻尿の新規出現や既存の夜間頻尿の消失などの変動がみられるものの、時間の経過に従って、夜間頻尿の頻度と程度の増悪が観察されています[6]。

夜間頻尿のリスク因子の候補として、年齢、高血圧、糖尿病、脳血管障害、利尿剤の使用、心疾患、腎泌尿器科疾患、肥満、睡眠障害などがあります。

尿失禁について

コミュニティベースの研究では、一貫して男性の尿失禁の有病率は女性より低く、1：2の割合です[7]。

男性の尿失禁の有病率

男性の尿失禁の有病率は1～40%です[8, 9]。尿失禁のタイプ別頻度は、切迫性尿失禁40～80%、混合性尿失禁10～30%、腹圧性尿失禁10%未満でした[10]。すなわち、UUI ＞ MUI ＞ SUIの順です。尿失禁のない男性77名で尿失禁の罹患率を調査したところ、42ヵ月間で38%が罹患し、そのうち60歳以上では、12ヵ月間で9～10%が罹患していました。男性の尿失禁の寛解率は女性よりも高く、男性27～32%, 女性11～13%でした[10]。男性の寛解率が高い理由としては、切迫性尿失禁が多く、過活動膀胱の自然寛解の可能性が挙げられます。また、前立腺肥大症、尿路感染症、消化管機能不全も尿失禁と関連があり、これら関連疾患に対する治療が影響していると考えられます。

女性の尿失禁の有病率

一方、女性の尿失禁の有病率は25～45%です。腹圧性尿失禁が10～39%、混合性尿失禁7.5～25%、切迫性尿失禁は低く、1～7%です。各国をとおして、女性の尿失禁のタイプはSUI ＞ MUI ＞ UUIの順です。このように、男性と女性では、尿失禁のタイプ別頻度は異なります。

女性の尿失禁の有病率は、少なくとも過去1年間で1回でも経験している場合という緩い定義では、5～69%と報告されています[11]。対象となる集団より、有病率にかなり巾があります。年間の尿失禁の罹患率は0.9～18.8%です。観察対象期間とその報告される年間罹患率には負の相関関係があり、1～2年の短い研究では罹患率は過大評価されることが多いです。女性の尿失禁の寛解率についての報告は少なく、2.1～42%であり、5年以上のフォローアップに限定すると寛解率は2.1～5.0とも報告されています[11]。

男性の尿失禁のリスク因子

リスク因子は確定されていませんが、加齢、他の下部尿路症状の存在、尿路感染症、機能的障害・認知症、糖尿病、アルコール摂取、肥満、神経疾患、前立腺摘出術が挙げられています。

前立腺全摘後の尿失禁は、男性の腹圧性尿失禁の代表的なもので、その頻度は2～57%です。この場合の尿失禁は、術後経過とともに減少し、1～2年でほぼプラトーに達します。開腹術・腹腔鏡・ロボット支援手術の術式間の尿禁制率には有意な差はありません。英国の最近のコホート研究では、脳卒中・一過性脳虚血発作と診断された男性は切迫性尿失禁が多い（OR2.6, CI 1.4-4.8）[12]と報告されています。

女性の尿失禁のリスク因子

次のものが可能性として報告されています。

●年齢

EPINCONT study より、中等度～高度の尿失禁は、加齢とともに頻度が上昇し、閉経期に若干のピークがあります。この 50～60 代のピークは、縦断的研究によりホルモン補充療法の影響とされています。大部分の横断的研究より、腹圧性尿失禁は加齢とともに低下し、混合性尿失禁が増加することが示されています[13, 14]。しかし、縦断的研究では、罹患率における加齢による影響を示す明瞭なエビデンスはなく、年齢と女性の尿失禁は、独立した関連ではないともされます。年齢に関連した他の因子には経産歴、併存疾患、BMI などがあり、年齢が尿失禁に強く関連していない可能性があります[15]。

●肥満

多くの横断的・縦断的・介入研究で BMI と尿失禁は正の関連を示し、確固たる証拠があるとされています[16]。

●出産歴

出産歴と腹圧性尿失禁、混合性尿失禁は関連があり[17, 18]、切迫性尿失禁にも少なからず関連があります[19]。また、妊娠そのものが尿失禁のリスク因子とされ、尿失禁の有病率は、妊娠初期に低く、中期で急上昇し、晩期でわずかに増加するとされています[20]。

●子宮摘出

腹圧性尿失禁手術を必要としたスウェーデン人口登録からの 9,000,000 以上の女性サンプルを用いた研究では、腹式子宮摘出後もしくは腟式子宮摘出後に腹圧性尿失禁手術を施行した場合のハザード比は 2.1：6.3 との報告[21]があり、子宮摘出と尿失禁の増加には関連があります。

●カフェイン、アルコール

カフェイン、アルコール摂取と尿失禁の関連性は報告されていますが、一貫性はありません。

●社会経済状態

尿失禁に対する他の危険因子（経産歴、BMI、糖尿病、鬱病、喫煙、閉経時期）と強い相関があります。互いに交絡因子である可能性が高く、報告に一貫性はありません。一般的に、高い社会経済状態（収入、教育度の高さ）は、尿失禁の有病率と正の相関があるとされます。

●喫煙

矛盾するデータが多く、横断的研究によると、喫煙は尿失禁に対して独立したリスク因子[22]ですが、縦断的研究によると、有病率と有意な関連は示されていません。

●運動

体操[23, 24]などの強い衝撃運動は腹圧性尿失禁を誘発し、運動依存性に強い影響があるとされます。一方、体幹トレーニングは尿失禁に対する治療として有効であるという報告もあります[25)]。

●併存疾患

糖尿病、尿路感染症、認知症、虚血性心疾患、後遺症（身体能力障害）、鬱病がリスク因子として報告されています。

●人種差

一般的に白人女性は、黒人よりも高い尿失禁の有病率を示し、黒人の腹圧性尿失禁の有病率は白人の約半分です。アジア女性は、白人に比較して腹圧性尿失禁、切迫性尿失禁は低い有病率であると報告されています[11)]。縦断的研究であるSWAN study[18)]では、黒人女性の腹圧性尿失禁の罹患率は半分であるものの、切迫性尿失禁の罹患率は2倍であったと報告されています。

QOL

一般的に蓄尿症状は、排尿症状や排尿後症状と比較してQOLを障害するといわれています[2)]。

本邦の疫学調査では、下部尿路症状で生活に影響があったのは14.7%であり、心の健康（10.2%）、活力（10.1%）、身体的活動（7.1%）、家事・仕事（5.9%）、社会活動（4.0%）と広く影響がみられました。これらの問題を抱える割合は、夜間頻尿、昼間頻尿、腹圧性尿失禁、尿意切迫感、切迫性尿失禁、尿勢低下の順となっていました。男女別では、男性が最も困る症状は夜間頻尿で、女性で最も困る症状は夜間頻尿と腹圧性尿失禁が同程度でした。また男性と比べて、腹圧性尿失禁と切迫性尿失禁が最も困るという割合も高かったと報告されています[2)]。

引用・参考文献

1) 厚生労働省. 2019年 国民生活基礎調査の概況. https://www.mhlw.go.jp/toukei/saikin/hw/k-tyosa/k-tyosa19/index.html（2023.7月閲覧）
2) 本間之夫ほか. 排尿に関する疫学的研究. 日本排尿機能学会誌. 14（2）, 2003, 266-77.
3) Irwin, DE. et al. Population-based survey of urinary incontinence, overactive bladder, and other lower urinary tract symptoms in five countries: results of the EPIC study. Eur Urol. 50（6）, 2006, 1306-15.
4) Coyne, KS. et al. The prevalence of lower urinary tract symptoms（UTS）in the USA, the UK and Sewden : results from the Epidemiology of LUTS（EpiLUTS）study. BJU Int. 104（3）, 2009, 352-60.
5) Hakkinen, JT. et al. Incidence of nocturia in 50 to 80-year-old Finnish men. J Urol. 176（6 Pt 1）, 2006, 2541-5.
6) Hirayama, A. et al. Evaluation of factors influencing the natural history of nocturia in elderly subjects : results of the Fujiwara-kyo Study. J Urol. 189（3）, 2013, 980-6.
7) Lee, DM. et al. Urinary Incontinence and sexual health in a population sample of older people. BJU Int. 122（2）, 2018, 300-8.
8) Thom, D. Variations in estimated of urinary incontinence prevalence in the community : effects of differences in definitions, population characteristics, and study type. J Am Geriatr Soc. 46（4）, 1998, 473-80.

9) Shamiyan, TA. et al. Male Urinary incontinence : prevalence, risk factors, and preventive interventions. Rev Urol. 11 (3), 2009, 145-65.

10) H erzong, AR. et al. Prevalence and incidence of urinary incontinence in community-dwelling populations, J Am Geriatr Soc. 38 (3), 1990, 273-88.

11) Cardozo, L. et al. "incidence and remission", Incontinence. 7th ed. 2023, 31-2.

12) Tsui, A. et. al. Vascular risk factors for male and female urgency urinary incontinence at age 68 years from a British birth cohort study. BJU Int. 122 (1), 2018, 118-25.

13) Hannestad, YS. et al. A community-based epidemiological survey of female urinary incontinence : the Norwegian EPINCONT study. Epidemiology of Incontinence in the County of Nord-Trøndelag. J Clin Epidemiol. 53 (11), 2000, 1150-7.

14) Simeonova, Z. et al. The prevalence of urinary incontinence and its influence on the quality of life women from an urban Swedish population. Acta Obstet Gynecol Scand. 78 (6), 1999, 546-51.

15) Grodstein, F. et al. Association of age, race, and obstetric history with urinary symptoms among women in the Nurses' Health Study. Am J Obstet Gynecol. 189 (2), 2003, 428-34.

16) Hunskaar, SA. A systemati review of overweight and obesity as risk factors and targets for clinical intervention for urinary incontinence in women. Neurourol Urodyn. 27 (8), 2008, 749-57.

17) Rortveit, G. et al. Age-and type-dependent effects of parity on urinary incontinence : the Norwegian EPINCONT study. Obstet Gynecol. 98 (6), 2001, 1004-10.

18) Donaldson, MM, et al. The natural history of overactive bladder and stress urinary incontinence in older women in the community : a 3-year prospective cohort study. Neurourol Urodyn. 25 (7), 2006, 709-16.

19) Lukacz, et al. Parity, mode of delivery, and pelvic floor disorders. Obstet Gynecol. 107 (6), 2006, 1253-60.

20) Marchall, K. et al. Incidence of urinary incontinence and constipation during pregnancy and postpartum : survey of current findings at the Rotuna Lying-In Hospital. Br J Obstet Gynaecol. 105 (4), 1998, 400-2.

21) Heliövaara-Peippo, S. The effect of hysterectomy or levonorgestrel-releasing intrauterine system on lower urinary tract symptoms: a 10-year follow-up study of a randomised trial. BJOG. 117 (5), 2010, 602-9.

22) Sampselle, CM. et al. Urinary incontinence predictros and life impact in ethnically diverse perimenopausal women. Obstet Gynecol. 100 (6), 2022, 1230-8.

23) Nygaard, IE. et al. Urinary incontinence in elite nulliparous athletes. Obstet Gynecol. 84 (2), 1994, 183-7.

24) Eliasson, K. et al. Urinary incontinence in very young and mostly nulliparous women with a history of regular organised high-impact trampoline training: occurrence and risk factors. Int Urogynecol J Pelvic Floor Dysfunct. 19 (5), 2008, 687-96.

25) Bø, K. et al. Evidence for benefit of transversus abdominis training alone or in combination with pelvic floor muscle training to treat female urinary incontinence : A systematic review. Neurourol Urodyn. 28 (5), 2009, 368-73.

問診と諸検査

東邦大学医療センター大橋病院 泌尿器科 教授 **関戸哲利**

Point

【服薬・既往歴などの問診】
薬剤性下部尿路機能障害、泌尿器科にコンサルテーションすべき病態を除外。
【下部尿路機能障害に対する検査】
❶ 腹部の理学的所見で尿閉の有無を評価する。
❷ 尿検査によって尿路感染症、血尿をきたす病態を除外する（図1）。
❸ 排尿日誌によって、膀胱容量低下、多尿、夜間多尿の有無を評価する。
❹ 残尿測定によって、排尿（尿排出）機能障害の有無を評価する。
❺ 問診と以上の検査によって、蓄尿機能障害と尿排出機能障害のどちらが主体かを診断する。それぞれの機能障害を生じ得る病態を表1に示した（CHAPTER3 を参照）。
❻ 認知機能障害や ADL 不良例では機能性の下部尿路機能障害が主体となる場合があることを念頭に置く必要がある（CHAPTER3-09 を参照）。
❼ 確定診断をつける必要がある場合、病態が複雑あるいは初期治療が奏効しない場合には、専門的評価（図2）を実施する。

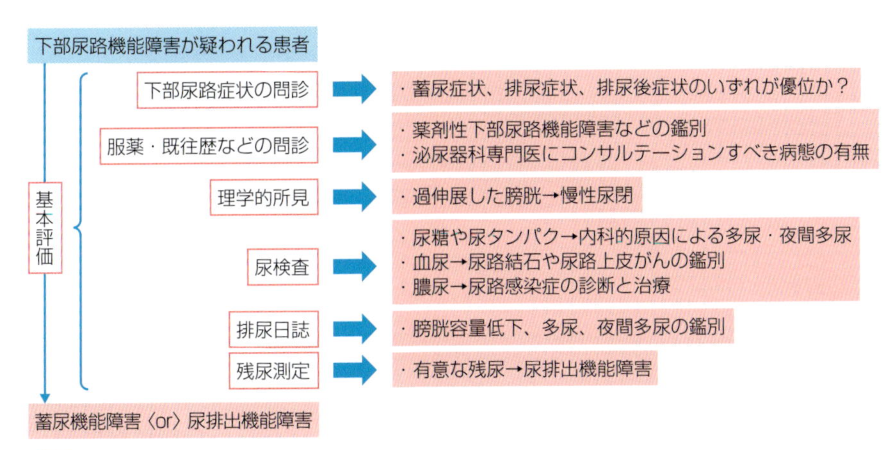

図1 基本評価
図の評価に加えて、中高年男性では前立腺がんの腫瘍マーカーである前立腺特異抗原（PSA）をチェックすることが望ましい。

表1 下部尿路機能障害と病態との関係

蓄尿機能障害が主体	尿排出機能障害が主体	蓄尿＋尿排出機能障害
・核上型・橋上型神経因性下部尿路機能障害 ・特発性過活動膀胱 ・切迫性・腹圧性・混合性尿失禁 ・間質性膀胱炎	・核・核下型神経因性下部尿路機能障害* ・慢性尿閉・溢流性尿失禁	・核上型・橋下型神経因性下部尿路機能障害** ・骨盤臓器脱 ・膀胱出口部閉塞 前立腺肥大症 膀胱頸部狭窄 尿道狭窄

※神経因性膀胱は現在、神経因性下部尿路機能障害が正式名称である。
＊低コンプライアンス膀胱に非弛緩性尿道括約筋が合併している場合には蓄尿＋尿排出機能障害をきたし得る。
一方、尿道括約筋不全（内因性括約筋不全）が優位な場合には蓄尿機能障害が主体となり得る。
＊＊排尿筋括約筋協調不全が軽度な場合には蓄尿機能障害が主体となり得る。

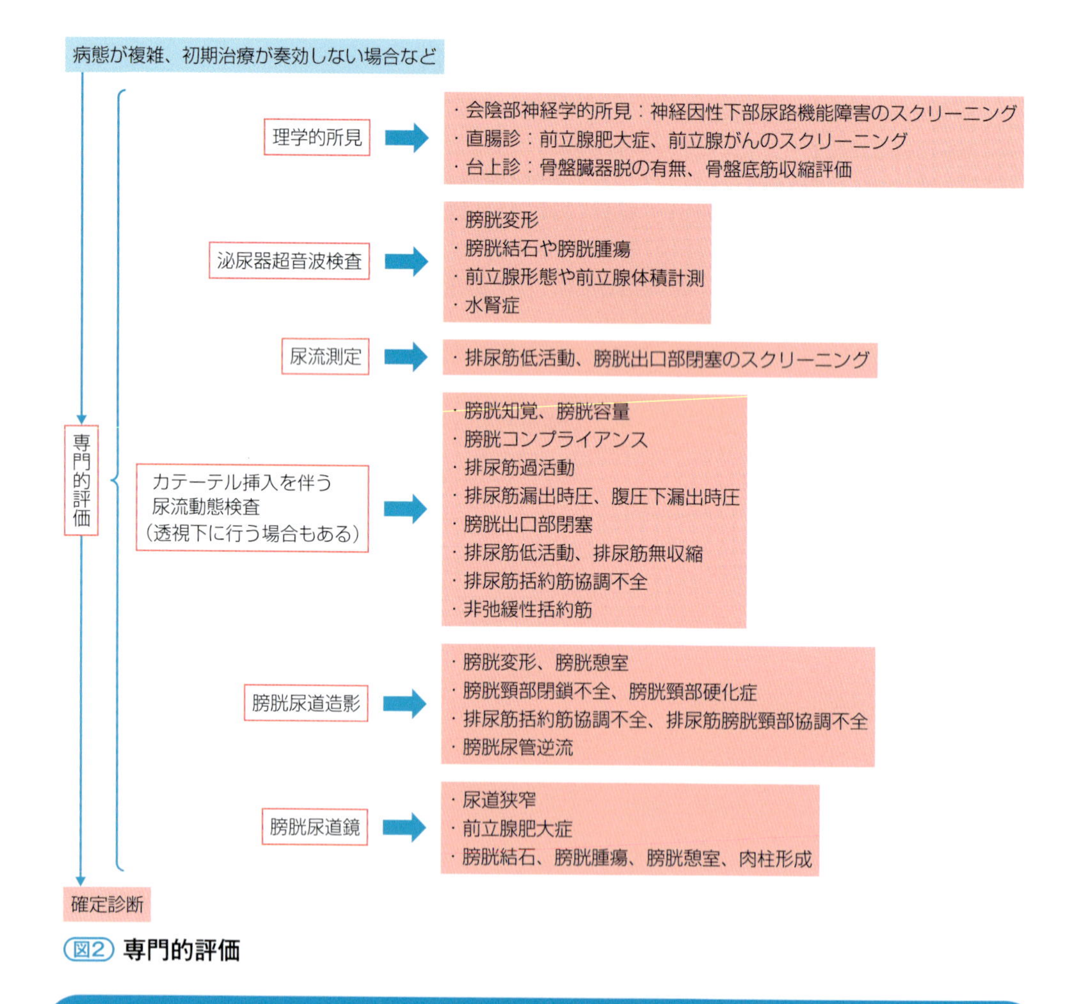

図2 専門的評価

服薬・既往歴などの問診

下部尿路機能に影響を与える可能性のある薬剤（表2）[1] のほか、既往歴も聴取します（表3）（CHAPTER4-02も参照）。また、高齢男性では、飲酒後の急性尿閉のリスクがあります。

表2 薬剤性の下部尿路機能障害の原因となり得る薬剤（文献1より改変）

尿排出機能障害を起こす可能性のある薬剤	蓄尿機能障害を起こす可能性のある薬剤
オピオイド 筋弛緩薬 ビンカアルカロイド系薬剤 頻尿・尿失禁・過活動膀胱治療薬 鎮痙薬 消化性潰瘍治療薬 抗不整脈薬 抗アレルギー薬 抗精神病薬 抗不安薬 三環系抗うつ薬 抗パーキンソン病薬 抗めまい・メニエール病薬 中枢性筋弛緩薬 気管支拡張薬 総合感冒薬 低血圧治療薬 抗肥満薬	抗不安薬 中枢性筋弛緩薬 抗がん薬 アルツハイマー型認知症治療薬 抗アレルギー薬 交感神経α受容体遮断薬 狭心症治療薬 コリン作動薬 勃起障害治療薬 抗男性ホルモン薬 SGLT2 阻害薬

表3 注意すべき既往歴

既往歴		病態や疾患	泌尿器科専門医へのコンサルテーションの必要性
肉眼的血尿		尿路結石、膀胱腫瘍など	○
尿閉		高度の尿排出機能障害	○
神経系の疾患	大脳疾患	核上型・橋上型神経因性下部尿路機能障害	多系統萎縮症では○（多量の残尿への対処が必要な場合があるため）
	脊髄疾患	核上型・橋下型神経因性下部尿路機能障害	特に完全型の脊髄障害では○（完全型では高圧蓄尿による上部尿路障害のリスクが高いため）
	末梢神経障害	核・核下型神経因性下部尿路機能障害	特に完全型の末梢神経障害は○（完全型では高圧の蓄尿機能障害や腹圧排尿による高圧の尿排出機能障害、あるいは尿道括約筋不全（内因性括約筋不全）による重症尿失禁が生じ得るため）
再発性尿路感染症		多量の残尿、高圧の蓄尿あるいは尿排出機能障害、膀胱結石や膀胱腫瘍などの器質的疾患	○
骨盤臓器脱			腟口レベルよりも下方まで下垂するものは○
骨盤部の手術		・広汎子宮全摘術や腹会陰式直腸切断術などによる核・核下型神経因性下部尿路機能障害 ・前立腺手術による腹圧性尿失禁 ・骨盤臓器脱手術や腹圧性尿失禁後の蓄尿あるいは尿排出機能障害	○
骨盤部の放射線治療		放射線性膀胱炎	萎縮膀胱状態と考えられる場合には○

下部尿路機能障害に対する検査

理学的所見（図3）

腹部理学的所見では、尿閉による膀胱の過伸展の有無をチェックします。専門的な評価としては、会陰部の知覚検査、直腸診による肛門括約筋のトーヌス（内肛門括約筋機能）や随意的収縮（外肛門括約筋）の評価、肛門反射や球海綿体筋反射などの仙髄領域の神経学的評価を実施して、神経因性下部尿路機能障害のスクリーニングを行います（CHAPTER3-01を参照）。高齢女性では、台上診による骨盤臓器脱（CHAPTER3-05を参照）などの評価も考慮します。

尿検査

多尿や夜間多尿をきたす糖尿病（尿糖）や腎機能障害（尿タンパク）などの内科的疾患、過活動膀胱（overactive bladder：OAB）症状などをきたし得る尿路感染症（膿尿、細菌尿）、膀胱腫瘍や尿路結石（顕微鏡的血尿）などの鑑別目的に必須の検査です。

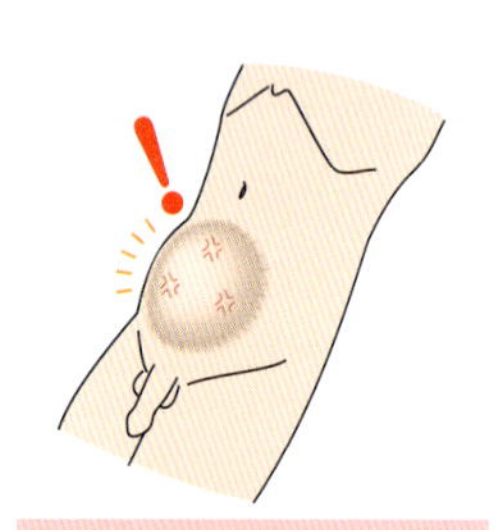

尿閉により過伸展した膀胱

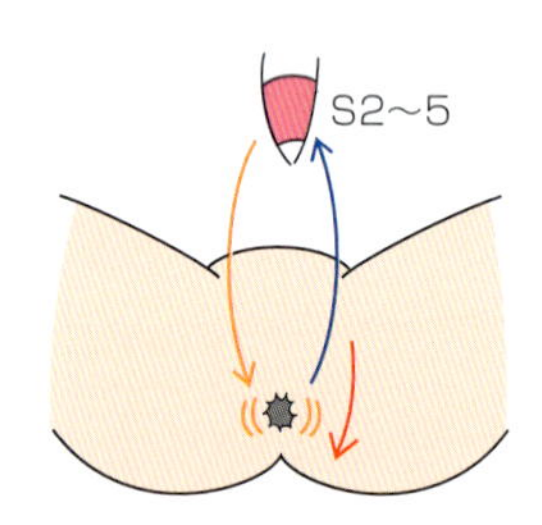

肛門反射
陰部神経 → 陰部神経：陰部神経機能
（文献3より作成）

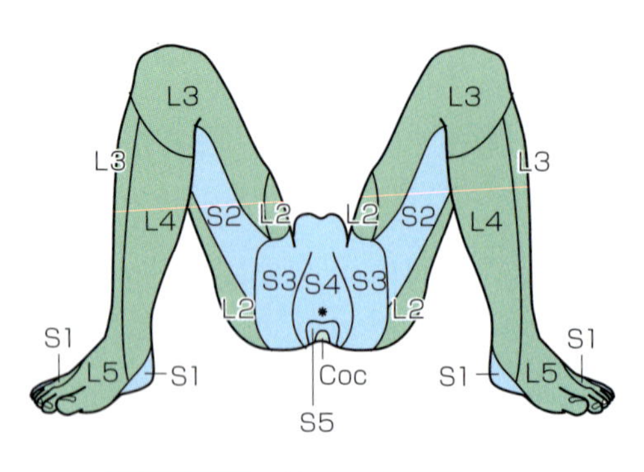

会陰部のデルマトーム
（文献2より作成）

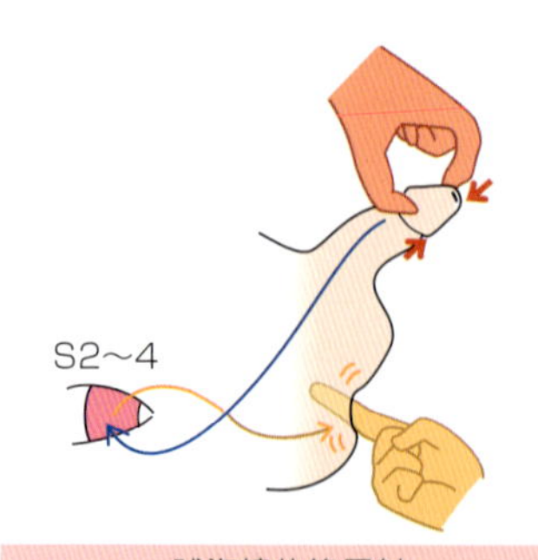

球海綿体筋反射
陰部・骨盤神経 → 仙髄排尿中枢 →
陰部神経：仙髄排尿中枢機能
（文献3より作成）

図3 理学的所見

排尿日誌（詳細は CHAPTER4-03、CHAPTER9-04 を参照）

昼間・夜間頻尿、尿意切迫感、尿失禁を有する症例では必須であり、膀胱容量低下（図4）、多尿（図5）、夜間多尿（図6）の鑑別に有効です。

残尿測定（詳細は CHAPTER4-04、CHAPTER9 を参照）

尿排出機能障害のスクリーニングとして必須の検査です。正常の残尿量は男性で50mL 未満、女性で 20～30mL 未満であり、50～100mL 以上を有意な残尿量と判断します[2]。なお、残尿量は同一症例においてもバラつきがありますので、複数回測定することが望ましいと考えられます。通常は、経腹的超音波断層法を用います。

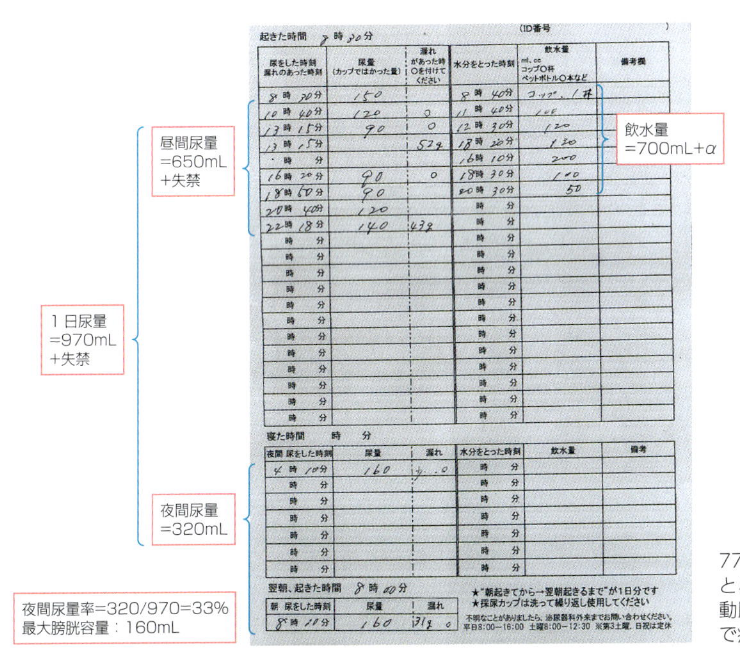

起きた時間　8時 30分　　（ID番号　　　）

尿をした時刻 漏れのあった時刻	尿量（カップではかった量）	漏れがあった時○を付けてください	水分をとった時刻	飲水量 ml、cc コップ○杯 ペットボトル○本など	備考欄
8時 30分	150		8時 40分	コップ、1杯	
10時 40分	120	○	11時 40分	100	
13時 15分	90	○	12時 30分	120	
13時 15分		52g	18時 20分	130	
・時 分			16時 10分	200	
16時 20分	90	○	18時 30分	100	
18時 60分	90		20時 30分	50	
20時 40分	120		時 分		
22時 18分	140	43g	時 分		
時 分			時 分		
時 分			時 分		
時 分			時 分		
時 分			時 分		
時 分			時 分		
時 分			時 分		
時 分			時 分		
時 分			時 分		
時 分			時 分		
時 分			時 分		
時 分			時 分		

寝た時間　時　分

夜間 尿をした時刻	尿量	漏れ	水分をとった時刻	飲水量	備考
4時 10分	160	[illegible] ○	時 分		
時 分			時 分		
時 分			時 分		
時 分			時 分		
時 分			時 分		
時 分			時 分		
時 分			時 分		

翌朝、起きた時間　8時 [illegible]分

朝 尿をした時刻	尿量	漏れ
8時 10分	160	31g ○

★"朝起きてから→翌朝起きるまで"が1日分です
★採尿カップは洗って繰り返し使用してください
不明なことがありましたら、泌尿器科外来までお問い合わせください。
平日8:00－16:00　土曜8:00－12:30　※第3土曜、日祝は定休

77 歳女性。切迫性尿失禁と昼間頻尿で受診。過活動膀胱と診断。抗コリン薬で症状改善。

図4 過活動膀胱症例の排尿日誌

昼間尿量には同日の起床後初回排尿（早朝初回排尿）が含まれず、夜間頻尿には翌日の起床後初回排尿（早朝初回排尿）が含まれる点に注意すること。

起床時間：午前、午後 8時50分
就寝時間：午前、午後 1時00分

時刻	尿量	漏れ	飲水量	備考
8時50分	600			
9時00分			120	
9時15分			130	
10時50分	400		300	
11時50分				
13時30分	150			
14時20分			300	
15時30分	300			
16時20分	300			
16時30分			500	
18時20分	400			
19時10分	400		~~900~~	
19時30分			900	
21時00分	100			
21時10分			300	
22時00分	400			
22時20分			150	
24時50分	150			
25時00分			300	
7時30分	300			
9時00分	150			9°起床
時　分				
時　分				
時　分				
時　分				

昼間尿量
=2,600mL

1日尿量
=3,050mL

夜間尿量
=450mL

飲水量
=3,000mL

夜間尿量率=450/3,050=14%
最大膀胱容量：600mL

48歳男性。夜間頻尿で受診。心房細動に対する抗血栓薬内服中。循環器内科医から飲水励行を指導された。生活指導で排尿回数は減少。

図5 多尿症例の排尿日誌

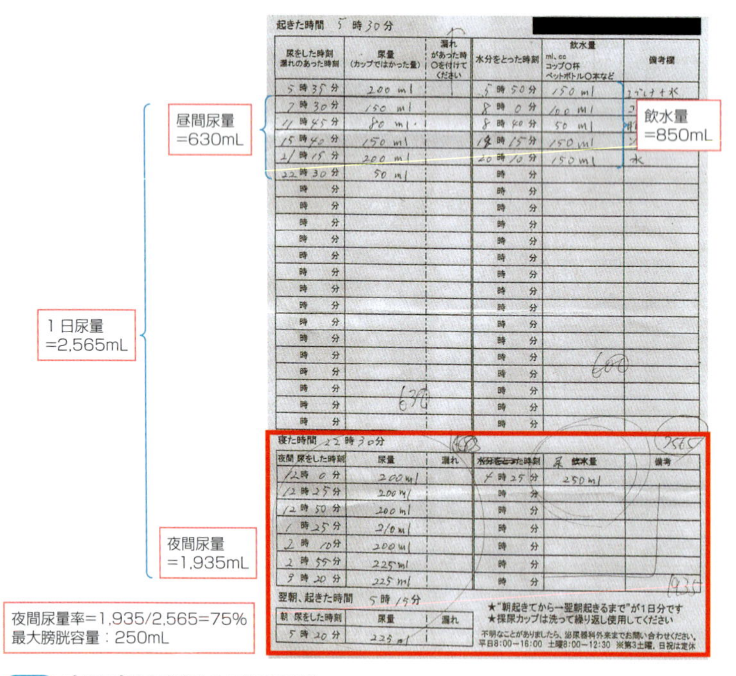

起きた時間 5時30分

尿をした時刻 漏れのあった時刻	尿量（カップではかった量）	漏れ があった時〇を付けてください	水分をとった時刻	飲水量 ml、cc コップ〇杯 ペットボトル〇本など	備考欄
5時35分	200 ml		5時50分	150 ml	コーヒー水
7時30分	150 ml		8時0分	100 ml	
11時45分	80 ml		8時40分	50 ml	
15時40分	150 ml		14時15分	150 ml	
21時15分	200 ml		20時10分	150 ml	水
22時30分	50 ml		時　分		

寝た時間 22時30分

夜間 尿をした時刻	尿量	漏れ	水分をとった時刻	飲水量	備考
12時0分	200 ml		4時25分	250 ml	
12時25分	200 ml		時　分		
12時50分	200 ml		時　分		
1時25分	210 ml		時　分		
2時10分	200 ml		時　分		
2時55分	225 ml		時　分		
3時20分	225 ml		時　分		

翌朝、起きた時間 5時15分

朝 尿をした時刻	尿量	漏れ
5時20分	225 ml	

★"朝起きてから→翌朝起きるまで"が1日分です
★採尿カップは洗って繰り返し使用してください
不明なことがありましたら、泌尿器科外来までお問い合わせください。
平日8:00−16:00 土曜8:00−12:30 ※第3土曜、日祝は定休

83歳男性。夜間頻尿で受診。最近、午後になると下腿の浮腫を自覚。循環器内科にコンサルテーションしたところ、心不全初期と診断。

図6 夜間多尿症例の排尿日誌

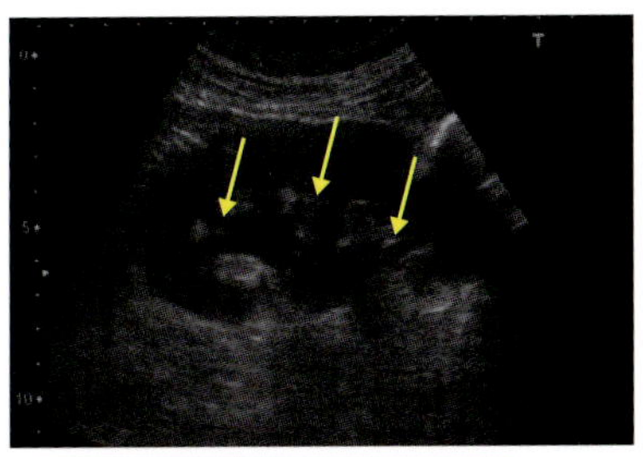

24 歳男性。神経因性下部尿路機能障害に起因する水腎症（矢印）が認められる。

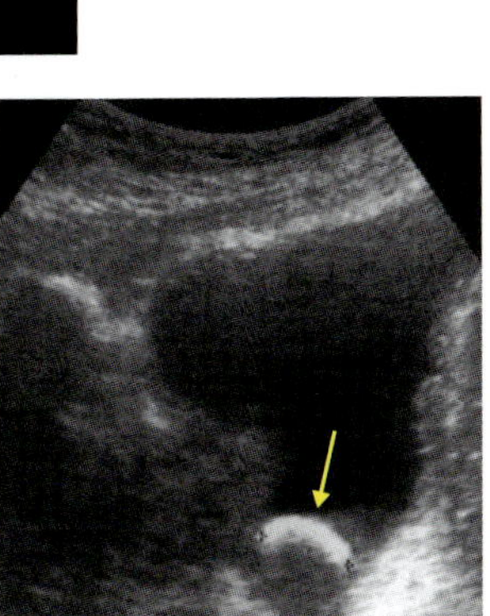

68 歳男性。前立腺肥大症に合併する膀胱結石（矢印）が認められる。

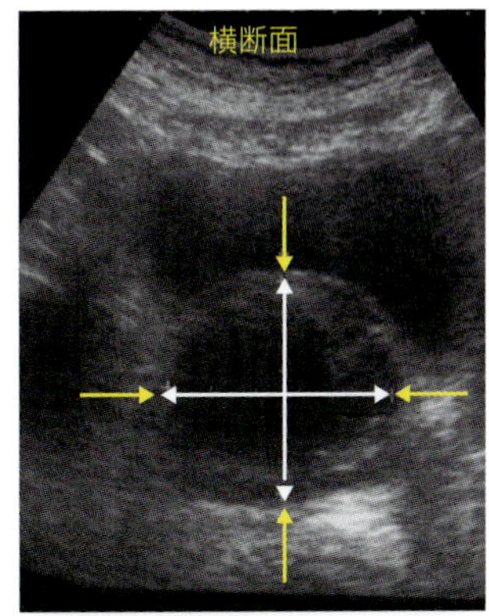

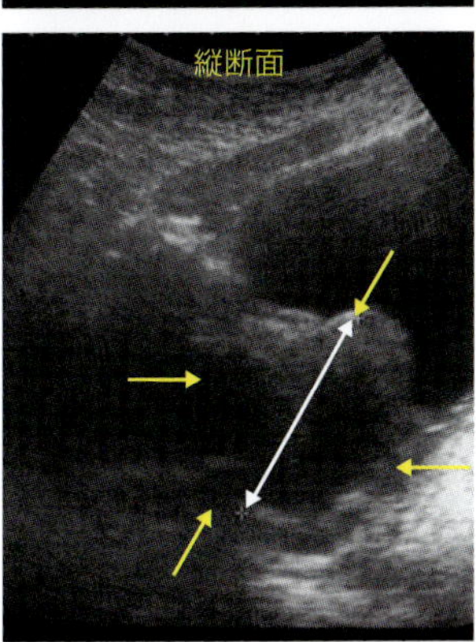

25 歳男性。神経因性下部尿路機能障害に起因する膀胱の変形（肉柱形成。矢印）が認められる。

68 歳男性。前立腺肥大症（黄色矢印で囲んだ部分）。推定前立腺体積（mL）は、横断面での横径（cm）×横断面での前後径（cm）×縦断面での頭尾側長（cm）÷2で求められる。本症例では、4.7×5.1×5.0÷2=60mLであった。

図7 泌尿器超音波検査

泌尿器超音波検査（図7）

膀胱変形、膀胱結石、膀胱腫瘍、前立腺の形態や前立腺体積、水腎症などの評価を行います。

尿流測定

尿流測定は、尿流測定装置に排尿する非侵襲的検査であり、尿排出機能障害のスクリーニングとして重要な検査です（図8）。実施に際してはプライバシーへの配慮が重要です。また、検査に伴う緊張などで通常の排尿時とはかなり異なる尿流量が記録される場合もあるために、期間を空けて複数回検査を実施したほうがベターです。さらに、排尿量が150mL以上でないと正確な尿排出機能の評価が難しいとされていますので、検査日には尿をがまんして来るようきちんと説明を行う必要があります（図9）。ただし、

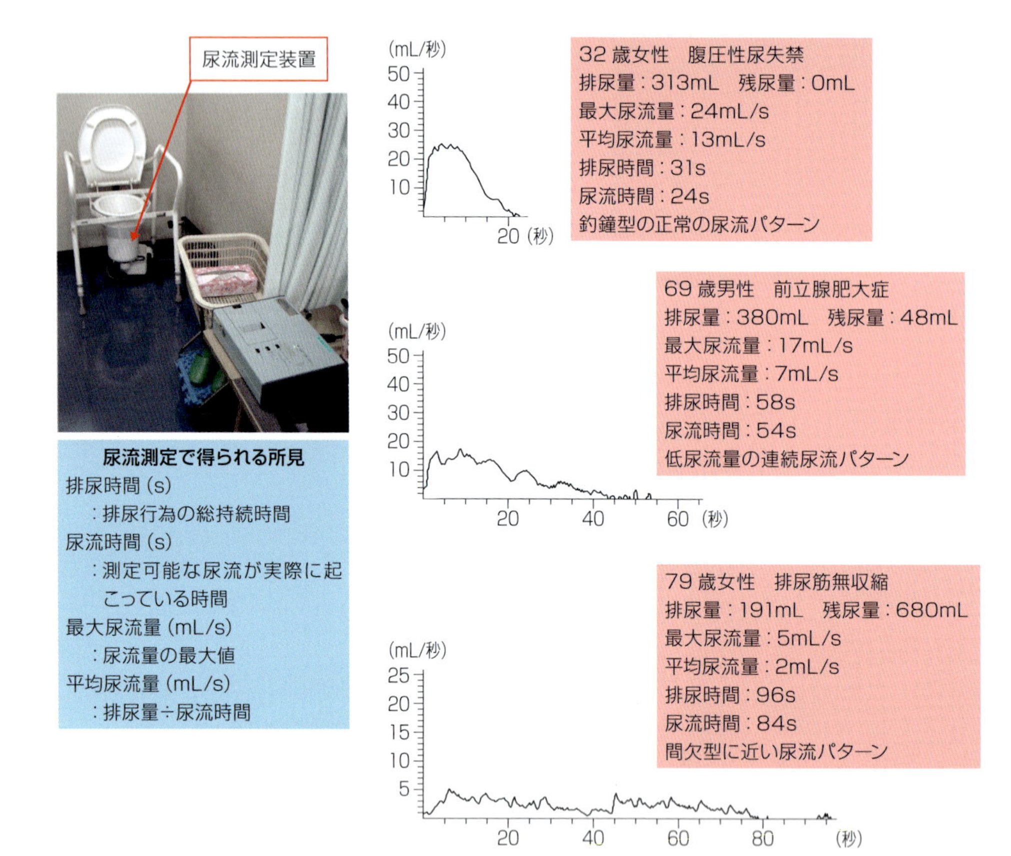

図8 **尿流測定**（文献4より改変）

高齢者あるいはOAB症状が強い症例では150mL未満の排尿量で判断せざるを得ないことが多いのも実状です。なお、排尿筋収縮障害と膀胱出口部閉塞（下部尿路閉塞）との鑑別は、尿流測定のみでは困難であり、ほかの検査所見を合わせて総合的に判断します。

カテーテル挿入を伴う尿流動態検査（urodynamic study：UDS）

カテーテル挿入を伴う侵襲的検査であり、病態が複雑あるいは難治症例においてUDSの結果が診断や治療に寄与すると考えられる場合に行われます。カテーテル挿入を伴うUDSには、尿道内圧測定と多チャンネルUDSがありますが、多チャンネルUDSについては別項を設けて解説します。具体的には以下のような場合がカテーテル挿入を伴うUDSの適応となります。

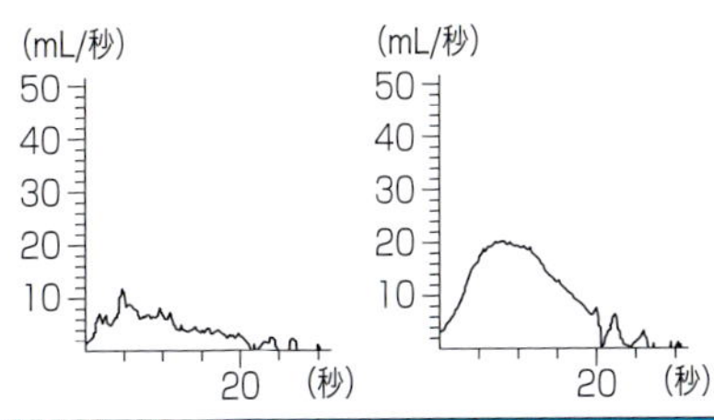

	初回尿流測定	2回目の尿流測定
排尿量（mL）	111	290
残尿量（mL）	0	38
最大尿流量（mL/s）	12	20
平均尿流量（mL/s）	4	10
排尿時間（s）	37	31
尿流時間（s）	30	31

図9 排尿量と尿流測定結果との関係

58歳男性。腰部脊柱管狭窄症に伴う神経因性下部尿路機能障害。同一患者における尿流測定所見。尿流測定時に膀胱内に貯留している尿量が少ないと尿流測定所見が不良となるため、排尿量150mL以上が望ましい。

①難治性尿失禁（膀胱側の異常 vs. 尿道側の異常）（CHAPTER3-02～03も参照）
②遷延する尿閉や多量の残尿の持続（排尿筋収縮障害 vs. 膀胱出口部閉塞）（CHAPTER3-03～04も参照）
③神経因性下部尿路機能障害症例における上部尿路障害や尿路感染症のリスク評価（高圧蓄尿・高圧排尿の有無）（CHAPTER3-01も参照）
④神経因性下部尿路機能障害症例における反射性排尿（誘発）や膀胱搾り出し排尿（用手圧迫〈クレーデ〉排尿、腹圧〈バルサルバ〉排尿）の安全性の評価（CHAPTER3-01も参照）
⑤病態が複雑な症例での侵襲的治療の適応の決定

尿道内圧測定は、尿道内圧測定用カテーテルを膀胱内まで挿入した後に、蒸留水や生理食塩水を注入しながら引き抜きつつ静止時の尿道内圧を測定する検査です（図10）。腹圧性尿失禁に対する評価として行われる場合があります。よく用いられる指標は、最大尿道閉鎖圧（尿道内圧と膀胱内圧との圧差の最大値）と機能的尿道長（女性において尿道内圧が膀胱内圧より高い部分の尿道長）です。

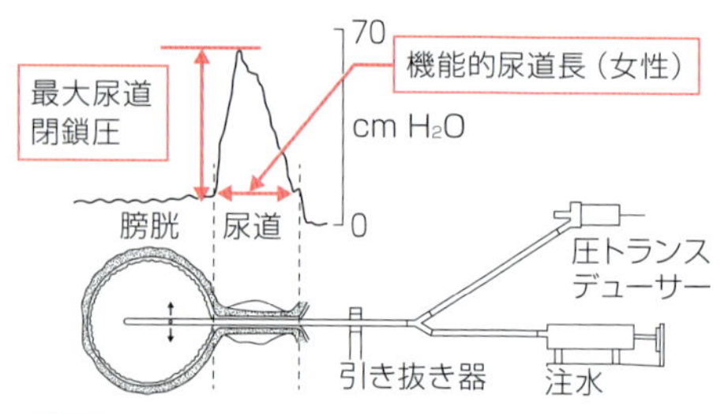

図10 **尿道内圧測定**（文献5より改変）

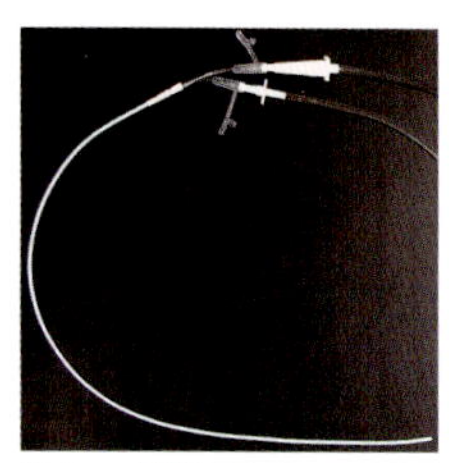
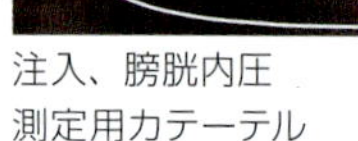
注入、膀胱内圧
測定用カテーテル

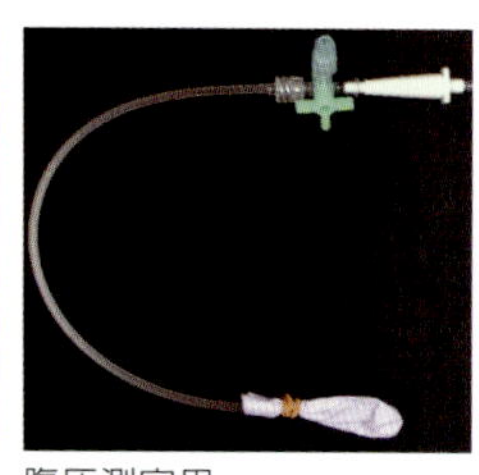
腹圧測定用
カテーテル

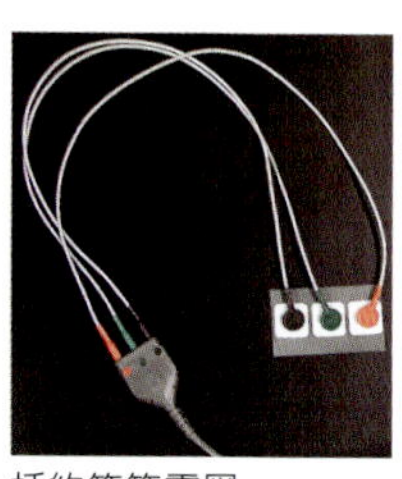
括約筋筋電図
測定用表面電極

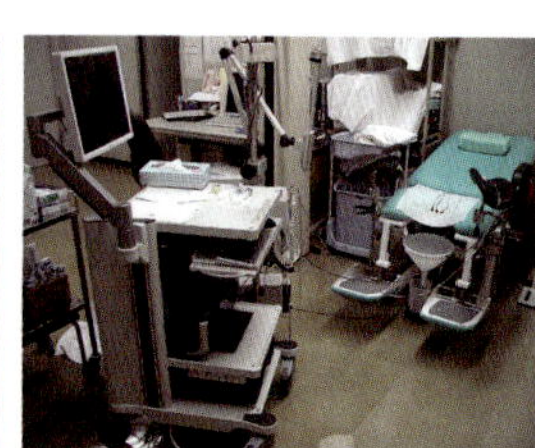
検査装置と検診台

図11 **UDSに使用するカテーテル、電極、検査装置と検診台**（文献4より改変）

多チャンネル尿流動態検査（UDS）

UDSは、一般的にはこの多チャンネルUDSのことを指します。UDSは図11のような検査装置とカテーテル、電極を用いて施行される蓄尿機能と尿排出機能の精密検査です。膀胱内圧、膀胱周囲圧（直腸内圧で代用。以後、腹圧と記載）、排尿筋圧（膀胱内圧から腹圧を引いた差圧）、括約筋筋電図、注入量、排尿量、尿流量を同時に測定します。膀胱内圧は先端付近に注入用および内圧測定用の別々の穴を有するダブルルーメンカテーテルで測定し、腹圧は直腸膨大部付近にバルーンカテーテルを留置して測定し、括約筋筋電図は表面電極あるいは針電極を用いて測定します（図12）。排尿量や尿流量は尿流測定装置を用いて測定します（図12）。形態的評価を同時に行うことを目的として透視下に実施する場合もあります。UDS所見と病態との関係を表4に示しました。

蓄尿時膀胱内圧測定

膀胱を空虚にした後に最大膀胱容量まで緩徐に蒸留水または生理食塩水を注入して蓄尿機能の検査を行い、膀胱知覚、排尿筋過活動、膀胱コンプライアンス、漏出時圧などの指標を評価します。正常では低圧蓄尿、すなわち注入に伴う膀胱内圧の上昇はほとんど認められません。

①膀胱知覚（図12）

以下の知覚が正常、亢進、低下しているかを評価するとともに尿意切迫感の有無も評価します。

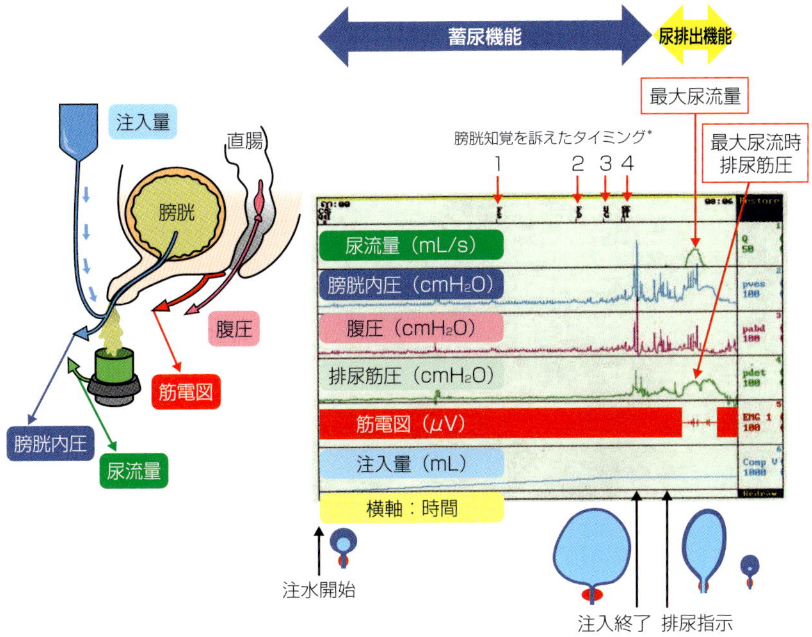

（*1：初発尿意、2：正常尿意、3：強い尿意、4：最大膀胱容量）

図12 多チャンネル UDS（文献 4、6 より作成）

表4 各病態における UDS

	神経因性下部尿路機能障害			特発性過活動膀胱	尿失禁			慢性尿閉・溢流性尿失禁	膀胱出口部閉塞	骨盤臓器脱	間質性膀胱炎
	核上型・橋上型	核上型・橋下型	核・核下型		腹圧性	切迫性	混合性				
膀胱知覚	↑	↑（完全型：消失）	↓（完全型：消失）	↑↑	→	↑↑	↑↑	↓	→～↑	↓～↑	↑↑↑
排尿筋過活動	◎	◎	–	–～○	–	◎	◎	–	–～○	–～○	–
低コンプライアンス膀胱	–	○	○～◎	–	–	–	–	–～○	–～○	–	–
膀胱出口部閉塞	–	◎（排尿筋括約筋協調不全による）	○（非弛緩性尿道括約筋による）	–	–	–	–	–～○（膀胱出口部閉塞に対する排尿筋代償不全の場合は○）	◎（前立腺肥大症などの器質的な原因による）	–～○	–
排尿筋収縮	→～↓	→	↓～無収縮	→	→	→	→	↓～無収縮	→～↓	→～↓	→

a. 初発膀胱充満感

患者が初めて膀胱の充満感を感じたときの感覚。

b. 初発尿意

患者が排尿したいかもしれないと最初に感じた時の感覚。

c. 正常尿意

患者が次に機会があったら排尿したいが、必要ならば先延ばしにできるという感覚。

d. 強い尿意

漏れの恐れはないものの持続的に尿意があるという感覚。

e. 最大膀胱容量

膀胱知覚の正常な患者において、これ以上排尿を我慢できない時点の膀胱容量。

②排尿筋過活動（図13）（CHAPTER3-01～05 も参照）

膀胱注入相の不随意な排尿筋収縮です。高齢者では、排尿筋過活動に排尿筋低活動を合併する場合（detrusor overactivity with detrusor underactivity：DH）が少なくないので、蓄尿症状、特にOAB症状を有する高齢者の治療に当たっては注意が必要です。

③膀胱コンプライアンス（図14、CHAPTER3-01、08 も参照）

膀胱の伸展性の指標です。20mL/cmH$_2$O 未満を低コンプライアンス膀胱と呼び、上部尿路障害の危険因子となります。

④排尿筋漏出時圧（CHAPTER3-01、08 も参照）

排尿筋収縮または腹圧上昇のいずれもない状態で尿漏れが生じたときの排尿筋圧の最小値です。この圧が 40cmH$_2$O 以上の場合、上部尿路障害の危険因子となります。

⑤腹圧下漏出時圧（CHAPTER3-03 も参照）

排尿筋の収縮なしに腹圧上昇によって漏れが生じたときの膀胱内圧です。腹圧性尿失禁の診断や重症度評価として重要です。

内圧尿流検査

蓄尿時膀胱内圧の測定後に尿流測定装置に排尿させて尿排出機能の検査を行い、膀胱出口部閉塞、排尿筋収縮、括約筋活動などを評価します[7, 8]。カテーテルが入ったままでの排尿となるので、排尿しやすい環境に配慮することが大切です。

①膀胱出口部閉塞（図15～図17）（CHAPTER3-04 も参照）

排尿筋圧の高値（高圧排尿）と尿流量の低下が認められる状態を指します。前立腺肥大症における膀胱出口部閉塞の診断は、最大尿流量（Qmax）と最大尿流時排尿筋圧（PdetQmax）を用い、国際禁制学会ノモグラムあるいはシェーファー・ノモグラムで判定するか、bladder outlet obstruction index（BOOI、膀胱出口部閉塞指数）（＝PdetQmax － 2 × Qmax）が 40 以上で膀胱出口部閉塞と診断します。

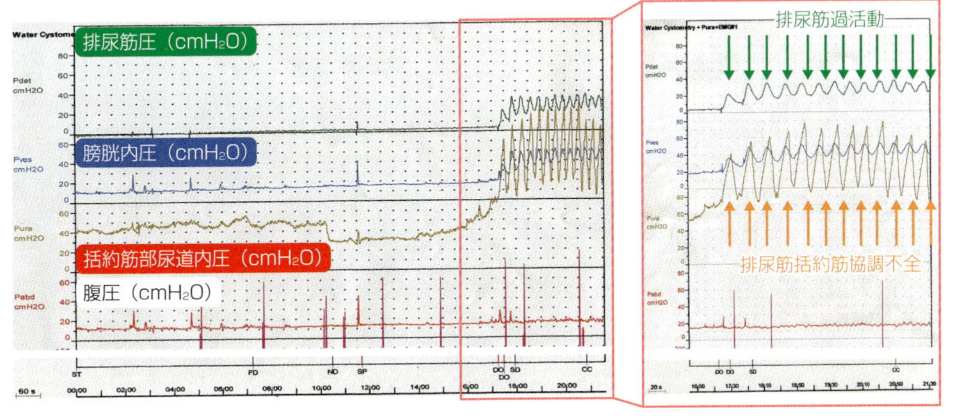

図13 排尿筋過活動と排尿筋括約筋協調不全

35歳男性。完全型胸髄損傷に伴う神経因性下部尿路機能障害。間欠導尿と抗コリン薬を4種類併用投与中。302mL注入時点から不随意の持続性の排尿筋収縮（持続性排尿筋過活動。緑矢印）とこれに対応する不随意の括約筋収縮（括約筋部尿道圧を表す黄色トレースの圧の変動部＝排尿筋括約筋協調不全。黄色矢印）。注入速度は20mL/min。

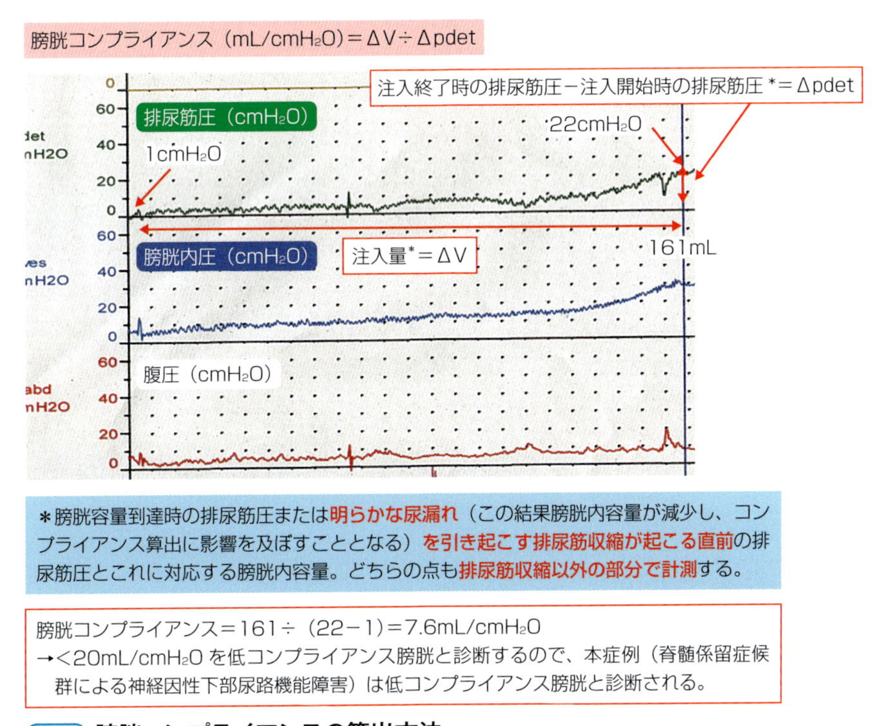

＊膀胱容量到達時の排尿筋圧または明らかな尿漏れ（この結果膀胱内容量が減少し、コンプライアンス算出に影響を及ぼすこととなる）を引き起こす排尿筋収縮が起こる直前の排尿筋圧とこれに対応する膀胱内容量。どちらの点も排尿筋収縮以外の部分で計測する。

膀胱コンプライアンス＝161÷（22－1）＝7.6mL/cmH2O
→<20mL/cmH2Oを低コンプライアンス膀胱と診断するので、本症例（脊髄係留症候群による神経因性下部尿路機能障害）は低コンプライアンス膀胱と診断される。

図14 膀胱コンプライアンスの算出方法

②排尿筋収縮（図15、図17～図19）

正常では、随意的に持続的な排尿筋収縮が開始され、正常な時間内に膀胱は完全に空になります。なお、男性では、bladder contractility index（BCI、膀胱収縮力指数）（＝PdetQmax＋5×Qmax）で収縮力の評価が可能で、100以上をnormal detrusor、100未満をweak detrusorと診断します。

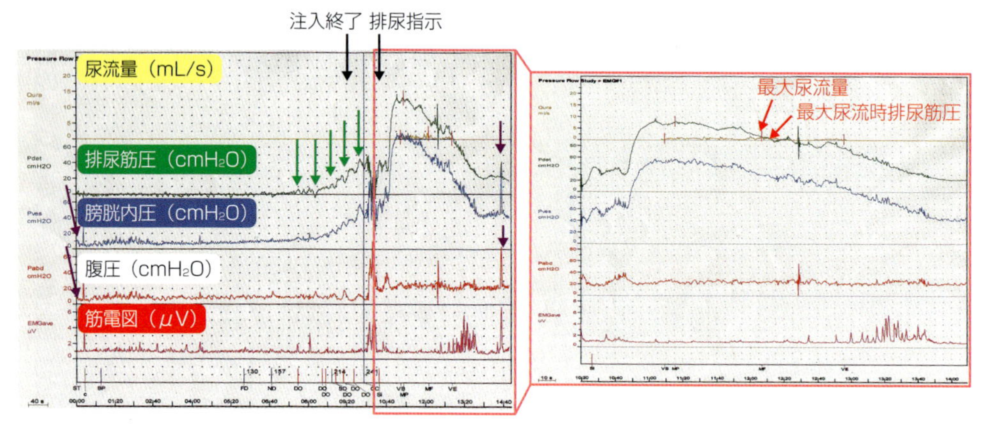

図15 膀胱出口部閉塞

75歳男性。前立腺肥大症術前。α_1遮断薬内服中。182mL注入時点から不随意の排尿筋収縮（排尿筋過活動。緑矢印）を認める。尿排出時は高い排尿筋圧と低い尿流量を認める。括約筋弛緩は正常である。排尿量：62mL、残尿量：200mL、最大尿流量：1.9mL/s、最大尿流時排尿筋圧：103 cmH_2O。Bladder outlet obstruction index ＝ 103 − 2 × 1.9=99.2（40以上なので閉塞と診断できる）。Bladder contractility index ＝ 103+5 × 1.9 ＝ 112.5（100以上なので収縮力はnormal detrusorと診断できる）。紫矢印：開始時と終了時に咳をさせて膀胱内圧と腹圧が同程度に上昇するかを確認している。

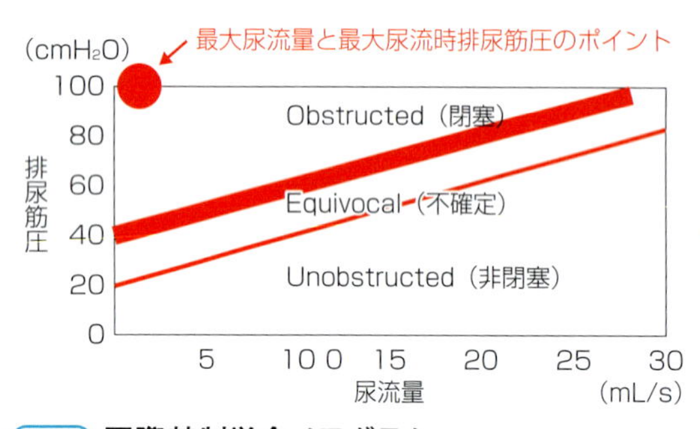

図16 国際禁制学会ノモグラム

図15の症例で、最大尿流量と最大尿流時排尿筋圧のポイントを赤点としてノモグラムにプロットすると、Obstructedの領域にプロットされるので閉塞があると診断できる。
国際禁制学会ノモグラムとシェーファー・ノモグラム（図17）とでは縦軸と横軸の変数が逆であることに注意。

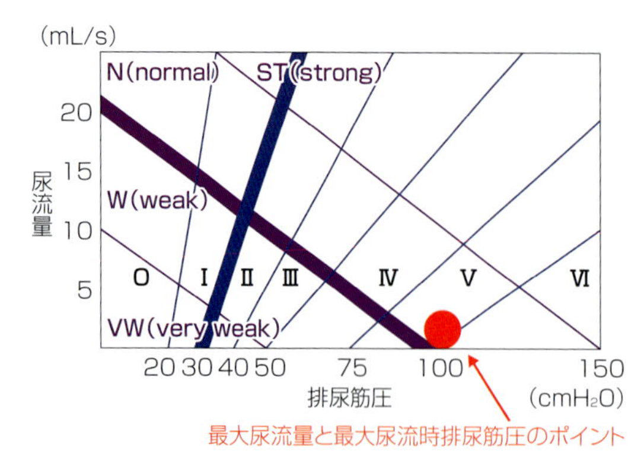

図17 シェーファー・ノモグラム

閉塞のグレードが0〜Ⅵまで、収縮力のグレードがvery weakからstrongまで区分けされている。図15の症例で、最大尿流量と最大尿流時排尿筋圧のポイントを赤点としてノモグラムにプロットすると閉塞のグレードはⅤ、膀胱収縮力のグレードはNの領域にプロットされる。閉塞のグレードはⅡとⅢが軽度〜中等度、Ⅳ以上が中等度〜高度とされ、本症例では高度閉塞に該当すると考えられる。国際禁制学会ノモグラム（図16）とシェーファー・ノモグラムとでは縦軸と横軸の変数が逆であることに注意。

a. 排尿筋低活動（図18）

排尿筋収縮の低下または収縮時間の短縮で、排尿時間が延長したり、正常な時間内では膀胱を空にできなくなったりする状態です。

b. 排尿筋無収縮（図19）

UDSで排尿筋収縮が認められない状態です。

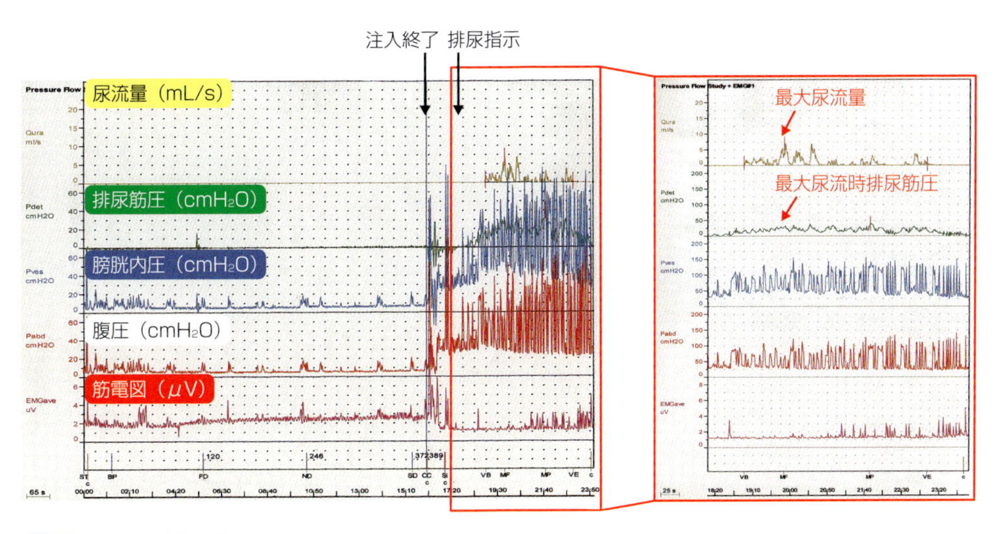

図18 排尿筋低活動

71歳男性。腰部脊柱管狭窄症による神経因性下部尿路機能障害。経尿道的前立腺切除術の既往あり。最大膀胱容量は390mL。尿排出時の排尿筋圧は約30cmH₂Oまでしか上昇せず、尿流量も約7mL/s以下である。尿排出時には高圧の腹圧がかかっている。このような症例でアーチファクトの少ない検査所見を得るためには、検査担当者に対するトレーニングが必要である。排尿量：260mL、残尿量：170mL、最大尿流量：6.9mL/s、最大尿流時排尿筋圧：31 cmH_2O。Bladder outlet obstruction index ＝31－2×6.9＝17.2（40未満なので閉塞なしと診断できる）。Bladder contractility index ＝31＋5×6.9＝65.5（100未満なので収縮力はweak detrusorと診断できる）。

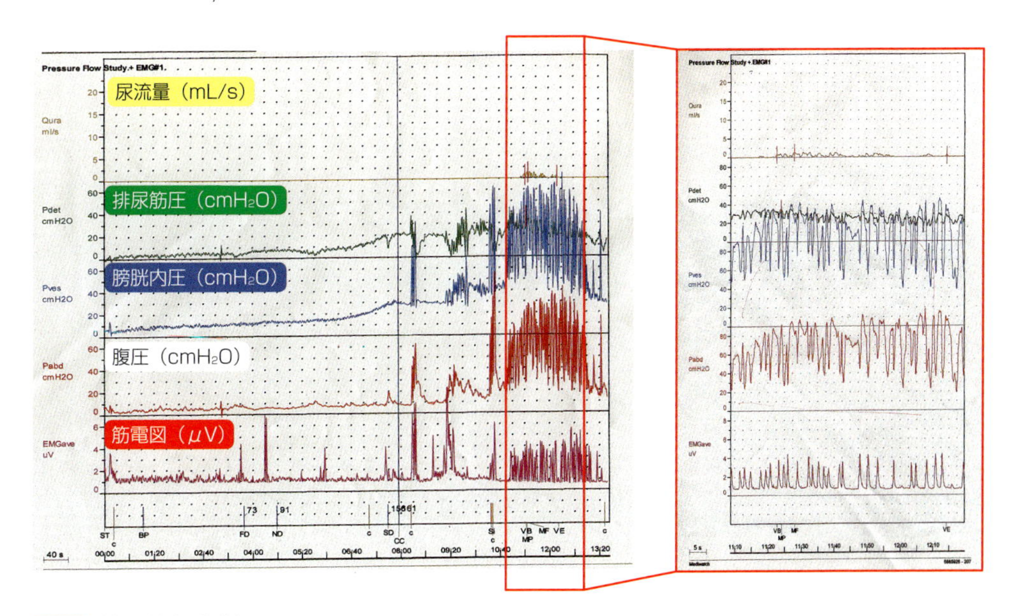

図19 排尿筋無収縮

24歳男性。脊髄係留症候群による神経因性下部尿路機能障害。コンプライアンスの算出については図14を参照。尿排出時には腹圧のみが上昇し、排尿筋圧の上昇は認められず、排尿筋無収縮の状態である。尿排出は80～120 cmH_2Oの高圧の腹圧によってなされているが、尿流は不良であり（最大尿流量：1.4mL/s）、非弛緩性尿道括約筋も合併していると考えられる。尿排出時の筋電図上昇は腹圧上昇に伴うアーチファクトである。

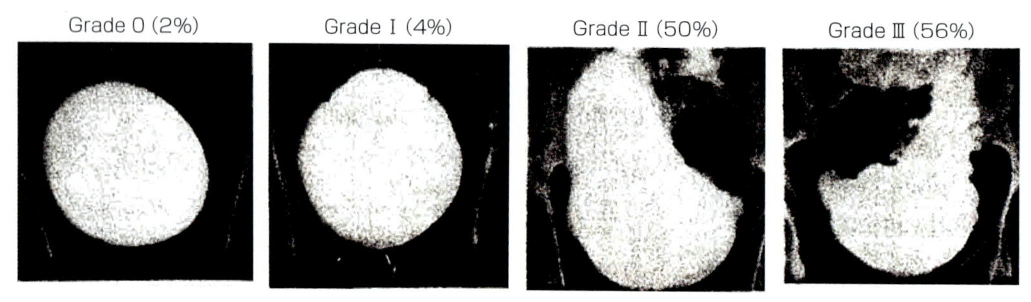

図20 **神経因性下部尿路機能障害における膀胱造影の小川分類**（文献9より改変）
カッコ内は脊髄損傷患者における上部尿路障害の頻度。

③括約筋活動（CHAPTER3-01も参照）

正常では、尿排出時に持続的に弛緩し、高圧になることなく膀胱は空となります。

a. 排尿筋括約筋協調不全（図13）

原則的には、核上型・橋下型神経因性下部尿路機能障害で認められる異常です。尿道括約筋（尿道固有横紋筋）の不随意収縮と同時に起こる排尿筋収縮を指し、尿流が途絶することもあります。

b. 非弛緩性尿道括約筋

核・核下型神経因性下部尿路機能障害で認められる場合がある異常で、尿道が弛緩せず閉塞しており尿流が低下する状態です。

膀胱尿道造影

カテーテル挿入とX線被曝があるため、検査結果が診断や治療上必要であると考えられる症例に限定して行われる検査です。主な評価項目としては、膀胱変形、膀胱憩室、膀胱頸部閉鎖不全、膀胱頸部硬化症、排尿筋括約筋協調不全、排尿筋膀胱頸部協調不全[※1]、膀胱尿管逆流などが挙げられます。神経因性下部尿路機能障害症例における膀胱変形に対しては小川分類が用いられており、グレードⅡ以上で上部尿路障害の頻度が高いことが示されています（図20）。腹圧性尿失禁や骨盤臓器脱では鎖膀胱造影を実施する場合があります（CHAPTER3-03、05を参照）。

※1　排尿筋膀胱頸部協調不全：排尿筋過活動と同時に認められる膀胱頸部の収縮。T12以上の脊髄障害で認められる場合があります。

膀胱尿道鏡

軟性膀胱尿道鏡で施行されることが一般的ですが、侵襲的検査であり、検査所見によって診断や治療が左右されると考えられる症例に限定して行われる検査です。主な評価項目としては、尿道狭窄、前立腺肥大症、膀胱結石、膀胱腫瘍、膀胱憩室、肉柱形成などが挙げられます。

引用・参考文献

1) 日本泌尿器科学会編. 男性下部尿路症状・前立腺肥大症診療ガイドライン. 東京, リッチヒルメディカル, 2016, 7.
2) Drake, MJ. et al. "Neurologic Urinary and Faecal Incontinence". Incontinence. 5th ed. Abrams, P. et al., ed. Bristol, ICUD. 2013, 827-1099.
3) 関戸哲利. "神経因性膀胱". Super Select Nursing 腎・泌尿器疾患. 東京, 学研メディカル秀潤社, 2013, 274.
4) 関戸哲利. "下部尿路機能検査". Super select nursing 腎・泌尿器疾患. 甲田英一ほか監, 東京, 学研メディカル秀潤社, 2013, 71-2.
5) Abrams, P. "Urodynamic Techniques". Urodynamics. 3rd ed. London, Springer, 2006, 100.
6) 関戸哲利. "神経因性膀胱". 臨床病態学 3 巻. 第 2 版. 北村聖編, 東京, ヌーヴェルヒロカワ, 2013, 470.
7) Sekido, N. Bladder contractility and urethral resistance relation : what does a pressure flow study tell us? Int J Urol. 19, 2012, 216-28.
8) 関戸哲利. 前立腺肥大症診療における尿流動態検査の位置づけ. 泌尿器外科. 28 (増刊), 2015, 719-21.
9) Ogawa, T. Bladder deformities in patients with neurogenic bladder dysfunction. Urol Int. 47, 1991, 59-62.

下部尿路機能障害の種類と病態

神経疾患
（中枢、脳神経、脊髄損傷など）

福井大学泌尿器科学講座 講師 **福島正人**　春江病院 泌尿器科／福井大学 名誉教授 **横山 修**

Point

1. 神経障害の部位によって排尿障害か蓄尿障害が起こる。
2. 排尿は膀胱の収縮と内・外尿道括約筋の弛緩で起こり、蓄尿は膀胱の弛緩、内・外尿道括約筋の収縮で起こる。
3. 排尿障害を引き起こす神経の障害はその部位により、橋排尿中枢より上位の障害、橋排尿中枢から仙髄までの障害、仙髄より末梢の障害の３つに分けられる。
4. 疾患部位によっては排尿筋過活動と排尿筋低活動といったまったく逆の病態が混在することもある。

はじめに

下部尿路機能障害を引き起こす３つの神経疾患

下部尿路機能障害を引き起こす神経疾患は大きく分けて下記の３つになります[1, 2]。

脳（橋排尿中枢以上の障害）の疾患

脳血管障害（脳出血・脳梗塞）、パーキンソン病、多系統萎縮症（multiple system atrophy：MSA）、正常圧水頭症、進行性核上性麻痺、大脳白質病変（white matter lesion：WML）、脳腫瘍など。

脊髄（橋排尿中枢から仙髄まで）の疾患

脊髄損傷、多発性硬化症（multiple sclerosis：MS）、脊椎変性症（変形性脊椎症・椎間板ヘルニア）、急性散在性脳脊髄炎、急性横断性脊髄炎、HTLV-1 関連脊髄症（human T lymphotropic virus type 1 associated myelopathy：HAM）、脊柱管狭窄症、二分脊椎、多系統萎縮症、脊髄小脳変性症など。

末梢神経（仙髄より末梢）の疾患

腰部脊柱管狭窄症、糖尿病性末梢神経障害、帯状疱疹、陰部ヘルペス、広汎子宮全摘、直腸がん根治術などの骨盤内手術、外傷性脊髄損傷など。

蓄尿と排尿は膀胱と尿道の協調運動により成立しています。蓄尿は膀胱の弛緩、内・外尿道括約筋の収縮で起こります。排尿は膀胱の収縮、内・外尿道括約筋の弛緩で起こります。これらの協調が障害されると下部尿路機能障害が起こります。

障害部位から予想される症状

下部尿路機能障害は、大きく分けると蓄尿障害と排尿障害の２つに分類できます。神経疾患が前述のように分類されているのは、障害部位によってある程度、以下のように症状が予想できるためです。

脳の病気

上位中枢の障害から排尿中枢への抑制が弱まることにより排尿筋過活動が生じ、頻尿、尿失禁となります。

脊髄の病気

障害部位によりさまざまな病態が生じます。排尿筋過活動、排尿筋低活動などさまざまです。

末梢神経の病気

膀胱への求心性神経および遠心性神経の障害から排尿筋低活動による尿閉、知覚低下による尿意消失が起こります。

上記に当てはまらない場合もありますが、各病態を理解するためには蓄尿、排尿のメカニズムを知っておく必要があります。詳しくはCHAPTER1-03に譲りますが、排尿障害を起こす神経疾患を理解するためには避けては通れません。この項でも図を交えて神経疾患と排尿障害についてみてみましょう。

神経について（図1）

中枢神経と末梢神経

神経は中枢神経と末梢神経に分かれます。中枢神経は脳と脊髄からなる神経系です。末梢神経は中枢神経以外の神経系で、中枢と末梢器官をつなぐ神経系です。末梢神経は体の知覚・運動を制御する体性神経と、内臓・血管などの自動的制御を行う自律神経に分かれます。その自律神経にはさらに交感神経と副交感神経の２種類があります。

膀胱では交感神経、副交感神経の両方が一つの臓器を支配している二重支配の状態で、相反する作用を及ぼす相反支配であることが特徴です。交感神経系は蓄尿に働き、副交感神経系は排尿に働きます。

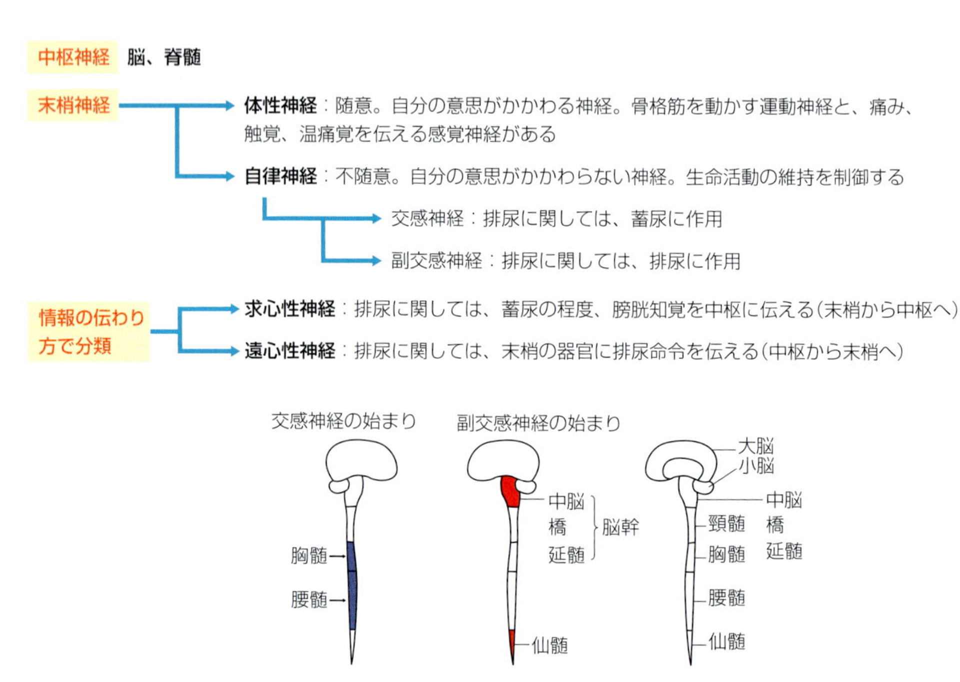

図1 神経について

末梢神経には中枢からの命令を伝える遠心性神経と、信号を中枢に伝える求心性神経があります。自律神経系の遠心路は、胸腰髄に起始する交感神経系と脳幹および仙髄に起始する副交感神経系の２つの系で構成されています。求心路は自律神経遠心性線維とほぼ平行して走行する求心性線維を介して、内臓からの情報を中枢神経系に伝えています。

排尿時と蓄尿時の神経、中継点、筋肉の働き

排尿には４つの神経、５つの中継点、３つの筋肉が関与しています（図2）。これらの要素が密接に関連しながら排尿をコントロールしています。排尿に関して重要な神経は知覚を司る求心性神経と、運動を司る骨盤神経、下腹神経、陰部神経です（図3）。

神経、中継点、筋肉について排尿時および蓄尿時の働きをみてみましょう。

排尿時

一度に図に示すと理解が困難になるため、まずは排尿時の神経の働きについて、各神経の働きを段階的にみてみましょう。

膀胱に尿が溜まると伸展受容体から求心性神経が刺激され、各中継地点に尿意を伝えます（図4）。

骨盤神経の働きをみてみます。尿開始を決意すると大脳から橋排尿中枢（pontine micturition center：PMC）に排尿命令が出ます。するとPMCから仙髄副交感神経核

4つの神経
・求心性神経　・下腹神経
・骨盤神経　・陰部神経

5つの中継点
・大脳
・PMC（橋排尿中枢）
・胸腰髄交感神経中枢
・仙髄副交感神経中枢
・オヌフ核

3つの筋肉
・膀胱括約筋
・内尿道括約筋
・外尿道括約筋

図2 神経、中継点、筋肉

Ⅰ **求心性神経**：体性神経
・知覚の伝達
・交感神経に沿って逆向きに進む

Ⅱ **骨盤神経**：副交感神経、副交感神経節（S2-4）、排尿に作用
・膀胱収縮

Ⅲ **下腹神経**：交感神経、交感神経節（Th11-12）、蓄尿に作用
・膀胱弛緩
・内尿道括約筋収縮

Ⅳ **陰部神経**：体性神経、オヌフ核（S2-4）、蓄尿に作用
・外尿道括約筋の収縮
・外肛門挙筋の収縮

図3 4つの神経

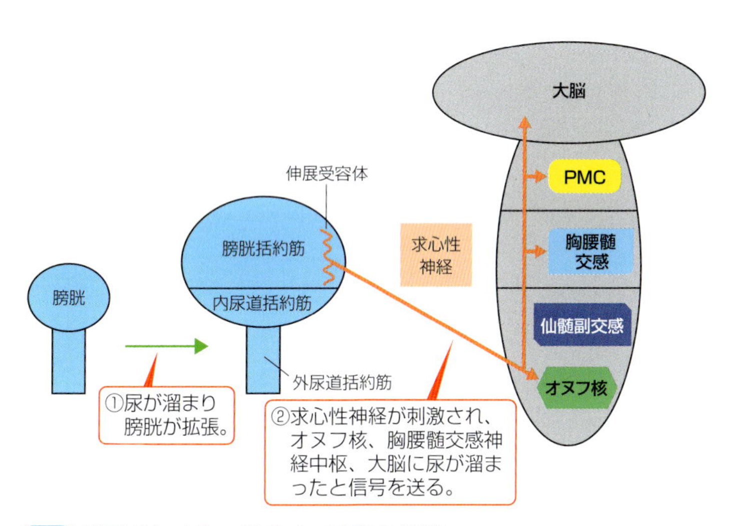

図4 排尿のしくみーその1：尿意の伝達
求心性神経の働き

に排尿命令が伝わり、骨盤神経が刺激されます。骨盤神経が刺激され、アセチルコリン（Acetylcholine：ACh）M_3 受容体を介して排尿筋が収縮されます（図5）。

下腹神経と陰部神経の働きをみてみます。尿開始を決めると大脳から PMC に排尿命令が届きます。すると胸腰髄交感神経核とオヌフ核が抑制され、下腹神経と陰部神経が抑制されます。結果、膀胱平滑筋が収縮、内・外尿道括約筋が弛緩し排尿しやすい状態になります（図6）。排尿反射をまとめると図7のようになり、排尿が可能となります。

※図4～図16の実線は刺激を、点線は抑制をあらわしています。

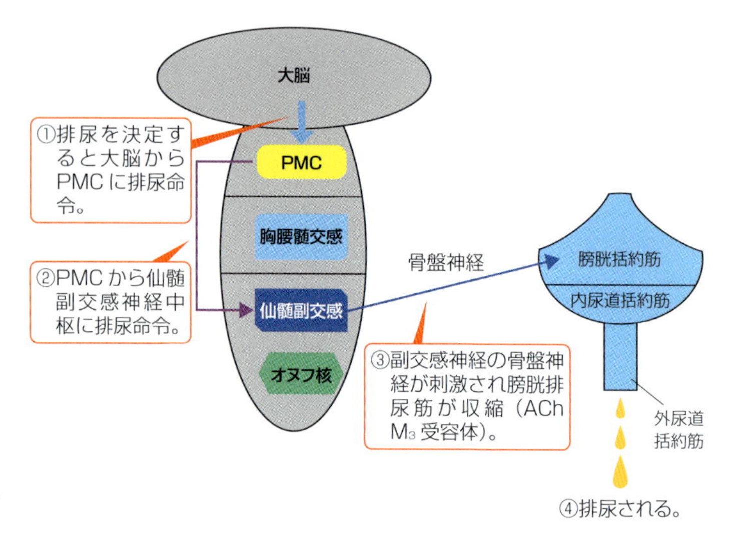

図5 排尿のしくみ−その2：排尿筋の収縮

骨盤神経（副交感神経）の働き

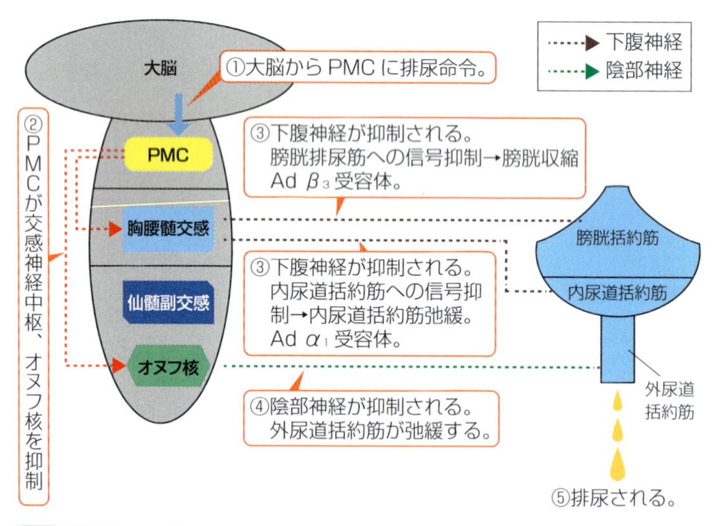

図6 排尿のしくみ−その3

下腹神経（交感神経）と陰部神経（体性神経）の働き

蓄尿時

続いて蓄尿をみてみます。尿が溜まると膀胱壁が伸び、伸展受容体が刺激されます。すると求心性神経から各中継地点に尿が溜まったという刺激を送ります。大脳がまだ排尿を我慢しようと決定するとPMCを抑制し、排尿反射を止めてしまいます（図8）。求心性神経が胸腰髄中枢、オヌフ核にも信号を送っているので、下腹神経はアドレナリン（Adrenaline：Ad）β_3受容体を介して、陰部神経はAd α_1受容体を介して刺激されます。その結果、膀胱平滑筋は弛緩し、内尿道括約筋、外尿道括約筋は収縮し尿が溜まりやすくなります（図9）。蓄尿反射をまとめると図10のようになります。

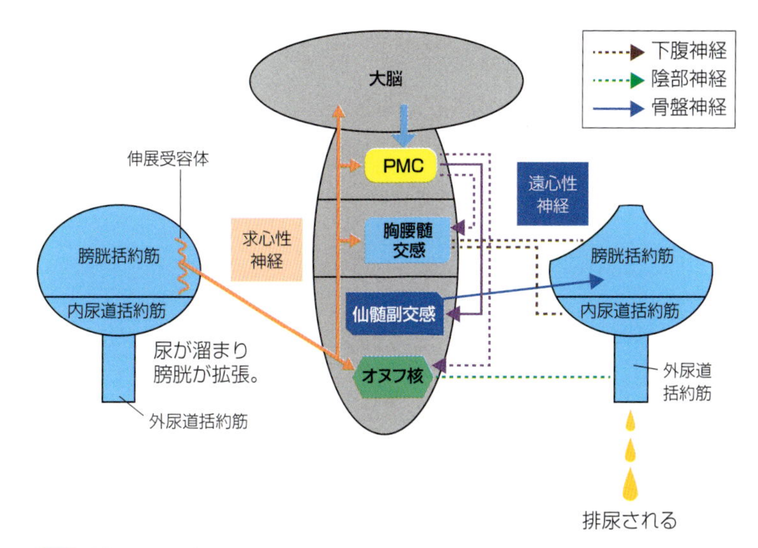

図7 排尿のしくみーその 4

排尿反射路

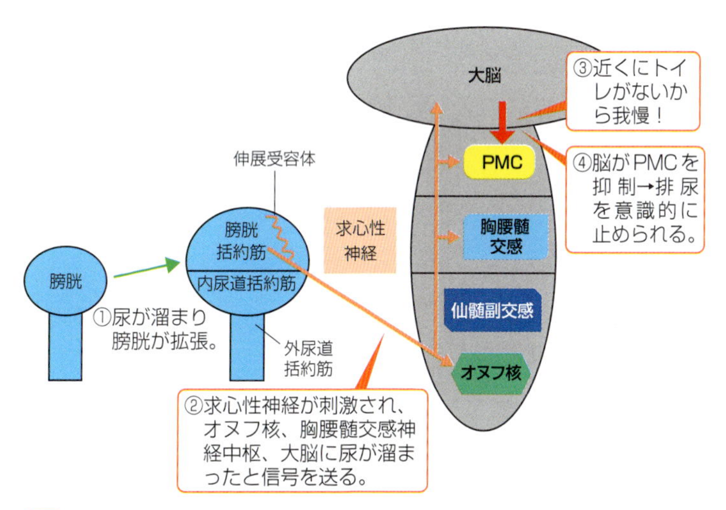

図8 蓄尿のしくみーその 1

求心性神経の働き

このような排尿反射、蓄尿反射により下部尿路機能はコントロールされています。しかしながら、神経疾患の病態は複雑なものが多く、原因から結果が単純に予想できないことも少なくありません。排尿障害と蓄尿障害が混在している場合もあり、患者の訴えを聞くことはもちろん、尿流量測定、残尿測定、必要に応じて膀胱内圧測定などの尿流動態検査を行い、総合的に診断してその人にあった治療を考えなくてはいけません。

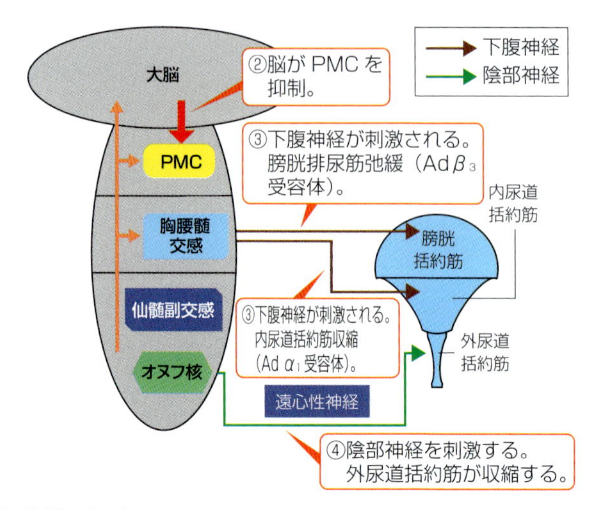

図9 蓄尿のしくみ―その２

下腹神経（交感神経）と陰部神経（体性神経）の働き

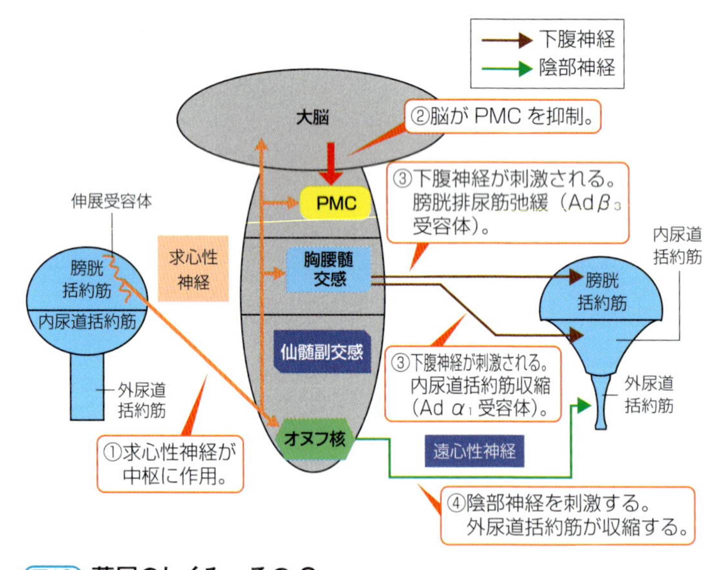

図10 蓄尿のしくみ―その３

蓄尿反射路

神経疾患が蓄尿・排尿へ及ぼす影響

続いて脳、脊髄、末梢神経で障害が起こったとき、蓄尿、排尿がどのように変化するかをみてみます。

脳疾患

まずは脳に疾患があった場合です（図11）。脳の障害でPMCへの抑制が障害されます。場合によっては尿意が弱くなることもあります。またPMCへの過剰な排尿命令により排尿反射が亢進し、尿失禁を起こします[3)]。

脳血管障害

過活動膀胱は脳卒中慢性期の約25%に認められます。脳血管障害に起因する脳の変性により、PMCに対する前脳からの排尿抑制が障害されるためといわれています[4)]。また動物実験においては、PMCに対する促進作用も亢進していると報告されています[3)]。

パーキンソン病

多くの場合、過活動膀胱が認められます。蓄尿時に活性化される脳の部位が変化することが原因と考えられています[5)]。ドーパミンニューロンが変性脱落するため排尿反射抑制系が働かなくなり、また前頭葉の機能低下の関与も指摘されています[6)]。

多系統萎縮症（MSA）

排尿筋過活動を56%に、排尿筋低活動を女性の71%、男性の63%に、排尿筋外尿道括約筋協調不全（detrusor-sphincter dyssynergia：DSD）を47%に認めたとの報告があります[7)]。下部尿路機能障害の責任部位としては、橋、脊髄中間外側核、仙髄副交感神経運動核、オヌフ核などが想定されており、これらの領域に変性が起きるため、蓄尿障害と排尿障害をきたすと考えられています。

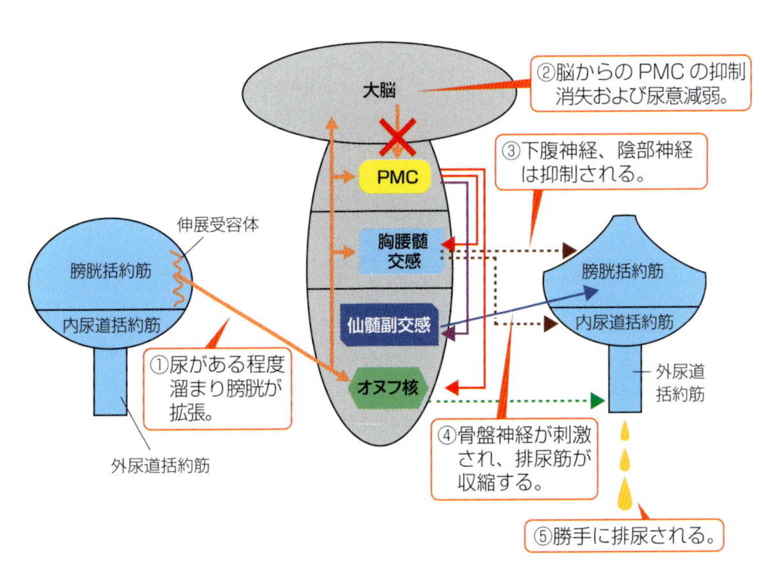

図11 脳の疾患
脳血管障害など

正常圧水頭症

高齢者に多い疾患で、歩行障害、認知症、尿失禁を３徴とします。過活動膀胱は 64〜81％にみられ、尿流動態検査上は、排尿筋過活動を 71〜95％に認めます[8)]。MRI 上の脳室拡大は広汎ですが、シャント手術後の排尿障害の改善は、前頭葉の血流回復と関連しているといわれています。

進行性核上性麻痺

高齢者に発症し、認知機能障害、核上性眼球運動障害、パーキンソニズムを主徴候とする神経変性疾患です。過活動膀胱を主体とする下部尿路症状を高頻度に認め、尿流動態検査では、排尿筋過活動と仙髄オヌフ核の変性による外尿道括約筋筋電図の神経原性変化を高い確率で認めます[9)]。

大脳白質病変（WML）

大脳白質変化があると、排尿制御に関与する大脳皮質間を結ぶ特定の白質のネットワークも同様に変化することが報告されています[10)]。

WML は加齢とともに進行し、過活動膀胱の有病率が増加すると指摘されています[11)]。また、機能的脳画像解析の結果、大脳白質の変化に伴って生じる前頭葉や辺縁皮質の機能障害が過活動膀胱の発症に関与することも示唆されています[12)]。

脳腫瘍

脳腫瘍の発生部位により症状は異なります。脳幹部に発生すると排尿症状を、大脳皮質を中心としたものでは尿失禁などの蓄尿症状を認めることが多いです[13)]。

脊髄疾患

多発性硬化症（MS）

中枢神経系の脱髄疾患の一つです。平均発病年齢は 30 歳前後です。

すべての神経活動は、神経細胞から出る細い電線のような神経の線を伝わる電気活動で行われています。家庭の電線がショートしないようにビニールのカバーからなる絶縁体で被われているように、神経の線も髄鞘というもので被われています。この髄鞘が壊れて中の電線がむき出しになる病気が脱髄疾患です。この脱髄がまだら状にあちこちにできて、再発を繰り返すのが多発性硬化症です[14)]。

どこに病変ができるかによって症状は変わります。排尿に関しては、蓄尿障害単独、排尿障害単独、両方を併せ持つものの３つに分かれます。本邦と欧米の報告を比べると、本邦では排尿症状が多い傾向にあったと報告されています[15)]。

脊髄損傷

脊髄損傷は損傷部位によって症状が異なります。

椎骨が積み重なり脊椎となり、中央には脊柱管と呼ばれる管状の神経の通り道ができます。その中には1本の脊髄と脊髄から分岐した31対の脊髄神経が走行しています。脊髄と脊椎の部位は下肢方向に行くにつれズレが生じています（図12）[16, 17]。脊髄は脊椎の末端である尾椎まで伸びずに、第1〜2腰椎（L1〜2）あたりで終わっています。それ以下は脊髄神経の束である馬尾神経が伸びていき、本来の椎間孔まで伸びていきます。すなわち交通事故などで腰椎の損傷が起こっても、必ずしも腰髄の損傷があるわけではありません。

脊髄損傷が外傷で起こった場合、損傷直後から3ヵ月ほどは脊髄ショック期となります。脊髄ショックになると排尿反射が消失します（図13）。膀胱が収縮しなくなり、外尿道括約筋も弛緩せず尿が出なくなります。結果、弛緩した膀胱（低活動膀胱）になります。

脊髄ショックを離脱すると、損傷した部位によって症状が変わってきます。排尿の一次中枢がある仙髄より上で脊髄損傷（核上型）が生じた場合と、仙髄あるいはそれ以下の末梢神経が損傷を受けた場合（核型、核下型）があります。仙髄は、脊椎の高さでは胸椎から腰椎に移行するあたり（L1〜2）にあるので、脊椎の損傷部位が核上型か核型・核下型かの判別に役立ちます。

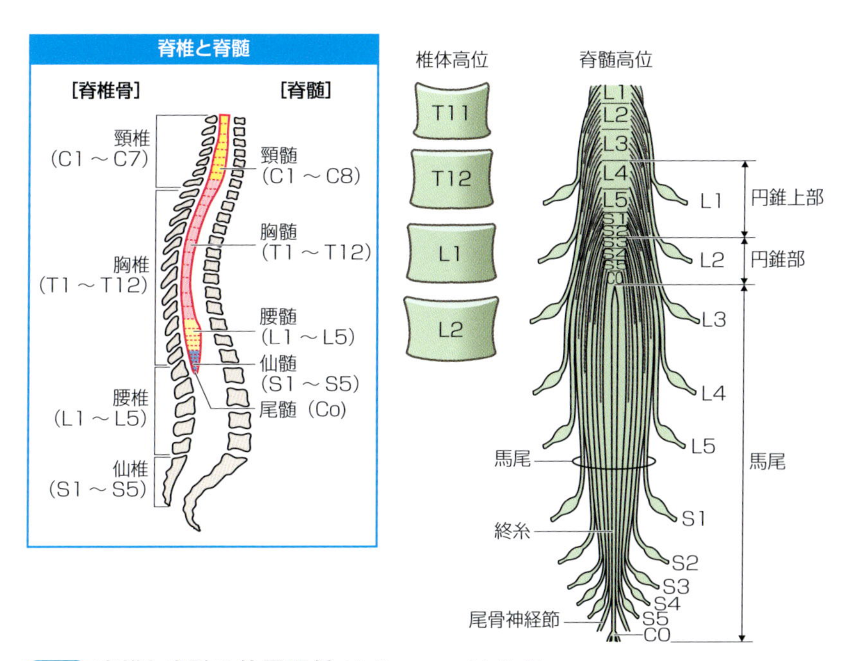

図12 脊椎と脊髄の位置関係（文献16、17より作成）

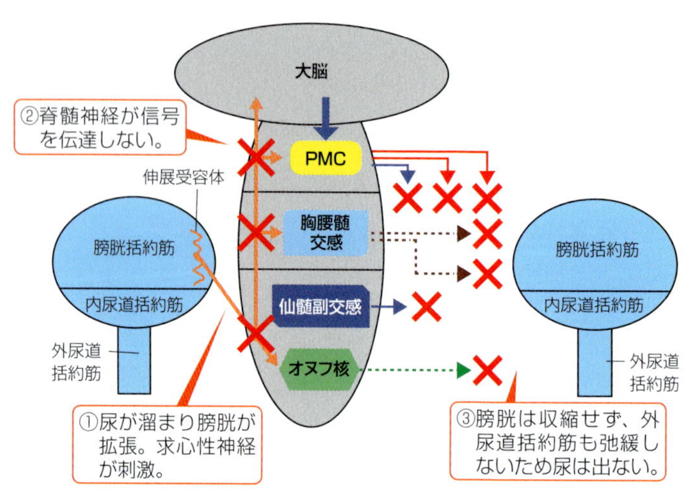

図13 脊髄ショック時

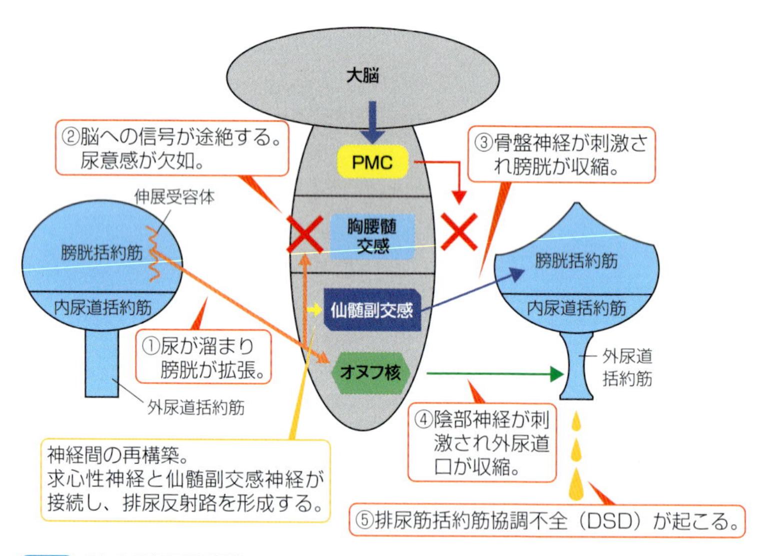

図14 核上型脊髄損傷

仙髄副交感神経系まで神経伝達される場合。
脳幹と仙髄の間の障害→仙髄を中心とした新しい排尿反射が形成。

典型的な核上型の完全損傷例では、膀胱知覚は消失し、排尿筋過活動とDSDが起こります（図14）。

脳幹と仙髄の間が障害されると、仙髄を中枢とする排尿反射路が新しく形成されます[18]。蓄尿に伴う尿意がなくなり、少量の尿が溜まると脊髄反射が作動して自分の意思にかかわらず膀胱は収縮し、尿失禁を起こすことが多くなります。また損傷の程度によってはPMCから尿道括約筋を弛緩させる信号が届かなくなるため、外尿道括約筋も同時に収縮します。このような場合、排尿筋と外尿道括約筋が同時に収縮するDSDが起きます。排尿する力と尿を漏らさないようにする力が同時に働いて拮抗し、排尿障害が起きます。膀胱知覚がある程度温存されている一部の症例では、尿意切迫感が生じます。不全麻痺の際はDSDは軽度ですが、完全麻痺ではDSDが重症化します。

仙髄領域であるS4〜5の触覚、痛覚が残存するかどうかは、完全麻痺か不全麻痺かを鑑別する指標となります。そのため肛門周囲の触覚と痛覚をみることは大切です。同様にS4〜5が支配する肛門括約筋の随意収縮の有無を確認することも今後の排尿状態を予想する一助になります。排便中枢はS2〜4にあり、内肛門括約筋は骨盤神経に、外肛門括約筋は陰部神経に支配されています。肛門括約筋を意識的に収縮することが可能だった場合、6ヵ月後に排尿が可能だった陽性的中率は97%、陰性的中率は84%だったとの報告があります[19]。DSDの重症患者は肛門括約筋の随意収縮も低下する傾向があります[20]。またデルマトーム（脊髄神経が支配する皮膚領域）や感覚障害の部位を調べることも脊髄損傷の部位を予想するのに役立ちます[21]。

完全麻痺の場合は核上型も核型・核下型のどちらでも求心性神経は断裂して尿意は消失しますが、不全麻痺の場合は尿意が残ることもあります。脊髄損傷で尿意がなくなると、膀胱が多量の尿で充満しても感知することができなくなり、時には1,000mL以上の尿が溜まることもあります。

Th6以上の脊髄損傷患者には自律神経過反射が起こることがあります（図15）。尿や便が溜まると求心性の刺激が起きて交感神経が過剰に反応するため、血圧が上昇し、頭痛や損傷部位より上位での発汗や鳥肌などが出現し、尿が溜まったと認識する代わりの代償尿意となります。ただ自律神経過反射が長時間続く場合は、脳出血などの合併症が起こることもあり危険です。膀胱における尿充満により自律神経過反射が生じた場合は、導尿をすることで症状は消失します。

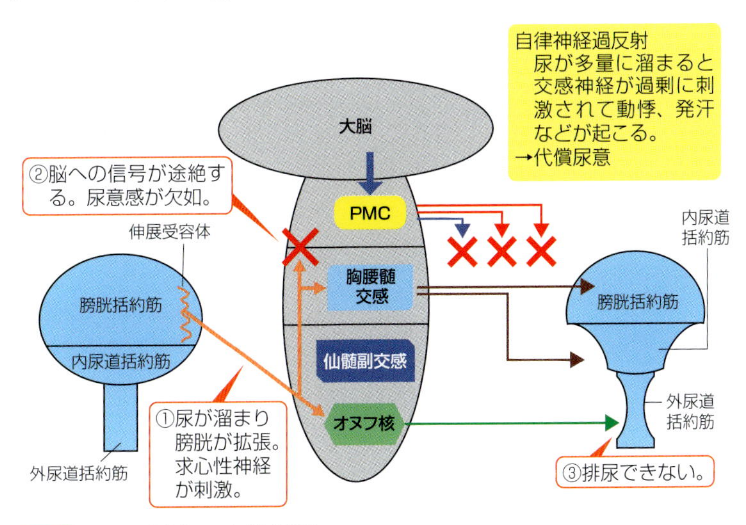

図15 Th6以上の脊髄損傷

胸・腰交感神経系までは神経伝達される場合。頸椎損傷など。

末梢神経障害

一般に、知覚神経障害による尿意低下・消失と、運動神経障害による排尿筋低活動・無収縮が生じると言われています。核下型では、膀胱に尿が溜まっても排尿反射が起こらないので、膀胱は収縮せず排尿障害となり、時に尿閉となります。核下型末梢神経障害は（図16）のようになります。末梢神経障害は求心性および遠心性の両方の神経が障害されます。完全に末梢神経が遮断されていなければ、尿意も排尿もある程度可能です。しかし障害がひどくなると、膀胱に尿が多量に溜まってもわからなくなり、排尿筋反射も起きないため排尿できません。

腰部脊柱管狭窄症

腰部脊柱管狭窄症は、脊柱管が何らかの原因で狭くなって生じます。神経のどこが圧迫されるかで症状も異なり、圧迫部位によって馬尾型、神経根型、混合型の3つに分類されます。

馬尾型は脊髄から伸びる神経の束が圧迫されて起きます。神経根型より症状が重く、両足のしびれや麻痺が広範囲に現れます。馬尾神経は排尿や排便に関連しているため排尿、排便に障害が出ることがあります。会陰部のほてりや異常感覚、異常な勃起も起こることがあります。

神経根型は椎間孔から出ていく神経の根本である神経根が圧迫されることで生じます。両側の神経根が圧迫されることもありますが、片側だけであることが多いようです。

混合型は馬尾型と神経根型の2つが合併したものです。

馬尾型神経障害では排尿障害を58～68%に認めますが、排尿筋過活動も10～29%に認めるため蓄尿障害も少なくありません。

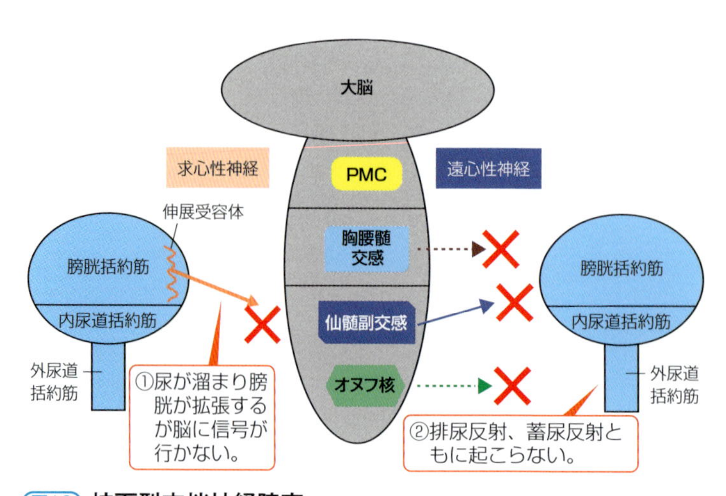

（図16）**核下型末梢神経障害**

糖尿病性末梢神経障害など。

脊柱管狭窄症に限らず、失禁と残尿が同時にみられることがあります。尿流動態検査では蓄尿期の排尿筋過活動と排尿期の排尿筋低活動が同時にみられ、これをdetrusor hyperactivity with impaired contraction（DHIC）といいます。Contractionとは「収縮」という意味で、「収縮が弱い排尿筋過活動」という意味になります。

糖尿病性末梢神経障害

糖尿病初期には排尿筋過活動が生じますが、病期が進むと求心路、遠心路ともに障害されるため、一般的には排尿筋低活動、膀胱知覚低下を起こします。

糖尿病が悪化して糖尿病性ニューロパチーになると、まず求心性神経が障害され、尿意がなくなり、多量の残尿が生じます。本人に自覚がないことがあるため注意が必要です。膀胱が過伸展すると遠心性神経（運動神経）も障害され、ますます排尿障害が進みます。

引用・参考文献

1) 日本排尿機能学会過活動膀胱診療ガイドライン作成委員会編. 過活動膀胱診療ガイドライン. 第2版. 東京, リッチヒルメディカル, 2015, 6-9.
2) 日本排尿機能学会 / 日本泌尿器科学会編. 過活動膀胱診療ガイドライン. 第3版. 東京, リッチヒルメディカル, 2022, 154-5.
3) Yokoyama, O. et al. Role of the forebrain in bladder overactivity following cerebral infarction in the rat. Exp Neurol. 163, 2000, 469-76.
4) 横山修 . OABの病態：最近の知見. 排尿障害プラクティス. 東京, メディカルレビュー社, 23, 2015, 120-25.
5) Kitta, T. et al. Brain activation during detrusor overactivity in patients with Parkinson' s disease : a positron emission tomography study. J Urol. 175, 2006, 994-8.
6) Herzog, J. et al. Improved sensory gating of urinary bladder afferents in Parkinson' s disease following subthalamic stimulation. Brain. 131, 2008, 132-45.
7) Sakakibara, R. et al. Videourodynamic and sphincter motor unit potential analyses in Parkinson' s disease and multiple system atrophy. J Neurol Neurosurg Psychiatry. 71, 2001, 600-6.
8) Sakakibara, R. et al. Mechanism of bladder dysfunction in idiopathic normal pressure hydrocephalus. Neurourol Urodyn. 27, 2008, 507-10.
9) Sakakibara, R. et al. Micturitional disturbance in progressive supranuclear palsy. J Auton Nerv Syst. 45, 1993, 101-6.
10) Tadic, SD. et al. Brain activity during bladder filling is related to white matter structural changes in older women with urinary incontinence. Neuroimage. 51, 2010, 1294-302.
11) Poggesi, A. et al. Urinary complaints in nondisabled elderly people with age-related white matter changes : the Leukoaraiosis And DISability（LADIS）Study. J Am Geriatr Soc. 56, 2008, 1638-43.
12) Clarkson, BD. et al. Do brain structural abnormalities differentiate separate forms of urgency urinary incontinence? Neurourol Urodyn. 37, 2018, 2597-605.
13) 日本排尿機能学会女性下部尿路症状診療ガイドライン作成委員会編. 女性下部尿路症状診療ガイドライン. 東京, リッチヒルメディカル, 2013, 35-45.
14) 難病情報センターホームページ. 公益財団法人難病医学研究財団 / 難病情報センター. http：//www.nanbyou.or.jp/entry/3806
15) Araki, I. et al. Relationship between urinary symptoms and disease-related parameters in multiple sclerosis. J Neurol. 249, 2002, 1010-5.
16) リクルートの看護師転職パートナーナースフルホームページ. 第1章解剖と生理機能. https://nurseful.jp/career/nursefulshikkanbetsu/cranialnerve/section_1_01_01/
17) 落合慈之. 整形外科疾患ビジュアルブック. 落合慈之監. 東京, 学研メディカル秀潤社, 2012, 411p.
18) 山口脩. "尿路・性器の主要疾患：下部尿路機能障害". 標準泌尿器科学. 赤座英之編. 東京, 医学書院, 2010, 160-73.
19) 植田尊善ほか. "麻痺の評価と予後：麻痺はどこまで改善するのか , そしていつ判断できるのか？". 脊椎脊髄損傷アドバンス：総合せき損センターの診断と治療の最前線. 芝啓一郎編. 東京, 南江堂 , 2006, 62-86.
20) Schurch, B. et al. Can neurologic examination predict type of detrusor sphincter-dyssynergia in patients with spinal cord injury?. Urology. 65, 2005, 243-6
21) 榊原隆次ほか. 神経内科と膀胱：排尿の神経機序と排尿障害の見方・扱い方. 臨床神経学. 53（3）, 2013, 181-90.

過活動膀胱

福島赤十字病院 泌尿器科 部長／福島県立医科大学医学部 泌尿器科学講座 臨床准教授 **片岡政雄**
福島県立医科大学医学部 泌尿器科学講座 助手 **松岡 香菜子**
同 講師 **秦 淳也** 同 講師 **赤井畑 秀則** 同 教授 **小島祥敬**

Point

1. 過活動膀胱とは、尿意切迫感を必須とし、頻尿および / または夜間頻尿を伴う症状症候群である。切迫性尿失禁は必須ではない。
2. 明らかな神経学的異常に起因する神経因性と、それ以外の非神経因性に大別される。
3. 男性患者では前立腺肥大症の有無、女性患者では骨盤臓器脱が起因していることがあるため、それらを念頭に診療することが重要である。実際の診療においては『過活動膀胱診療ガイドライン第３版』[1)]の専門医を対象とした診療アルゴリズムが有用である。
4. 『過活動膀胱診療ガイドライン第３版』では「フレイル、認知機能低下」「低活動膀胱を伴う過活動膀胱」「限局性前立腺癌治療に伴う過活動膀胱」が新たに追加され、過活動膀胱診療における重要なテーマとなっている。

過活動膀胱の定義

過活動膀胱［症候群］(overactive bladder syndrome：OAB) とは、尿意切迫感を必須とし、通常は頻尿および / または夜間頻尿を伴う症状症候群であり、切迫性尿失禁は必須ではないとされています。尿失禁を伴う場合 (OAB-wet) と尿失禁を伴わない場合 (OAB-dry) があります。また、その診断のためには尿路感染および局所的な病態を除外する必要があります。

過活動膀胱の診断における尿流動体検査の位置づけ

過活動膀胱の背景に共通して存在するのは潜在的な排尿筋過活動状態ですが、尿流動態検査で必ずしも検出されるものではありません。過活動膀胱の初期診断は症状に基づいて行われ、尿流動態検査は必須とはされていません[2)]。

表 神経因性過活動膀胱をきたす主な神経疾患（文献3より改変）

脳疾患
脳血管障害（脳出血・脳梗塞）、パーキンソン病、多系統萎縮症、正常圧水頭症、進行性核上性麻痺、大脳白質病変、脳腫瘍など
脊髄疾患
脊髄損傷、多発性硬化症、脊椎変性疾患（変形性脊椎症・椎間板ヘルニア）、急性散在性脳脊髄炎、急性横断性脊髄炎、HTLV-1 関連脊髄症（HAM）など
馬尾・末梢神経疾患
腰部脊柱管狭窄症、糖尿病性末梢神経障害など

HAM : human T lymphotropic virus type 1 (HTLV-1) associated myelopathy

膀胱知覚と尿意切迫感

過活動膀胱の病態生理として重要なものは、膀胱の異常収縮よりも膀胱知覚の変化とされています。

過活動膀胱の発症メカニズム

過活動膀胱症状ならびに排尿筋過活動の発症メカニズムについては、いまだ十分には解明されていません。しかし、明らかに神経疾患に起因すると考えられる神経因性と、それ以外の非神経因性の2つの機序に大別されます。過活動膀胱患者全体でみると、原因が同定できない特発性過活動膀胱が大半を占めます。概念的には、過活動膀胱症状の発症要因は、①膀胱や尿道からの求心性神経伝達の病的亢進、②脳における求心性神経入力の処理障害の2つに分類できます[3)]。

過活動膀胱の神経因性の発症メカニズム

過活動膀胱の神経因性の発症メカニズムとしては、脳における蓄尿期の下部尿路からの求心性神経入力の処理障害と、脊髄・末梢神経レベルでの蓄尿期の下部尿路からの求心性神経伝達の病的亢進が考えられます。

脳疾患（表）

脳幹部橋より上位の中枢は一般に、蓄尿期の排尿反射の抑制や排尿の随意調節にかかわっていると考えられています。したがってこのレベルでの障害では、一般に、排尿の随意的抑制ができなくなり、排尿筋過活動や過活動膀胱症状を呈することが知られています。とりわけ前頭葉の障害が、排尿筋過活動や過活動膀胱症状の発症に関連しているとされています。代表的疾患として以下のものがあります。

脳血管障害

脳血管障害は大きく脳梗塞と脳出血に分類されます。脳梗塞には、急激に片麻痺や意識障害をきたす脳卒中と、多発性脳梗塞（多発性小窩状態）とがあり、どちらも過活動膀胱をきたす可能性があります。過活動膀胱は脳卒中慢性期には約25%程度に認められます[4, 5]。

パーキンソン病

パーキンソン病は、黒質ドーパミンニューロンの変性、α-synuclein（SNCA）陽性Lewy小体の出現が特徴的とされる代表的な神経変性疾患です。パーキンソン病は、筋固縮、動作緩慢、振戦、姿勢反射障害などの運動障害を呈する疾患ですが、近年、認知機能障害、精神症状、自律神経障害、睡眠障害などの非運動性徴候が注目されています[6]。自律神経障害のなかには、下部尿路機能障害、便秘、性機能障害などがあります。パーキンソン病では27～64%に下部尿路症状が認められます。このうち、尿意切迫感は33～54%にみられ、蓄尿症状が排尿症状よりも多いことが指摘されています[7, 8]。

多系統萎縮症

多系統萎縮症は、自律神経系、小脳系、錐体外路系が障害される神経変性疾患です。多彩な自律神経症状を呈するのが特徴で、下部尿路機能障害は、勃起障害とともに本疾患の早期から出現し、蓄尿障害と排尿障害の両方を併せ持つことが一般的です[9, 10]。運動障害に先行してこれらの尿路性器症状が出現することが多いため、泌尿器科を受診することが多いので注意を要します。

下部尿路機能障害の責任部位としては、橋、脊髄中間外側核、仙髄副交感神経運動核、オヌフ核などが想定されています[9, 10]。

正常圧水頭症

高齢者に多い疾患で、歩行障害、認知症、尿失禁を3徴とします。過活動膀胱症状は64～81%にみられます[11, 12]。シャント手術後の症状の改善率は70～80%で、尿失禁の消失率は62%と報告されています[13]。

進行性核上性麻痺

高齢者に発症し、認知機能障害、核上性眼球運動障害、パーキンソニズムを主徴候とする神経変性疾患です。過活動膀胱症状を主体とする下部尿路症状を高頻度に認めます[14]。

脊髄疾患（表）

多発性硬化症、頸髄症、脊髄損傷（不完全核上型損傷）などの脊髄疾患では高率に排尿筋過活動を呈し、膀胱知覚がある程度温存されていると過活動膀胱症状を呈します[3]。他方、典型的な完全脊髄損傷例では、膀胱知覚は消失し、排尿筋過活動と排尿筋外尿道括約筋協調不全を呈します。この場合、排尿筋過活動はあっても尿意切迫感を伴わないため過活動膀胱とは呼びません。

脊髄損傷

脊髄損傷は受傷部位の高さにより核上型（仙髄より上位の損傷）、核型（仙髄）、核下型（仙髄より下位の損傷）に分類されます。脊髄損傷の急性期（脊髄ショック期）には完全尿閉となりますが、核上型では、回復期、固定期になるに従い排尿反射が回復してきます。典型的な完全損傷例では、膀胱知覚は消失し、排尿筋過活動と排尿筋外尿道括約筋協調不全を呈します。

多発性硬化症

多発性硬化症は、視神経と中枢神経系（脳・脊髄）の主に白質に繰り返し炎症が起こる慢性炎症性脱髄疾患で、時間的、空間的に多発する病変を呈することが特徴です。典型的には20～30代で発症し、2：1で女性に多く、再発と寛解を繰り返しながら慢性的に進行します。下部尿路機能障害は33～88%の患者に認められ、下部尿路症状を初発症状の一部とする症例は1～15%程度と報告されています。多発性硬化症の症例中、排尿筋過活動を62%に、排尿筋外尿道括約筋協調不全を25%に、排尿筋低活動を20%に認めたと報告されています[15]。

馬尾・末梢神経疾患（表）

馬尾・末梢神経障害では、一般的に、知覚神経障害による尿意低下・消失と、運動神経障害による排尿筋低活動・無収縮が生じるとされていますが、過活動膀胱症状を呈する場合もあります[3]。代表的な病態として、腰部脊柱管狭窄症による馬尾神経障害や糖尿病性末梢神経障害が挙げられます。

腰部脊柱管狭窄症による馬尾神経障害

下部尿路症状を27～74%に認め、58～68%に排尿障害を認めたとの報告があります[16～19]。その一方で、排尿筋過活動を10～29%に認め、蓄尿障害も少なくありません[19, 20]。蓄尿障害の発症機序としては、馬尾圧迫のため、知覚・運動神経の興奮性の増大や脊髄円錐部の虚血などが関与すると想定されています。

糖尿病性末梢神経障害

糖尿病による下部尿路機能障害の特徴は、膀胱知覚低下と排尿障害に代表されますが、排尿筋過活動を25～55%に認めたとの報告があります[21, 22]。しかし、蓄尿障害は、末梢神経障害によるのか、それとも随伴する脳の血流障害などによるのかはわかっていません。

非神経因性①ー男女共通

明らかな神経疾患が同定されない非神経因性過活動膀胱の発生メカニズムとして、生活習慣の乱れや関連する異常（高血圧、代謝異常）に伴う血管内皮機能障害、自律神経系の亢進、全身・局所の炎症、あるいは隣接する腸管の機能的異常がその発生に関与している可能性があり、基礎研究、臨床研究からのエビデンスも増えています。加齢は過活動膀胱の重要な発生要因ではありますが、生活習慣の乱れや関連する異常に伴う酸化ストレスは、血管内皮機能障害、自律神経系の亢進、炎症をもたらし、さらには年齢層に関係ない加齢変化の原因と考えることもできることから、さらに上流に位置づけることができます。

膀胱血管障害

膀胱壁内神経（骨盤神経節後線維）は虚血に対し特に脆弱で、部分除神経（partial denervation）の状態となりますが、除神経に伴って膀胱平滑筋はアセチルコリンに対し過大な反応を起こすようになります（除神経過敏）。除神経後には平滑筋細胞は電気生理学的に同期しやすくなり、排尿筋過活動が生じると考えられています[23]。膀胱上皮は虚血に伴い酸化ストレスが亢進し、炎症性サイトカイン放出などを介してプロスタグランジンや神経成長因子（nerve growth factor：NGF）放出を増加させ[24]、知覚亢進から排尿筋過活動を惹起すると考えられています。

自律神経系の活動亢進

加齢に伴い交感神経系は活性化されます[25]が、肥満、メタボリック症候群、食塩過剰摂取が加わるとより顕著になります[26]。さらに、副交感神経系の活性化は排尿筋の収縮をもたらし、排尿筋過活動の原因となります[27]。

膀胱の加齢

膀胱平滑筋を支配する骨盤神経節後神経の末端からはアセチルコリンが放出されます

が、加齢に伴い節後神経からのアセチルコリンは減少しアデノシン三リン酸（ATP）放出が増加すると報告されています[28]。ATPは収縮の開始に関与するので、尿意切迫感などの過活動膀胱の原因になっている可能性もあります。また、加齢とともに膀胱上皮は酸化ストレスを受けやすくなり[29]、上皮由来のアセチルコリンも減少しATP放出が増加、平滑筋の反応性の亢進などにより膀胱からの求心性入力も増加するとされています[30]。

膀胱の炎症

過活動膀胱患者の約60%に膀胱上皮あるいは上皮下に慢性の炎症が存在し[31]、また前立腺肥大症に対する薬物療法後も尿意切迫感の残存する患者[32]、あるいは女性の過活動膀胱患者[33]では血清C反応性タンパク（CRP）が高値であると報告されています。膀胱の慢性炎症は脊髄後根神経節細胞の興奮性を亢進させる、あるいは膀胱上皮内への神経発芽（sprouting）形成を促進させる作用があると報告されています[34]。

酸化ストレス

加齢、生活習慣の乱れや関連する異常（高血圧、代謝異常）は、細胞レベルではエネルギー産生にかかわるミトコンドリアを障害し、reactive oxygen species（ROS）といった細胞内の活性酸素が増大し、血管内皮機能障害、自律神経の亢進、全身・局所の炎症発生にも関与します。酸化ストレスを伴う膀胱血流障害は、知覚神経の亢進[35]、膀胱壁内の除神経、除神経過敏の原因となり過活動膀胱が起こります。

非神経因性②ー女性における発症メカニズム

女性特有の過活動膀胱の発症のメカニズムとして、主に①女性ホルモン、②骨盤底弛緩・骨盤臓器脱（pelvic organ prolapse：POP）の2点が挙げられます。

女性ホルモン

エストロゲンは、月経による性周期、妊娠、閉経などで一生を通じて大きく変動しており、それに伴い下部尿路症状も変化します[36, 37]。更年期に伴うエストロゲンの低下は、尿生殖器の萎縮性変化を引き起こし、頻尿、尿意切迫感、夜間頻尿、切迫性尿失禁などの下部尿路症状や再発性尿路感染症の要因となります[38]。

骨盤臓器脱（POP）

骨盤臓器脱と過活動膀胱の関係においては、骨盤臓器脱による膀胱出口部閉塞が原因とする説が多いです。骨盤臓器脱を手術で修復すると、過活動膀胱が改善します。しかし成因についてはまだ不明な点が多いです。

非神経因性③ー男性における発症メカニズム

男性における過活動膀胱の発症メカニズムとして重要なものは、主に、①膀胱出口部閉塞とそれに伴う膀胱組織の二次的変化と、②加齢に伴うテストステロン低下の２点が挙げられます。

膀胱出口部閉塞

膀胱出口部閉塞があると二次的に膀胱機能の変化が誘発され、それに伴い過活動膀胱も生じると推定されています。前立腺肥大症では蓄尿・排尿のサイクルごとに膀胱伸展・高圧・虚血・再灌流が繰り返され、徐々に上皮・神経・平滑筋にさまざまな変化がもたらされます[39]。特に膀胱血流障害は酸化ストレスを引き起こし、ラジカルが上皮・神経・平滑筋の障害をもたらすと考えられています。

内分泌環境の変化

テストステロン低下は血管内皮機能障害を介して膀胱機能に影響することから、テストステロン低下が過活動膀胱を惹起する可能性が推定されています。しかし、テストステロン値と過活動膀胱との間に有意な相関があるという報告はきわめて少ないです。

低活動膀胱を伴う過活動膀胱

低活動膀胱は、内圧尿流検査による所見で「排尿筋の収縮力や収縮持続が減少するため、効率よく尿を排出できない膀胱機能障害」と定義されていますが、内圧尿流検査での明確なカットオフ値は定義されていません。低活動膀胱を伴う過活動膀胱は、病態生理上、過活動膀胱と低活動膀胱の単なる併存、過活動膀胱から低活動膀胱への進行の移行期、あるいは共通の原因による単一の病態などの説がありますが、いまだ結論は出ていません[40, 41]。過活動膀胱は蓄尿相の下部尿路機能障害を、低活動膀胱は尿排出相（排尿相）の下部尿路機能障害を反映する症状症候群です。このため、同一の患者が蓄尿相と尿排出相の下部尿路機能障害をそれぞれ反映する過活動膀胱と低活動膀胱の双方を有する場合は当然あり得ます。

限局性前立腺がん治療に伴う過活動膀胱

前立腺全摘除術と過活動膀胱

開腹、ロボット支援を問わず前立腺全摘除術後に新たに過活動膀胱が出現することがあります。術後の過活動膀胱の重症度の経時的変化は、腹圧性尿失禁の重症度の推移と連動する場合があります。要因として、術後の排尿筋過活動の出現、膀胱コンプライアンスの低下、尿道閉鎖圧の低下が考えられています[42, 43]。治療としては、バイオフィードバック併用の骨盤底筋訓練、腹圧性尿失禁に対する人工尿道括約筋埋込み術、尿道スリング手術により併存する過活動膀胱の改善が期待されます。薬物治療として、抗コリン薬、PDE5 阻害薬が、薬物治療抵抗性の場合はボツリヌス毒素膀胱壁内注入療法が有効である可能性があるとされています。

放射線治療と過活動膀胱

前立腺がんの放射線治療後に蓄尿症状が出現し、その改善は排尿症状より遷延します。蓄尿症状の遷延は、放射線外照射療法より小線源療法で顕著です。メカニズムとして、照射に伴う早期（180 日未満）の蓄尿症状は、前立腺および前立腺部尿道での炎症に起因するとされます。一方、後期（180 日以後）の蓄尿症状は、照射の影響による血管壁の線維化や血流の低下、膀胱の虚血、膀胱の線維化に結びつき、膀胱コンプライアンスが低下することや[44]、三角部への影響で膀胱知覚が影響を受けること[45]が推測されています。

引用・参考文献

1) 日本排尿機能学会 / 日本泌尿器科学会編．過活動膀胱診療ガイドライン．第 3 版．東京，リッチヒルメディカル，2022，287.
2) 日本排尿機能学会過活動膀胱診療ガイドライン作成委員会編．過活動膀胱診療ガイドライン．第 2 版．東京，リッチヒルメディカル，2015，164.
3) Salvatore, S. et al. Pathophysiology of urinary incontinence, faecal incontinence and pelvic organ prolapse. Abrams, P. et al, eds,. Incontinence 6th Edition 2017. 6th International Consultation on Incontinence. ICI-ICS. 2017, 361-495.
4) Sakakibara, R. et al. Micturitional disturbance after acute hemispheric stroke : analysis of the lesion site by CT and MRI. J Neurol Sci. 137, 1996, 47-56.
5) Itoh, Y. et al. Burden of overactive bladder symptom on quality of life in stroke patients. Neurourol Urodyn. 32, 2013, 428-34.
6) Chaudhuri, KR. et al. National Institute for Clinical Excellence. Non-motor symptoms of Parkinson’s disease : diagnosis and management. Lancet Neurol. 5, 2006, 235-45.
7) Sakakibara, R. et al. Pathophysiology of bladder dysfunction in Parkinson’s disease. Neurobiol Dis. 46, 2012, 565-71.
8) Sakakibara, R. et al. Bladder function of patients with Parkinson’s disease. Int J Urol. 21, 2014, 638-46.
9) Wenning, GK. et al. Multiple system atrophy. Lancet Neurol. 3, 2004, 93-103.
10) Jecmenica-Lukic, M. et al. Premotor signs and symptoms of multiple system atrophy. Lancet Neurol. 11, 2012, 361-8.
11) Sakakibara, R. et al. Mechanism of bladder dysfunction in idiopathic normal pressure hydrocephalus. Neurourol Urodyn. 27, 2008, 507-10.
12) Campos-Juanatey, F. et al. Assessment of the urodynamic diagnosis in patients with urinary incontinence associated with normal pressure hydrocephalus. Neurourol Urodyn. 34, 2015, 465-8.

13) Kazui, H. et al. Predictors of the disappearance of triad symptoms in patients with idiopathic normal pressure hydrocephalus after shunt surgery. J Neurol Sci. 328, 2013, 64-9.
14) Sakakibara, R. et al. Micturitional disturbance in progressive supranuclear palsy. J Auton Nerv Syst. 45, 1993, 101-6.
15) Litwiller, SE. et al. Multiple sclerosis and the urologist. J Urol. 161, 1999, 743-57.
16) Tsai, CH. et al. The evaluation of bladder symptoms in patients with lumbar compression disorders who have undergone decompressive surgery. Spine（Phila Pa 1976）. 35, 2010, E849-54.
17) Orlin, JR. et al. Two screening tests for urinary voiding dysfunction used in 209 consecutive patients undergoing lumbar spine operations. Scand J Urol Nephrol. 44, 2010, 106-12.
18) Inui, Y. et al. Clinical and radiologic features of lumbar spinal stenosis and disc herniation with neuropathic bladder. Spine（Phila Pa 1976）. 29, 2004, 869-73.
19) 曽根淳史ほか．腰部脊柱管狭窄症による排尿障害の検討．日本泌尿器科学会誌．85，1994，611-5.
20) Yamanishi, T. et al. Detrusor overactivity and penile erection in patients with lower lumbar spine lesions. Eur Urol. 34, 1998, 360-4.
21) Kaplan, SA. et al. Urodynamic findings in patients with diabetic cystopathy. J Urol. 153, 1995, 342-4.
22) Ueda, T. et al. Diabetic cystopathy : relationship to autonomic neuropathy detected by sympathetic skin response. J Urol. 157, 1997, 580-4.
23) Speakman, MJ. et al. Bladder outflow obstruction : a cause of denervation supersensitivity. J Urol. 138, 1987, 1461-6.
24) Nomiya, M. et al. Increased bladder activity is associated with elevated oxidative stress markers and proinflammatory cytokines in a rat model of atherosclerosis-induced chronic bladder ischemia. Neurourol Urodyn. 31, 2012, 185-9.
25) Seals, DR. et al. Collateral damage : cardiovascular consequences of chronic sympathetic activation with human aging. Am J Physiol Heart Circ Physiol. 287, 2004, H1895-905.
26) Straznicky, NE. et al. Mediators of sympathetic activation in metabolic syndrome obesity. Curr Hypertens Rep. 10, 2008, 440-7.
27) Kirby, MG. et al. Overactive bladder : Is there a link to the metabolic syndrome in men? Neurourol Urodyn. 29, 2010, 1360-4.
28) Yoshida, M. et al. Age-related changes in cholinergic and purinergic neurotransmission in human isolated bladder smooth muscles. Exp Gerontol. 36, 2001, 99-109.
29) Nocchi, L. et al. Induction of oxidative stress causes functional alterations in mouse urothelium via a TRPM8-mediated mechanism : implications for aging. Aging Cell. 13, 2014, 540-50.
30) Daly, DM. et al. Age-related changes in afferent pathways and urothelial function in the male mouse bladder. J Physiol. 592, 2014, 537-49.
31) Apostolidis, A. et al. Histological changes in the urothelium and suburothelium of human overactive bladder following intradetrusor injections of botulinum neurotoxin type A for the treatment of neurogenic or idiopathic detrusor overactivity. Eur Urol. 53, 2008, 1245-53.
32) Liao, CH. et al. Serum C-reactive protein levels are associated with residual urgency symptoms in patients with benign prostatic hyperplasia after medical treatment. Urology. 78, 2011, 1373-8.
33) Chung, SD. et al. Elevation of serum c-reactive protein in patients with OAB and IC/BPS implies chronic inflammation in the urinary bladder. Neurourol Urodyn. 30, 2011, 417-20.
34) Boudes, M. et al. Crucial role of TRPC1 and TRPC4 in cystitis-induced neuronal sprouting and bladder overactivity. PLoS One. 8, 2013, e69550.
35) Masuda, H. et al. Reactive oxygen species mediate detrusor overactivity via sensitization of afferent pathway in the bladder of anaesthetized rats. BJU Int. 101, 2008, 775-80.
36) Barlow, DH. et al. Urogenital ageing and its effect on sexual health in older British women. Br J Obstet Gynaecol. 104, 1997, 87- 91.
37) Cutner, A. et al. Lower urinary tract symptoms in early pregnancy. J Obstet Gynaecol. 12, 1992, 75-8.
38) Iosif, CS. et al. Prevalence of genito-urinary symptoms in the late menopause. Acta Obstet Gynecol Scand. 63, 1984, 257-60.
39) Drake, MJ. et al. Localized contractions in the normal human bladder and in urinary urgency. BJU Int. 95, 2005, 1002-5.
40) Mancini, V. et al. Is coexistent overactive-underactive bladder（with or without detrusor overactivity and underactivity）a real clinical syndrome? ICI-RS 2019. Neurourol Urodyn. 39（Suppl 3）, 2020, S50-9.
41) Chancellor, MB. et al. Underactive bladder ; review of progress and impact from the International CURE-UAB Initiative. Int Neurourol J. 24, 2020, 3-11.
42) Matsukawa, Y. et al. De novo overactive bladder after robot-assisted laparoscopic radical prostatectomy. Neurourol Urodyn. 37, 2018, 2008-14.
43) Lee, DS. et al. Urodynamic evaluation of patients with localized prostate cancer before and 4 months after robotic radical prostatectomy. Sci Rep. 11, 2021, 3632.
44) Marks, LB. et al. The response of the urinary bladder, urethra, and ureter to radiation and chemotherapy. Int J Radiat Oncol Biol Phys. 31, 1995, 1257-80.
45) Schaake, W. et al. Development of a prediction model for late urinary incon-tinence, hematuria, pain and voiding frequency among irradiated prostate cancer patients. PLoS One. 13, 2018, e0197757.

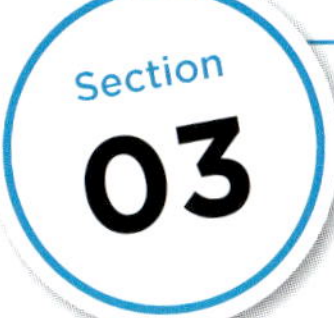

尿失禁（腹圧性、切迫性、混合性、溢流性、機能性尿失禁）の種類と病態

日本大学医学部 泌尿器科学系泌尿器科学分野 准教授 吉澤 剛　同 主任教授 髙橋 悟

Point

1. 尿失禁とは自分の意思とは関係なく尿が漏れてしまうことをいう。加えて、これにより社会的・衛生的に支障を生ずるものと定義づけられている。
2. 尿失禁は病態に基づいて腹圧性尿失禁、切迫性尿失禁、混合性尿失禁、溢流性尿失禁、機能性尿失禁に分類される。
3. 尿失禁のタイプは問診で大まかに判別することができる。

尿失禁の分類

「尿失禁」とは症候名であり、自分の意思とは関係なく、尿をしたくないときや場所で尿が漏れてしまう状態をいいます。これが日常生活において不快や不自由をもたらし、生活の質（quality of life：QOL）を低下させます。報告によりばらつきがありますが、尿失禁は女性に多く、男性の約2倍の頻度を有します。また、男女とも加齢とともにその頻度は増加しますが、特に男性では大半が60歳以上であるのに対して、女性は若・中年にもかなりの頻度で生じるのが特徴です。治療の対象にならない軽度のものを含めると成人女性の約40%が尿失禁を経験していると考えられています[1)]。

尿失禁を病態に基づいて分類すると、腹圧性尿失禁、切迫性尿失禁、混合性尿失禁、溢流性尿失禁、機能性尿失禁などに分けることができます。これらの尿失禁のなかで女性に最も多いのが腹圧性尿失禁であり（49%）、ついで腹圧性尿失禁と切迫性尿失禁が合併した混合性尿失禁（29%）、切迫性尿失禁（21%）といわれています[2)]。本項では、尿失禁の種類と病態について解説します。

腹圧性尿失禁

腹圧性尿失禁とは、膀胱に尿が貯留したときの咳、くしゃみ、階段の昇り降り、ジョギングやテニスなどの運動時に、瞬間的に腹圧がかかることにより膀胱内圧が尿道閉鎖圧を上回り、膀胱収縮を伴わずに尿が漏れる状態をいいます。尿道閉鎖圧の低下を引き起こす病態としては、尿道過可動（urethral hypermobility）と尿道括約筋不全（intrinsic sphincter deficiency：ISD）の２つの病態が関与するといわれています。

尿道過可動は、女性の骨盤底の解剖学的条件、分娩、加齢に伴う骨盤底の障害のために、尿道の裏打ちが弱まり、腹圧負荷時に尿道が腟側へ下垂して開くものです。これにより腹圧が膀胱に集中し、尿道が圧迫されず尿失禁が生じます。

ISDは、尿道括約筋機能自体の障害で、膀胱頸部・近位尿道が安静時でも開大し、軽度の膀胱内圧上昇により尿失禁が起こります。閉経後のエストロゲン低下による尿道粘膜萎縮、尿失禁手術・婦人科手術・放射線療法による平滑筋性尿道括約筋および陰部神経によって支配される横紋筋性尿道括約筋の変性などが原因とされていますが、原因不明のものも少なくありません。実際の臨床例では２つの病態がさまざまな程度に混在します[3)]。

切迫性尿失禁

正常では、蓄尿時においては膀胱に尿が充満しても内圧の上昇はみられず、排尿の意思に伴い、排尿筋が収縮して排尿が起こります。この蓄尿時に不随意な排尿筋収縮、すなわち排尿筋過活動（detrusor overactivity：DO）が起こり、急激な強い尿意（尿意切迫感）と同時または尿意切迫感の直後に尿失禁が起こるものを切迫性尿失禁といいます。過活動膀胱（overactive bladder：OAB）の症状の一つでもあります。この場合、基礎疾患に神経疾患があれば神経因性OABと分類されます。脳血管障害やパーキンソン病などの脳幹部橋より上位中枢の障害、脊髄損傷などの脊髄の障害でみられます。

一方、神経疾患を伴わない場合には、非神経因性OABと分類されます。前立腺肥大症（benign prostatic hyperplasia：BPH）や骨盤臓器脱（pelvic organ prolapse：POP）などによる下部尿路閉塞、加齢、骨盤底の脆弱化、原因不明の特発性などがあります。

混合性尿失禁

腹圧性尿失禁と切迫性尿失禁の２つの病態が混在したものです。高齢の女性に多くみられます。一般に、腹圧性尿失禁の患者では、しばしばDOを伴うことがありますが、腹圧性尿失禁が優位な混合性尿失禁に対してtension-free vaginal tape（TVT）やtransobturator tape（TOT）などの中部尿道スリング手術を行うと、切迫性尿失禁も治癒することがあります。これらの臨床的事象は、尿道求心性経路と排尿反射の関連を推測させます。つまり、腹圧性尿失禁の患者では、腹圧が加わった際に尿道に尿が流入することによって、尿道の求心性神経が活性化され、排尿反射を増強させている可能性があります。したがって、不随意の排尿筋収縮が誘発されて、尿意切迫感や切迫性尿失禁が生じると考えられます。

溢流性尿失禁

一般的に尿失禁は蓄尿障害ですが、溢流性尿失禁だけは排尿障害が原因の尿失禁です。原因は、排尿筋低活動（detrusor underactivity：DU）によるものが多いです。このため、排尿時間が長く、排尿しても1回排尿量は少なく、多量の残尿が存在し、頻尿を伴うことが多いです。常時、膀胱に尿が貯留している状態で膀胱内の尿が溢れ漏れるタイプです。BPH、尿道狭窄、POPでも尿道が閉鎖・屈曲するために生じることがあります。腹圧がかかった際に尿失禁を呈することもあるため、腹圧性尿失禁との鑑別を要します。また、上部尿路への障害を伴うことがあり注意が必要です。

DUの原因となる疾患としては、仙髄排尿中枢以下の末梢神経障害による神経因性膀胱で骨盤内手術後（広汎子宮全摘術、直腸がん術後など）、糖尿病、腰部脊柱管狭窄症、椎間板ヘルニアなどがあります。末梢神経障害によるものでは、尿意に乏しいことも特徴の一つです。

機能性尿失禁

膀胱・尿道機能は保たれていますが、認知機能障害や運動機能障害でトイレ以外の場所で尿失禁を呈するものです。高齢者に多いため、ほかのタイプの尿失禁が合併していることも多いです。

尿失禁の診断と検査

問診

尿失禁が起こる状況と期間

どのような状況で尿失禁が起こるのかを明確にすることが重要です。問診のみで尿失禁のタイプを判定できる症例も多いです。典型的な腹圧性尿失禁では、腹圧の加わる状況（咳、くしゃみ、歩く、走る、重い物を持つ、スポーツなど）に限って尿が漏れ、安静臥床時には失禁は起こりません。一方、切迫性尿失禁は、強い尿意（尿意切迫感）とともに「がまんが利かずに漏れる」もので、通常、頻尿を伴うことが多いです。混合性尿失禁が考えられる場合は、どちらがより困る症状なのか、腹圧性と切迫性の比重を確認する必要があります。溢流性尿失禁では、「常に少しずつ尿が漏れている」という訴えが典型的ですが、慢性的な排尿障害の存在により、急性尿閉とは異なり残尿感や膀胱痛などの自覚症状が乏しいことも多く、「いつ漏れているのかわからない」もしくは「漏れている感じはないが、気が付くと下着が濡れている」といった訴えや、常に膀胱に尿が充満しているため、腹圧が加わった際に失禁量が増えることがあり、「お腹に力が入ったときに漏れる」といった腹圧性尿失禁と同様の訴えをすることがあります。また、本人には排尿障害の自覚がなく、「尿の勢いが悪い」「すっきりしない」といった、排尿障害の存在を疑わせる訴えがないことも多いので注意が必要です。機能性尿失禁では、切迫性尿失禁と同様、「トイレまで間に合わずに漏れる」のですが、切迫性尿失禁のように耐え難い尿意が急に起こるというものではなく、あくまでトイレに到達するまでに時間がかかってしまう（もしくはトイレに行こうとしない）ために漏れてしまうものです。診察室に入って来た時点で歩行に問題があることである程度判断がつきますし、認知症をもつ患者では家族が付き添って来院される場合がほとんどです。

また、尿失禁を発症するようになってからの期間や尿失禁の状態（頻度、重症度、時間帯、下着やパッド・おむつの交換回数、生活への影響など）を把握することで、治療の適応や治療方針選択の参考とすることができます。

既往歴および合併症

女性では出産歴、閉経、ホルモン補充療法の有無を聞きます。脳血管障害、脊髄疾患、糖尿病などの下部尿路機能に影響を与えうる疾患、骨盤内手術や過去の尿失禁手術、放射線療法の既往は、尿失禁の発症との前後関係を含めて問診により十分把握しておく必要があります。

服薬歴

抗不安薬、中枢性筋弛緩薬、抗がん薬、アルツハイマー型認知症治療薬、抗アレルギー薬、交感神経α受容体遮断薬、狭心症治療薬、コリン作動薬、頻尿・尿失禁・過活動膀胱治療薬、抗精神病薬、総合感冒薬などの薬剤は、尿失禁の状態に影響を与える可能性があるため、その使用状況を把握しておく必要があります。

その他

排尿困難、排尿時痛、血尿、骨盤臓器の下垂感といった尿失禁以外の症状、水分やアルコールの摂取状況、排便機能および性機能に関しても問診します。また、特に高齢者においては日常生活動作の低下、精神状態（精神疾患の合併、認知機能低下の有無）、生活・社会的環境にも注意を払い問診をする必要があります。

症状の定量化とQOLの評価

排尿日誌

尿量を測定できるコップを渡し、日常生活のなかでできれば3日から1週間連続で、毎回の排尿時刻と排尿量、尿失禁の有無、パッド類の枚数および起床時刻と就寝時刻、その他の出来事を患者に記載してもらいます。これにより昼間・夜間の排尿回数や1回排尿量、尿失禁の頻度と重症度が比較的容易に把握できます[4](p328「排尿記録の3様式」参照)。

パッドテスト

尿失禁の重症度の客観的な目安となります。500mLの水を飲んだ後に、主に腹圧性尿失禁を誘発する動作を45分間行ってもらい、前後のパッド重量の差で失禁量を求める「1時間パッドテスト[5](p328「1時間パッドテスト」参照)」、日常生活のなかで24時間の失禁量を求める「24時間パッドテスト」があります。

QOLの評価

尿失禁のQOLに対する影響は、重症度が同等であっても、患者の価値観やライフスタイルによって大きく異なり、治療の必要性や選択肢を左右します。良性疾患である尿失禁の治療はQOLの改善を目的としたものであるので、QOLに対する影響を正確に評価することは重要です。現在、QOLの評価にはICIQ-SF(international consultation on incontinence questionnaire-short form)がよく使用され、日本語版もあります[6](p326「ICIQ-SF」参照)。頻尿や尿意切迫感(切迫性尿失禁)を認める場合には、過活動膀胱症状スコア(overactive bladder symptom score:OABSS)を用いて症状を評価します[7,8](p327「OABSS」参照)。また、主要下部尿路症状スコア(core lower urinary tract symptom score:CLSS)は切迫性、腹圧性尿失禁も含めた下部尿路症状を網羅することができ、基本評価として有用です[9](p326「CLSS」参照)。

診察

腹部の視・触診と神経学的検査

腹部膨満や肥満、手術瘢痕の有無を確認します。外尿道口からの持続的な尿の流出を認めることもあります。腹部から外陰部にかけての触覚、温痛覚の観察、球海綿体筋反射の有無、直腸診による肛門括約筋のトーヌスと収縮の評価を行うことが望ましいです。BPHと診断された患者の半数に尿意切迫感や切迫性尿失禁、頻尿などのOAB症状が認められるため、男性では併せて、BPHおよび前立腺がんの有無を確認します。

台上診

尿失禁による外陰部皮膚の皮疹の有無、外尿道口や腟口の診察は重要です。POP（膀胱瘤、子宮脱、直腸瘤など）の有無や腟壁周囲の筋肉のトーヌスを評価し、萎縮性腟炎などの有無も確認します。加えて、腹圧性尿失禁が疑われる場合は、膀胱内に尿が充満した状態で咳などの腹圧をかけさせるストレス（咳）テストや、尿道過可動の有無を判断するためにQチップテスト[10]（図）を行います。

また、POP（膀胱瘤）が進行すると、腹圧性尿失禁が改善することがあります。これを潜在性腹圧性尿失禁といいます。このため、腟内にペッサリーやガーゼタンポンを入れてPOPを修復した状態で咳テストを行い、潜在性腹圧性尿失禁の有無を調べることがあります（barrier test）。

その他

尿検査（尿一般・沈査）

尿路感染症（膀胱炎や前立腺炎など）、尿路結石、膀胱腫瘍（特に上皮内がん）、糖尿病や腎疾患のスクリーニングのために尿検査を行います。尿路感染症を認める場合には、尿失禁の評価や治療前に適切な抗菌薬を投与し、感染による影響を除いておきます。必要に応じて尿培養、尿細胞診を追加します。

超音波検査

溢流性尿失禁が疑われたら、超音波で膀胱の緊満を確認します。また、膀胱内圧の上昇により水腎症を呈していることがあるため、上部尿路も確認します。男性では、BPHの程度も確認します。

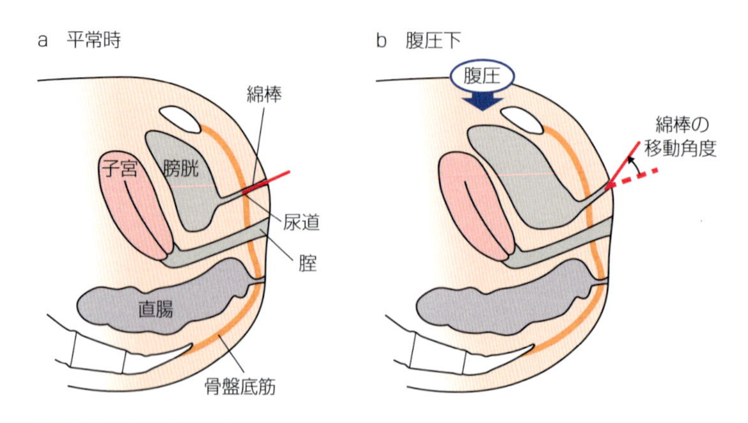

図　Qチップテスト

綿棒を尿道に入れた後に咳をさせる。平常では咳をしても綿棒はほとんど動かない（a）。尿道過可動を認める場合は綿棒が上向きに大きく振れる。振れる角度が30°以上で尿道過可動ありと判定する（b）。

尿流測定

尿流測定は、排尿障害のスクリーニングとして残尿測定とともに有用な検査法です。最大尿流量の明らかな低下、排尿時間の延長があり、多量の残尿が認められる場合には、溢流性尿失禁が疑われます。

残尿測定

排尿後に経腹的超音波検査で残尿量を測定します。尿失禁、頻尿を主訴とする患者で多量の残尿があれば溢流性尿失禁の可能性があります。

血液検査

溢流性尿失禁の患者では、慢性的な排尿障害により腎機能障害を認めることがあるため、腎機能および電解質を確認します。また、男性では前立腺がんのスクリーニングのため、PSA 検査も施行します。

尿流動態検査

膀胱内圧測定（cystometry）、尿道内圧検査（urethral pressure profilometry：UPP）および腹圧下漏出時圧（abdominal leak point pressure：ALPP）

切迫性尿失禁の診断において膀胱内圧測定は有用です。切迫性尿失禁を訴えるすべての症例で DO が証明されるわけではないですが、膀胱内圧測定の蓄尿相で DO の存在、最大膀胱容量やコンプライアンスの低下を確認できれば、その診断はより確実なものとなります。一方、尿道閉鎖圧は、尿禁制機能の指標になり、最大尿道閉鎖圧（maximum urethral closure pressure：MUCP）が 20〜30cmH_2O 以下の場合、ISD が疑われます[11, 12]。腹圧性尿失禁が疑われるときは、膀胱内圧測定の蓄尿相でいきみ（Valsalva 法）や咳を繰り返し行わせ、尿失禁が誘発されるかを確認します。腹圧の上昇に伴って排尿筋収縮を伴わない尿漏出が確認されれば、真性腹圧性尿失禁と診断できます。この際、ALPP をみることが重要です。ALPP は、腹圧負荷によって尿失禁を引き起こす最も低い膀胱内圧をいいます。ALPP が低値なほど ISD の要素が強く重症と考えられ、ISD のカットオフ値として ALPP 60cmH_2O 以下と提案されています[13]。また、骨盤内手術（主に婦人科手術）や放射線療法後では、膀胱のコンプライアンスの低下をきたすこともあり、膀胱内圧測定で証明できます。

内圧尿流検査（pressure flow study：PFS）

尿流測定や残尿測定で排尿障害が疑われる場合の原因検索として有用な検査です。膀胱内圧と尿流測定を同時に行うことで、膀胱出口部閉塞（bladder outlet obstruction：BOO）と排尿筋収縮力を定量的に評価できるという利点があります。

鎖膀胱尿道造影（chain cystourethrography：chain CUG）

膀胱内に造影剤を注入し、尿道を描出するために専用の鎖を挿入し、通常、立位で腹圧をかけた状態で撮影します。腹圧性尿失禁の過可動型では、側面像で、膀胱後面と尿道の間にできる角度（後部尿道膀胱角）が開大し、ISD型では立位で膀胱頸部が開くのが特徴です。また、POPの一つである膀胱瘤では、立位や腹圧時に膀胱が下垂する様子が観察されます。

膀胱鏡検査

膀胱内、膀胱頸部および尿道内の状態を確認でき、引き続いてストレステストを行える利点があります。

引用・参考文献

1) 本間之夫ほか．排尿に関する疫学的研究委員会．排尿に関する疫学的研究．日本排尿機能学会誌．14，2003，266-77.
2) Hunskaar, S. et al. Epidemiology and natural history of urinary incontinence in women. Urology. 62, 2003, 16-23.
3) Haab, F. et al. Female stress urinary incontinence due to intrinsic sphincteric deficiency : recognition and management. J Urol. 156, 1996, 3-17.
4) 日本排尿機能学会ホームページ．http://japanese-continence-society.kenkyuukai.jp/
5) 泌尿器科領域の治療標準化に関する研究班．"女性尿失禁診療ガイドライン"．EBMに基づく尿失禁診療ガイドライン．東京，じほう，2004，102p.
6) 後藤百万ほか．尿失禁の症状・QOL質問票：スコア化ICIQ-SF（International Consultation on Incontinence-Questionnaire：Short Form）．日本神経因性膀胱学会誌．12，2001，227-31.
7) 日本排尿機能学会過活動膀胱診療ガイドライン作成委員会編．過活動膀胱診療ガイドライン．第2版．東京，リッチヒルメディカル，2015，105.
8) 本間之夫ほか．過活動膀胱症状質問票（overactive bladder symptom score：OABSS）の開発と妥当性の検討．日本泌尿器科学会誌．96，2005，182.
9) 日本排尿機能学会／日本泌尿器科学会編．女性下部尿路症状診療ガイドライン．第2版．東京，リッチヒルメディカル，2019，104.
10) 前掲書9)，112.
11) McGuire, EJ. et al. Clinical assessment of urethral sphincter function. J Urol. 150, 1993, 1452-4.
12) Clemons, JL. et al. The tension-free vaginal tape in women with a non-hypermobile urethra and low maximum urethral closure pressure. Int Urogynecol J Pelvic Floor Dysfunct. 18, 2007, 727-32.
13) Pajoncini, C. et al. Clinical and urodynamic features of intrinsic sphincter deficiency. Neurourol Urodyn. 22, 2003, 264-8.

下部尿路閉塞疾患

製鉄記念室蘭病院 泌尿器科 **福多史昌**　札幌医科大学医学部 泌尿器科学講座 教授 **舛森直哉**

Point

1. 前立腺は加齢とともに大きくなり、前立腺肥大症と診断される男性が増加する。
2. 前立腺肥大症の明確な定義はなく、症状の重症度を決定づける要素は前立腺の大きさだけではない。
3. 膀胱頸部硬化症は、前立腺肥大症に対する手術後に二次的に起こる。
4. 尿道狭窄は、前立腺全摘除術、前立腺の放射線治療、尿道損傷、尿路感染症などが原因で起こる。
5. 膀胱頸部硬化症や尿道狭窄があることを知らずに尿道カテーテル挿入を行うと、尿道損傷を起こすことがある。

前立腺肥大症

男性は50歳を過ぎるころからさまざまな下部尿路症状を訴えて医療機関を受診する機会が増えます。その多くの男性が前立腺肥大症（benign prostatic hyperplasia：BPH）という診断のもと、さまざまな加療を受けています。しかし、BPHは日常診療でよく見かける診断名であるにもかかわらず、BPHには明確な診断基準がありません。2017年に発刊された『男性下部尿路症状・前立腺肥大症診療ガイドライン』においてBPHは、「前立腺の良性過形成による下部尿路機能障害を呈する疾患で、通常は前立腺腫大と膀胱出口部閉塞を示唆する下部尿路症状を伴う」と定義されています[1]が、前立腺の体積がいくら以上であればBPHという数値による基準があるわけではありません。

BPHに伴う主な下部尿路症状には、残尿感、頻尿、尿線途絶、尿意切迫感、尿勢低下、腹圧排尿、夜間頻尿などがあります。これらの症状すべてが一つの原因で引き起こされるわけではありませんが、下部尿路の閉塞は下部尿路症状を引き起こす原因の一つと考えられます。

前立腺により下部尿路閉塞が引き起こされるメカニズムは、大きく2つあります。一つは、前立腺が大きくなるため直接尿道を閉塞することによって起こる機械的閉塞パターンです（図1 図2）。BPHでは、前立腺の内側に存在する移行領域と呼ばれる部分が増大し、尿道を圧迫します。もう一つは、前立腺の間質の組成の一つである平滑筋の過緊張により、尿道が機能的に閉塞するパターンです（図2）。

BPHによる閉塞パターンとして、機械的閉塞のほうがイメージしやすいと思われますが、機能的閉塞による下部尿路閉塞もあるため、前立腺が大きくなくても下部尿路症状を引き起こす場合があるのです。したがって、これらのことがBPHの病態の理解を難しくしており、前立腺体積でBPHを定義できない理由の一つとなっています。

では、BPH診療において、前立腺体積は意味のない要素なのでしょうか？　確かに、前立腺体積と症状との間の相関は弱く、そういう意味ではあまりあてになる指標にはな

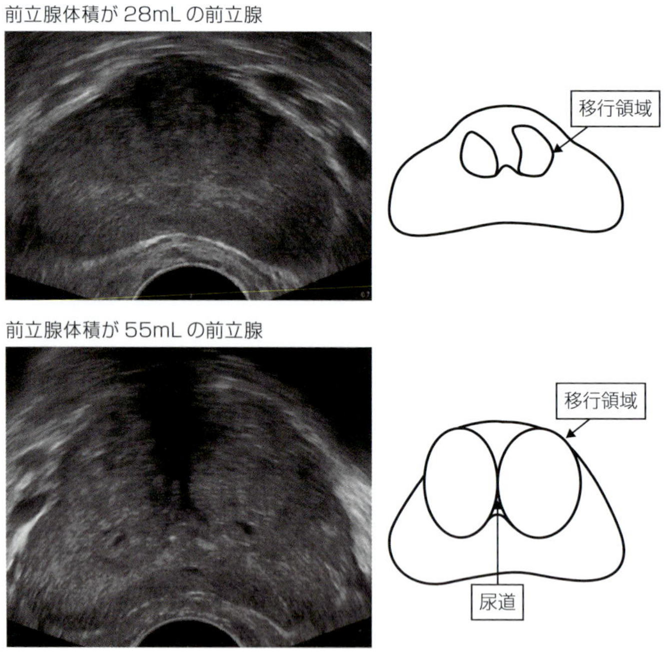

前立腺体積が28mLの前立腺

移行領域

前立腺体積が55mLの前立腺

移行領域

尿道

図1 経直腸エコーによる前立腺肥大症症例の前立腺の見え方

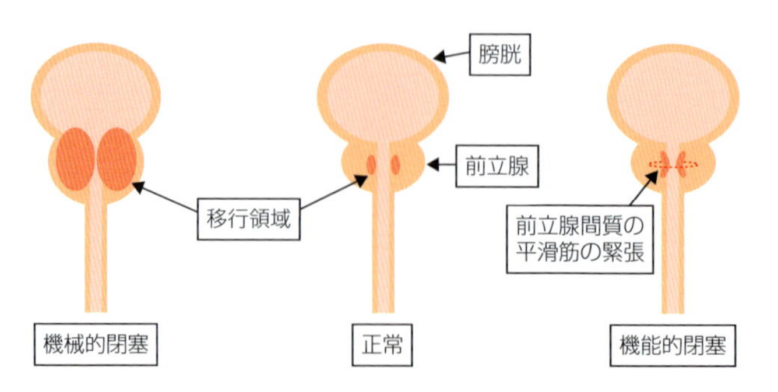

図2 前立腺肥大症における下部尿路閉塞パターンのイメージ

りません。しかし、日常診療を思い出してみると、尿閉となる症例やBPHに対し外科治療が行われる症例では、多くの場合で前立腺が大きいのではないでしょうか。実はその印象は間違いではなく、前立腺体積を小さくする薬物を用いた大規模臨床試験結果では、前立腺体積を縮小することで、尿閉発症のリスクや外科治療への移行の危険性を低下させる効果があることが示されています。BPH診療を行ううえで、前立腺体積は重要な要素であることが明らかにされているのです[2]。

では、どのような男性の前立腺が将来大きくなるのでしょうか？　この答えは、BPHの疫学研究結果が参考になります。前立腺体積まで測定し、BPHの自然史について調査した研究は、大人数の対象を長期間追跡しなくてはいけないため、世界的にも数えるほどしかありません。日本では北海道の島牧村で行われた疫学研究があります。その研究により、日本人男性の一般的な前立腺体積は約20mLであることや、50歳前後から加齢とともに前立腺体積が大きくなることが明らかになりました（図3）[3, 4]。また、本研究結果から、もともと前立腺の大きな男性では、将来、前立腺が大きくなることが明らかになりました。しかしこれは日本人だけではなく、米国の疫学研究においても同様の結果が示されています[5]。したがって、高齢だから前立腺の増大の勢いが弱まるということはなく、大きな前立腺が下部尿路症状の原因となっている男性では、加齢とともにますます症状が悪化していくことが予想されます。前立腺肥大症診療ガイドラインでは、前立腺体積が30mL以上のBPH症例に対しては、第一選択薬であるα遮断薬（機能的閉塞の解除が目的）と前立腺体積を縮小させる5α還元酵素阻害薬（機械的閉塞の解除が目的）の併用療法が推奨されています[1]。

BPHの危険因子に関する検討もなされています。前述の疫学研究結果からもわかる通り、加齢はBPHのリスク要因です。また、遺伝的要因、食事・嗜好品、肥満のほか、高血圧、高血糖、脂質異常症などのメタボリック症候群もBPHのリスク要因と考えられています[1]。

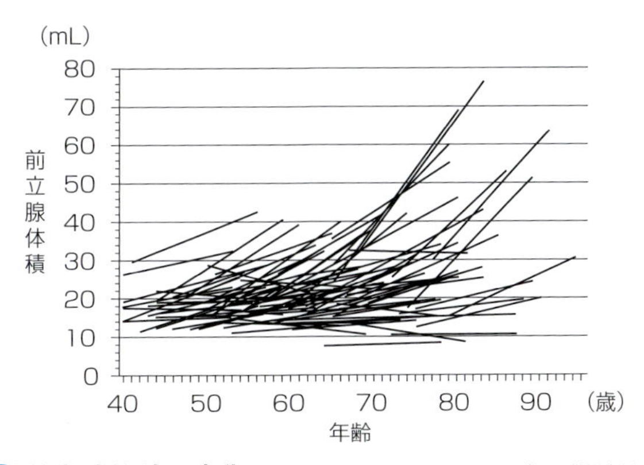

図3 **前立腺体積の変化**（北海道島牧村における15年の縦断研究結果）

膀胱頸部硬化症

膀胱頸部硬化症はBPHに対する手術後に、膀胱頸部が固く瘢痕化し、狭くなる状態です（図4）。その発生原因については明らかではありませんが、小さな前立腺に対するBPH手術が危険因子とされています。

現在のBPHに対する主な内視鏡手術には、経尿道的前立腺切除術（transurethral resection of the prostate：TURP）、ホルミウムレーザー前立腺核出術（holmium laser enucleation of the prostate：HoLEP）、光選択的前立腺レーザー蒸散術（photoselective vaporization of the prostate by KTP laser：PVP）があります。TURP後の膀胱頸部硬化症の発生率は0.3〜9.2%[6]とされていますが、HoLEPやPVPなど術式によらずその発生頻度に差はないとされています。

膀胱頸部硬化症に対する治療は、瘢痕化した膀胱頸部の内視鏡下切開術です。

尿道狭窄

尿道狭窄は、何らかの原因で尿道の内腔が狭くなる疾患です（図4）（図5）。尿道狭窄の原因は、医原性、炎症、外傷、先天性などがあります。

TURP後に尿道狭窄が発生する頻度は、2.2〜9.8%との報告[6]がありますが、HoLEPやPVPなどほかの術式と比べてその発生頻度の差は明らかではありません。前立腺がんに対する放射線照射も尿道狭窄の原因となりますが、外照射で2%、密封小線源療法で4%との報告があります[7]。

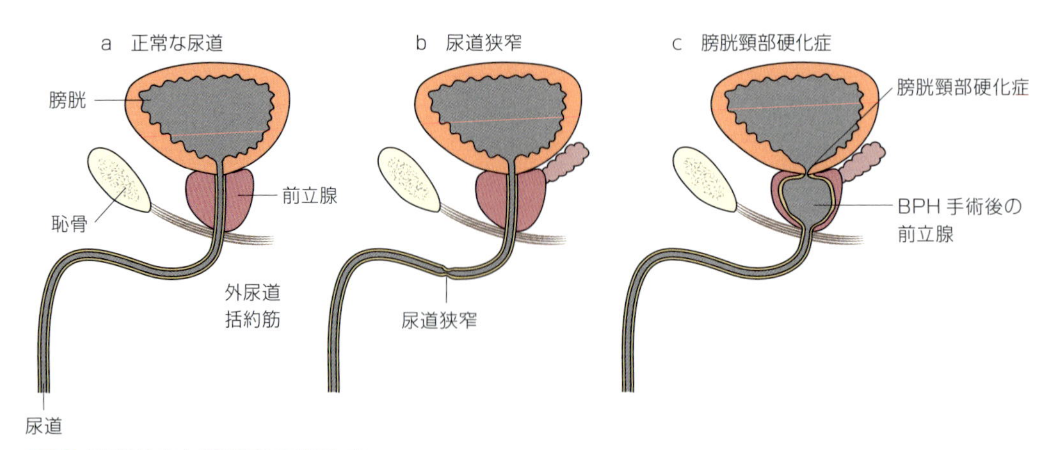

図4 尿道狭窄と膀胱頸部硬化症

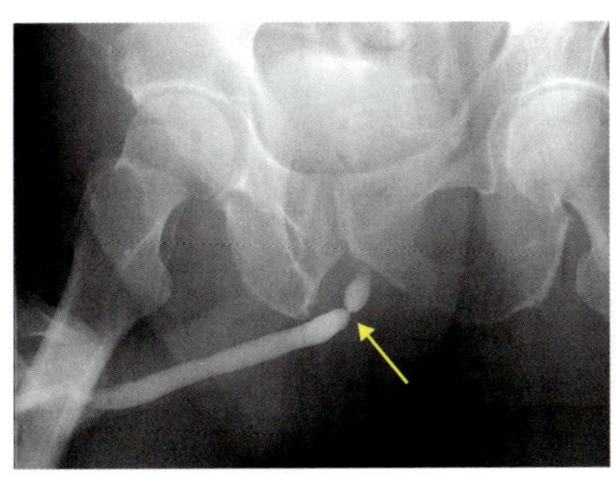
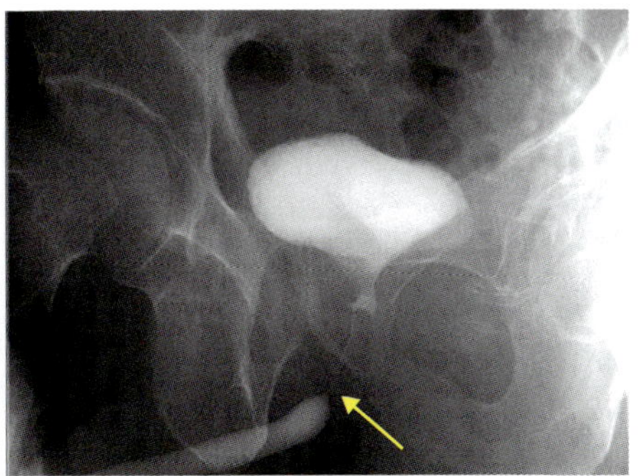

図5 逆行性尿道造影
矢印：狭窄部

外傷による尿道狭窄では、断裂あるいは損傷を起こした尿道周囲に出血が起こり、その後に線維化することで狭窄が発生します。外傷性尿道狭窄に対する主な治療法には、鏡視下内尿道切開術（以下、内尿道切開術）と尿道形成術があります。受傷後の急性期には出血や炎症が起こっているため、手術を行う場合は、損傷部の瘢痕形成が完成するまで待ってから手術を行う必要があります。2022年に発刊された『泌尿器外傷診療ガイドライン』[8]では、尿道形成術を行う適切な時期について、受傷からの期間ではなく、尿道カテーテル留置を含めたすべての経尿道的処置をやめてからの期間、「尿道休息期間（urethral rest）」を3ヵ月程度設けること、とされています。

尿道狭窄に対する手術の成績に影響する因子には、尿道の狭窄長、受傷機転、狭窄部位が報告されています。

内尿道切開術は、手技の容易さから安易に行われがちですが注意が必要です。治療回数が増えるほど成功率は低下し、2回目の治療後に再狭窄が認められなかった割合はわずかに4％であり、3回目以降では0％であったと報告されています[9]。内尿道切開術の成功率が下がるだけではなく、その後に行った尿道形成術への悪影響も報告されています[10]。その理由として、もともと狭窄していなかった正常尿道にも瘢痕を形成してしまうことなどが推測されています。『泌尿器外傷診療ガイドライン』[8]では、多発狭窄、2cm以上の狭窄、陰茎部尿道狭窄を有する症例はそうでない症例に比し再狭窄が起こりやすく、内尿道切開術が許容される症例は、前治療歴のない非外的外傷性で短い単発の球部狭窄のみとしています。

下部尿路閉塞疾患と尿道カテーテル挿入トラブル

本項で述べた、BPH、膀胱頸部硬化症、尿道狭窄は、意図せず遭遇しトラブルに見

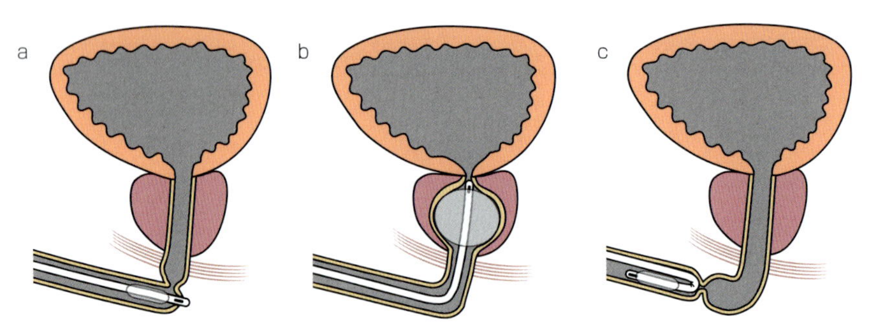

図6 尿道カテーテル挿入時のトラブル

(a) カテーテル先端で尿道を損傷し、偽腔を形成。 (b) 膀胱頸部硬化症のため、膀胱内に尿道カテーテルが挿入されたと判断し、前立腺部尿道で尿道カテーテルのバルーンを拡張。 (c) 尿道狭窄のため、尿道カテーテルが反転。カテーテルの反転時は、外尿道括約筋をカテーテルが通過したときと似た感触がある。

舞われることがあります。尿道カテーテル挿入を試みたものの、うまく挿入できない、尿道カテーテルのバルーンを膨らませたが尿道から出血が認められる、などの場面に遭遇したことはないでしょうか？ 特発性の尿道狭窄や、受診歴のないBPHにおける尿道カテーテルトラブルを予想することは困難と考えますが、少なくとも、前立腺がんの手術後やBPHに対する手術後の症例については、カテーテル挿入にリスクが伴うことを念頭に置いておく必要があるでしょう。尿路の手術歴のある症例で、尿道カテーテルの挿入時に抵抗を感じた場合、あるいは出血を伴った場合は、無理をしないことが重要です。万が一、尿道に狭窄があった場合に無理にカテーテル挿入を繰り返すと、尿道に偽腔ができてしまい、専門医が挿入を試みてもうまく入らなくなってしまうことがあります。たかが尿道カテーテル挿入ですが、意外な落とし穴があるのです（図6）。

引用・参考文献

1) 日本泌尿器科学会編. 男性下部尿路症状・前立腺肥大症診療ガイドライン. 東京, リッチヒルメディカル, 2017, 168p.
2) Roehrborn, CG. et al. Clinical outcomes after combined therapy with dutasteride plus tamsulosin or either monotherapy in men with benign prostatic hyperplasia (BPH) by baseline characteristics : 4-year results from the randomized, double-blind Combination of Avodart and Tamsulosin (CombAT) trial. BJU Int. 107, 2011, 946-54.
3) Masumori, N. et al. Japanese men have smaller prostate volumes but comparable urinary flow rates relative to American men : results of community based studies in 2 countries. J Urol. 155, 1996, 1324-7.
4) Fukuta, F. et al. Internal prostatic architecture on transrectal ultrasonography predicts future prostatic growth : natural history of prostatic hyperplasia in a 15-year longitudinal community-based study. Prostate. 71, 2011, 597-603.
5) Lieber, MM. et al. Natural history of benign prostatic enlargement : long-term longitudinal population-based study of prostate volume doubling times. BJU Int. 105, 2010, 214-9.
6) Doluoglu, OG. et al. Impact of asymptomatic prostatitis on re-operations due to urethral stricture or bladder neck contracture developed after TUR-P. Int Urol. Nephrol. 44, 2012, 1085-90.
7) Hindson, BR. et al. Urethral strictures following high-dose-rate brachytherapy for prostate cancer : analysis of risk factors. Brachytherapy. 12, 2013, 50-5.
8) 日本泌尿器科学会. 泌尿器外傷診療ガイドライン 2022年版. 東京, 医学図書出版, 2022, 135p.
9) Pansadoro, V. et al. Internal urethrotomy in the management of anterior urethral strictures : long-term followup. J Urol. 156, 1996, 73-5.
10) Hudak, SJ. et al. Repeat transurethral manipulation of bulbar urethral strictures is associated with increased stricture complexity and prolonged disease duration. J Urol. 187, 2012, 1691-5.

骨盤臓器脱

東京女子医科大学附属足立医療センター 骨盤底機能再建診療部教授・診療部長 泌尿器科教授 巴 ひかる

Point

1. 骨盤臓器脱（pelvic organ prolapse：POP）には膀胱瘤、子宮脱、直腸瘤、小腸瘤、腟断端脱などがある。
2. 経腟分娩、出産回数、加齢、肥満、子宮摘出術、便秘などがリスク因子。
3. POPでは脱出感や排尿症状に加え、腹圧性尿失禁や過活動膀胱症状などの蓄尿症状をしばしば伴う。
4. ペッサリーや手術によって過活動膀胱症状は改善される症例もあるが、腹圧性尿失禁は悪化することがある。
5. 手術にはnative tissue repair、経腟メッシュ（TVM）手術、腹腔鏡下仙骨腟（子宮）固定術（LSC/RSC）などがある。

骨盤臓器脱（POP）の種類と病態

POPとは、骨盤内の臓器が腟外に脱出してくる疾患で、膀胱瘤、子宮脱、直腸瘤、小腸瘤、腟断端脱などがあります（図1～図3）。DeLanceyは骨盤底を支える構造を3つのレベルに分類し、損なわれている構造がレベルⅠなら子宮脱や腟断端脱、レベルⅡなら膀胱瘤や直腸瘤、レベルⅢなら腹圧性尿失禁（stress urinary incontinence：SUI）や下部直腸瘤が起きることを提唱しました[1]（図4）。

リスク因子として経腟分娩、多産、加齢、肥満、子宮摘出術、便秘などが挙げられ、出産経験のある女性の約半数がある程度の臨床的POPを有し、10～20％が症状のあるPOPを有するとされます[2, 3]。非経産婦や帝王切開を受けた女性においてPOPは一般的ではなく、妊娠そのものよりも出産の方法がより重要とされ[4, 5]、経腟分娩による胎児の骨盤底通過時に生じる産科的外傷や出産回数はPOPの重要なリスク因子とされます[2, 6, 7]。

POPは自覚症状だけでは確定診断ができないため、住民ベースの疫学調査は困難で、内診で評価した諸検査では、24～40％の頻度が報告されています[2, 8]。POPは中高年女

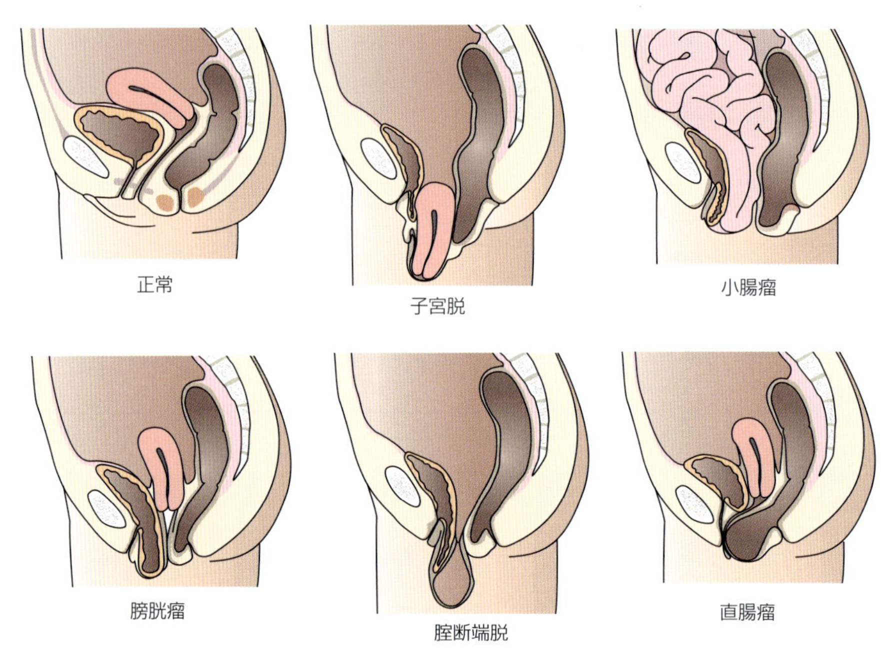

図1 POP の種類

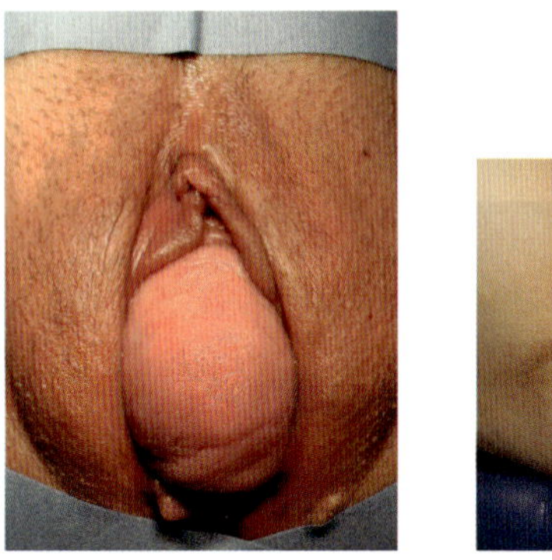

図2 膀胱瘤

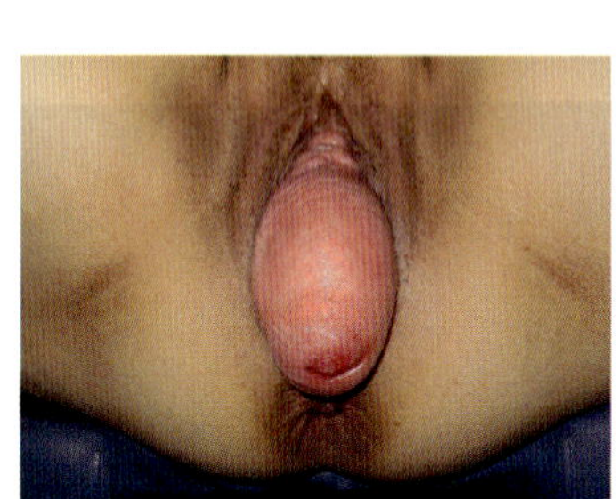

図3 子宮脱

	Support	Support
Level Ⅰ	仙骨子宮靭帯	挙上
Level Ⅱ	基靭帯 骨盤筋膜腱弓	付着
Level Ⅲ	肛門挙筋 会陰体	融合

Paracolpium
Ischial spine & sacrospinous ligament
obturator internus muscle
Level Ⅰ
Level Ⅱ
Arcus tendineus levator ani
Levator ani
Rectovaginal fascia
Pubocervical fascia
Ⅲ
Vesical neck
levator ani
Arcus tendineus fasciae pelvis
*Ischial spine

図4 骨盤底を支える構造　3 つのレベルでの支持（文献 1 より作成）

性の婦人科的手術を受ける理由の一つとなり[9, 10]、Olsenらによる、POPは加齢に伴って増加し、女性が一生の間にPOPまたは尿失禁のために手術を受ける率は11.1%という報告[10]は有名です。

POPの臓器別頻度としては、子宮がある女性では膀胱瘤34.3%、直腸瘤18.6%、子宮脱14.2%、子宮摘出術後の女性では膀胱瘤32.9%、直腸瘤18.3%の順に多いとの報告[11]があります。さらに同研究では、アジア系女性は白人女性より膀胱瘤の有病率が2.18倍でした。子宮摘出はほかのPOPの高いリスク因子となり、子宮摘出術3年後にはその1%が、15年後にはその5%がPOPになるとされます[12]。

骨盤臓器脱（POP）の診断

診断の第一は、患者の症状からPOPを疑って台上診を行い、脱出臓器の種類と重症度を確認することです。臥位では脱出を認めないか軽度となっている場合も多いので、咳や腹圧をかけさせたり、立位で観察したり、夕方に再度確認したりします。

質問票には、P-QOL（pelvic organ prolapse-QOL）[13]（図5）やPOPDI-6（pelvic organ prolapse distress inventory 6）を用います。

POPはpelvic organ prolapse quantification（POP-Q）systemを用いて評価します[8, 14]（図6）。POP-Qには9つの計測部位があり、前腟壁のAa、Ba点、上腟部のC、D点、後腟壁のAp、Bp点の計6ポイントと、外尿道口中心から後方処女膜正中部までの長さ〔gh〕、後方処女膜正中部から肛門中心部までの長さ〔pb〕、全腟管の長さ〔tvl〕です。このうち腟壁上の6ポイントは、最も下垂した状態で処女膜位置を基点として何cmにあるかを計測します。処女膜位置より上方であればマイナス、処女膜より下方であればプラスの数値として記載します。通常9つの計測値は3×3のグリッド内に記載します。なお、日常診療でこれらを計測記載することが困難な場合は、stage分類を使用します（図7）。最も下垂した部位が処女膜位置から±1cm内にあればstage Ⅱとなります。

POPの診断には核磁気共鳴画像（MRI）は極めて有用で、シネMRIを行うことで腹圧負荷時の臓器の状態や骨盤底の動きがわかります（図8）。また、放射線曝露がなく、併存する子宮や卵巣の疾患も観察可能です。

膀胱瘤に関しては膀胱造影で下垂の程度を確認することが可能で、腎盂尿管造影（図9）で骨盤腔外に逸脱した膀胱や尿管が描出されることもあります。

Prolapse Quality of Life (P-QOL) Version 4

名前 ______________________

年齢 ________ 歳

日付 ________ 年 ___ 月 ___ 日

骨盤臓器脱とは膣に下がってくる不快感を起こす膨らみのことです。以下の質問に骨盤臓器脱の症状がなくても答えてください。

あなたの今の全般的な健康状態はいかがですか？
1つだけ選んでください

- とてもよい ○
- よい ○
- よくも悪くもない ○
- 悪い ○
- とても悪い ○

骨盤臓器脱の問題のために、生活にどのくらい影響がありますか？
1つだけ選んでください

- まったくない ○
- 少しある ○
- ある（中ぐらい） ○
- とてもある ○

以下の症状のためにどれくらい影響を受けているか、印をつけてください。

	症状がないため答えられない	ない	少し	中くらい	とても
排尿のためにトイレに頻繁に行くこと	○	○	○	○	○
尿意の切迫感：がまんができない程の強い尿意	○	○	○	○	○
切迫性尿失禁：がまんができない程の強い尿意を伴う尿漏れ	○	○	○	○	○
腹圧性尿失禁：咳、笑うこと、くしゃみなどに伴う尿漏れ	○	○	○	○	○
膣の中や外に膨らみもしくはかたまりを感じること	○	○	○	○	○
1日のうちで膣や下腹部に重い感じや引っ張られる感じがあること	○	○	○	○	○
膣にある膨らみで便がすっきりと出ない感じがあること	○	○	○	○	○
立つとひどくなり、横になると軽くなる膣の不快感	○	○	○	○	○
尿の勢いが弱いこと	○	○	○	○	○
尿を出し切るのに力むこと	○	○	○	○	○
排尿した後に尿がぽたぽた垂れること	○	○	○	○	○

以下の症状のためにどれくらい影響を受けているか、印をつけてください。

	症状や行為がないため答えられない	ない	少し	中くらい	とても
排便後にすっきりしない	○	○	○	○	○
便秘：便を出し切るのが難しいこと	○	○	○	○	○
排便するのに力むこと	○	○	○	○	○
膣の膨らみが性行為の邪魔になること	○	○	○	○	○
膣の不快感とともに腰の痛みが増す	○	○	○	○	○
便を出すのに指を使う	○	○	○	○	○
排便の回数をお答えください	1日2回以上 ○	1日1回 ○	2日に一度 ○	3日に一度 ○	週1回以下 ○

以下に挙げているのは、日常の活動のうち骨盤臓器脱の問題により影響を受けやすいものです。骨盤臓器脱の問題のために、日常生活にどのくらい影響がありますか？
すべての質問に答えてください。
あなたにあてはまる答えを選んでください。

仕事・家事の制限	まったくない	少し	中くらい	とても
骨盤臓器脱のために家庭の仕事（掃除、買い物など）をするのに影響がありますか？	○	○	○	○
骨盤臓器脱のために仕事や自宅外での日常的な活動に影響がありますか？	○	○	○	○

身体的・社会的活動の制限	まったくない	少し	中くらい	とても
骨盤臓器脱のために散歩・走る・スポーツ・体操などのからだを動かしてすることに影響がありますか？	○	○	○	○
骨盤臓器脱のためにあなた自身が旅行をするのに影響がありますか？	○	○	○	○
骨盤臓器脱のために社会的生活（世間的な付き合いなど）に影響がありますか？	○	○	○	○
骨盤臓器脱のために友人に会ったり訪ねたりするのに影響がありますか？	○	○	○	○

個人的な人間関係		まったくない	少し	中くらい	とても
骨盤臓器脱のために伴侶・パートナーとの関係に影響がありますか？	伴侶・パートナーがいないため答えられない ○	○	○	○	○
骨盤臓器脱のために性生活に影響がありますか？	性生活がないため答えられない ○	○	○	○	○
骨盤臓器脱のために家族との生活に影響がありますか？	家族がいないため答えられない ○	○	○	○	○

心の問題	まったくない	少し	中くらい	とても
骨盤臓器脱のために、気分が落ち込むことがありますか？	○	○	○	○
骨盤臓器脱のために、不安を感じたり、神経質になることがありますか？	○	○	○	○
骨盤臓器脱のために、情けなくなることがありますか？	○	○	○	○

睡眠・活力（エネルギー）	まったくない	時々ある	よくある	いつもある
骨盤臓器脱のために、睡眠に影響がありますか？	○	○	○	○
骨盤臓器脱のために、疲れを感じることがありますか？	○	○	○	○

骨盤臓器脱の問題を解決するために以下のことを行いますか？
骨盤臓器脱で問題を感じていなくても答えてください

	まったくない	時々ある	よくある	いつもある
タンポン・パッド・きつい下着を使いますか？	○	○	○	○
骨盤臓器脱を押し戻しますか？	○	○	○	○

	まったくない	時々ある	よくある	いつもある
骨盤臓器脱のために痛み、あるいは不快感を感じますか？	○	○	○	○
骨盤臓器脱は立っていることの妨げになりますか？	○	○	○	○

ご協力ありがとうございました。すべての質問に答えたかどうか見直してください。

図5 P-QOL 質問票（文献13より引用）

anterior wall **Aa**	anterior wall **Ba**	cervix or cuff **C**
genital hiatus **gh**	perineal body **pb**	total vaginal length **tvl**
posterior wall **Ap**	posterior wall **Bp**	posterior fornix **D**

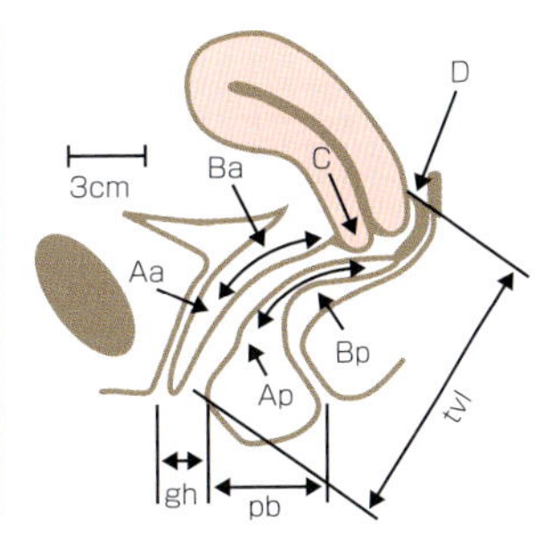

Aa: 前腟壁の正中で外尿道口から 3cm の部分
Ba：Aa から C の間で最も突出した部分
C：子宮口
D：後腟円蓋（子宮摘出後の場合、記載しない）
Ap：処女膜痕から 3cm の後腟壁正中部分
Bp：Ap から C の間で最も突出した部分
gh：外尿道口の中心から後腟壁の処女膜痕の中央までの距離
pb：gh の下端から肛門中央部までの距離
tvl：正常の位置における腟の奥行き

図6 POP-Q システムによる計測法

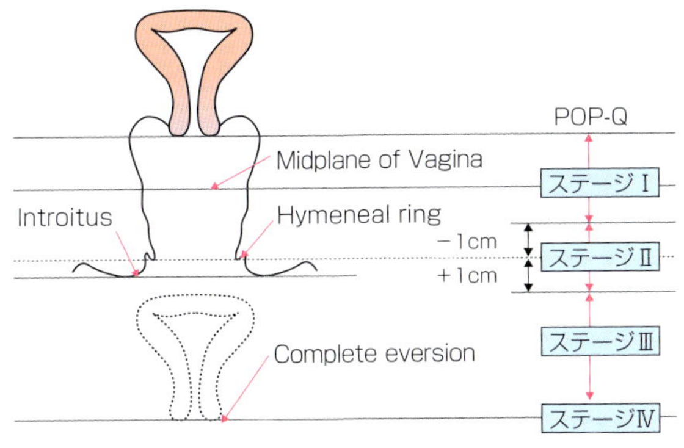

図7 最下垂部位による POP-Q stage 分類

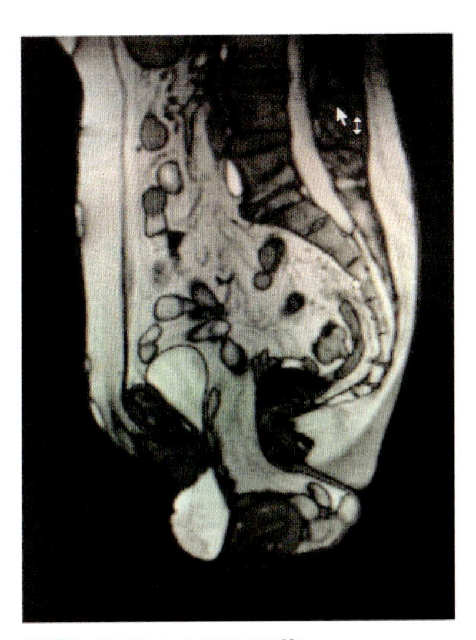

図8 骨盤の MRI 画像

膀胱瘤＋子宮脱

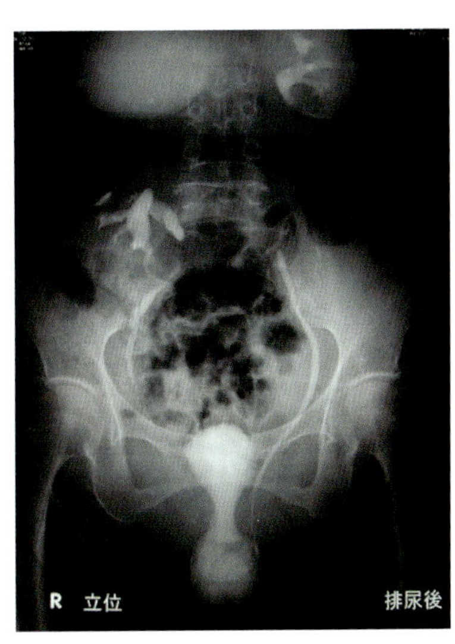

図9 順行性腎盂造影

骨盤臓器脱（POP）の症状

腟から何か出てきていて触れる、股の間に何かが挟まっている感じがする、下方に引っ張られているような下垂感、腰痛など、臓器下垂そのものの症状が典型的で、就寝中や起床時には無症状でも、排便後や、夕方や長時間の歩行後などに多くは悪化します。風呂場でしゃがんだときに気づくことが多く、膀胱脱ではピンポン玉が、子宮脱では何か硬いものが触れたとの訴えになります。

上記の症状に加え、下部尿路症状（lower urinary tract symptoms：LUTS）を併存していることが多く、膀胱瘤で最も多くみられます。下垂した膀胱が尿道を後面から圧迫し、膀胱出口部閉塞（bladder outlet obstruction：BOO）をきたすため排尿困難が起こると考えられ、男性の前立腺肥大症（benign prostatic hyperplasia：BPH）における症状と似ています。排尿症状としては尿勢低下や排尿困難を自覚し腹圧排尿を行うほか、排尿困難に対する自己解決策として脱出臓器を用手的に腟内に押し込んで排尿しているケースも多くみられます[4]。

またPOPとSUIは骨盤底の脆弱化という同じ原因に起因するため、POPにSUIが合併することは多く約40%とされます[15, 16]。しかし重度のPOPでは症候性SUIは減少することが経験され、尿流動態検査上の最大尿流率時排尿筋圧や最大尿道閉鎖圧が上昇していたことから、尿道の屈曲、圧迫によってBOOを生じることによると推測されています[17]。その結果、ペッサリーや手術によるPOPの修復後に一部の症例ではSUIも改善する一方で、一部の症例では逆にSUIが悪化したり、術前に気づいていなかった潜在性のSUIが顕在化することがあり、患者への事前の説明が重要となります。

さらに頻尿、尿意切迫感、切迫性尿失禁などの蓄尿症状、すなわち過活動膀胱（overactive bladder：OAB）症状もPOPの40～50%で呈するとされます[15]。非神経因性のOABの原因としてBOO、骨盤底の脆弱化、加齢、特発性などがあり[18]、BPHがOABの原因となることは知られていますが、女性ではPOPがOABの原因の一つとなります。POPに伴うOABは、しばしばPOPの治療により消失あるいは改善し、術後に排尿筋過活動（detrusor overactivity：DO）が消失したという報告があります。筆者ら[19]もPOPの53%にOABを合併し、手術後66%で消失しました。また術前に行った膀胱内圧測定においてDOを有する膀胱瘤に対し、腟内にガーゼを1枚挿入するとDOは64%の症例で消失、14%で改善し、これらの結果は手術後のOAB症状の消失と高い一致をみました。すなわち、POPの約半数でOABが存在し、このうち、POPが原因のOABはPOPの治療により改善すると推測されます。

治療の種類

保存的治療

骨盤底筋訓練（pelvic floor muscle training：PFMT）

臓器下垂の悪化を防ぐ目的では効果があると推測されていましたが、最近では small sample ではあるものの、POP の自覚症状だけではなく、POP の stage も改善するとの報告も出ています[20]。

リングペッサリーの挿入

ペッサリーによって排尿症状のみならず OAB 症状や、排便に関する症状が有意に改善します。ただし出産回数が多い、子宮摘出術の既往を有する、高齢者、肥満、骨盤底筋の弛緩を有する症例などではペッサリーの自然落下により継続できない場合があり、ペッサリーの成功率はおよそ 60% 強と報告されています[21, 22]。またペッサリーは簡単で効果的な方法ですが、腟びらん形成や感染による膿性帯下、出血、長期留置により腟潰瘍が形成されペッサリーが食い込んで摘出困難になったという合併症も少なくありません。いったんびらんを形成してしまうと手術にも支障をきたすので、適応とフォローアップには注意が必要です。ペッサリーの自己着脱はびらん形成が少ないため長期継続を可能にし、性的活動のある女性にとっても有用です。

手術療法

根治的には手術療法が選択されます。手術には① native tissue repair、②経腟メッシュ（transvaginal mesh：TVM）手術、③腹腔鏡下仙骨腟固定術（laparoscopic／robot-assisted sacrocolpopexy：LSC／RSC）があります。

Native tissue repair

脱出臓器によって前腟壁形成術、後腟壁形成術、子宮摘出術、仙棘靭帯固定術などを単独、あるいは組み合わせて行います。超高齢者には腟閉鎖術を選択することがありますが、子宮がある症例では、子宮がんの発見が遅れる可能性および子宮留膿腫が起こる可能性について術前に説明する必要があります（表）。

表 Native tissue repair

	部位	術式
子宮温存	前後腟壁	腟閉鎖術
	基靱帯	Manchester 手術
	仙棘靱帯	子宮頸部仙棘靱帯固定術
子宮摘出	仙骨子宮靱帯	McCall 法 Shull 変法
	腸骨尾骨筋膜	Inmon 法
	仙棘靱帯	仙棘靱帯固定術

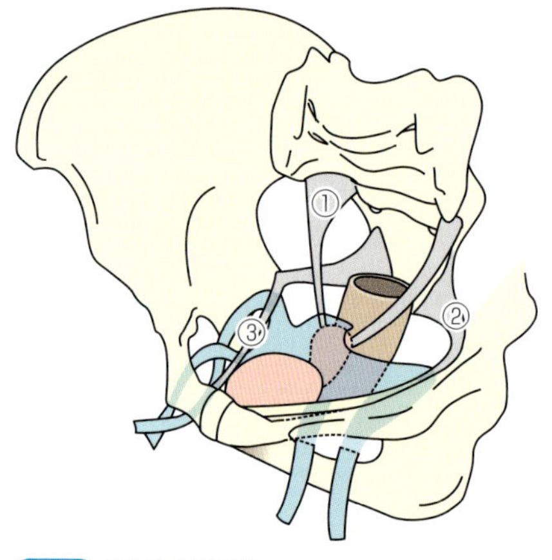

図10 TVM 手術

①仙骨子宮靱帯　②仙棘靱帯　③骨盤筋膜腱弓

経腟メッシュ（TVM）手術

子宮脱においては子宮摘出がほかのPOPやSUIの原因にもなるため、子宮を摘出せずに脱出臓器を正常な解剖学的位置に修復するTVM手術[23]が2005年から行われるようになりました。TVM手術は脱出した臓器をポリプロピレンメッシュを用いてハンモック状に支えるsite specificな修復術です（図10）。

しかしTVM手術では、腟壁へのメッシュ露出のほか、膀胱損傷、尿管損傷、直腸損傷、各臓器内メッシュ露出、血管損傷、まれではありますが膀胱腟瘻などが報告されています。欧米では術後性交痛も多く経験され、訴訟も相次いだため、アメリカ食品医薬品局（Food and Drug Administration：FDA）から2008年に続いて2011年7月にもメッシュ手術（尿失禁手術も含む）に対して警告が出され、海外ではTVM手術は減少または中止となり、NTRに回帰したり、後述のLSCやRSCが多く行われるようになっています。わが国でも2019年にFDAがTVM kitの販売を中止したことを受けて、ポリプロピレンメッシュであるポリフォーム®の自主回収・骨盤臓器脱修復術への経腟的使用が禁止されたため、国産のポリテトラフルオロエチレンメッシュ（ORIHIME®）を用いてTVM手術を継続しています。わが国ではハンズオンセミナーなどによる技術の習得を原則としたためか、海外ほど合併症例が多くないため、現在もTVM手術は行われているものの、POP手術全体に占める割合は減少しています。また、腟壁へのメッシュ露出などのメッシュトラブルは後腟壁メッシュで多いことから、後腟壁への経腟的メッシュ挿入は避ける方向となっています。手術前の十分なインフォームドコンセントとメッシュによる晩期合併症も含め術後の注意深いフォローアップが必要です。

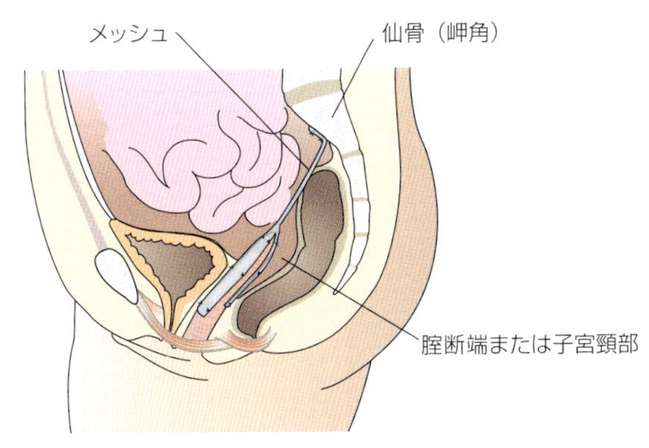

図11 腹腔鏡下仙骨腟固定術（LSC・RSC）

腹腔鏡下仙骨腟固定術（LSC・RSC）（図11）

腹腔鏡下に子宮頸部または腟断端をメッシュで仙骨の岬角に吊り上げる術式で、2016年4月から保険適用になりました。Total specific な修復方法であり、とくに apical prolapse の修復に優れ、多くの場合、前腟壁、後腟壁にメッシュを留置するダブルメッシュ法（フランス式）で行います。

2020年4月からはRSCが保険適用となりました[24]。RSCはLSCに比しエルゴノミクス的に優れ精緻な作業が可能で、ラーニングカーブも短いですが、RSCでは触覚がないというロボットの特性に注意が必要であるほか、総手術時間が必ずしも短くならない点やコスト面の問題があるとされています。

LSCやRSCでは腟壁へのメッシュ露出や性交痛が経腟メッシュ（TVM）手術より少なく、性的活動のある人やapical prolapseを有する比較的若年者を中心に勧められます。閉経後10年以上経過した女性では、多くの場合、子宮上部の切除と両側付属器切除術を同時に行います。ブラインド操作のない腹腔鏡手術でも膀胱・尿管・直腸損傷や血管損傷による出血、また腹腔鏡手術に特有のポートサイトヘルニアなどの合併症がゼロではなく、メッシュ感染を起こせばTVM手術より感染範囲が広がることもあり、まれではありますがTVM手術にはない仙骨骨髄炎も起こり得るため、技術の習得には熟練者によるハンズオン指導が必要です。なお、緑内障を有する症例や脳血管障害の既往がある症例など、長時間の頭低位ができない症例では他の術式を選択することになります。

引用・参考文献

1) DeLancey, JO. Anatomic aspects of vaginal eversion after hysterectomy. Am J Obstet Gynecol. 166, 1992, 1717-24.
2) Milsom, I. et al. Epidemiology of urinary incontinence (UI) and other lower urinary tract symptoms (LUTS), pelvic organ prolapse (POP) and anal incontinence (AI). In : Abrams, P, et al, eds. Incontinence. 5th ed. 2013. 17-108.
3) Bidmead, J. et al. Pelvic floor changes in the older woman. Br J Urol. 82 (Suppl. 1), 1998, 18-25.
4) Rortveit, G. et al. Symptomatic pelvic organ prolapse : prevalence and risk factors in a population-based, racially diverse cohort. Obstet Gynecol. 109, 2007, 1396-403.
5) Tegerstedt, G. et al. Obstetric risk factors for symptomatic prolapse : a population-based approach. Am J Obstet Gynecol. 194, 2006, 75-81.
6) Chiaffarino, F. et al. Reproductive factors, family history, occupation and risk of urogenital prolapse. Eur J Obstet Gynecol Reprod Biol. 82, 1999, 63-7.
7) Miedel, A. et al. Nonobstetric risk factors for symptomatic pelvic organ prolapse. Obstet Gynecol. 113, 2009, 1089-97.
8) 日本排尿機能学会 / 日本泌尿器科学会編．女性下部尿路症状診療ガイドライン 第 2 版．東京，リッチヒルメディカル，2019，212p.
9) Brown, JS. et al. Pelvic organ prolapse surgery in the United States, 1997. Am J Obstet Gynecol. 186, 2002, 712-6.
10) Olsen, AL. et al. Epidemiology of surgically managed pelvic organ prolapse and urinary incontinence. Obstet Gynecol. 89, 1997, 501-6.
11) Hendrix, SL. et al. Pelvic organ prolapse in the Women' s Health Initiative : gravity and gravidity. Am J Obstet Gynecol. 186, 2002, 1160-6.
12) Jelovsek, JE. et al. Pelvic organ prolapse. Lancet. 369, 2007, 1027-38.
13) 竹山政美ほか．骨盤臓器脱疾患特異的 QOL 質問票（P-QOL）日本語版の作成と言語的妥当性の検討 . 日本排尿機能学会誌．25（2），2014，327-36.
14) Bump, RC. et al. The standardization of terminology of female pelvic organ prolapse and pelvic floor dysfunction. Am J Obstet Gynecol. 175, 1996, 10-7.
15) Lawrence, JM. et al. Prevalence and co-occurrence of pelvic floor disorders in community-dwelling women. Obstet Gynecol. 111, 2008, 678-85.
16) Roovers, JP. et al. Clinical relevance of urodynamic investigation tests prior to surgical correction of genital prolapse : a literature review. Int Urogynecol J Pelvic Floor Dysfunct. 18, 2007, 455-60.
17) Long, CY. et al. Urodynamic comparison of continent and incontinent women with severe uterovaginal prolapse. J Reprod Med. 49, 2004, 33-7.
18) 日本排尿機能学会 / 日本泌尿器科学会編．過活動膀胱診療ガイドライン 第 3 版．東京，リッチヒルメディカル，2022，287p.
19) Tomoe, H. Improvement of overactive bladder symptoms after tension-free vaginal mesh operation in women with pelvic organ prolapse : Correlation with preoperative urodynamic findings. Int J Urol. 22, 2015, 577-80.
20) Li, C. et al. The efficacy of pelvic floor muscle training for pelvic organ prolapse : a systematic review and meta-analysis. Int Urogynecol J. 27, 2016, 981-92.
21) Panman, CM. et al. Predictors of unsuccessful pessary fitting in women with prolapse : a cross-sectional study in general practice. Int Urogynecol J. 2016. [Epub ahead of print]
22) Ramsay, S. et al. Natural history of pessary use in women aged 65-74 versus 75years and older with pelvic organ prolapse : a 12-year study. Int Urogynecol J. 27, 2016, 1201-7.
23) Fatton, B. et al. Transvaginal repair of genital prolapse : preliminary results of a new tension-free vaginal mesh (Prolift technique) : a case series multicentric study. Int Urogynecol J Pelvic Floor Dysfunct. 18, 2007, 743-52.
24) 巴ひかる．女性骨盤底医学の最前線：腹腔鏡下仙骨腟固定術 LSC と RSC の比較．排尿障害プラクティス．29（2），2021，143-9.

間質性膀胱炎・膀胱痛症候群の病態と治療

東京大学大学院医学系研究科 泌尿器外科学 講師 秋山佳之
杏林大学医学部 間質性膀胱炎医学講座 特任教授 本間之夫

Point

1. 病型分類を常に意識する。
2. 病理組織所見をチェックする。
3. 各病型に応じた治療戦略を立てる。

概説

間質性膀胱炎・膀胱痛症候群（interstitial cystitis/bladder pain syndrome：IC/BPS）とは、「膀胱に関連する慢性の骨盤部の疼痛、圧迫感または不快感があり、尿意亢進や頻尿などの下部尿路症状を伴い、混同しうる疾患がない状態」の総称と定義されます[1)]。ハンナ病変とは、肉眼的には膀胱鏡所見における毛細血管の集簇（しゅうぞく）を伴った膀胱粘膜の発赤部位のことであり、組織学的には尿路上皮のびらんおよび上皮下組織における炎症細胞浸潤、間質の線維化、毛細血管の増生を認める肉芽組織のことです（図1）。このハンナ病変の有無によって、IC/BPS はハンナ型 IC（Hunner-type IC：HIC）と膀胱痛症候群（BPS）の 2 亜型に分類されます[1)]。HIC は 2015 年に厚生労働省指定難病となっています。本項では IC/BPS の病態生理および臨床診断・治療に関し、最新の知見を織り交ぜながら詳説します。

病態

IC/BPS の病態は未だに解明されていません。これまでに提唱されている仮説として、①尿路上皮機能不全、②炎症、③低酸素状態（血流異常）、④神経原性炎症（興奮性の亢進）、⑤アレルギー・自己免疫学的機序、⑥微生物感染、⑦膀胱以外の他臓器疾患の

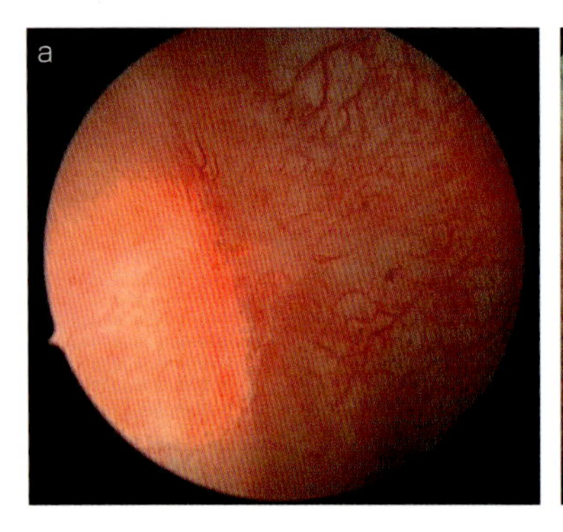

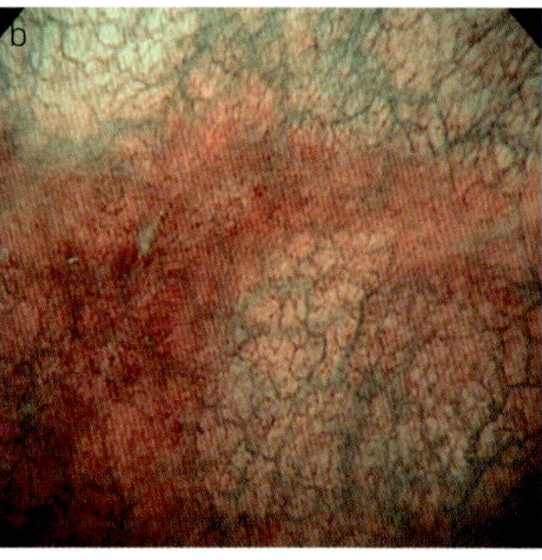

図1 ハンナ病変

(a) 正常の構造を欠く毛細血管の異常集簇像と発赤した粘膜。
(b) 同部位のNBI所見。毛細血管の異常集簇像がより鮮明になる。

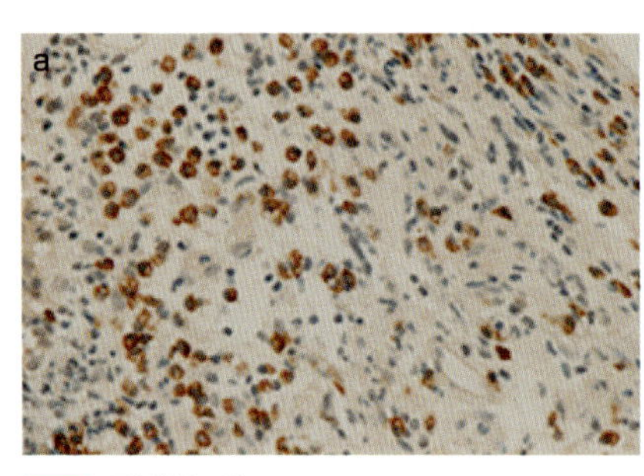

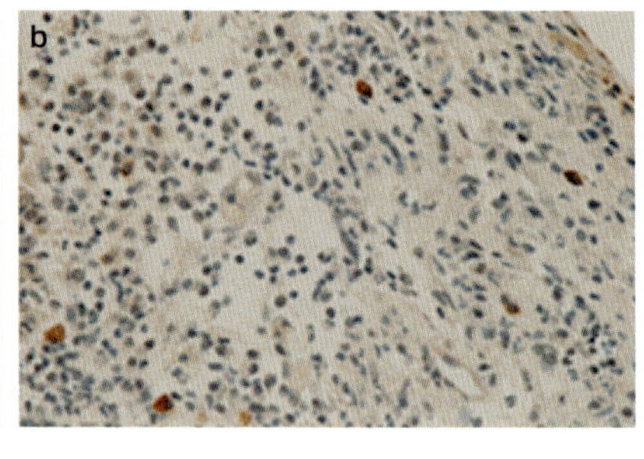

図2 形質細胞

(a) 形質細胞κ鎖 in situ hybridization　(b) λ鎖 in situ hybridization。
形質細胞のほとんどはκ鎖クローンであり、クローナル増殖が示唆される。

関連症状といったものがありますが、いずれも決定的な結論には至っていません[2]。

病理組織学的所見についても診断特異的な所見は同定されていません。しかしながら、最近われわれは、HICでは尿路上皮の剝離と上皮下組織への著明なリンパ球・形質細胞浸潤を認める一方、BPSでは尿路上皮が保全され、上皮下組織における形態学的変化がほとんど認められないことを定量的に示しました[3]。すなわち、HICは上皮剝離を伴う慢性炎症性疾患である一方、BPSは比較的上皮の保全された非炎症性疾患であることが明らかになりました。さらに、κ／λ軽鎖制限解析により、HICへ浸潤する形質細胞がクローナル増殖を起こしていることも明らかになりました（図2）。以上を勘案すると、HICは、膀胱における何らかの免疫学的反応が病態に関与する免疫疾患であるとの考えが近年は主流となってきています。一方、BPSは膀胱以外の病変の関連症状や、神経・内分泌・生理学的な異常によって起こる知覚の亢進によってHICに類似した臨床症状が引き起こされているのではないかと想定されています。

診断

われわれの施設では、過知覚膀胱症状（膀胱痛、膀胱不快感、頻尿など）を認め、ほかの類似疾患の可能性を除外できた患者には全例で膀胱鏡検査を行っています。そこで膀胱内にハンナ病変を認めた場合はHIC、ハンナ病変を認めない場合はBPSと診断します。なお、従来IC/BPSに特徴的な所見と考えられてきた拡張後粘膜出血（図3）は、その臨床病理学的な意義が明らかではないことから[4, 5]、2019年の診療ガイドライン改訂では診断・分類基準から除外され、この所見の有無を問わず膀胱内にハンナ病変を有しないIC/BPSは一括してBPSと総称されることになりました。

上述したようにHICとBPSの病態はまったく異なるため、膀胱鏡検査でハンナ病変の有無を正確に見極めることが極めて重要であり、ハンナ病変を見逃さないように細心の注意を払うことが肝要です。判別に迷う場合には狭帯域光観察（narrow band imaging：NBI）や（図1）、膀胱粘膜生検検体（入院、麻酔下で実施）の組織所見（上皮残存や炎症の程度）も参考になります。

治療（図4）

病因が解明されていないため、治療は疼痛や頻尿、尿意切迫といった下部尿路症状に対する対症療法が中心となりますが、漫然と対応してしまうと迷路に迷い込んでしまいます。HICとBPSの病型分類を明確にし、個々の病型に対して治療戦略を立てることが重要です。すなわち、HICでは上皮欠損や炎症細胞浸潤・免疫反応が病態・症状との関連性を有している可能性を考慮し、それらへの対応を検討します。BPSでは神経過敏症状への総合的な対応を考慮します。

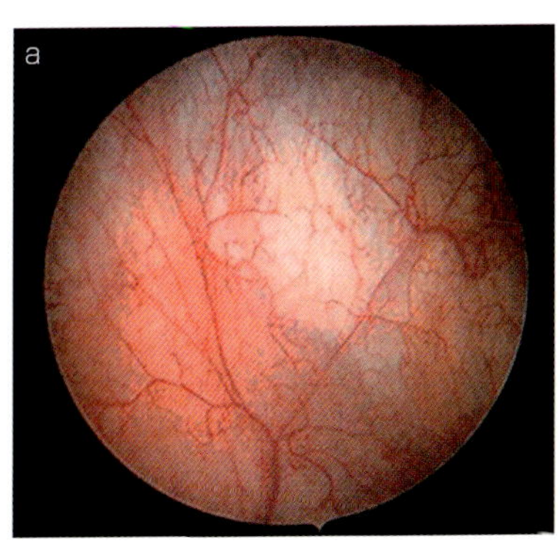

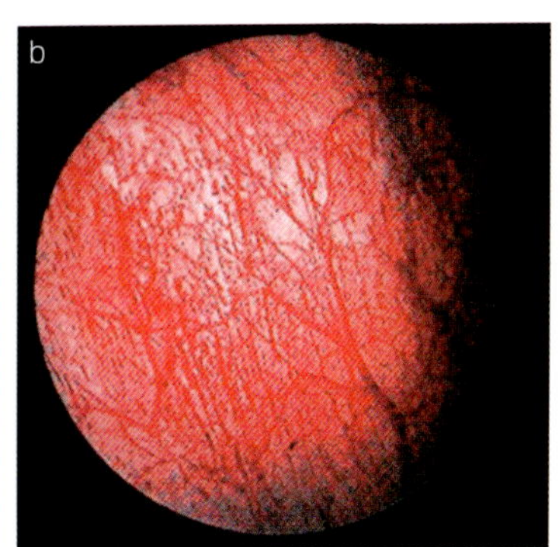

図3 拡張術後粘膜出血（MBAD）

(a) 正常様膀胱粘膜
(b) 拡張術後の「五月雨状様の粘膜出血」

<table>
<tr><th></th><th colspan="2">間質性膀胱炎・膀胱痛症候群</th></tr>
<tr><th></th><th>ハンナ型間質性膀胱炎</th><th>膀胱痛症候群</th></tr>
<tr><td>保存的療法</td><td colspan="2">・行動療法
・食事療法
・理学療法</td></tr>
<tr><td>薬物療法</td><td>・シクロスポリン
・ステロイド</td><td>・三環系抗うつ薬
・抗ヒスタミン薬
・トシル酸スプラタスト
・シメチジン</td></tr>
<tr><td rowspan="2">注入療法</td><td>・DMSO
・ステロイド</td><td></td></tr>
<tr><td colspan="2">・ヘパリン
・ヒアルロン酸
・コンドロイチン硫酸
・リドカイン
・ボツリヌス毒素</td></tr>
<tr><td>外科的治療</td><td>・ハンナ型間質性膀胱炎手術
（ハンナ病変の焼灼＋膀胱水圧拡張）
・膀胱摘出／拡大術</td><td>・膀胱水圧拡張術</td></tr>
<tr><td>その他</td><td colspan="2">・電気神経刺激</td></tr>
</table>

図4 間質性膀胱炎・膀胱痛症候群の治療

保存的療法

行動療法［推奨グレード：C1］※

飲水コントロールや膀胱訓練は、尿意切迫感や頻尿といった下部尿路症状に対して有効な可能性があります。しかし疼痛が主訴のHICでは逆に、飲水量を制限すると症状が増悪することがあるので注意が必要です。

食事療法［推奨グレード：B］※

酸性食品、高カリウム食、カフェイン、香辛料、アルコールなど個々の症状を悪化させる食品を避ける食事療法は、両病型ともに有効です。

理学療法［推奨グレード：B］※

下腹部、骨盤部の筋膜治療による疼痛の緩和が示唆されています。その作用機序からは、特にBPSで積極的な適応を検討できるでしょう。

※本文中の推奨グレードは文献1にもとづく。

薬物療法

三環系抗うつ薬（Amitriptyline）［推奨グレード：B］※

ヒスタミン H_1 受容体拮抗作用による肥満細胞活性の抑制や、セロトニン、ノルアドレナリン再取り込み阻害による中枢での疼痛伝達経路の制御などによる作用機序が想定されています。ある程度の有効性の証拠があり、薬理学的機序からはBPSで第一選択薬となる場合が多いです。

抗ヒスタミン薬（Hydroxyzine）［推奨グレード：C1］※

ヒスタミン H_1 受容体拮抗作用を持ちます。副作用として、軽度から中等度の眠気があります。有効性の証拠はAmitriptylineよりも低いです。作用機序からは一部のBPSで有効である可能性があります。

トシル酸スプラタスト（Suplatast tosilate）［推奨グレード：C1］※

タイプ2ヘルパーT細胞系のサイトカインを抑制する抗アレルギー薬です。有効性の証拠は低いですが、作用機序からは一部のBPSで効果を期待できる可能性があります。

シクロスポリン（Cyclosporine A）［推奨グレード：C1］※

カルシニューリン系免疫抑制剤であり、リンパ球の増殖を抑制します。作用機序からHICへの有効性が期待されるため、今後、HICのみを対象とした二重盲検試験などによって有効性の検証が求められています。ここに挙げた薬剤のなかではHICに対して最も効果が期待できますが、血中濃度の近接したモニタリングが必要です。

ステロイド（Steroid）［推奨グレード：C1］※

作用機序からは、ステロイドもHICに適応があるといえます。第一選択ではなく、先行治療に反応しない場合などに適応を考慮しますが、長期投与による副作用が問題です。

シメチジン（Cimetidine）［推奨グレード：C1］※

ヒスタミン H_2 受容体拮抗薬です。H_1 受容体拮抗薬と同様、BPSで有効性が期待できるかもしれません。

抗生物質［推奨グレード：D］※

有効性を支持する報告はありませんが、治療経過中に認められる一過性の症状増悪（フレアアップ）は急性細菌性膀胱炎の併発による場合が多く、その場合には抗生物質の限定的な使用が効果的です。

膀胱（腔／壁）内注入療法

DMSO（Dimethyl sulfoxide）［推奨グレード：B］※

ある程度の有効性の証拠があり、重大な副作用はほとんどありません。炎症抑制や筋弛緩作用があるといわれていますが、詳細な作用機序は十分には解明されてはいません。本邦で行われた第三相ランダム化比較試験ではHICで特に有効であったことから、2021年の保険収載では、HICのみが適応として承認されました[6)]。高い奏効率を誇りますが、治療効果持続期間が比較的短く（多くは1年未満）頻回の治療が必要となります。

ヘパリン（Heparin）［推奨グレード：C1］※

単独または、リドカインとの併用で有効性の報告があります（後述「ヘパリン＋リドカイン併用療法」参照）。作用機序は、尿路上皮GAG（glycosaminoglycan）層の類似物質であるヘパリンが、欠損したGAGを修復することによるものと考えられています。HICでより有効だったとの報告がありますが、これは、作用機序から考えると合理的です。

ヒアルロン酸（Hyaluronic acid）［推奨グレード：C1］※

GAG層を修復する作用機序が想定されています。毒性はなく中等度の効果が長期間続くとの報告がありますが、二重盲検試験では無効だったと報告されています。

コンドロイチン硫酸（Chondroitin sulfate）［推奨グレード：C2］※

ヘパリン、ヒアルロン酸と同様のムコ多糖であり、類似の作用機序が想定されています。過去の有効性の証拠は限られています。

リドカイン（Lidocaine）［推奨グレード：C1］※

急性かつ短時間作用型の疼痛緩和作用があります。アルカリ化すると吸収が促進されると考えられています。ある程度の有効性の根拠はあり、短時間で疼痛の軽減が得られますが効果は数時間で消失するため、ジメチルスルホキシドの膀胱内注入の前処置などに用いられることが多いです。

ボツリヌス毒素（Botulinum toxin）［推奨グレード：C1］※

アデノシン三リン酸（adenosine triphosphate：ATP）やCGRP（calcitonin gene related peptide）、サブスタンスPなどの神経伝達物質の放出を抑制すると考えられていますが、長期間にわたって効果を維持するには複数回の注入が必要となります。病型による効果の差は明らかではなく、どちらのタイプでも難治症例には適応を考慮してもよいです。

ステロイド（Steroid）［推奨グレード：C1］※

コルチコステロイドのハンナ病変および周辺への粘膜下投与が、半数以上の患者に有効であったとの報告があります。作用機序を考えると、HICへの適応は合理的ですが効果持続期間が短く、複数回の治療が必要となります。

Bacillus Calmette-Guérin（BCG）［推奨グレード：D］ ※

有効性の証拠の低さと副作用の重大さから、推奨されていません。

外科的治療

膀胱水圧拡張術［推奨グレード：B］ ※

以前は最もよく行われていた治療です。二重盲検試験はありませんが、過去に、有効率50%、有効期間2〜6ヵ月程度であったとする報告があります。効果の機序は不明ですが、圧誘発虚血による求心性神経の変性や、抗炎症効果、神経成長因子（nerve growth factor：NGF）や抗増殖因子（antiproliferative factor：APF）の減少などが考えられています。合併症として膀胱破裂があり、長時間の拡張は膀胱壊死を起こす可能性があります。BPSでは診断的治療として行われますが、HICでは次のハンナ型間質性膀胱炎手術（ハンナ病変の焼灼）のほうが治療としての意義は高いです。

ハンナ型間質性膀胱炎手術（経尿道）［推奨グレード：未設定］

ハンナ病変部の切除・焼灼が症状の改善にきわめて有効であることは以前から知られていましたが、適切な手術術式名はなく本邦では保険収載もされていませんでした。2022年にようやく、ハンナ病変の経尿道的切除・焼灼に膀胱水圧拡張術を併用した術式が「ハンナ型間質性膀胱炎手術（経尿道）」として新規保険収載されました（K800-4）。現行、HICでは最も症状の改善が期待できる治療法ですが、膀胱が変形・萎縮してしまったケースでは疼痛は改善しても頻尿、尿意切迫感などの下部尿路症状は改善されないこともあります。ハンナ病変の焼灼による上皮下の炎症細胞や知覚神経終末の除去に加え、上皮欠損部位の術後線維化置換による効果もあると考えられます。膀胱穿孔や感染など、通常の経尿道的膀胱腫瘍切除術と同様のリスク・合併症に注意が必要です。著効するからといって繰り返し行うと、萎縮膀胱へ進行させるリスクとなります[7)]。そのため、ジメチルスルホキシド膀胱内注入療法と組み合わせて、できる限り手術実施回数を抑えることが長期的には重要です。

膀胱摘出術・膀胱拡大術［推奨グレード：C1］ ※

萎縮膀胱や、膀胱尿管逆流などを呈する進行HIC症例に対して最終手段として行われます。膀胱に主病変のないBPSには基本的に適用になりません。全摘するか、三角部を残した部分切除とするかは議論の分かれるところです。当科における治療成績では、全摘は確実に症状を消失させたのに対し、膀胱拡大術では半数以上が術後も疼痛が残存したことから、原則的には膀胱全摘術を標準としています[8)]。しかし、膀胱部分切除＋

拡大術でも全摘と遜色ない治療成績であったとする報告もあることや[9]、新膀胱造設後の尿排出障害、尿路変向後の整容的な問題などもあり、適応症例（とくに若年女性）には膀胱部分切除＋拡大術も検討すべきでしょう。侵襲性の高さから安易に行うべきものではなく、「いかに膀胱摘出に至らないように症状や膀胱容量の温存に対する長期的管理を行うか？」という点が現在、IC 診療における至上命題となっています。

その他の治療

電気神経刺激（neuromodulation）［推奨グレード：C1］※

経皮的電気刺激、後脛骨神経刺激、仙骨神経刺激、陰部神経刺激などの複数種があります。過去に有効性を報告した研究があります。

おわりに

本項では HIC/BPS の病型分類の重要性を強調しながら各項目を説明しました。治療戦略を考えるうえで「HIC ＝炎症性疾患、BPS ＝非炎症性疾患」という明確な意識を持つことは極めて重要です。見慣れてくると病理組織所見だけでも大抵の症例で HIC と BPS の峻別ができるようになるので、病理組織所見を日常的に確認することを強く勧めます。

引用・参考文献

1) 日本間質性膀胱炎研究会 / 日本泌尿器科学会編．間質性膀胱炎・膀胱痛症候群診療ガイドライン．東京，リッチヒルメディカル，2019，52p.
2) Akiyama, Y. et al. Interstitial cystitis/bladder pain syndrome : The evolving landscape, animal models and future perspectives. Int J Urol. 27, 2020, 491-503.
3) Maeda, D. et al. Hunner-type（classic）interstitial cystitis : A distinct inflammatory disorder characterized by pancystitis, with frequent expansion of clonal B-cells and epithelial denudation. PLoS One. 10, 2015, e0143316.
4) Akiyama, Y. et al. Molecular Taxonomy of Interstitial Cystitis/Bladder Pain Syndrome Based on Whole Transcriptome Profiling by Next-Generation RNA Sequencing of Bladder Mucosal Biopsies. J Urol.202, 2019, 290-300.
5) Wennevik, G. E. et al. The Role of Glomerulations in Bladder Pain Syndrome : A Review. J Urol. 195, 2016, 19-25.
6) Yoshimura, N. et al. Efficacy and safety of intravesical instillation of KRP-116D（50% dimethyl sulfoxide solution）for interstitial cystitis/bladder pain syndrome in Japanese patients: A multicenter, randomized, double-blind, placebo-controlled, clinical study. Int J Urol. 28, 2021, 545-53.
7) Akiyama, Y. et al. Relationship between the frequency of electrocautery of Hunner lesions and changes in bladder capacity in patients with Hunner type interstitial cystitis. Sci Rep. 11, 2021, 105.
8) Akiyama, Y. et al. Cystectomy for patients with Hunner-type interstitial cystitis at a tertiary referral center in Japan. Low Urin Tract Symptoms. 14, 2022, 102-8.
9) Kim, H. J. et al. Efficacy and safety of augmentation ileocystoplasty combined with supratrigonal cystectomy for the treatment of refractory bladder pain syndrome/interstitial cystitis with Hunner' s lesion. Int J Urol. 21 Suppl 1, 2014, 69-73.

夜間頻尿

独立行政法人地域医療機能推進機構 中京病院 院長 / 名古屋大学 名誉教授 後藤百万

Point

❶ 夜間頻尿は下部尿路症状のなかで最も頻度の高い症状の一つです。
❷ 夜間頻尿の病態は多尿、夜間多尿、膀胱蓄尿障害、睡眠障害に分類されます。
❸ 夜間頻尿の病態は下部尿路機能障害のみならず全身的疾患、生活習慣まで多岐にわたります。
❹ 夜間頻尿の適切な治療には病態の把握が重要です。

はじめに

夜間頻尿は、下部尿路機能障害の領域において最近特に注目されている症候の一つです。その理由は、夜間頻尿の罹患率が高く[1]（わが国で夜間1回以上の夜間頻尿を有する者は4,500万人以上）（図1）、生活の質（QOL）の障害度が高いからです。また、高齢者では、夜間頻尿は転倒に関与し、骨折、寝たきり状態を誘発することもあり、介護予防の点からも重視すべき症状です。

夜間頻尿が超高齢社会において重要な症候であるという観点から、日本排尿機能学会/日本泌尿器科学会より『夜間頻尿診療ガイドライン』が発刊され、2020年に第2版として改定されています[2]。夜間頻尿の定義は、医学的には就寝中に1回以上排尿するものとされていますが、実臨床で精査・治療の対象となる頻尿は、本人が困っており、治療を希望するものと考えるのが妥当と思われます。通常、夜間2回以上の排尿が良好な睡眠を障害しQOLを障害するとされています。また、夜間頻尿の病態は多岐にわたり、下部尿路局所の異常のみならず、全身的疾患や生活習慣も症状の発生に関与します。本項では、夜間頻尿の原因・病態について解説します。

夜間頻尿の病因には多尿、夜間多尿、膀胱蓄尿障害、睡眠障害の4要因があり（図2）、これらの要因が単一あるいは複数で関与します。

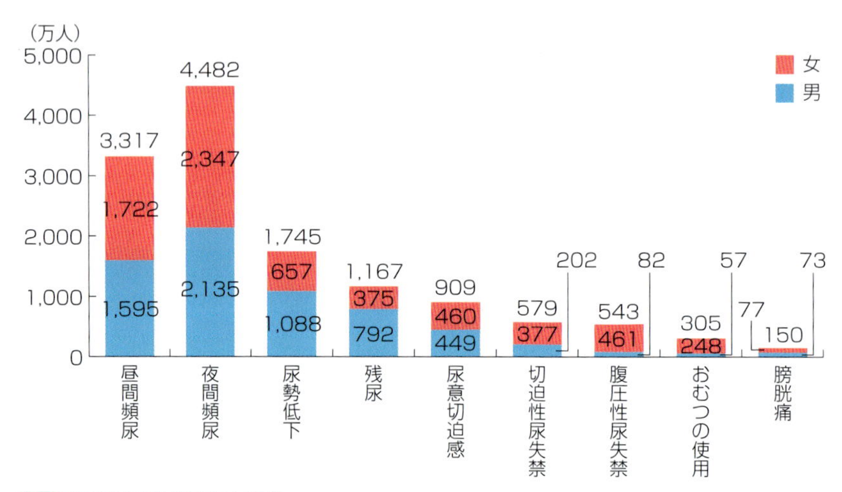

図1 下部尿路症状の疫学

わが国で2003年に実施された下部尿路症状の疫学調査では、夜間頻尿は男女とも最も頻度の高いもので、40歳以上の約4,500万人に夜間1回以上の夜間頻尿症状がみられた。

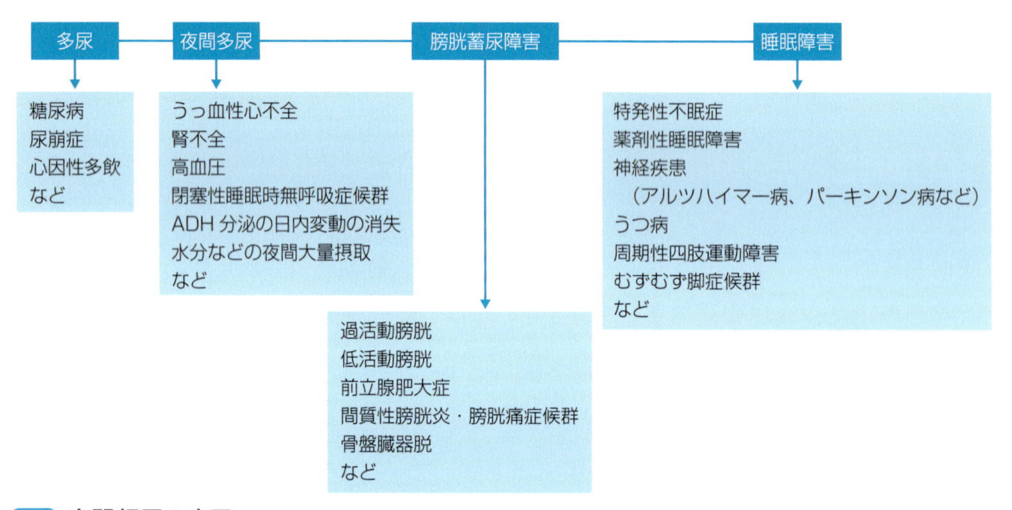

図2 夜間頻尿の病因

夜間頻尿の病因は、多尿、夜間多尿、膀胱蓄尿障害、睡眠障害に分けられる。

多尿

多尿とは24時間尿量が40mL/kg以上で、昼間・夜間を問わず尿が過剰産生される状態をいいます。明らかな疾患がなくても水分を過剰摂取すれば多尿となり、また糖尿病や尿崩症などの内分泌疾患も多尿を引き起こします。多尿により、下部尿路機能に問題がなくても昼間および夜間の頻尿が起こります。多尿の原因を表に示しますが、利尿（尿産生が増加）状態を水利尿と浸透圧利尿に分けることができます。

表 多尿の原因と利尿状態の分類

水利尿
水分摂取過剰 心因性多飲、薬剤性、口渇中枢の障害（脳腫瘍、脳炎後など）
水再吸収障害 中枢性尿崩症、腎性尿崩症
浸透圧利尿
電解質利尿 利尿剤投与、生理食塩水負荷、急性腎不全の利尿期など
非電解質利尿 高血糖など

水利尿とは、尿比重が1.005未満、尿浸透圧が150mOsm/L未満の状態をいい、水分過剰摂取と水再吸収障害がその原因となります。水分過剰摂取は、心因性多飲、脳疾患や脳への放射線照射などによる口渇中枢の障害、あるいは抗コリン薬などの薬剤による副作用（口内乾燥）によることもありますが、後述するように必要以上に水分摂取を行うために多尿や夜間多尿になる高齢者が少なくありません。水再吸収障害は尿崩症によって起こるもので、中枢性尿崩症と腎性尿崩症に分けられ、それぞれ抗利尿ホルモン（antidiuretic hormone：ADH）であるバソプレシンの脳下垂体からの分泌低下、尿細管のADHに対する反応の障害により尿の濃縮ができず、大量の希釈尿の排泄に至るものです。

浸透圧利尿は、尿比重は1.008以上、尿浸透圧250mOsm/L以上であり、電解質利尿と非電解質利尿に分類されます。電解質利尿には利尿薬の投与、生理的食塩水の輸液、急性腎不全の利尿期があたり、非電解質利尿では糖尿病による高血糖が頻度の高い原因となります。

夜間多尿

夜間多尿の定義は、朝に起床したときの排尿量を含む夜間尿量が1日総尿量の33%以上（65歳以上、若年者では20%以上）の場合をいいます[2)]。夜間多尿を起こす原因としては、高血圧、うっ血性心不全、腎機能障害、薬剤性、加齢などによるADH分泌日内変動の障害、閉塞性睡眠時無呼吸症候群、水分過剰摂取などがあります。

高血圧では、昼間は高カテコラミン血症状態であることが多く、腎血流量を低下させ、昼間尿産生量の減少を引き起こし、循環血液量を増加させます。しかし、逆に夜間は血中カテコラミンが低下し、腎血管抵抗を低下させることにより腎血流量が増加し、尿産生が増加して夜間多尿がみられることがあります。潜在性心不全や腎機能障害においても夜間安静時の腎血流量増加により夜間多尿を呈することがあります。ADHは夜間の睡眠中に分泌が増加し、夜間の尿量を減少させる働きを担いますが、加齢などにより正常な日内変動が失われ夜間の分泌が低下すると夜間多尿の原因となります。また、注意すべき疾患としては、閉塞性睡眠時無呼吸症候群があります。閉塞性睡眠時無呼吸症候群では、睡眠時無呼吸による急激な胸腔内圧低下による心房性利尿ペプチド（atrial natriuretic peptide：ANP）の分泌により、夜間多尿が起こります。薬剤性では、利尿薬をはじめ多くの薬剤が多尿の原因となりますが、抗コリン薬やクロルプロマジンなどを夜間服用すると口喝により水分摂取が増加することがあります。また、アルコールの摂取はADHの分泌を抑制し利尿をきたします。降圧薬のCa拮抗薬も副作用として下肢の浮腫をきたすことがあり、結果として夜間多尿になる可能性があります。また、水分を多量に摂取することにより、血液がサラサラになり、脳血管障害などを防止できるということを信じて水分摂取を行う高齢者は非常に多く、多尿による頻尿を引き起こすことになります。しかし、水分摂取による脳血管障害の予防効果については医学的な根拠はなく[3]、むしろ頻尿発生の原因となっていることが非常に多くみられています。

膀胱蓄尿障害

膀胱蓄尿障害は膀胱容量自体の減少、あるいは残尿の増加による機能的膀胱容量減少、あるいはその両者により頻尿をきたします。疾患としては過活動膀胱（排尿筋過活動）、低活動膀胱（排尿筋低活動：膀胱収縮障害）、前立腺肥大症などによる下部尿路閉塞、間質性膀胱炎・膀胱痛症候群、骨盤臓器脱などがあります。

過活動膀胱（排尿筋過活動）

膀胱蓄尿時に、膀胱（排尿筋）が不随意に収縮する状態を排尿筋過活動といい、膀胱内に十分に尿が溜まっていないにもかかわらず、膀胱が勝手に収縮し、急に強い尿意が起こるため（尿意切迫感）、機能的な膀胱容量が減少して頻尿症状を引き起こします。また、トイレに間に合わない場合には尿が漏れることがあります（切迫性尿失禁）。尿意切迫感を必須症状として、頻尿・夜間頻尿症状を伴うものを過活動膀胱といい、切迫性尿失禁を伴うこともありますが、過活動膀胱は自覚症状に基づいて診断される病名です。排尿筋過活動は、脳血管障害、パーキンソン病、多発性硬化症、多系統萎縮症などの中枢神経疾患によって神経因性膀胱として起こることがありますが、膀胱の加齢変化として起こることもあり、原因不明なこと（特発性）も少なくありません。また、前立腺肥大症などの下部尿路閉塞に伴って発生することもあり、前立腺肥大症患者の50～70%に過活動膀胱が合併します。

低活動膀胱（排尿筋低活動：膀胱収縮障害）

排尿筋低活動は膀胱の収縮障害（排尿筋低活動）で、排尿障害が高度となり、多量の残尿が生じるようになると、機能的膀胱容量の減少により頻尿症状を呈します。糖尿病、腰部椎間板ヘルニア、腰部脊椎間狭窄症、子宮がん・直腸がん術後（末梢神経損傷）により末梢神経障害型の神経因性膀胱として起こりますが、加齢変化としても起こることがあります。

前立腺肥大症（下部尿路閉塞）

前立腺肥大症などによる下部尿路閉塞では、過活動膀胱を合併することが多く、排尿症状に加え頻尿や尿意切迫感などの蓄尿症状がみられます。また、排尿障害が高度になり、多量の残尿が発生するようになると、機能的膀胱容量の減少により頻尿が起こります。下部尿路閉塞の最も一般的な原因は男性における前立腺肥大症ですが、女性においては骨盤臓器脱（膀胱瘤や子宮脱）が下部尿路閉塞を起こすことがあります。

間質性膀胱炎・膀胱痛症候群

間質性膀胱炎・膀胱痛症候群は「膀胱に関連する慢性の骨盤部の疼痛、または圧迫感または不快感があり、尿意亢進や頻尿などの下部尿路症状を伴い、混同しうる疾患がない状態」と定義されています[4)]。病因は十分明らかにされていませんが、本疾患では蓄尿により疼痛が増強するため、頻尿となり、2回以上の夜間頻尿が患者の70%以上にみられます。

骨盤臓器脱

骨盤臓器脱は腟から骨盤内臓器の下垂（膀胱瘤、子宮脱、直腸脱）を呈する疾患で中高年女性に多くみられます。過活動膀胱や腹圧性尿失禁、あるいは下部尿路閉塞による排尿困難など多彩な下部尿路症状を伴うことがあり、夜間頻尿も高頻度でみられる症状です。

睡眠障害

膀胱の蓄尿機能に異常がなく、また夜間多尿がない場合でも、睡眠障害は夜間頻尿の原因となります。高齢者では睡眠が浅くて分断されるために覚醒しやすくなり、目が覚めるたびにトイレに行くということから夜間頻尿につながります。いわゆる特発性の不眠症、薬剤性睡眠障害、神経疾患による睡眠障害（アルツハイマー病、パーキンソン病など）、うつ病による睡眠障害、周期性四肢運動障害やむずむず脚症候群による睡眠障害など、安定した睡眠がとれないことにより、目が覚めたときにトイレに行くことから夜間頻尿になります。夜間頻尿と不眠はどちらが先行しているかは患者背景によって異なりますが、両者が相互に関係し悪循環をきたすことは共通してみられます。

おわりに

以上のように、夜間頻尿は下部尿路機能障害による泌尿器科疾患のみならず、内科的あるいは全身的疾患、生活習慣などがその発生にかかわり、原因や病態は多岐にわたります。したがって、アセスメントにおいては症状のみならず病態を把握することが重要であり、病態に応じて適切な治療を選択することが必要となります。

引用・参考文献

1) 本間之夫ほか．排尿に関する疫学的研究．日本排尿機能学会誌．14（2），2003，266-77．
2) 日本排尿機能学会／日本泌尿器科学会編．夜間頻尿診療ガイドライン．第 2 版．東京，リッチヒルメディカル，2020，183p．
3) 岡村菊夫ほか．水分を多く摂取することで、脳梗塞や心筋梗塞を予防できるか？．日本老年医学会雑誌．42（5），2005，557-63．
4) 日本間質性膀胱炎研究会／日本泌尿器科学会．間質性膀胱炎・膀胱痛症候群診療ガイドライン．東京，リッチヒルメディカル，2019，104p．

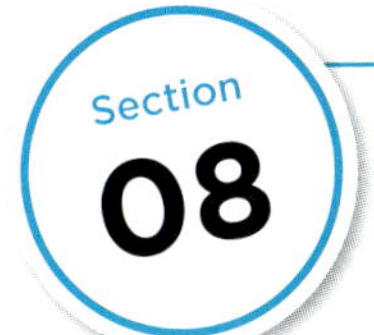

小児の下部尿路機能障害

山梨大学大学院総合研究部 泌尿器科学 教授　**三井貴彦**　山梨大学 名誉教授 / 客員教授　**武田正之**

Point

1. 過活動膀胱（overactive bladder：OAB）の患児では、尿意切迫感やそれによって生じる尿失禁を抑えるために尿保持体勢が認められる。
2. Dysfunctional voiding（DV）では、尿流測定で staccato パターンを呈する。
3. 過活動膀胱および DV では、便秘を合併することが少なくない。
4. 頻回の尿路感染症や膀胱尿管逆流を認める児では、機能性排尿排便障害（bladder bowel dysfunction：BBD）の有無を必ず評価する。
5. 二分脊椎では、腎障害や症候性尿路感染の危険因子を早期に発見し、適切な尿路管理を行う。

はじめに

小児では、特有の病態を呈する下部尿路機能障害が存在します。本稿では、代表的な小児の下部尿路機能障害を紹介します。

過活動膀胱（OAB）

小児における OAB は、患児の自尊心に多大な影響を及ぼすため、適切な診断と治療が望まれることもあり、2022 年に発刊された『過活動膀胱診療ガイドライン第 3 版』でも独立した項目として記載されており、診療アルゴリズムも示されています（図1）[1]。小児における OAB は、2016 年の ICCS の報告では、成人と同様に「尿意切迫感を主症状とし、通常頻尿、夜間頻尿を伴うものの、切迫性尿失禁は必須ではなく、その診断のためには尿路感染症などの局所の病態を除外する必要がある」と定義されています。さらに小児の OAB では、膀胱内圧測定を行った際には、通常排尿筋過活動を伴うとも記載されています。小児における随意的な蓄尿および排尿の調節は 5 歳までに確立すると言われていることから（図2）[2]、神経学的な基礎疾患のない児においては、5 歳以降の児が OAB の治療の対象となります。小児の OAB の有症状率は、成人と同様に 10～20

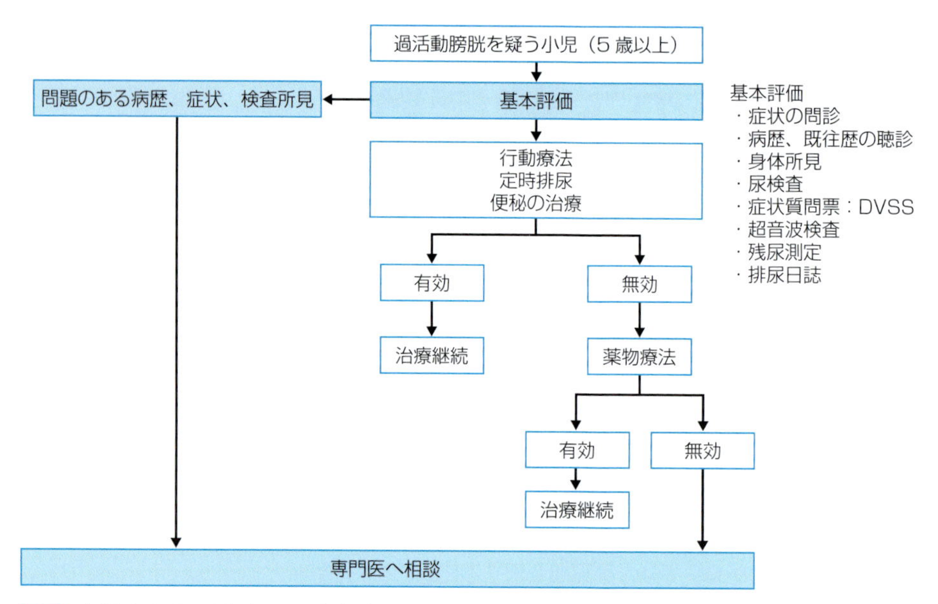

図1 小児 OAB の診療アルゴリズム（文献 1 より引用）

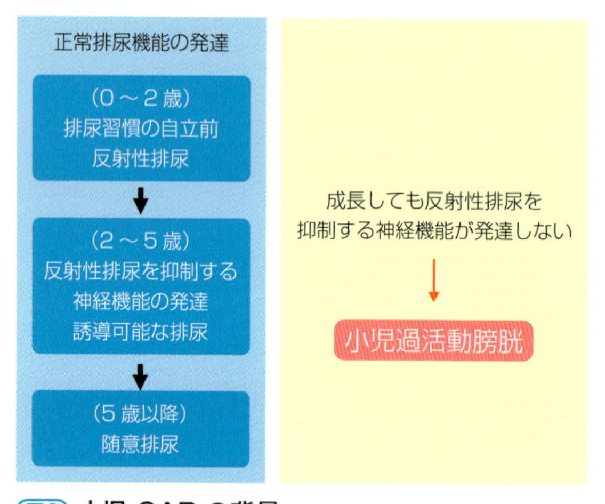

図2 小児 OAB の背景

%とする報告が多く、わが国の調査でも学童児の 17.8% で OAB と認めたと報告されています[3]。

小児において OAB を含む下部尿路症状、下部尿路機能障害について、排泄に関連した症状を総合的に評価する症状スコア（dysfunctional voiding symptom score：DVSS、図3）が開発され日本語の公式認証版が発表されています[4]。一方、病的な尿意である尿意切迫感を患児が自覚し表現できるかは明確ではないため、患児の行動から推察することも大切です。OAB の患児では、尿意切迫感やそれによって生じる尿失禁を抑えるために外尿道括約筋を含む骨盤底筋を収縮させるような尿保持体勢（holding

成人語版

お子様の排尿、排便の状況についての質問です。あてはまるところに○をつけてください。

	この1ヵ月の間に	ほとんどない	半分より少ない	ほぼ半分	ほとんど常に	わからない
1	日中に服や下着がオシッコでぬれていることがあった。	0	1	2	3	×
2	(日中に) おもらしをするときは、下着がぐっしょりとなる。	0	1	2	3	×
3	大便が出ない日がある。	0	1	2	3	×
4	強くいきんで、大便を出す。	0	1	2	3	×
5	1，2回しかトイレに行かない日があった。	0	1	2	3	×
6	足を交差させたり、しゃがんだり、股間をおさえたりして、オシッコをがまんすることがある。	0	1	2	3	×
7	オシッコをしたくなると、もうがまんができない。	0	1	2	3	×
8	お腹に力を入れないとオシッコができない。	0	1	2	3	×
9	オシッコをするときに痛みを感じる。	0	1	2	3	×
10	お父さん、お母さんへの質問です： 下記のようなストレスを受けることがお子様にありましたか？ 弟や妹が生まれた 引っ越し 転校、進学など 学校での問題 虐待（性的なもの・身体的なものなど） 家庭内の問題（離婚・死別など） 特別なイベント（特別な日など） 事故や大きなけが、その他	いいえ（0）		はい（3）		

小児語版

	この1かげつのあいだ	ない もしくは ほとんどない	はんぶんより すくない (たまに)	はんぶん くらい (ときどき)	ほとんど いつも (まいにち)	わからない
1	ひるまにおもらしをしたことがある。					
2	(ひるまに) おもらしをしたとき、パンツ(ぱんつ)がびちょびちょになる。					
3	ウンチ(うんち)がでない日(ひ)がある。					
4	うーんとおなかにちからをいれて、ウンチ(うんち)をだす。					
5	1日(にち)に1回(かい)か2回(かい)しかトイレ(といれ)にいかない日(ひ)があった。					
6	あしをとじたり、しゃがんだり、もじもじしたりして、オシッコ(おしっこ)をがまんすることがある。					
7	オシッコ(おしっこ)したくなると、もうがまんできない。					
8	おなかにちからをいれないとオシッコ(おしっこ)がでない。					
9	オシッコ(おしっこ)をするとき、いたい。					

図3 日本語版 DVSS の公式認証（文献4より引用）

maneuvers）が認められます。（図4）に示しましたが、両脚をクロスさせたり、手で陰茎などの陰部を押さえたり、座って踵で陰部を押さえたりする、などの特徴的な体勢を取ることが多いため、診断の補助となります。尿流測定では、Tower 型を呈することが多いです（（図5））。排尿日誌では、機能的膀胱容量の低下がみられます（（図6-a））。また小児の OAB では、便秘や便失禁を伴うことが少なくないため、排便障害の有無の確認も必要です。その際に、排便の有無はもちろんですが、便の性状についての確認も必要です。毎日排便があったとしてもウサギの糞のようなコロコロとした便は便秘を示唆する所見であることから、Bristol stool scale（（図7））などを用いて確認し、必要に応じて排便障害の治療も同時に行います。

図4 小児 OAB の症状（holding maneuvers）

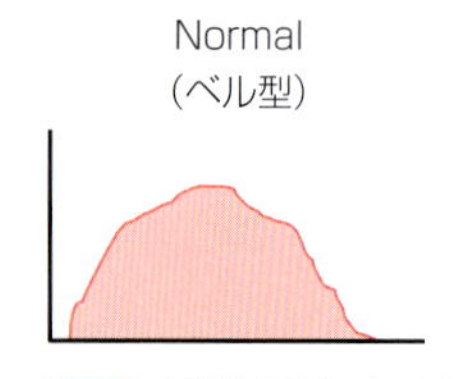

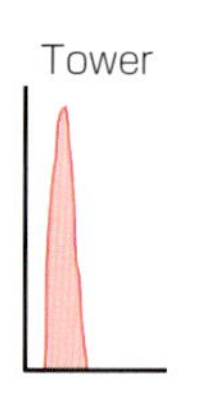

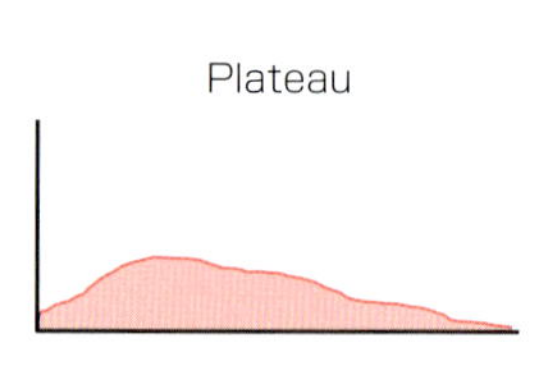

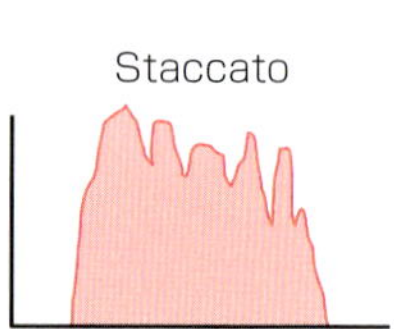

図5 尿流測定（パターンによる分類）

a

回数	時間	尿量	
1	6：30	60	＋うんち
2	7：40		
3	9：00		
4	④ 園6回		・お昼
5	⑨		お茶コップ1杯
6	⑩ 14：50	もらし	・外遊び40分後
7	⑪ 16：00	50弱	・グレープフルーツ
8	⑫ 16：55	50	
9	⑬ 17：45	75	
10	⑭ 19：50	25強	
合計	14回	260＋園	

b

回数	時間	尿量	
1	6：50	250	
2	9：13	70	
3	14：00	200	
4	18：40	200	
5	21：05	150	
6		50	おむつ
7			
8			
9			
10			
合計			

図6 排尿日誌

（a）機能的膀胱容量の低下がみられる。
（b）習慣的に排尿を延期させる（voiding postponement）ことがある。

1	**コロコロ便**	硬くてコロコロの ウサギ糞状の便
2	**硬い便**	ソーセージ状であるが 硬い便
3	**やや硬い便**	表面にひび割れのある ソーセージ状の便
4	**普通便**	表面がなめらかで柔らかいソーセージ状、 あるいは蛇のようなとぐろを巻く便
5	**やや軟らかい便**	はっきりとしたしわのある 柔らかい半分固形の便
6	**泥状便**	境界がほぐれて、ふにゃふにゃの 不定形の小片便 泥状の便
7	**水様便**	水様で、固形物を含まない 液体状の便

図7 Bristol stool scale

図8 時間排尿（定時排尿）

小児のOABの治療の主体は、行動療法と薬物療法です。初期治療としては、主に定時排尿と排便管理による行動療法を行います（図1）[1]。前者は、尿意がなくても2〜3時間ごとに排尿するように指導します（図8）。切迫性尿失禁を認める患児のなかには、習慣的に排尿を延期させる（voiding postponement）ことがあり（図6-b）、改善が期待されます。また、適切な排便管理によってOABの症状が改善したと報告されています[5]。

行動療法で十分な効果が得られない際には、薬物療法を行います。小児を対象としたOABの大規模な臨床試験は行われていませんが、抗コリン薬が薬物療法の中心的な位置を占めています（表）[1]。しかし、海外を中心にその有効性が多数報告されているものの、本邦の添付文書上では、小児における安全性は確立されていないと記載されていることから、使用の際には十分な説明のうえで投与し、投与後は副作用の出現などに注意する必要があります。近年は、海外を中心にβ_3作動薬の有効性、安全性に関する報告がありますが、本邦では小児を対象とした大規模な臨床試験は行われていないため、使用の際には注意が必要です（表）[1]。

表 **小児過活動膀胱の治療法**（文献1より引用）

治療法		推奨グレード
行動療法	定時排尿 排便管理 理学療法	B B B
薬物療法	プロピベリン トルテロジン オキシブチニン ソリフェナシン フェソテロジン オキシブチニン経皮吸収型製剤 ミラベグロン ビベグロン	B B C1 B B C1 (expert opinion) 保留 保留
電気刺激療法		保留
ボツリヌス毒素膀胱壁内注入療法		保留

Dysfunctional voiding（DV）

DV では、明らかな神経疾患がないにもかかわらず、排尿時に尿道括約筋と膀胱排尿筋の協調不全のために下部尿路閉塞が生じ、排尿障害を呈します[6, 7]。尿流測定では、通常のこぎり状となる staccato パターンを呈します（図5）。一般的に、DV では排尿困難感に加えて、尿失禁、夜尿、繰り返す尿路感染症の原因となります。

考えられる DV の発生機序を図9に示しました。尿意切迫感や排尿筋過活動が生じる一方で、それを過度に我慢しようとして常に外尿道括約筋や骨盤底筋を収縮させるために、排尿期に外尿道括約筋や骨盤底筋の弛緩が不十分となってしまいます。そのため、DV が生じると考えられています。このように、先に述べた OAB と DV、さらに便秘が併存することが少なくありません。DV の重症例では下部尿路閉塞となるため、膀胱排尿筋の代償性肥大、膀胱変形、機能的膀胱容量の低下、二次性の膀胱尿管逆流が生じることがあります。

DV の治療は、時間排尿（定時排尿）、便秘の治療などの行動療法を初期治療として行います。わが国では普及が十分ではありませんが、バイオフィードバック療法が有効であるという報告が多数あります。薬物療法としては、抗コリン薬や α_1 遮断薬を用います。わが国では、ともに添付文書上は小児における安全性は確立されていないと記載されていることから、使用の際には十分な説明のうえで投与し、投与後は副作用の出現などに注意する必要があります。

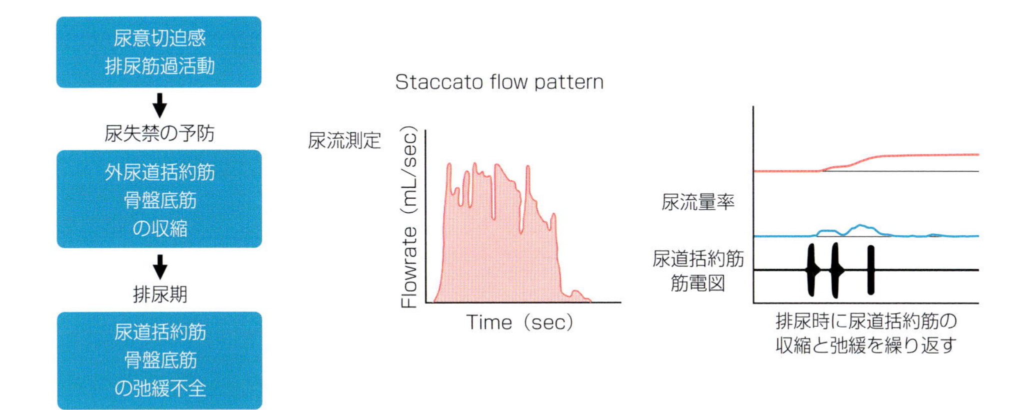

図9 DVの機序

機能性排尿排便障害（BBD）

下部尿路機能障害に便秘や便失禁などの排便障害を加えた「BBD」が新しい病態として定着し、尿路感染症を頻回に発症する児や膀胱尿管逆流を認める児では、診療を行う際にBBDの有無を必ず評価することが推奨されています。実際に、BBDの有無が膀胱尿管逆流の治療による改善度や治療後の尿路感染症発生頻度に影響を与えています。

従来はBBDに関する明確な定義はありませんでしたが、わが国の『小児膀胱尿管逆流（VUR）診療手引き2016』[8]では、「自立排尿が可能となる5歳以上の児で、神経因性膀胱や先天奇形など、明らかな器質的要因は認めないものの、下部尿路症状・機能の異常所見および便秘失禁などの腹部腸管の異常所見の両者を認める場合」（図10）がBBDと定義されました。

下部尿路症状や下部尿路機能の異常所見では、2006年に発刊されたICCSの用語集[9]を基にしています。尿失禁、尿意切迫感、頻尿（昼間・夜間）、排尿開始遅延、腹圧排尿、尿勢低下、残尿感、尿線途絶、排尿痛、holding maneuverなどを認める場合を、下部尿路症状や下部尿路機能の異常と定義されました（図10）。

一方、腹部腸管の異常所見では、日本小児栄養消化器肝臓学会より発刊されている『小児慢性機能性便秘症診療ガイドライン』[10]を参考にしています。①2回／週以下の排便回数、②5日以上の無排便期間の複数経験、③少量頻回の便失禁、④腹部X線／超音波検査で直腸内に便塊貯留（鶏卵大以上のもの）のうち、いずれかを認めるものを腹部腸管の異常と定義されています（図10）。

Bladder Bowel Dysfunction(BBD)

神経因性膀胱、先天奇形など、
明らかな器質的要因を伴わない

下部尿路症状／機能の異常所見	腹部腸管の異常所見
自立排尿が可能となる5歳以上の児が対象	
・尿失禁 ・尿意切迫感 (holding maneuver) ・頻尿（昼間・夜間） ・排尿開始遅延 ・腹圧排尿 ・尿勢低下 ・残尿感 ・尿線途絶 ・排尿痛　など	・2回／週以下の排便回数 ・5日以上の無排便期間の複数経験 ・少量頻回の便失禁 ・腹部X線／超音波検査で直腸内に便塊の貯留（鶏卵大以上のもの）

図10 BBDの概略

BBDを呈する児では、BBDを呈さない児に比べて、膀胱尿管逆流の自然改善率が低いこと、BBDを呈する児における逆流防止術後の尿路感染症の発生頻度は、BBDを呈さない児に比べて高いことなど、小児における膀胱尿管逆流や尿路感染症の治療を行ううえで重要な要因となっています。

二分脊椎

二分脊椎は脊柱管を形成する椎弓の先天的な癒合不全であり、発生頻度は、人種、地域による差がみられますが、分娩1万件に対して3〜10人程度の発生頻度が報告されています。二分脊椎では、脊髄の障害による下部尿路機能障害および排便障害が生じることが少なくありません。尿失禁、便失禁は二分脊椎のQOLに大きな影響を与える症状であり、重症化すると尿路感染、腎機能障害を伴うことも多いため、幼少期から適切な尿路管理が必要です[11)]。

脊髄髄膜瘤などの嚢胞性二分脊椎では、新生児期・乳児期に診断されることも多く、超音波検査を行った際に水腎症や膀胱過伸展状態を認める場合や症候性尿路感染が生じた際には、可及的速やかに清潔間欠導尿（CIC）を開始することがすすめられます。そのうえで、必要に応じて尿流動態検査、特に透視下の尿流動態検査を行います。これは腎障害や症候性尿路感染の危険因子を早期に発見し、早い段階から適切な尿路管理を行うためです。尿流動態検査では、排尿筋過活動、低コンプライアンス膀胱、排尿筋括約筋協調不全の有無に加えて、排尿筋尿漏出時圧などを評価し、下部尿路が高圧環境か低圧環境かを診断することを目的としています。高圧環境となっている場合には、CIC に加えて抗コリン薬の投与を開始します。典型的な症例を（図11）に示しました。このような高圧蓄尿、高圧排尿の児では、早期に CIC および抗コリン薬を開始することで、膀胱変形、膀胱尿管逆流の改善が見込まれます。さらに、二次性の係留脊髄などの影響もあり、成長に伴って下部尿路機能の病態が変化することがあり、経時的に尿流動態検査を行って下部尿路機能を評価し、その都度適切な尿路管理を考える必要があります。

一方、無症状のことも多い潜在性二分脊椎では、幼少期には無症状で経過するものの、成長の著しい学童期や思春期に脊髄係留症候群として神経症状を生じることがあります。一般的に、トイレトレーニングの終了後に難治性の下部尿路症状や繰り返す尿路感染症で泌尿器科を受診することが多いため、排尿日誌、超音波検査、残尿測定に加えて尿流測定によるスクリーニングが行われます。尿流測定で排尿パターンがベル型（（図5））で残尿がなく、さらに超音波検査で膀胱や腎臓に形態的な異常が認められない場合には、有意な下部尿路機能障害が存在する可能性は低いと考えられます。異常が認められる場合には、嚢胞性二分脊椎と同様に侵襲的な尿流動態検査を行い、適切な尿路管理を考える必要があります。

2017 年に日本排尿機能学会 / 日本泌尿器科学会よりガイドラインが発刊されています[11]。二分脊椎児の尿路管理を考えるうえで、ぜひ参考にしていただきたいです。

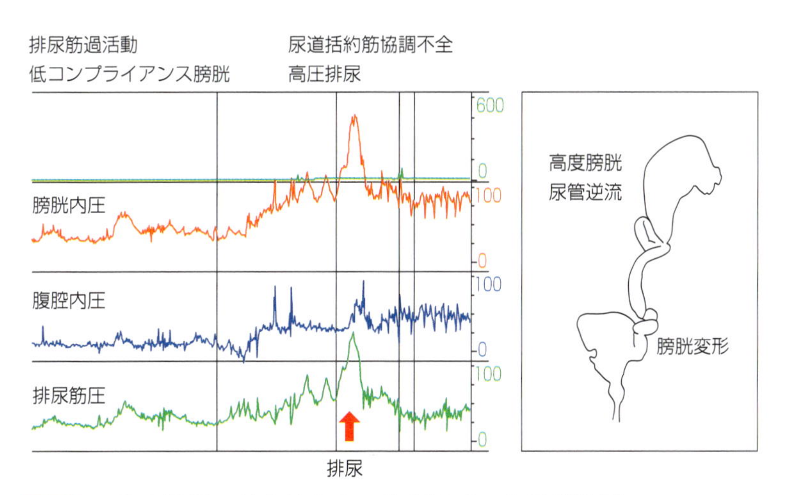

（図11） **二分脊椎児の代表的なウロダイナミクスと膀胱造影**

おわりに

小児では、特有の病態を呈する下部尿路機能障害が存在しますが、成人とは異なる病態を理解したうえで、適切な診断、治療を行う必要があります。本稿が少しでもお役に立てれば幸いです。

引用・参考文献

1) 日本排尿機能学会 / 日本泌尿器科学会編. 過活動膀胱診療ガイドライン. 第 3 版. 東京, リッチヒルメディカル, 2022, 287p.
2) Salvatore, S. et al. Is overactive bladder in children and adults the same condition? ICI-RS 2011. Neurourol Urodyn. 31, 2012, 349-51.
3) Kajiwara, M. et al. Nocturnal enuresis and overactive bladder in children : an epidemiological study. Int J Urol. 13, 2006, 36-41.
4) 今村正明ほか. 日本語版 DVSS（Dysfunctional Voiding Symptom Score）の公式認証：小児質問票における言語学的問題を中心に. 日本泌尿器科学会雑誌. 105, 2014, 112-21.
5) Franco, I. Overactive bladder in children. Part 2 : Management. J Urol. 178（3 Pt 1）, 2007, 769-74.
6) 武田正之. やさしい過活動膀胱の自己管理. 大阪, 医療ジャーナル社, 2007, 92p.
6) Austin, PF. et al. The standardization of terminology of lower urinary tract function in children and adolescents : Update report from the standardization committee of the International Children' s Continence Society. Neurourol Urodyn. 35, 2016, 471-81.
7) Chase, J. et al. The management of dysfunctional voiding in children : a report from the Standardisation Committee of the International Children' s Continence Society. J Urol. 183, 2010, 1296-302.
8) 日本小児泌尿器科学会. 小児膀胱尿管逆流（VUR）診療手引き 2016. 日本小児泌尿器科学会雑誌. 25, 2016, 47-94.
9) Neveus, T. et al. The standardization of terminology of lower urinary tract function in children and adolescents : report from the Standardisation Committee of the International Children' s Continence Society. J Urol. 176, 2006, 314-24.
10) 日本小児栄養消化器肝臓学会ほか. 小児慢性機能性便秘症診療ガイドライン. 東京, 診断と治療社, 2013, 84p.
11) 日本排尿機能学会／日本泌尿器科学会編集. 二分脊椎に伴う下部尿路機能障害の診療ガイドライン. 2017 年版. 東京, リッチヒルメディカル, 2017, 125p.

認知症

脳神経内科 津田沼・医療法人同和会 千葉病院
（前）東邦大学医療センター佐倉病院 内科学神経内科 教授
榊原隆次

Point

❶ 認知症患者にみられる頻尿・尿失禁は、膀胱抑制的に働く中枢部位の障害による、過活動膀胱（overactive bladder：OAB）のことが多い。
❷ OAB は、認知症患者のなかではアルツハイマー病よりも、隠れ脳梗塞、レビー小体型認知症（dementia with Lewy bodies：DLB）で多い。OAB は認知機能評価 MMSE とは相関せず、前頭葉遂行機能 FAB と相関が認められる。
❸ 認知症患者の OAB に対して、選択的β_3受容体刺激薬、または血液脳関門を通過しにくい抗コリン薬を、せん妄などの発生に注意しながら投与するとよい。しかし治療中は、患者を注意深く観察する必要があると思われる。
❹ 排尿障害は、生活の質を害する重要な一因であり、適切な治療により改善するため、積極的な加療が望まれる。

認知症に伴う排尿障害とは？

認知症は、いったん進行すると※1機能性尿便失禁がほぼ必発してみられます。これは、トイレで排尿する意志がない、トイレの場所・容器が判断できない、衣類の着脱の仕方がわからない、などのために失禁してしまうものです。同時に、失禁をしても無関心で、会陰部の湿潤・臭気を意に介さないこともあります（認知症による尿便失禁）。さらに、認知症患者は歩行障害を同時に有していることが少なくありません。これは、パーキンソン症候群〜前頭葉／基底核障害による緩徐・小刻み歩行、運動失調〜前頭葉障害による開脚性歩行、促すとスムーズであるが一人で椅子に座れない／歩けない（歩行失行〜前頭葉・頭頂葉障害など）ために、トイレまで間に合わず失禁してしまうものです（歩行障害による尿便失禁）。機能性尿便失禁の治療として、薬物による認知症・パーキンソン症候群の改善とともに、時間排尿を促し（行動療法）、やむを得ない場合、おむつ

※1　ミニメンタルステート検査（mini-mental state examination：MMSE）で 5 点未満。MMSE は 30 点満点で、正常値は 24 点以上。

の着用などを行います[1]。尿便失禁のなかで、特に便失禁は、認知症による機能的便失禁が大多数のように思われます。

一方、認知症がごく軽度であるにもかかわらず※2、頻尿・尿失禁がみられる場合があります。これは、認知症による機能性尿失禁としては説明しにくいです。そのような患者に対して、排尿機能検査（ウロダイナミクス）を行うと、100〜150 mL と少量の注水にもかかわらず、膀胱が急に収縮を始めてしまう現象がみられます。排尿筋過活動（detrusor overactivity：DO）と呼ばれるこの現象は、いわば、膀胱が患者の意志と無関係に勝手に、「トイレに行きたい」と言っているような状態です。この場合、患者は頻繁にトイレに行かざるを得ず、日常生活が非常に制限されてしまいます。近年、このような状態を OAB と呼んでいます※3。OAB は健常成人の 12.4% にみられ、特に高齢者に多いです。OAB は隠れ脳梗塞や DLB などによる歩行障害がある患者で非常に多く（60〜90%）、それより頻度が少ないものの、アルツハイマー病の患者にも多くみられます（30〜60%）。神経疾患に伴う OAB には、後述のように、適切な治療薬があります[1〜4]。

認知症患者にみられる過活動膀胱（OAB）のメカニズム

健常人の排尿は、機能的脳画像、動物実験での検討から、脳幹部を介する反射によると考えられています（脊髄脳幹脊髄反射）。前頭前野・基底核 D1 直接路などは、この排尿反射を上位から抑制していると考えられています。一方、基底核や前頭葉の病変では、排尿反射に対する抑制が障害され（促進系亢進も指摘されている）、DO をきたすものと考えられています（図1）。健常人では、蓄尿時に、前頭前野の賦活がみられま

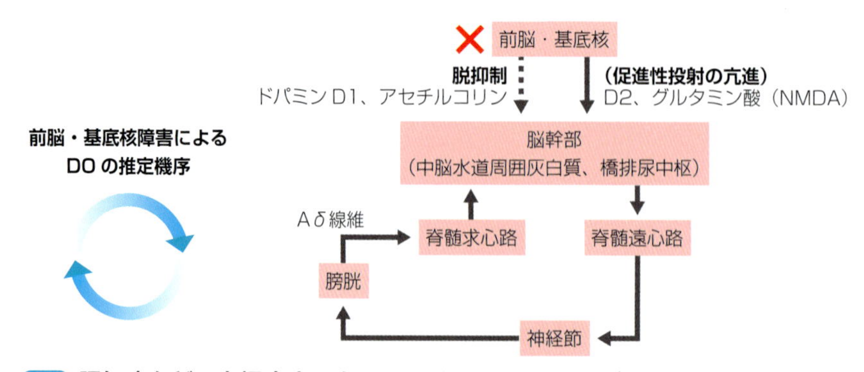

図1 認知症などの中枢疾患による DO／OAB のメカニズム（文献 3 より改変）

※2 MMSE が 21〜30 点。
※3 OAB は症状で判定してよい。

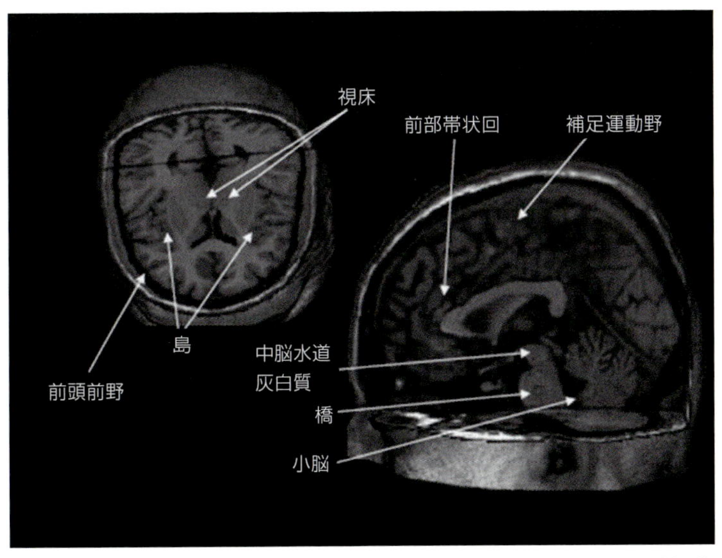

図2 蓄尿で賦活される脳部位（健常ボランティアのPETでの検討）
（文献3より改変）

す（図2）。ところが、特発性OAB、すなわちパーキンソン症候群に伴うOABでは、前頭前野の賦活が低下しています。難治性パーキンソン病に対しては、深部脳刺激が行われ、この深部脳刺激治療により、OABが改善すると同時に、前頭前野の賦活低下が回復することが報告されています。

認知症をきたす疾患と過活動膀胱（OAB）の頻度

従来、認知症患者のOABについての報告は少なく、大多数は尿失禁に関するものです。その頻度は施設入所中の患者で高く（90%）、在宅患者で低い（11%）です。基礎疾患別にみると、アルツハイマー病（Alzheimer's disease：AD）では、認知症が高度にみられますが、歩行障害やOABは目立ちません。認知症の程度は、白質型多発脳梗塞や白質病変（white matter lesion：WML）といった隠れ脳梗塞では軽度ですが、DLBでは高度に至ります。DLB、隠れ脳梗塞は、歩行障害とOABが早期から同時にみられることが知られています。認知症発症から尿失禁までの期間は、DLBで3.2年、ADで6.5年と報告されました。一方隠れ脳梗塞では、尿失禁が認知症に5年以上先行したと報告されました[1]。OABの原因となるDOの頻度も、ADで30～78%、DLBで71～85%、隠れ脳梗塞で60～82%と、DLBと隠れ脳梗塞で多いです。すなわち、認知症とOABの程度は必ずしも並行せず、別の病態機序を有していることが考えられます。隠れ脳梗塞は、脳ドックによる検討では、55歳以上人口の約10%（7.6～24%）にみられ、特に高齢者や高血圧、eNOS 遺伝子多型などの動脈硬化の危険因子を有する人に多いです。著者らが以前、歩行障害、認知症、OAB のなかで、軽度の症候※4 の頻度を調べたところ、夜間頻尿が最も早期から出現していました[1)]。従来、隠れ脳梗塞の症候として、血管性認知症（vascular dementia）、血管性パーキンソン症候群（vascular parkinsonism）が知られていますが、「血管性尿失禁（vascular incontinence）」についても、今後、生活の質の観点から注目すべきと思われます。特に夜間頻尿は、隠れ脳梗塞の初発症状として重要と思われます。

2012 年、著者らは隠れ脳梗塞と AD の排尿障害について検討しました。対象は、もの忘れ外来を受診した 49 人（男性 21 人、女性 28 人、平均年齢 76.5 歳）で、内訳は隠れ脳梗塞が 25 人、AD が 9 人、AD と隠れ脳梗塞の合併が 15 人です。

排尿症状についてみると、AD、AD ＋隠れ脳梗塞、隠れ脳梗塞各群における頻度は、昼間頻尿が 33%、40%、68%、夜間頻尿が 44%、60%、84%、週 1 回以上の尿失禁が 33%、27%、40%と、いずれも隠れ脳梗塞群で多い傾向がみられました（図3）。

ウロダイナミクスについてみると、DO の出現率と最大尿意量は、AD で 77.8% と 256mL、AD ＋隠れ脳梗塞で 77.3% と 276mL、隠れ脳梗塞で 60% と 248mL と、差がみられなかったものの、初発尿意量は 136mL、142mL、113mL と隠れ脳梗塞群で小さい傾向がみられました。すなわち、AD と比べて、隠れ脳梗塞では中枢性排尿障害がより高頻度に認められ、認知症患者の排尿障害に対する関与がより大きいと考えられます[5)]。

各疾患の排尿障害の機序についてみると、AD と隠れ脳梗塞の脳血流を用いた検討では、AD では側頭葉・頭頂葉で低下し、隠れ脳梗塞では前頭葉で低下することが知られています[6)]。このことが、隠れ脳梗塞で OAB が目立つ一因と考えられます。一方、DLB では、黒質線条体系・前頭葉の両者に病変をきたすことから、同様に OAB が早期から目立つものと思われます。さらに 2013 年、著者らが 40 人の隠れ脳梗塞の排尿障害と高次脳機能について検討したところ、隠れ脳梗塞患者の一般的認知機能は正常※5 で、DO を有する人でも MMSE 粗点の低下がみられず、「特発性 OAB」としても矛盾しない結果でした。一方、隠れ脳梗塞患者の前頭葉機能検査（frontal assessment battery：FAB）の粗点は、13.6 点とやや低下していました※6。

DO の有無についてみると、前頭葉遂行機能 FAB、とくに下位項目中の抑制課題（検者が机を叩いたら被検者は叩かない、など）が、DO を有する人で有意に低下していました（図4）。この結果は、脳の全汎的抑制機能が、隠れ脳梗塞に伴う OAB 患者で低

※4　小刻み／緩徐／すくみのうち 1 つ、MMSE ＜ 24 点、夜間頻尿＞ 2 回。
※5　MMSE スクリーニング検査で平均 25.8 点。
※6　FAB は 18 点満点。正常値は 16 点以上。

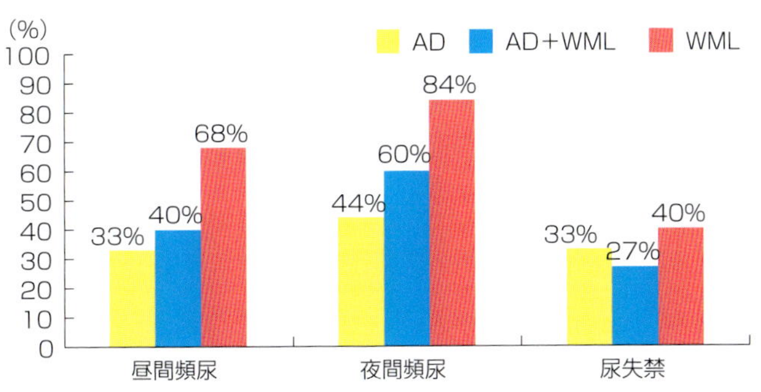

図3 **白質型多発脳梗塞（WML）と AD の排尿障害の頻度**
（文献 5 より改変）

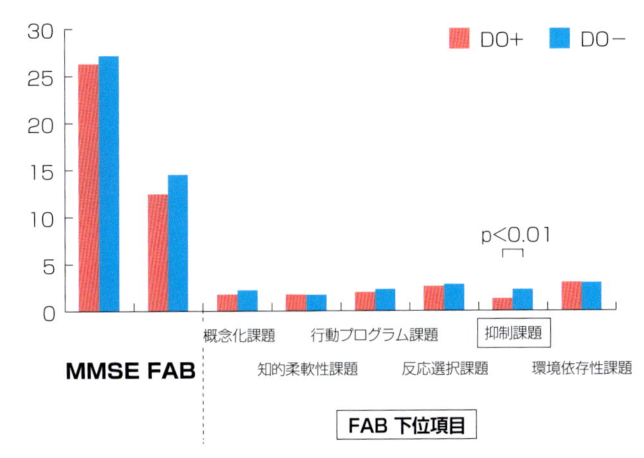

図4 **白質型多発脳梗塞（WML）患者での DO と認知機能の関係**（文献 7 より改変）

MMSE：ミニメンタルステート検査、FAB：前頭葉機能検査。検者が机を叩いたら被検者は叩かないなど、FAB 下位項目中の抑制課題（inhibitory control）が、DO を有する人で有意に低下していた。

下していることを示唆するように思われました[7]。しかし、今後さらに別課題を多数例に施行し検証する必要があります。レビー小体型認知症においても同様の結果が得られています。

正常圧水頭症（normal pressure hydrocephalus：NPH）は、隠れ脳梗塞よりは少ないですが、シャント手術で改善し得ることから、高齢者 OAB の重要な原因の一つと思われます。NPH も隠れ脳梗塞と同様に、歩行障害、認知症、尿失禁をきたす疾患であり、著者らの経験では、ベッドサイド症候から隠れ脳梗塞と NPH を区別することは困難と思われます[※7]。このため、隠れ脳梗塞患者を診療する際、常に NPH も鑑別として

※7　脳ドックによる検討では、隠れ脳梗塞と NPH の頻度は 10：1 程度とされる。

考慮する必要があると思われます。NPHではDOが95%と高頻度にみられ、その症状であるOAB／尿失禁は、NPHの特徴の一つとしてよく知られています。NPHは側脳室全体の拡大を呈する疾患ですが、脳血流SPECTでは、前頭前野の血流が低下しており、特にOAB／尿失禁の強いもので低下していました。すなわちNPHでは、排尿抑制的に働く前頭前野（前頭葉排尿中枢）の機能低下により、DOをきたしたことが考えられます。一方、シャント手術後のOAB／尿失禁の改善率は20～80%とされ、特にOAB／尿失禁改善群で、シャント手術後に前頭前野・帯状回中部の血流が改善していました[8)]。この結果は、シャント手術により、前頭前野などの機能が回復し、正常の蓄尿機能が回復したと考えられます。正常圧水頭症でのシャント前後のダイナミックな脳血流変化は、シャント手術後の症状改善予測に役立つ可能性があり、OABの中枢機序についても示唆を与えるものと思われます。

認知症に伴う過活動膀胱（OAB）の治療

ドネペジル塩酸塩などアセチルコリンエステラーゼ阻害薬のOABに対する影響はどうでしょうか？ドネペジル塩酸塩の投与初期に、AD患者の7%で尿失禁をきたしたとの報告があります。われわれの経験では、ドネペジル塩酸塩投与後に、排尿筋圧の軽度増加と膀胱容量の増大が同時に観察されました。その機序として、前者は末梢性コリン作用が、後者はドネペジル塩酸塩による注意力の改善とともに、中枢ムスカリンM2受容体などを介する排尿反射抑制が推定されました[1)]。

OAB治療薬として、酒石酸トルテロジン、コハク酸ソリフェナシン、イミダフェナシンなどの抗コリン薬（膀胱に豊富であるムスカリンM3受容体を遮断する薬物）が広く用いられています。われわれの検討でも、認知症を含む高齢者のOABに対して、抗コリン薬が有用でした。抗コリン薬はOABを改善させる働きと並行して、前頭前野の賦活低下を改善させる傾向がありました。

抗コリン薬が、万一、血液脳関門（blood- brain barrier：BBB）を通過して中枢ムスカリンM1受容体などに結合した場合、認知機能を悪化させる懸念があります[1)]。抗コリン薬のなかでオキシブチニン塩酸塩は脂溶性が高く、BBBを通過しやすいため、認知症患者には勧められません。一方、新しいOAB治療薬は比較的、BBBを通過しにくいと考えられます。

さらに最近、ミラベグロン、ビベグロンなどのアドレナリンβ_3受容体に対して選択的な薬剤が、広く使用されるようになってきました[9, 10)]。これらの薬剤は、認知機能に影響しにくいことが報告されており、高齢者にとってやさしい治療薬である可能性があります。

1人の患者に認知症とOABとがある場合、どう対処したらよいでしょうか？　著者らが最近、認知症とOABがある26人に対してドネペジル塩酸塩5mg/日に加えて、末梢性抗コリン薬であるプロピベリン塩酸塩20mg/日を追加したところ、MMSEとADAScog（Alzheimer' s disease assessment scale cognitive subscale）の増悪を伴わず、OABが改善しました（図5）[11]。動物実験による検討でも、2剤の薬理学的相互作用は少ないとされています。

おわりに

認知症患者にみられる頻尿・尿失禁は、膀胱抑制的に働く中枢部位の障害によるOABのことが多いです。このため、認知症とOABの程度は必ずしも並行せず、ADよりも、隠れ脳梗塞、DLBで多く、特に「血管性尿失禁」は、隠れ脳梗塞の初発症状となっている場合があります。認知症患者のOABに対して、選択的β_3受容体刺激薬、またはBBBを通過しにくい抗コリン薬を、譫妄などの発生に注意しながら投与するとよいです。コリンエステラーゼ阻害薬を投与中の場合も、併用がある程度可能と思われました。しかし治療中は、患者を注意深く観察する必要があると思われます。排尿障害は、生活の質を害する重要な一因であり、適切な治療により改善するため、積極的な加療が望まれます。

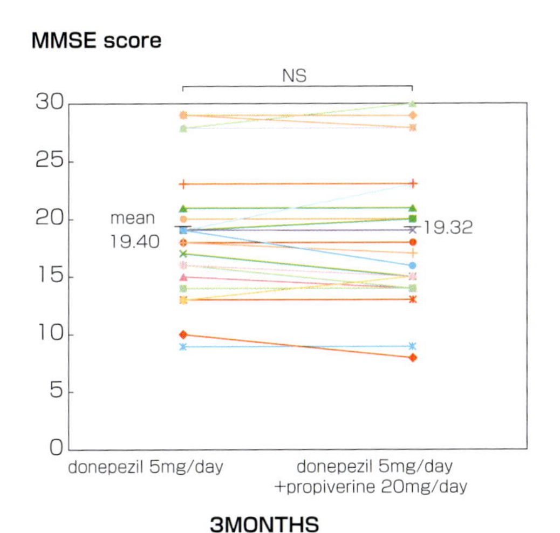

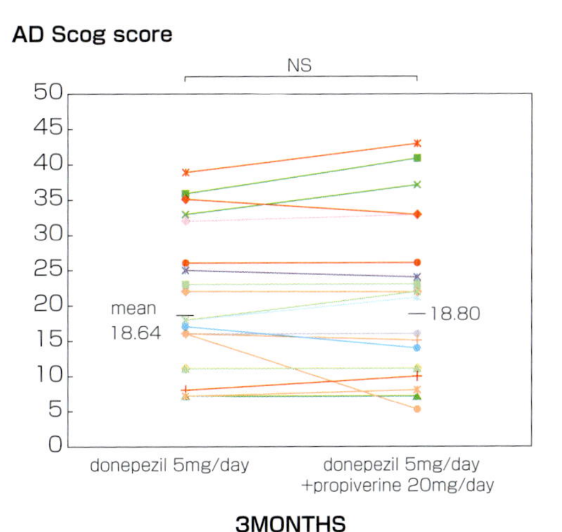

図5 ドネペジルにプロピベリンを追加した際の認知機能（文献11より改変）

MMSE：ミニメンタルステート検査（30点満点）、ADAScog：Alzheimer' s disease assessment scale cognitive subscale（70点満点）、NS：有意差なし。認知機能に有意な差はみられなかった。

引用・参考文献

1) Sakakibara, R. et al. Dementia and lower urinary dysfunction : with a reference to anticholinergic use in elderly population. Int J Urol. 15, 2008, 778-88.
2) Sakakibara, R. et al. Is overactive bladder a brain disease? The pathophysiological role of cerebral white matter in the elderly. Int J Urol. 21 (1), 2014, 33-8.
3) Sakakibara, R. Lower urinary tract dysfunction in patients with brain lesions. Handb Clin Neurol. 130, 2015, 269-87.
4) Sakakibara, R. et al. Bladder, bowel, and sexual dysfunction in Parkinson' s disease. Parkinsons Dis. 2011;2011:924605. doi: 10.4061/2011/924605. Epub 2011 Sep 12.
5) Takahashi, O. et al. White matter lesions or Alzheimer' s disease : which contributes more to overactive bladder and incontinence in elderly adults with dementia? J Am Geriatr Soc. 60, 2012, 2370-1.
6) Hanyu, H. et al. Cerebral blood flow patterns in Binswanger' s disease : a SPECT study using three-dimensional stereotactic surface projections. J Neurol Sci. 220, 2004, 79-84.
7) Haruta, H. et al. Inhibitory control task is decreased in vascular incontinence patients. Clin Auton Res. 23, 2013, 85-9.
8) Sakakibara, R. et al. Members of SINPHONI (Study of Idiopathic Normal PressureHydrocephalus On Neurological Improvement). Bladder recovery relates with increased mid-cingulate perfusion after shunt surgery in idiopathic normal-pressure hydrocephalus : a single-photon emission tomography study. Int Urol Nephrol. 48, 2016, 169-74.
9) Wagg, A. et al. The efficacy and tolerability of the β3-adrenoceptor agonist mirabegron for the treatment of symptoms of overactive bladder in older patients. Age Ageing. 43 (5), 2014, 666-75.
10) Dengler, KL. et al. Overactive Bladder and Cognitive Impairment: The American Urogynecologic Society and Pelvic Floor Disorders Research Foundation State-of-the-Science Conference Summary Report. Urogynecology (Phila). 29 (1S Suppl 1), 2023, S1-9.
11) Sakakibara, R. et al. How to manage overactive bladder in elderly individuals with dementia? A combined use of donepezil, a central acetylcholinesterase inhibitor, and propiverine, a peripheral muscarine receptor antagonist. J Am Geriatr Soc. 57, 2009, 1515-7.

フレイルと下部尿路症状

桜十字病院 泌尿器科 上級顧問　**吉田正貴**
愛知医科大学看護学部 老年看護学　**横山剛志**

Point

1. フレイルは加齢に伴い、外的ストレスに対し脆弱性を示す状態である。
2. フレイルは尿失禁発症のリスクであり、過活動膀胱（overactive bladder：OAB）とフレイルの関連も指摘されている。
3. サルコペニアは身体的フレイルの主要な要因で、筋力低下と腹圧性尿失禁や低活動膀胱、切迫性尿失禁や機能性尿失禁との関係が示唆される。
4. 加齢に伴う身体・精神的変化、泌尿生殖器機能低下や低テストステロン状態による種々の障害をウロフレイルとしてとらえ、総合的に介入していくことが重要である。
5. フレイル高齢者の下部尿路症状の診療においては、老年医学に関する十分な理解とともに、老年科医との綿密な連携が必要である。

はじめに

排尿障害はQOLを大きく損なう状態であることはよく理解されており、高齢者における排尿障害には泌尿器系疾患などの尿路系の異常以外のさまざまな要因が関与していることも多いです。また、高齢者では総合的機能の変化を来していることも多く、フレイルやサルコペニアといった状態も高い割合で存在します。本稿では、医師の立場から、フレイルやサルコペニアと排尿障害の関係、ウロフレイルの概念について述べます。

なお、75歳以上の高齢者が増加する本邦において、フレイル・認知機能低下高齢者のQOL維持および自立を促進するために作成した『フレイル高齢者・認知機能低下高齢者の下部尿路機能障害に対する診療ガイドライン2021』[1]も併せて紹介いたします。

フレイルとは

日本老年医学会の2014年のステートメントでは「フレイル（Frailty）とは、高齢期に生理的予備能が低下することでストレスに対する脆弱性が亢進し、生活機能障害、要介護状態、死亡などの転帰に陥りやすい状態で、筋力の低下により動作の俊敏性が失われて転倒しやすくなるような身体的問題のみならず、認知機能障害やうつなどの精神・心理的問題、独居や経済的困窮などの社会的問題を含む概念である」[2] と定義しています。フレイルと加齢の関係を図1 [3] に示します。

フレイルの定義・診断基準は世界的に定まったものがありませんが、Fried の基準[4]、日本人用に改変した J-CHS（Cardiovascular Health Study）規準、簡易フレイルインデックス（表）[5] や基本チェックリスト[6] などによる評価があります。また、Fried の基準によれば、わが国の地域在住高齢者におけるフレイルの頻度は約 11.3%とされています[7]。

フレイルには、3つの現れ方があるとされています。動く、食べるなどの日常生活を営むために必要な身体能力が衰えてしまう身体的フレイル、外出減少や独居などにより社会とのつながりが希薄になる社会的フレイル、そして認知機能低下や抑うつなどの精

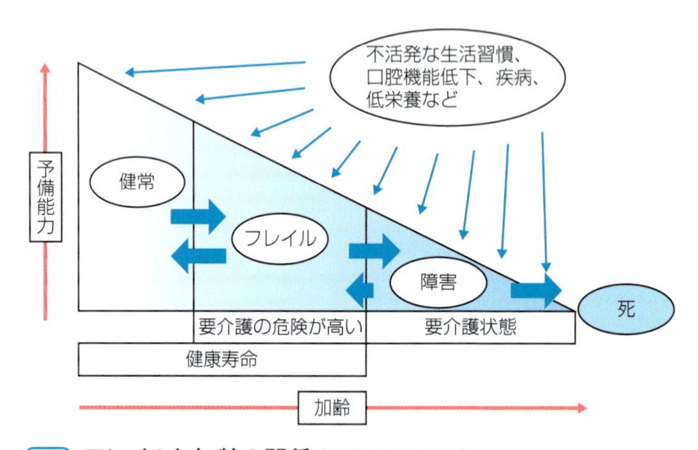

図1 フレイルと加齢の関係（文献 3 より引用）

表 簡易フレイルインデックス（文献 5 より引用）

1	6ヵ月間で 2～3kg の体重減少がありましたか？	1. はい	0. いいえ
2	以前に比べて歩く速度が遅くなってきたと思いますか？	1. はい	0. いいえ
3	ウォーキング等の運動を週に 1 回以上していますか？	0. はい	1. いいえ
4	5 分前のことが思い出せますか？	0. はい	1. いいえ
5	（ここ 2 週間）わけもなく疲れたような感じがする	1. はい	0. いいえ
	3 項目以上に該当する場合（3 点以上）をフレイル、1～2 項目に該当する場合（1～2 点を）プレフレイルと判定。		

神心理的フレイルです。また、口腔機能の加齢変化にもとづく機能低下を特にオーラルフレイルとしています（図2）[8]。フレイルとなっても、適切な介入、支援により、生活機能の維持・向上が可能です。2020年からは75歳以上の後期高齢者を対象とした、フレイルの予防・重症化予防に着目した健診（フレイル健診）が開始されました。

フレイルは排尿障害や下部尿路症状と関連する大きな因子と考えられ、最近ではこれに関連した報告がみられますが、まだ十分に検討されているとは言えません。

フレイルと排尿障害

老年内科のクリニックを受診した65歳以上の高齢者404人（男性：28.2%）の横断調査では、尿失禁の既往のある人は、男性26人/114人、女性107人/290人で、フレイルの診断項目のうち、筋力（握力）低下、歩行速度低下、体重減少の3つに加え、転倒歴を含めた4項目と尿失禁との関係を多変量解析したところ、前記4項目のなかで2項目の重複は、尿失禁と有意な関連がありました（オッズ比1.88、95% CI 1.05-3.37）。以上より、フレイル関連項目の重複は尿失禁と関連があると結論づけられており[9]、フレイルは尿失禁発症のリスクであることが示唆されます。

2020年に、65歳以上の地域在住男性高齢者5,979人を対象として、下部尿路症状（LUTS）をAmerican Urologic Association Symptom Index（AUASI、0〜7：none/mild、8〜19：moderate、20〜35：severe）で評価したコホート調査の横断的解析が報告されました[10]。LUTSの重症度別によるフレイルの有症率は、none/mild（7%）、

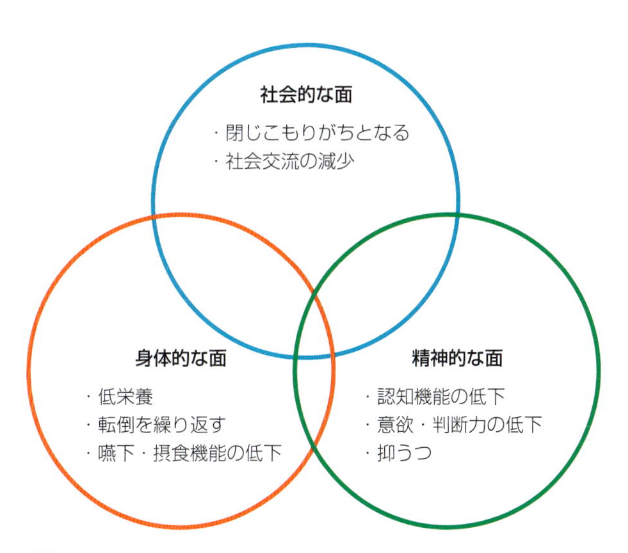

図2 フレイルの主な要因（多面性）（文献8より作成）

moderate（11%）、severe（18%）と、LUTSの重症度が高くなるにしたがい上昇しました。多変量解析では健常者を対照としたとき、プレフレイル、フレイルのAUASIカテゴリー（moderate、severe）との関係は、プレフレイルとsevereでオッズ比1.35（95% CI 1.06-1.73）、フレイルとmoderateでオッズ比1.41（95% CI 1.14 - 1.74）、フレイルとsevereでオッズ比2.51（95% CI 1.76 -3.55）と、LUTS重症度とフレイルとの有意な関連が報告されました。AUASIのサブスコアでは、蓄尿症状は筋力や身体機能と強い関連を認め、重度の尿排出症状と疲労感、活動量低下と有意な関連を認めました。

高齢入院患者210人（女性：69.5%、89.4 ± 4.6歳）を対象とした横断ならびに前向き観察研究（1年間）で、フレイルの診断をFRAIL scale［F：fatigue（倦怠感）、R：resistance（筋力），A：aerobic（有酸素運動）、I：illness（疾患）、L：loss of weight（体重減少）の5項目について評価し、3項目以上該当する場合はフレイルと診断］を用いて評価したところ、横断調査で、尿失禁のある入院高齢者（全体の47.6%）はフレイルと診断された対象者に比して有意に多い結果となりました（64.8% vs 30.5%、p＜0.001）。退院時と退院後のフォローアップでも、尿失禁の出現はフレイル対象者に多く、交絡因子で調整後もフレイルの存在は尿失禁の有意なリスク因子でした（退院時：オッズ比2.98、95%CI 1.00-8.91、6ヵ月後：オッズ比2.86、95%CI 1.3-7.24、12ヵ月後：オッズ比2.67、95%CI 1.13-6.27）[11]。

われわれは、日本在住の高齢者を対象として、OABとフレイルの関連性と、OABが及ぼすフレイル高齢者の健康関連QOL（HR-QOL）への影響について横断研究を実施し、2,953名から回答を得ました。この調査では、フレイル集団でのOAB罹患率は34.3%（95% CI 29.9-38.8）であり、非OAB群における16.5%（95% CI 15.1-18.0）より有意に高率でした。同様に、OAB高齢者におけるフレイル罹患率は26.5%（95% CI 22.9-30.1）で、非OAB高齢者群における罹患率12.0%（95% CI 10.7-13.3）より有意に高率でした（図3）[12]。ロジスティック回帰分析によると、OAB高齢者は、非OAB高齢者と比較して2.78倍フレイルのリスクが高いことが明らかになりました（95% CI 2.18-3.54、p<0.001）。また、フレイル高齢者のHR-QOLは、OABを併存することで身体的サマリースコア、役割/社会的サマリースコアおよびSF6D（効用値）が有意に低下していました[12]。

フレイルと薬物有害事象

高齢者において、薬剤はフレイルと関係しており、フレイルは薬物有害事象とアドヒアランス不良の危険因子であるとされています。フレイル高齢者は一般的に服用薬剤数が多くなる（多剤併用：ポリファーマシー）傾向があり、一方、ポリファーマシー患者

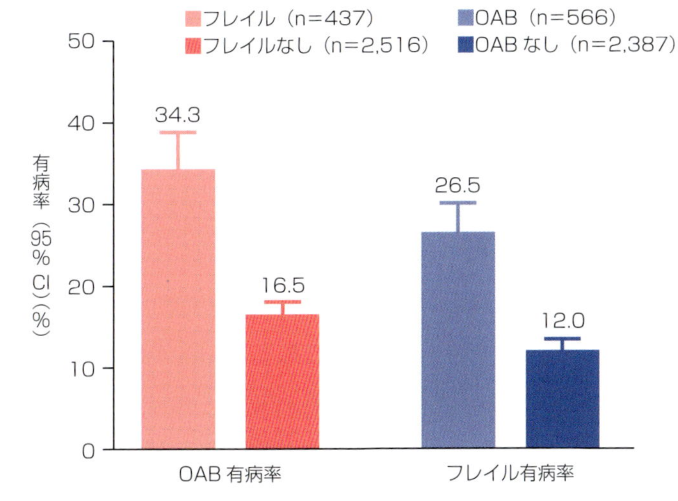

図3 **OABとフレイルの関連性**（文献12より改変）

はフレイルを合併しやすいとされています。また、高齢者の薬物有害事象は、しばしばフレイルないしその悪化としてあらわれ、ポリファーマシーはフレイルのリスク因子です[13]。

ポリファーマシー患者では、抗コリン負荷に注意する必要があります。抗コリン負荷は認知機能障害やせん妄の原因となることが指摘されています。われわれはOAB患者の抗コリン負荷をAnticholinergic Cognitive Burden（ACB）スケールを用いて評価しました[14]。OAB患者は非OAB患者に比べてACBスケールが高かったものの、OAB患者で過活動治療薬としてミラベグロン（β_3作動薬）のみが処方されている患者のACBスケールは、抗コリン薬が処方されている患者のそれよりも低く、非OAB患者と同等という結果でした。ミラベグロンなどのβ_3作動薬は抗コリン負荷の軽減に有用と考えられました。

サルコペニアと排尿障害

サルコペニアはフレイルの類似病態であるとともに、身体的フレイルの主要な要因であり、「筋肉量低下に加えて筋力低下もしくは身体機能低下を認め、転倒・骨折、身体機能障害および死亡などの転帰不良の増加に関連し得る進行性および全身性に生ずる骨格筋疾患」と定義[14]されています。サルコペニアの診断には2019年にAsian Working Group for Sarcopenia（AWGS）が改訂した診断アルゴリズム（AWGS2019）[15, 16]が用いられます。

サルコペニアによる筋力の低下は腹圧性尿失禁や低活動膀胱、移動能力の低下は切迫性尿失禁や機能性尿失禁と関係してくる可能性も高いです。杉本らは早期アルツハイマー病患者におけるサルコペニアとADL低下との関係を検討し、ADLの中では排尿コントロールの低下の割合が高く、認知症では前頭葉機能の低下によりOABを誘発し、見当識障害やサルコペニアが相加的に作用して機能性尿失禁を惹起している可能性を示唆しています[17]。

またMajimaら[18]は、サルコペニアの指標となる腹部CTでの腸腰筋の面積、Psoas muscle area（PMA）が、排尿筋収縮力の指標であるbladder contractility index（BCI）と有意な正の相関性を示し、多変量解析の結果、BCIにもっとも影響を与える因子はPMAであり、サルコペニアは低活動排尿筋に対して強い影響を及ぼすことが示唆されています。

ウロフレイルの概念

これまでさまざまな疾患や状態とフレイルとの関係が示されてきており、排尿障害とフレイルとの相互関係も推察されます。フレイルやサルコペニアがADL低下などを介して排尿障害をきたす可能性が推測されるのです。一方で、高齢者の尿失禁などの排尿障害から派生する転倒、尿路感染症、皮膚トラブル、心理社会的影響、QOL低下などのさまざまな要因が重なってフレイルを惹起することも十分考えられ（図4）、フレイル・サルコペニアと排尿障害は双方向性に関係しあっている可能性があります。

われわれは、加齢に伴う身体・精神的な変化や泌尿生殖器機能の低下、低テストステロン状態から派生するさまざまな障害をウロフレイルとしてとらえ、総合的に介入していくことで、患者の治療・ケアへの貢献にもつながり、要介護状態への移行を阻止できる可能性があると考えています。

近年、日本医学会連合から「フレイル・ロコモ克服のための医学会宣言」が発出されました[19]。これは、世界の最長寿国であるわが国が世界に示すべき保健・医療・介護の一体的取り組みについて、医療界だけでなく国を挙げての取り組みが必要であると考えられての宣言です。すでにさまざまな領域で、高齢になっても自立した生活やその人らしく生きる生活を支える医学・保健・医療・介護の充実に関しての取り組みが進められています。さらには領域横断的な取り組みの重要性も指摘されています。

今後は泌尿器科においても、この領域でのさらなる研究が必要であると考えられ、フレイルやサルコペニア高齢者の診療にあたっては、老年医学に関する知識とともに老年科医、多職種との綿密な連携が必要と思われます。

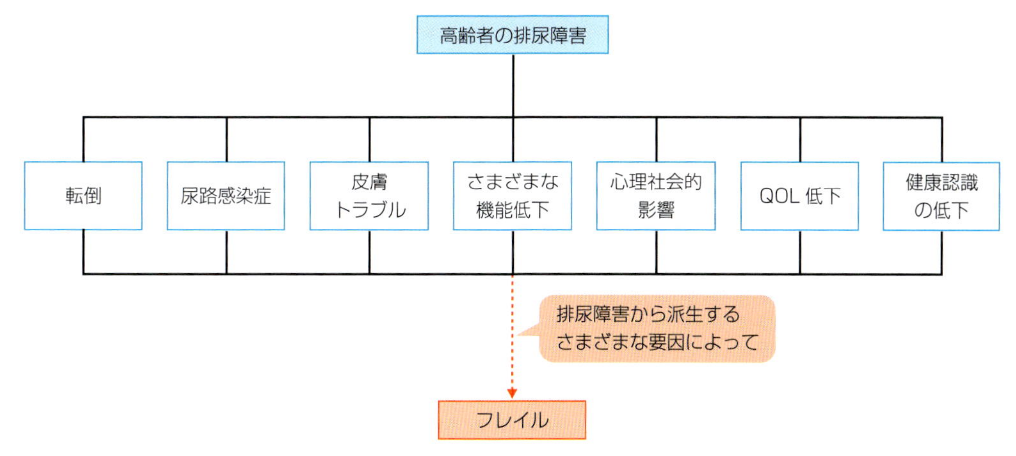

図4 高齢者の OAB などの下部尿路機能障害とフレイル

尿失禁から派生するさまざまな要因が複雑に絡み合い、フレイルの状態に導き得る。

引用・参考文献

1) 日本サルコペニア・フレイル学会 / 国立長寿医療研究センター編．フレイル高齢者・認知機能低下高齢者の下部尿路機能障害に対する診療ガイドライン 2021．ライフサイエンス出版．東京，2021，112p.
2) 大内尉義 / 荒井秀典．フレイルに関する日本老年医学会からのステートメント．https://www.jpn-geriat-soc.or.jp/info/topics/pdf/20140513_01_01.pdf
3) 西原恵司ほか．健康長寿社会におけるフレイルの考え方とその意義．予防医学．神奈川県予防医学協会．60，2019，9-13.
4) Fried, LP. et al. Cardiovascular Health Study Collaborative Research Group: Frailty in older adults: evidence for a phenotype. J Gerontol A Biol Sci Med Sci. 56, 2001, 146-56.
5) 荒井秀典．"ハイリスク高齢者の抽出方法"．介護予防ガイド：平成 30 年度老人保健事業推進費等補助金（老人保健健康増進等事業）「介護予防の取り組みによる社会保障費抑制効果の検証および科学的根拠と経験を融合させた介護予防ガイドの作成」．2019，25.
6) 佐竹昭介．老年医学の展望 基本チェックリストとフレイル．日本老年医学会雑誌．55，2018，319-27.
7) Shimada, H. et al. Combined prevalence of frailty and mild cognitive impairment in a population of elderly Japanese people. J Am Med Dir Assoc. 4, 2013, 518.
8) 厚生労働省．第 2 回在宅医療及び医療・介護連携に関するワーキンググループ資料．https://www.mhlw.go.jp/stf/shingi2/0000135473.htm.
9) Kang, J. et al. Association between urinary incontinence and physical frailty in Korea. Australas J Ageing. 37, 2018, E104-9.
10) Bauer, SR. et al. Osteoporotic Fractures in Men（MrOS）Research Group. Osteoporotic Fractures in Men（MrOS）Research Group. Co-occurrence of lower urinary tract symptoms and frailty among community-dwelling older men. J Am Geriatr Soc. 68, 2020, 2805-13.
11) Chong, E. et al. Frailty predicts incident urinary incontinence among hospitalized older adults- a 1-year prospective cohort study. J Am Med Dir Assoc. 19, 2018, 422-7.
12) Yoshida, M. et al. A non-interventional cross-sectional re-contact study investigating the relationship between overactive bladder and frailty in older adults in Japan. BMC Geriatr. 22, 2022, 68-79.
13) 小島太郎．ポリファーマシー．フレイルハンドブック．荒井秀典監．ライフサイエンス出版．2022，102-4.
14) Yoshida, M. et al. Anticholinergic burden in the Japanese elderly population：use of antimuscarinic medications for overactive bladder patients. Int J Urol. 25, 2018, 855-62.
15) Cruz-Jentoft, AJ. et al. Sarcopenia：revised European consensus on definition and diagnosis. Age Ageing. 48（1）, 2019, 16-31.
16) サルコペニア診療ガイドライン作成委員会編．サルコペニア診療ガイドライン 2017 版（一部改訂）．ライフサイエンス出版．2020，pp Ⅳ - Ⅴ.
17) Sugimoto, T. et al. Sarcopenia is associated with impairment of activities of daily living in Japanese patients with early-stage Alzheimer disease. Alzheimer Dis Assoc Disord. 31, 2017, 256-8.
18) Majima, T. et al. Investigation of the relationship between bladder function and sarcopenia using pressure flow studies in elderly male patients. Neurourol Urodyn. 38, 2019, 1417-22.
19) 日本医学会連合　領域横断的なフレイル・ロコモ対策の推進に向けたワーキンググループ．「フレイル・ロコモ克服のための医学会宣言」解説．2022．https://www.jmsf.or.jp/uploads/media/2022/04/20220401211625.pdf

排尿のアセスメント（看護師が実践するアセスメント）

排尿のアセスメント

山梨大学大学院総合研究部 医学域看護学講座 教授 谷口珠実

Point

1. 「排尿自立支援加算」と「外来排尿自立指導料」に必要なアセスメント項目が理解できる。
2. 排尿ケアチームと病棟看護師が協働して、的確に目標を設定できる。
3. 外来排尿ケアチームと外来看護師が協働して、適切なアセスメントが実施できる。

下部尿路症状のアセスメントの進め方

本章では、患者の下部尿路症状の有無と程度を観察して必要な情報を収集することと、下部尿路症状の原因となる疾患や影響要因を査定するプロセスについて、説明します。令和２年度の診療報酬改定により、入院患者の「排尿自立支援加算」と「外来排尿自立指導料」の算定要件を含め、病棟や外来の看護師と排尿ケアチームが協働して実施する内容を解説します。

排尿自立支援加算の概要

排尿自立支援加算は、尿道留置カテーテルを挿入しており、抜去後に下部尿路症状が予測される患者、または抜去直後に下部尿路症状を有する患者が対象です。病棟看護師と多職種からなる排尿ケアチームが協働して、下部尿路症状の的確なアセスメントと下部尿路機能の回復のための包括的排尿ケアを実施し評価することで、週１回200点が12週まで算出できます（図1）[1]。

詳細な進め方は、日本創傷・オストミー・失禁管理学会、日本老年泌尿器科学会、日本排尿機能学会の３学会が協働して作成した「排尿自立支援に関する診療の計画書」も参照してください（図2）[2]。本稿では、概要を解説します。

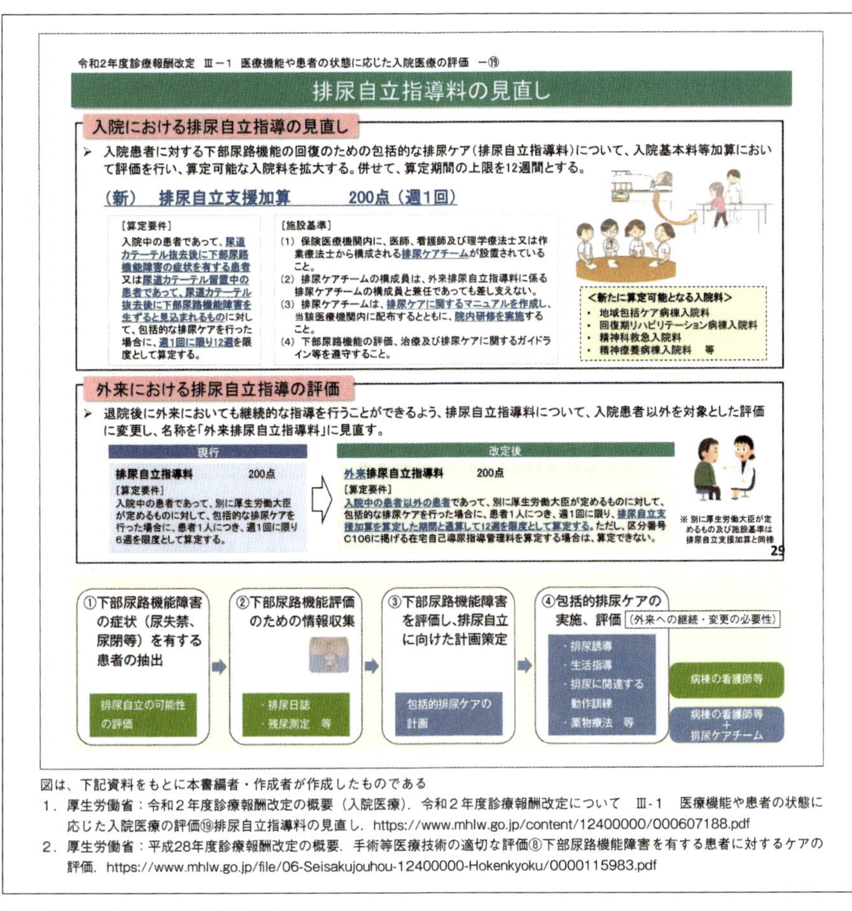

図1 **排尿自立支援加算の概要**（文献１より引用）

病棟看護師：対象患者を抽出する

尿道カテーテルの留置の管理状況には、絶対的な適応と相対的な適応があります。絶対的な適応とは、詳細なIN-OUTや尿量管理が必要な集中治療中の患者と、外陰部の創傷・褥瘡の治療のためにカテーテル留置が必要な状況です。相対的な適応とは、前述の状況から尿道カテーテルが抜去可能となる状況です。この時期に、下部尿路症状が予測されるか否かを検討します。対象患者は以下の状況です。

1) 尿道カテーテル留置患者で、抜去後に下部尿路機能障害として尿閉／排尿困難（残尿量100mL以上）または尿失禁が予測される場合には、排尿ケアチームに相談します。
2) 尿道カテーテル抜去後に下部尿路機能障害がある場合、尿閉、排尿困難（残尿量100mL以上）、尿失禁、重度の頻尿（1日15回以上）があれば、下部尿路機能評価のために必要な情報を、排尿日誌と残尿測定を用いて収集します。そして排尿ケアチームに相談します。

氏名　　　殿　男　女　病棟　　　記入看護師　　　計画作成日　・　・
年齢　　歳　尿道カテーテル留置日　・　・　　主疾患
留置の管理状況　1. 絶対的な適応（尿量測定・局所管理）　2. 相対的な適応
※留置の管理状況が「2. 相対的な適応」であった場合のみ、以下のアセスメントを行う。

①下部尿度機能障害の症状を有する患者の抽出
〈尿道カテーテル抜去後に下部尿路機能障害が予想される場合〉

尿閉/排尿困難（残尿量100ml以上）	ある　ない	「ある」が1つ以上の場合、排尿ケアチームに相談する
尿失禁	ある　ない	

〈尿道カテーテル抜去後に下部尿路症状がある場合〉

尿道カテーテル抜去日　・　・		「ある」が1つ以上の場合、排尿日誌と残尿量測定後に、排尿ケアチームに相談する
尿閉	ある　ない	
排尿困難（残尿量100ml以上）	ある　ない	**②下部尿路機能評価のための情報収集**
尿失禁	ある　ない	排尿日誌記録日　・　・
重度の頻尿（15回以上/日）	ある　ない	残尿量　　ml

③−1. 下部尿路機能障害の評価
〈排尿ケアチーム（　　　）による評価〉　日付　・　・

	スコア	0	1	2
排尿自立	移乗・移動	自立	一部介助	ほぼ全て介助
	トイレ動作	自立	一部介助	ほぼ全て介助
	収尿器の使用	なし/自己管理	一部介助	ほぼ全て介助
	おむつ使用	なし/自己管理	一部介助	ほぼ全て介助
	カテーテル使用	なし/自己導尿	導尿（要介助）	尿道留置カテーテル
下部尿路機能	尿意の自覚	あり	一部なし	ほぼ全てなし
	尿失禁	なし	一部失禁	ほぼ全て失禁
	24時間排尿回数（　/日）	～7回	8～14回	15回～
	1回排尿量（　ml）	200ml～	100～199ml	～99ml
	残尿量（　ml）	～49ml	50～199ml	200ml～
排尿自立（　）点　＋　下部尿路機能（　）点　＝　合計（　）点				

③−2. 排尿自立に向けた計画策定
〈排尿ケアアセスメント〉

○原因・病態
排尿自立　：　認知機能障害（　なし　・　あり：　　　）
　　　　　　　運動機能障害（　なし　・　あり：　　　）
下部尿路機能：　蓄尿機能障害（　なし　・　あり：　　　）
　　　　　　　排尿（尿排出）機能障害（　なし　・　あり：　　　）
○今後の見通し

〈包括的排尿ケア計画〉

	項目	計画
看護計画	排尿自立	
	下部尿路機能	
リハビリテーション		
薬物療法		
泌尿器科による精査・治療		

④評価：日付　・　・

包括的排尿ケアの継続の必要性：　なし　・　あり（次回評価日：　・　・　）
包括的排尿ケアの継続・変更点
患者・家族への依頼：　例：排尿日誌の持参等
医療者への依頼事項：　次回評価日に、（排尿ケアチームへコンサルする前に）確認しておくべきこと

図2 排尿自立支援に関する診療の計画書（案）（文献2より引用）

病棟看護師 ＋ 排尿ケアチーム：下部尿路機能障害を評価し、排尿自立に向けた計画を策定する

排尿の自立のためには、排尿の行為と下部尿路機能の双方を評価します。「排尿自立」には、移乗・移動動作、トイレ動作、収尿器の使用、パッド・おむつの使用、カテーテルの使用の項目を評価します。評価は、自立か一部自立、あるいは介助という3段階になっています。評価は自立であれば0点、ほとんど介助であれば2点、介助と自立の間

の一部介助は1点という評価点になります。

下部尿路機能では、尿意の自覚、尿失禁、24時間排尿回数、平均1回排尿量、残尿量の項目を評価するため、排尿日誌や残尿測定を含めて評価します。尿意の自覚があれば0点、ほとんどなければ2点、一部あれば1点となっています。「一部」と「ほとんど」の区別は、厳密な割合はありません。

診断には、より詳細な問診や質問票（CHAPTER4-02を参照）を用いて、原疾患の下部尿路機能への影響を考慮しながら、泌尿器科医と協働して下部尿路機能障害の病態と適切な治療を検討します。

下部尿路症状の頻度や程度、蓄尿症状と排尿（尿排出）症状、排尿後症状のいずれの症状を訴えているかについて把握するための問診を効率よく行うために質問票を用います。質問票には、下部尿路症状全般を把握するための主要下部尿路症状スコア（core lower urinary tract symptom score：CLSS）、過活動膀胱の症状や重症度を把握できる過活動膀胱症状スコア（overactive bladder symptom score：OABSS）、国際前立腺症状スコア（international prostate symptom score：IPSS）などがあります。

下部尿路症状は、必ずしも一つの疾患や単独の要因で発症するとは限らないため、多要因による影響や患者の気持ちを含めて、幅広く柔軟な思考で検討していきます。

下部尿路機能障害よりも運動機能障害や認知機能障害の影響が排尿行為に大きく影響している場合には、理学療法士や作業療法士と協働して、排泄行為の再獲得について検討します。排尿の自立とは、トイレに移動できて排尿できることだけではありません。患者の運動機能や日常生活動作（activities of daily living：ADL）の能力や認知機能、下部尿路機能によりその人に適した個別の自立目標を立てていくことが必要です。例えば、日常生活を主に車いすで生活をしており、トイレに移乗して排尿ができなかったとしても、収尿器を用いて間欠導尿を行うことが自己管理できていれば、その人の状況に適した自立と捉えることができます。

排尿ケアチーム：排尿自立に向けた計画策定、排尿ケアのアセスメント

排尿自立と下部尿路機能障害の査定を基に、排尿自立を阻害している原因を明確にします。そして下部尿路機能障害の診断に対する治療を検討し、排泄動作の確立のために運動機能障害に対してどのようなセルフケアの訓練ができるか、排尿誘導の方法や用具を含めて検討します。認知機能障害があれば、障害の程度に適した対応について検討します。

排尿を自立させるためには、下部尿路機能障害を治療するとともに、加齢や疾病に伴う運動機能や認知機能の障害に対して適切な方法で対処し、心理的な要因や社会生活環境に対して調整を図ることも必要です。

心理的な要因とは、一度失禁で恥ずかしい思いをすると、周囲に迷惑をかけないために早めに排尿するため、膀胱訓練に取り組めないことや、尿意が生じなくても何度も排尿するといった行為として現れます。すなわち、心配な気持ちが排尿習慣に影響することがあるのです。ベッドサイドのポータブルトイレでは、同室者への気兼ねから排尿や排便を行いにくいと感じてしまうことも、心理的な要因です。尿意を感じてからトイレまでの距離や場所の問題、施設内であれば患者数に対するトイレの数などの社会生活環境も影響します。

下部尿路症状が生じている原因や要因、対策に至った検討経過など、思考のプロセスを提示します。

病棟看護師＋排尿ケアチーム：包括的排尿ケアの実施、評価

排尿ケアチームは、アセスメントの結果を記載し排尿自立に向けた計画（包括的排尿ケア、表）を立案します[3]。

看護計画として排尿自立、下部尿路機能の問題に対して、生活指導や膀胱訓練、骨盤底筋訓練、間欠導尿、排尿誘導などを立案します。立案した計画は病棟看護師が実施します。実施した結果をもとに、1週間ごとに評価します。理学療法士と協働した運動機能訓練や、泌尿器科医と協働した薬物療法や治療も同時に行い、評価を行います。

「排尿自立」と「下部尿路機能」の点数の合計が0になった時点で終了します。この評価と包括的排尿ケアは、1週間に一度200点を、12週まで算定することができます。

退院時に「排尿自立」と「下部尿路機能」の合計が1以上で、外来でも包括的排尿ケアを継続することで排尿自立を目指せる場合には、診療録に「外来継続が必要である」旨を記載し、外来での包括的排尿ケアを継続します（図3 図4）[4]。

外来看護師＋（外来）排尿ケアチーム

退院後の「外来排尿自立指導料」においても、排尿の状況のアセスメントと排尿ケアチームが立案する包括的ケアの計画と外来での実施が必要です。外来でのアセスメントでは、事前に排尿日誌を渡して記載してもらい、外来で残尿測定を行うなど必要な情報

を組み合わせます。排尿日誌の記載を忘れて外来に来た場合には、各種質問票を活用して、情報を得るとよいでしょう。

外来排尿自立指導料は、入院と同一施設の外来継続に限られること、在宅自己導尿指導管理料と併用しては算定できない（どちらか一方の算定となる）ことにご注意ください。

表 包括的排尿ケアのマトリックス（文献 3 より一部改変）

	留意する項目		計画の内容
看護計画	排尿自立		排尿用具の工夫、排尿しやすい姿勢の工夫、衣類の工夫、移動・排尿意欲への支援、寝具の素材の工夫
	下部尿路機能	頻尿・尿失禁	生活指導、膀胱訓練、骨盤底筋訓練
		尿閉／排尿困難	間欠導尿、自己導尿／間欠的バルーンカテーテル
		尿意の問題	排尿誘導、超音波補助下排尿誘導法
リハビリテーション			運動機能訓練（関節可動域拡大、座位保持、排泄に関する動作訓練）、動作に合わせた補助用具の選択・環境整備、介助方法の工夫
薬物療法			排泄へ影響を与える薬剤の検討、適切な薬剤の選択と処方、有熱性尿路感染症への抗菌薬処方
泌尿器科による精査・治療			画像検査、尿流動態検査

包括的排尿ケアとは、看護師による排尿誘導や生活指導を中心とし、必要に応じて理学療法士などによる排尿に関連する動作訓練、医師による薬物療法などを組み合わせたものである。計画・実施にあたっては、下部尿路機能の評価、治療および排尿ケアに関するガイドラインなどを遵守する、とされている。

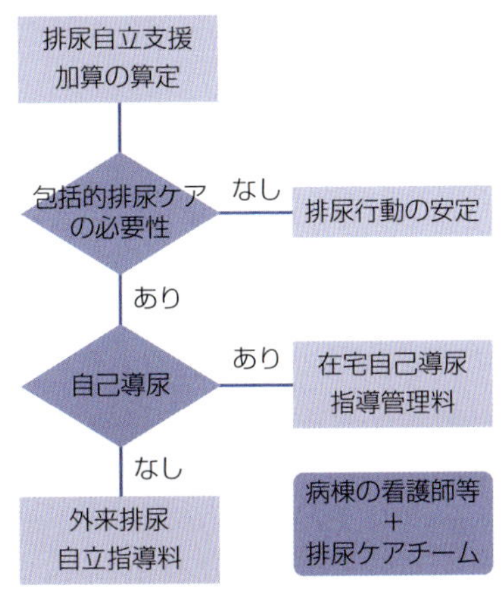

図3 外来排尿自立指導料の対象患者把握のためのアルゴリズム（文献 4 より引用）

情報収集
（排尿日誌、残尿測定）
下部尿路機能
異常なし
経過観察
排尿自立
自立
経過観察
異常あり
介助必要
包括的排尿ケアの見直し
保存療法、リハビリテーション、薬物療法
外来の看護師等
外来診療の医師、看護師＋排尿ケアチーム

図4 外来排尿自立指導料のアルゴリズム
（文献 4 より引用）

引用・参考文献

1） 日本創傷・オストミー・失禁管理学会編. "排尿自立ケアに関するマニュアル". 入院から外来まで「排尿自立」をサポートする「排尿自立支援加算」「外来排尿自立指導料」に関する手引き. 東京, 照林社, 2020, 19.
2） 前掲書 1）. 21.
3） 前掲書 1）. 31.
4） 前掲書 1）. "外来排尿自立指導のマニュアル". 39.

問診・質問票

山梨大学大学院総合研究部 医学域看護学講座 教授　**谷口珠実**

Point

❶ 下部尿路症状の訴えを聴くことができる。
❷ 下部尿路症状の原因や影響要因の情報が収集できる。
❸ 質問票を活用できる。

はじめに

排尿自立指導料の対象には、①尿道留置カテーテル抜去後に、尿失禁、尿閉などの下部尿路機能障害の症状を有する患者と、②尿道カテーテル留置中の患者であって、尿道留置カテーテル抜去後に下部尿路機能障害を生じると見込まれる者となっています[1)]。下部尿路症状を適確に把握するために、問診と質問票を用いた情報収集について説明します。

入院時の問診

病院や施設への入院・入所時に、これまでの日常生活での排尿の状況を把握します。排尿回数、失禁や排尿困難の有無、トイレ環境については確認している施設が多いことでしょう。

次の項目を確認しておくと、留置カテーテル抜去以前から、下部尿路機能障害を予測することに役立ちます。

・尿失禁や頻尿、排尿困難、尿閉の有無と発症した時期
・どのようなときに尿失禁や頻尿、排尿困難、尿閉の症状が起こるか
・頻度、失禁量（1日に使用するパッドの枚数、使用しているパッドの吸収量）
・ほかの排尿の症状（夜間頻尿、残尿感、尿線途絶、用手腹圧排尿、血尿、排尿痛など）
・内服薬の確認（利尿薬、抗コリン薬、α遮断薬など）
・既往歴（手術歴、糖尿病、脳血管障害、〈男性〉下部尿路閉塞疾患、〈女性〉骨盤臓器脱）

・認知機能、身体機能（日常生活動作：ADL）、生活習慣、住環境、社会環境

既往歴や現病歴に伴う手術や薬剤の服薬状況、糖尿病や心疾患、脳血管障害などの慢性疾患の治療法と管理状況、分娩回数や状況などが排尿に影響します。このため、関連要因について系統的に把握しておくことが望ましいでしょう。

尿道留置カテーテル抜去後の問診

尿道留置カテーテル抜去時に、下部尿路症状を確認します。下部尿路症状には、蓄尿症状と尿排出症状があり、症状は単独原因のこともありますが、いくつかの複合的な原因が重なって症状が出現する場合もあります。原因を一つに決めつけず、症状や原因について検討を進めていきます。

問診では、排尿について患者や家族からの訴えを聞き、排尿機能が正常なのか異常があるのかを判断します。排尿の回数（昼間・夜間）、排尿量（1回、24時間合計）と、排尿に関連する訴えを問診します。下部尿路症状が発症する状況や、発症の頻度や程度について把握し、蓄尿症状と排尿（尿排出）症状、排尿後症状のいずれの症状を訴えているか把握します。質問票を用いることで効率よく問診が行えます。質問票には、下部尿路症状全般を把握するための主要下部尿路症状スコア（core lower urinary tract symptom score：CLSS）、過活動膀胱（overactive bladder：OAB）の症状や重症度を把握できる過活動膀胱症状スコア（overactive bladder symptom score：OABSS）、国際前立腺症状スコア（international prostate symptom score：IPSS）があります。

問診と質問票を用いる具体例

問診で主訴を探りながら、以下のように質問票を使います。

訴えている症状が複数ある場合

下部尿路全体の症状と程度を知るためには、CLSS[2]（p326「CLSS」）を用います。

この質問票では、OAB、尿失禁、間質性膀胱炎による特徴的な症状について尋ねています。さらにその症状のなかでもどれが最も困っているのか、QOLの状況も把握することができます。

頻尿と尿意切迫感の症状を訴えている場合

OABの症状や重症度を把握するために用いるのは、OABSS[3]（p327「OABSS」参照）です。必須症状である頻尿の回数、尿意切迫感の頻度により、症状の重症度が示されます。OABと診断するためには、残尿量や尿路感染を除外します。

尿失禁の症状を訴えている場合

尿失禁の症状があれば、腹圧性尿失禁（stress urinary incontinence：SUI）か、切迫性尿失禁か、その双方の症状がある混合性尿失禁であるかを把握することにより、その後の治療が決まります。このため、失禁が発症する契機となる腹圧上昇の有無や尿意切迫感に伴う尿失禁の有無、何もしなくても漏れるなどの状況については、国際失禁会議尿失禁質問票短縮版（international consultation on incontinence questionnaire-short form：ICIQ-SF）[4]（p326「ICIQ-SF」参照）を用いて尿失禁の頻度や発生原因を把握します。

尿が出にくい症状を訴えている場合

尿排出が困難な場合の排尿症状とその程度を把握するためには、IPSS[5]（p327「IPSS」参照）を用います。

IPSSは名称にあるとおり前立腺肥大症状に伴う尿排出症状を把握する質問票で、尿勢低下、尿線途絶、排尿遅延、腹圧排尿などを尋ねています。このような、尿が出にくいことに関連する質問は女性の排尿困難の把握にも用いています。

質問票ではわからない気持ちの影響を問診で確認する

看護師は、患者の気持ちが排尿に及ぼしている影響と、下部尿路症状に対するこれまでの対処方法について問診します[6]。例えば頻尿でも、夜間はなく昼間だけ多いのは、気持ちの問題である心因性頻尿が考えられるため、この原因となるストレスや不安の存在はないかを問診します。また、利尿薬やホルモン剤などの薬物による影響や、飲水量とカフェイン摂取量の影響が考えられる場合には、具体的な服薬や摂取量も確認しておきます。失禁した経験がその後、恐怖となり、失禁を回避するために頻回に意図的に排尿していることもあります。このように、患者の気持ちが及ぼす影響についても確かめておく必要があります。

排尿に関連する生活要因の把握

下部尿路機能障害に影響し、生活指導が必要となる生活習慣について把握し、生活指導の必要性を判断します[7]。

身長と体重

体格指数（body mass index：BMI）は、SUI と OAB や切迫性尿失禁に関係するため、適切な体重管理について指導します。肥満女性が減量すると、有意に尿失禁（腹圧性と切迫性）が改善します。

日常の運動や活動

過度な運動や重労働は、SUI や OAB に影響するので、適切な運動を推奨します。

禁煙

喫煙者に尿失禁が多いとする報告があるため、禁煙を推奨します。

食事と飲水量

アルコール、炭酸飲料と尿失禁との関係を示す報告や、排尿筋過可動の患者はカフェイン摂取が多いという報告もあり、飲水量や内容を把握します。

便秘

いきんで排便することがSUI や尿意切迫のリスクになるという報告があるため、慢性便秘の患者にはいきまずに排便できるよう、腸内環境を整える食事、適切な排便姿勢などの指導を行う必要があります。

引用・参考文献

1) 厚生労働省資料抜粋.「平成 28 年度診療報酬改定について第 2. 改定の概要, 平成 28 年度診療報酬改定説明（医科）その 6」.
2) 日本泌尿器科学会編. 男性下部尿路症状・前立腺肥大症診療ガイドライン. 東京, リッチヒルメディカル, 2017, 4.
3) 本間之夫ほか. 過活動膀胱症状質問票（overactive. bladder. symptom. score：OABSS）の開発と妥当性の検討. 日本泌尿器科学会誌. 96, 2005, 182.
4) 後藤百万ほか. 尿失禁の症状・QOL 問診票：スコア化 ICIQ-SF. 日本神経因性膀胱学会誌. 12, 2001, 227-31.
5) 本間之夫ほか. International Prostate Symptom Score と BPH Impact Index の日本語訳の計量心理学的検討. 日本泌尿器科学会誌. 94, 2003, 560-9.
6) 谷口珠実. “看護師が行う問診・フィジカルアセスメント”. 失禁ケアガイダンス. 東京, 日本看護協会出版会, 2007, 186-98・213-21.
7) 日本排尿機能学会女性下部尿路症状診療ガイドライン作成委員会編. 女性下部尿路症状診療ガイドライン. 第 2 版. 東京, リッチヒルメディカル, 2019, 123.

排尿日誌

山梨大学大学院総合研究部 医学域看護学講座 教授　**谷口珠実**

Point

❶ 排尿日誌の記載方法を理解し、適切に記入できる。
❷ 排尿日誌の必要性を理解できる。
❸ 排尿日誌を活用し、失禁のタイプの推測や行動療法に応用できる。

排尿記録

排尿の回数や量を客観的に確認するために、排尿の状況を記載します。

排尿記録の種類

排尿記録には、複数の形があります。サイズや書式、記載欄や記入内容の異なる排尿記録類が、学会や施設によって作成されています。

日本排尿機能学会のホームページからダウンロードできる３種類の排尿記録（p328「排尿記録の３様式」参照）には、排尿時刻のみを記載する排尿時刻記録（micturition time chart）、排尿時刻と尿量を記載する頻度・尿量記録（frequency volume chart）、排尿時刻と尿量に加え失禁や水分摂取量なども記載可能な排尿日誌（bladder diary）があり、各記録用紙はホームページからダウンロードしてそのまま記載できます[1)]。

排尿日誌の記載内容は、排尿時刻と排尿量（自尿、失禁量）、就寝時間と起床時間、尿意や尿意切迫感です。また追加情報として、失禁が生じた状況（咳やくしゃみ、腹圧上昇動作）や頻尿が生じた状況、飲水量や服薬状況などを記載します。

排尿日誌の必要性

排尿日誌に排尿時間や量を記録することで、排尿の状態を客観的にとらえることができます。排尿日誌は排尿が正常なのか異常なのかを判断するうえで欠かせません。排尿の異常には、自覚できる下部尿路症状と、必ずしも自覚を伴わない下部尿路機能障害があります。排尿日誌により、①1回排尿量と1日の排尿量、最大排尿量、平均排尿量、②排尿回数、③昼間と夜間の尿量バランス（夜間多尿）、④尿意や尿意切迫感の有無、⑤水分出納（IN-OUT）バランスを客観的に確認することが可能になります。

このような排尿の情報は、医療者が症状を把握する、自己導尿の管理をする、排尿誘導を行うタイミングを決定する、要介護者の治療の必要性を評価する、といった目的に用いることができます。また患者が自分の排尿を観察して記録を行い、セルフモニタリングすることで自己を客観視し、偏りがちな自分自身のとらえ方を修正することにも役立ちます。

排尿日誌の記載方法

排尿日誌の24時間のスタートは、個人の生活に合わせて開始します。起床時の排尿直後から始め翌朝の排尿までの24時間とするか、就寝前や区切りのよい時間から始めます。膀胱内に尿がない状況である尿道留置カテーテルの抜去時間をスタート時間として24時間測定を開始しても構いません。

3日間の記載が推奨されていますが、排尿自立支援加算では、少なくとも24時間は記載します。記録用紙の備考欄には、必要な医療情報として尿意切迫感、飲水量や運動量、尿失禁が生じたときの動作や様子、利尿剤や降圧剤などの服薬時間など、排尿に影響を与える要因を記録します。

例えば要介護高齢者でおむつを使用している場合には、おむつの失禁量が記載できる欄を設けて、自尿と失禁量を区別します。いつ失禁したか不明瞭な場合には、排尿日誌に、おむつ内の失禁量を確認したことや、おむつセンサーを用いた排尿確認、膀胱内尿量を測定した値を備考欄に記入しておきます。

記載の方法

患者が直接記入する場合の指導

患者が記載する場合には、排尿日誌を的確に記載できるように看護師が説明することが大切です。記載者となる患者にも記載目的が理解できるように、排尿記録の記載を動機づけることで、正確な排尿状況が記載されて、客観的で妥当なデータを得ることができます。また、記録者の誤解による記載内容の不備を防ぐために、測定方法や測定時の工夫点なども事前に確認しておくとよいでしょう。測定方法には、測定用具の問題があ

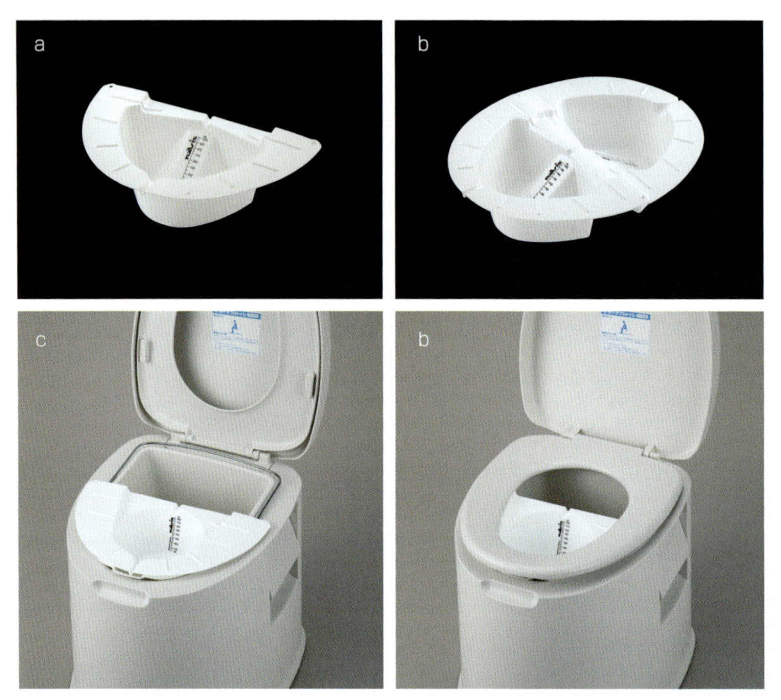

(図1) ユーリパン（プロシェア採尿容器）

（画像提供：アズワン株式会社）
(a) 1枚使用例 (b) 2枚連結使用例
(c、d) 便座と便器の間に挟んで使用する

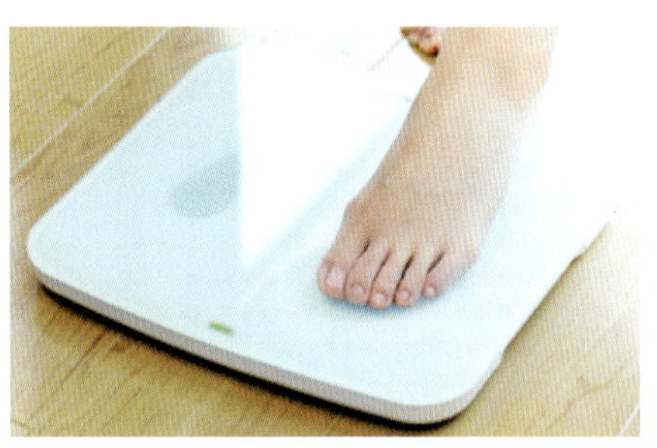

(図2) 排尿量測定システム ユリーナ

（画像提供：島津製作所）

ります。数mLの差異にこだわる必要はありませんが、計量することが必要ですから、視力障害、排尿時の姿勢保持、排尿時の計測用具の把持力などの確認も行い、トイレに設置して測定するユーリパン（図1）や、計量カップを用います。また、高齢者ではトイレ内で測定後、排尿日誌を記載するまでに測定量を忘れることもあるため、測定時に簡単にメモが残せる工夫としてホワイトボードの活用やメモ用紙や付箋紙と筆記用具の準備なども配慮するとよいでしょう。

近年開発された、感染予防目的で採尿不要な尿量測定と、自動で電子カルテ入力ができきる排尿量測定システム、ユリーナ®も活用できます（図2）。

看護師やケア者による記載時の注意

要介護高齢者でおむつを使用している場合には、失禁量（使用済みおむつ－未使用おむつ〈g〉）を測定して、記録します。看護師や介護士が交代で記録を行うため記載が抜けないよう病棟や施設内のスタッフに周知しておきます。

排尿日誌を用いたアセスメント

最初に尿量が正常か異常かを、確認します。24時間の排尿量は20〜25mL/kgを目安にしますが、飲水量や活動量と発汗、気温や湿度などにより変動します。このため、多尿（24時間尿量が40mL/kg以上）や、乏尿（24時間尿量が400mL以下）では、飲水量や水分出納（IN-OUT）バランスが保てているかや、腎臓の機能やホルモンの疾患なども考慮します。

下部尿路症状のための客観的情報

下部尿路症状をアセスメントするためには、尿意の有無、回数や排尿間隔、最大排尿量、平均排尿量、失禁と尿意切迫感の有無を確認します。最大排尿量は、一般的には早朝尿のことが多く、膀胱容量を示す目安になります。

排尿日誌から失禁のタイプを推測する

●腹圧性尿失禁

腹圧の上昇に伴う漏れがあり、失禁時にどのような行動や動作を行ったかを日誌に記載してもらいます。例えば、咳やくしゃみ、大声で笑う、走る、はねる、階段の昇降、重い物を持ち上げたなどです。重度の人は歩いたり、いすからの立ち上がり動作でも漏れることがあります。腹圧性尿失禁の場合、同じ動作でも排尿直後には漏れず、膀胱内に蓄尿が増えたときに漏れを伴うという傾向がみられます。

●切迫性尿失禁を伴う過活動膀胱（overactive bladder：OAB Wet）

尿意切迫感（突然強い尿意）を伴う漏れが特徴です。排尿日誌に尿意切迫感の有無を記載してもらい、頻度や困り具合により治療を行います。

●溢流性尿失禁

動作を伴わない失禁があり、1回排尿量が少量ずつで残尿量が多く排尿間隔が短いことが排尿日誌上の特徴です。尿意を伴う排尿であるか否かも記載内容を確認します。また問診により、尿意を伴わない排尿や気持ちの問題による心因性頻尿、蓄尿時下腹部痛を伴う間質性膀胱炎などが疑われる頻尿などとの判別を行います。

頻尿・多尿の場合

排尿日誌で頻尿が確認された場合には、尿の細菌検査や残尿測定も行い、診断を確定していきますが、排尿日誌をもとに問診します。

● OAB

排尿回数として1日8回以上の頻尿と強い尿意切迫感がある。

●夜間頻尿

睡眠中に2回以上の排尿がある。就寝時間と起床時間の確認と、寝つきや睡眠の深さも確認して、「排尿のために起きる」のか、「眠れなくて排尿にでも行く」のかを区別します。

●夜間多尿指数

「睡眠中の尿量÷24時間尿量＝夜間多尿指数」と呼びます。高齢者では0.33以上を夜間多尿と判別します。多飲が伴うか飲水量を確認します。

機能性尿失禁

機能性尿失禁とは、尿失禁の原因が下部尿路機能よりも認知・運動機能の障害である失禁ととらえられています。しかし、認知機能に問題があったり認知症の高齢者、トイレ動作に問題がある運動機能障害を有する高齢者では、最初から下部尿路の機能や症状のアセスメントが十分に行われていないこともあります。要介護高齢者の排尿を自立させるためにも、排尿動作、尿意の有無、失禁後の感覚の有無と、排尿日誌から蓄尿・排尿障害の状況を総合して下部尿路機能を判断します。

以上のように排尿記録を記載することにより、問診とあわせ排尿の回数や症状について客観的に評価します。

引用・参考文献

1) 日本排尿機能学会ホームページ．http://japanese-continence-society.kenkyuukai.jp/
2) 日本排尿機能学会 / 日本泌尿器科学会編．過活動膀胱診療ガイドライン．第3版．東京，リッチヒルメディカル，2022，32.
3) Voiding Diary, Assessment of Patients with Urinary Incontinence, URINARY AND FECAL INCONTINENCE NURSING MANAGEMENT, Mikel Gray , Doughy : Mosby Year Book. 1991，59-68.
4) 谷口珠実．排尿日誌：看護師が行う問診．失禁ケアガイダンス．田中季子ほか監．東京，日本看護協会出版会，2007，193.
5) 谷口珠実．"排尿のアセスメント 排尿日誌・残尿測定を使いこなそう"．尿失禁＆女性泌尿器科疾患のケア．泌尿器ケア冬季増刊．加藤久美子監．大阪，メディカ出版，2008，32-57.
6) 田中純子．"排尿日誌"．排泄リハビリテーション：理論と臨床．穴澤貞夫ほか編．東京，中山書店，2009，214-8.
7) S.Pearce ほか編．行動医学の臨床．山上敏子監訳．大阪，二瓶社，1995，400.
8) 谷口珠実．排尿日誌と残尿測定による排尿アセスメント．WOC Nursing，2（8），2014，22-31.

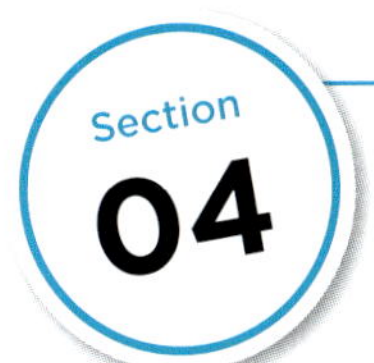

残尿測定・失禁量測定

山梨大学大学院総合研究部 医学域看護学講座 教授　谷口珠実

Point

❶ 残尿測定の意義と目的について理解できる。
❷ 残尿測定の方法が理解できる。
❸ 排尿日誌と残尿測定から、蓄尿機能障害と排尿機能障害を推測できる。
❹ パッドテストにより尿失禁の重症度を評価できる。

残尿測定

残尿とは、排尿した直後に膀胱内に残った尿量のことです[1)]。膀胱から尿を排出する力が弱くなることや、尿道の閉鎖部位があること、臥床姿勢で尿が排出しづらいなどの原因により、残尿が生じます[2)]。残尿は自覚できず、残尿があっても必ずしも残尿感が生じるわけではありません。

残尿を測定する方法としては、導尿と超音波画像診断装置を用いる方法があります。導尿の問題は、患者の羞恥心のほか、疼痛や尿路感染が生じる危険があることです。残尿測定は複数回実施する必要があるため、患者の安楽にも配慮して、非侵襲的に経腹から超音波画像診断装置を用いた測定方法で実施する方法が推奨されます[3)]。超音波装置を用いた残尿測定には、超音波画像診断装置を用いて膀胱を目視して、サイズを測定して算出する方法と、携帯式残尿測定専用機器を用いる方法があります。

超音波画像診断装置を用いた測定では、残尿量（mL）を、①横断面で長径を測定し、②矢状断（縦断面）で前後経と短径を測定します。この値をもとに、(長径×短径×前後経)÷2＝残尿量を算出します。(詳細は後述 p. 312 を参照)

携帯式残尿測定専用機器には、現在ブラッダースキャンシステム BVI 6100、リリアム α-200、iViz air（図）などがあります。ブラッダースキャンシステム BVI は、B モードでビームが扇状となるセクタ型プローブとなっており、膀胱を立体的にとらえるのが特徴です。一方リリアムは、Aモードでビームが直線となるリニア型です。4本の超音波で測定しており、超音波と測定部位が適切であるか測定者が判断することが必要です。これらの簡易残尿測定専用機器は、膀胱を目視することはできませんが、小型の機器で持ち運びが楽で使用場所を問わないこと、プローブを恥骨結合の直上に当て、膀胱に向けて適切な位置で測ることができれば、1方向から1回の測定で、残尿が数秒で数値が示されるため簡便に使用できるという利点があります。iViz airは、ワイヤレス超音波画像診断装置で、軽量でコンパクトな構造で、目視したうえで残尿（または膀胱内尿量）を自動測定できるという利点があります。

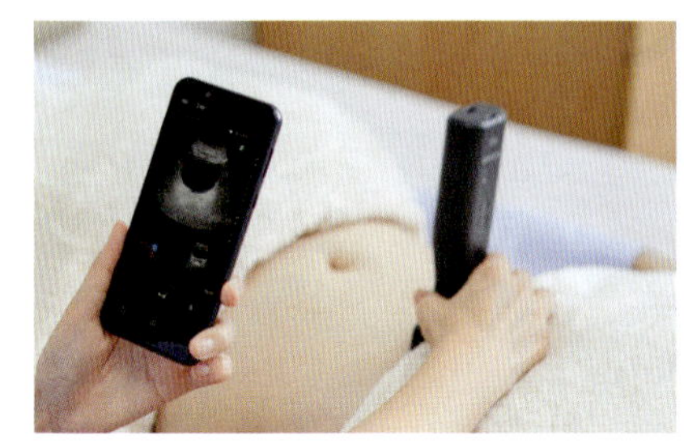

図 iViz air（画像提供：富士フイルム）

残尿は目安として50mL以下であれば問題は少なく、何度か測定しても100mLを超えている場合には、泌尿器科医と相談し、その後の治療の必要性を検討します[4]。排尿量と残尿量を併せると、最大の膀胱容量となります。排尿日誌から平均の排尿量と平均の残尿量が求められます。この値から蓄尿と排尿が正常か異常かを判断します。

排尿直後以外に、普段の膀胱内尿量を測定する際には、残尿測定器を使って膀胱内尿量を示します。この測定値を利用して、効率よく蓄尿時に排尿誘導を行うことができます。また、カテーテル抜去後に自排尿がない場合には、導尿を行う目安となります。

失禁量測定（パッドテスト）

失禁の程度を判断するためには、尿失禁量を測定します。失禁量の検査の方法としては、パッドテストがあります。パッドテストでは、使用前の尿パッド・おむつなどの重さを測り、使用後の重さを測定して、前後の比較から尿失禁量を算出します。パッドテストの種類には、1時間パッドテストと24時間パッドテストがあります[5]。どちらも尿失禁量を測定しますが、1時間パッドテストは、所定の動作を行ったときの（p328「1時間パッドテスト」参照）、24時間パッドテストは、通常の生活における失禁量の合計です。主に失禁専門外来では1時間パッドテストを行い治療選択にも用います。病棟では、排尿日誌に尿失禁量を測定し記入します。尿失禁量は治療前後の効果判定にも役立ちます。

排尿自立支援加算の尿失禁の割合では、0：なし、1：一部失禁、2：ほとんど失禁の3段階で評価します[6]。

失禁関連のフィジカルアセスメント

ストレステスト

ストレステストとは、腹圧性尿失禁の診断にあたり、用いる検査の一つです。200～300mL 程度の蓄尿を確認後、強く咳をしてもらいます。そのときに尿道口からの尿漏れがあれば、腹圧上昇に伴う腹圧性尿失禁が考えられます。

尿失禁があり、失禁のタイプが不明瞭な場合には、パッドやおむつ交換を行う際に膀胱内の尿量を確認して、ストレステストを試すと容易に判別できます。

骨盤底筋の筋力や動きの評価

骨盤底筋を触診により評価する方法や、筋力や収縮力を評価する方法があります。（CHAPTER5-2-02 を参照）

外陰部の皮膚の観察

失禁があり、おむつを使用している患者では、おむつ関連皮膚炎が発症する危険があります。おむつが当たる皮膚の発赤やびらんをよく観察します。

看護師が行うアセスメント

看護師がアセスメントを行うためには、排尿症状を把握するための質問票を活用し、併せて気持ちや関連要因の問診と、排尿日誌や残尿測定など客観的な情報や、身体のフィジカルアセスメントとして骨盤底の観察と評価、全身状態やトイレ環境の影響など、日ごろ観察していることを系統的に判断に用います。

どのような排泄の問題が生じているか、看護師として適切なアセスメントを行い、患者の状況に適した治療や看護介入、理学療法の計画につなげることが大切です。

引用・参考文献

1）本間之夫ほか．下部尿路機能に関する用語基準：国際禁制学会標準化部会報告．日本排尿機能学会誌．14，2003，278-89.
2）小澤秀夫ほか．ブラッダースキャン BVI-6100 を用いた残尿測定の評価：座位および仰臥位による計測の比較．西日本泌尿器科．68，2006，224.
3）谷口珠実．残尿測定．EB Nursing．9，2009，22-40.
4）日本排尿機能学会 / 日本泌尿器科学会編．過活動膀胱診療ガイドライン．第 3 版．東京，リッチヒルメディカル，2022，12-7.
5）泌尿器科領域の治療標準化に関する研究班編．EBM に基づく尿失禁診療ガイドライン．東京，じほう，2004，102p.
6）日本創傷・オストミー・失禁管理学会編．「排尿自立指導料」に関する手引き．東京，照林社，2016，28.

下部尿路機能障害の治療とケア

1　治療
2　ケアの実際

手術療法：
下部尿路機能障害に対する手術（主に尿失禁）

行田総合病院 泌尿器科 / 埼玉医科大学医学部 泌尿器科学講座 教授 **朝倉博孝**　行田総合病院 副院長 **林 暁**

Point

❶ 過活動膀胱（overactive bladder：OAB）・切迫性尿失禁（urgency urinary incontinence：UUI）の治療は保存療法が中心です。最近、本邦でも難治性 OAB に対してボツリヌス毒素膀胱壁内注入療法や仙骨神経刺激療法が保険収載されて施行できるようになりました。

❷ 男性の腹圧性尿失禁（stress urinary incontinence：SUI）は、保存療法が無効な場合は、人工尿道括約筋植込み術や男性スリング手術の適応ですが、現実的には、本邦では前者が施行されています。

❸ 女性の SUI 手術には、1）中部尿道スリング（mid-urethral sling：MUS）手術（TVT〈tension-free vaginal tape〉、TOT〈transobturator tape〉）、2）筋膜スリング手術、3）恥骨後式膀胱頸部挙上術があります。MUS 手術が主流で、再発症例や複雑症例では筋膜スリング手術が施行されます。

はじめに

尿失禁は、腹圧性、切迫性、溢流性、反射性、機能性に分類されますが、本稿では主要な尿失禁である腹圧性尿失禁と切迫性尿失禁に対する手術療法について述べます。治療の原則は、どのタイプの尿失禁でも保存療法（生活指導、骨盤底筋訓練、薬物療法など）を先行し、有効性がない場合に、侵襲的治療である手術療法が考慮されます。

切迫性尿失禁（UUI）

わが国の 40 歳以上の男性、女性の切迫性尿失禁の頻度は、それぞれ 10.6%、7.0% であり、加齢とともに男女とも有病率は増加します。保存療法が治療の根幹です。特に薬物療法は、多くの抗ムスカリン薬や β_3 受容体作動薬が OAB 治療薬として開発され、その選択枝は多いです。一方、切迫性尿失禁に対する手術療法は腹圧性尿失禁の手術療法と違って、直接切迫性尿失禁を治す、汎用される手術はありません。しかし近年、切

迫性尿失禁を合併し得る難治性OABの治療として、ボツリヌス毒素膀胱壁内注入療法と仙骨神経刺激療法（sacral neuromodulation：SNM）の２つの治療が保険収載され、特に前者は広く施行されるようになりました。この２つの治療のうち、前者は薬物療法、後者は神経変調療法の範疇に入りますが、ともに麻酔（前者は、局所麻酔あるいは腰椎麻酔、後者は通常２期的手術を行うのでいずれも麻酔が必要）が必要であり、侵襲的治療としての膀胱拡大術などの外科手術も考えられるため、簡単に追加記載します。

膀胱出口部閉塞（bladder outlet obstruction：BOO）に伴う過活動膀胱（OAB）・切迫性尿失禁（UUI）に対する手術

OAB・切迫性尿失禁は、BOOが誘因になる場合があります。そのような場合、BOOの原病に対する手術が行われます。BOOの原因として、男性では前立腺肥大症（benign prostatic hyperplasia：BPH）、女性では骨盤臓器脱（pelvic organ prolapse：POP）があげられます。

経尿道的前立腺切除術（transurethral resection of prostate：TURP）

BPHが原病であり、薬物療法などの保存療法を施行しても有効性がない場合はTURPを施行します。もちろん、TURPと同種の手術であるレーザーを用いた手術でも可能です。TURP術前の症例の31〜68%に排尿筋過活動（detrusor overactivity：DO）を認め、術後6ヵ月では41〜69%でDOが消失し、症状は改善しますが、新たにde novo DO（術後に新たに出現するDO）が10%の症例に認められるとされています[1]。

骨盤臓器脱（POP）根治術

女性においても、POPによるBOOがOABの原因になります。ペッサリー挿入などの保存療法が無効な場合に、腟閉鎖術[2]、TVM（tension free vaginal mesh）[3]やLSC（laparoscopic sacrocolpopexy）[4]などのPOP根治手術により、OAB・切迫性尿失禁が改善することが知られています。

膀胱拡大術

OAB・切迫性尿失禁患者の膀胱容量を増加させるために、膀胱拡大術が施行されることがあります。膀胱拡大術は、自家膀胱拡大術と腸管利用膀胱拡大術（augmentation enterocystoplasty：AE）の２つのタイプがあります。自家膀胱拡大術と腸管利用膀胱拡大術を比較した研究によると、尿流動態検査上、双方ともに100%改善し、症状の改善は88% vs 100%、合併症発生率は3% vs 20%であると報告されています[5]。

難治性過活動膀胱（OAB）の手術療法

保存療法を12週間以上施行、あるいは保存療法の有害事象のため継続できない難治性OABの場合は、下記の2つの治療が施行されることがあります。

ボツリヌス毒性膀胱壁内注入療法

麻酔については、膀胱内に局所麻酔薬を膀胱注入するか、腰椎麻酔を施行します。そして膀胱鏡を用いて専用の注射針でボリツヌス毒素を直視下に膀胱壁へ20～30カ所注射する方法です。特発性OABでは合計100単位、神経因性膀胱では合計200単位を壁内注射します。選択基準は、既存治療で効果不十分または既存治療が適さない過活動膀胱・神経因性膀胱で、除外基準として腹圧性尿失禁が主な症状、既往歴に膀胱結石、間質性膀胱炎、泌尿器がんがある場合、併存疾患として尿路感染症、尿道閉塞・膀胱出口部閉塞（BOO）などがある場合、排尿後残尿量>100mLがあげられます。特に男性患者では、尿閉を起こすことがあるので注意が必要です。本邦における第Ⅲ相臨床試験の12週時点での尿失禁回数の減少－3.42 vs －1.25（botulinum vs control）、OABSSトータルスコアの減少－3.4 vs －0.7（botulinum vs control）と有効性が示され、KHQ（King's Health Questionnaire）の仕事・家事制限、社会的活動制限の領域の改善が示されました[6]。有害事象として、尿路感染症、残尿増加、清潔間欠導尿（clean intermittent catheterization：CIC）を必要とする尿閉が報告されています。

仙骨神経刺激療法

詳細は、神経変調療法（Chapter5-1-03）を参照ください。植込み型の仙骨神経刺激装置を用いて、仙骨孔に挿入された4極のインライン型リードを介して仙骨神経を継続的に電気刺激し、OABや便失禁などの排尿・排便機能障害の症状改善を行う治療法です。S3神経根と通じて直接求心性・遠心路を刺激する方法で、その結果、排尿筋収縮が抑制されます。本邦では男女問わず、難治性特発性OABおよび神経因性排尿筋過活動に伴う切迫性尿失禁が保険適用になっています。一時的にリード線を植込んだ後、少なくとも3日間様子をみて、50%以上の改善を確認し（排尿日誌による）、そこから初めて刺激装置植込み術（Interstim II®）を施行します。12ヵ月間の経過観察で、85%の患者のOABの症状が50%以上改善し、尿失禁症状は79%の患者の50%以上が改善を得て、37%の患者は完全な禁制を得たと報告されています。また尿失禁回数は、平均2.2 ± 2.7回/日の減少、頻尿患者における排尿回数は平均5.1 ± 4.1回/日の減少がみられました[7]。有害事象は、意図しないInterstim II®刺激の変化（12%〈32/272〉）、植込み部疼痛（7%〈20/272〉）、植込み部感染（3%〈9/272〉）が報告されています[7]。

腹圧性尿失禁（SUI）

わが国のタイプ別尿失禁の男女の有病率は、切迫性尿失禁：10.6% vs 7.0%、腹圧性尿失禁：2.7% vs 22.4%、混合性尿失禁（mixed urinary incontinence：MUI）：4.0% vs 13.7%であり、腹圧性尿失禁は圧倒的に女性に多くみられます。下部尿路の解剖には性差があり、手術適応、術式も若干異なるため、男女別に下記に記載します。

男性に対する腹圧性尿失禁（SUI）手術

男性の腹圧性尿失禁は、外尿道括約筋障害によって発生する前立腺摘出後尿失禁（post-prostatectomy incontinence：PPI）の頻度が高いです（表1）[8]。前立腺摘出後尿失禁の罹患率は25〜87%であり[9]、パッド1枚以下/日になる頻度は、術後3ヵ月と2年では、71%、98.5%とかなり改善します[10]。尿失禁手術を施行する場合は、少なくとも術後1年は待機すべきです。現在、本邦で施行されている手術は、人工尿道括約筋植込み術と男性スリング手術ですが、ほとんどの場合前者が施行されています。両者の違いを図1に示しました。なお、現在健康保険適用となっているのは人工尿道括約筋植込み術のみです。

人工尿道括約筋植込み術

前立腺摘出後尿失禁のある患者だけなく女性にも施行されることがあります。術前には、尿失禁重症度（パッドテスト）、BMI、手術歴、放射線療法の有無、手の動き、認

表1 男性括約筋性尿失禁の主な原因とメカニズム（文献8より改変）

状況・手術	膀胱頸部・近位尿道機能不全	横紋筋機能障害	腹圧性尿失禁を起こす危険性
根治的前立腺摘出術	あり	非常に高い	中等度
経尿道的前立腺切除術	あり	わずかにあり	低い
骨盤骨折・尿道損傷	稀	非常に高い	低い
脊髄髄膜瘤	可能性あり	可能性あり	中等度
膀胱外反・尿道上裂	可能性あり	可能性あり	中等度

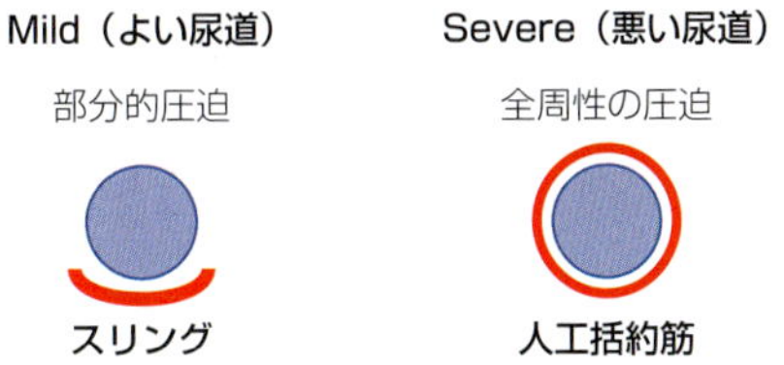

図1 スリングと人工括約筋の違い

表2 女性腹圧性尿失禁における術式（文献19より引用）

腹圧性尿失禁に対する治療法方式	推奨グレード
Tension-free vaginal tape（TVT）手術	A
Transobturator tape（TOT）手術	A
Single-incision mini-sling（SIMS）手術	保留（保険適用外）
筋膜スリング手術（fascial suburethral sling）	B
経腹的恥骨後式膀胱頸部挙上術（open abdominal retropubic colposuspension）	A
腹腔鏡下恥骨後式膀胱頸部挙上術（laparoscopic retropubic colposuspension）	B
前腟壁形成術（anterior colporrhaphy）	D
針式膀胱頸部挙上術（needle bladder neck suspension）	D
尿道周囲注入術（periurethral injection of bulking agent）	保留（保険適用外）
人工尿道括約筋（artificial urinary sphincter：AUS）	C1

知度を確認します。手術の禁忌は、腎機能障害を起こす膀胱機能障害（低コンプライアンス膀胱、膀胱尿管逆流症）です。膀胱鏡により、尿道狭窄や膀胱頸部硬化症の有無、尿道括約筋機能評価（括約筋収縮の有無）を確認します。排尿日誌と尿流動態検査により、１回排尿量、排尿回数、排尿筋過活動の有無、排尿筋収縮力の程度を確認します。排尿筋収縮力低下が著明な場合は、スリング手術は適応にならず、人工尿道括約筋植込み術のみが施行されます[11]。治療成績は、１日パッド使用量１枚以下を成功と定義すると、成功率は59～90％になります。パッドが完全に不要にならなくても、患者満足度の高い手術です[12]。この術後尿失禁の原因は、括約筋機器の不具合、膀胱蓄尿障害、尿道・膀胱頸部拘縮があります[13]。機器不具合の修正術施行率は28％（術後５年）と比較的少ないです[14]。

男性尿道スリング手術

尿失禁の重症度が軽症～中等度の患者、すなわち24時間パッドテスト400g/日以下が対象となります。この手術にはさまざまなタイプがあり、球部尿道スリング（骨固定型）、経閉鎖孔式テープ（TOT）、４アーム式などのタイプがあります。球部尿道スリング手術の平均４年間の成績は、治癒率42％で、放射線療法の既往があると14％まで低下します[15]。TOT式は、球部尿道スリングと比較してもパッドテストでは差はありませんが、患者困窮度は有意に改善しました[16]。男性スリング手術の合併症は、感染０～６％、尿道びらん０～２％でした[17]。現在、健康保険適用ではありません。

女性の腹圧性尿失禁（SUI）手術

腹圧性尿失禁の治療は、軽症であれば骨盤底筋訓練などの行動療法が有効ですが[18]、利用できる薬物療法は極めて少なく、中部尿道スリング（mid-urethral sling：MUS）手術が主に行われます。一方、切迫性尿失禁・OAB wetでは、多くの薬物（抗ムスカリン薬、β_3刺激薬）が使用され、薬物療法を中心とした保存療法が主となっています。女性の尿失禁手術は多数あり（表2）、汎用されている手術は、①膀胱頸部挙上術、②筋膜スリング（pubovaginal sling：PVS）手術、③中部尿道スリング手術の3つです。尿失禁手術の原則は保存療法無効例です。

恥骨後式膀胱頸部挙上術

①Marshall-Machetti-Krantz（MMK）法※1、②Burch法※2の2つの方法が主に施行されています。Burch法は、術後2〜7年の成績はMMK法と同等（客観的成功率：80% vs 65%、主観的成功率：92% vs 85%）で、MMK法と比較して入院期間や自然排尿までの時間が有意に短く、合併症率も低いため、施行されることが多いです[20]。Burch法とTVTのRCTでは、術後6ヵ月後における成功率（客観的成功率：57% vs 66%、主観的成功率：90% vs 81%）に差はありませんでした[21]。また、術後のDOは6.6%（1.0〜16.6%）、術後の鼠径部痛は4.5年の経過観察で6.8%と報告されています[22]。術後尿閉は一過性が多く、術後4週間で解消し、さらなる尿閉率は5%以下です[23]。また、膣正中の組織が脆弱な場合、Burch法を含めた膣頸部挙上術を施行すると、術後に有症状のPOP（38%）、無症状のPOP（38%）と同様の頻度で発生します[24]

筋膜スリング（PVS）手術

本邦では、自家筋膜スリング（腹直筋筋鞘、大腿筋膜）のみ使用されます。自家筋膜スリングは、自家組織のため術後の炎症も最小限に抑えられ、露出・穿孔の合併症も稀です。筋膜スリングの適応は中部尿道スリングよりも広く、中部尿道分部欠損、内因性括約筋不全（intrinsic sphincter deficiency：ISD）、混合性尿失禁などすべての腹圧性尿失禁が対象となります。筋膜スリングはテープ幅2〜3cmと広いので、尿道を広くサポートし、圧迫しにくいのが特徴です。筋膜スリングは膀胱頸部、中部尿道スリングは中部尿道と、スリングを置く場所が微妙に異なります。筋膜スリングは軽度の張力で膀胱頸部を吊り上げ尿道下ハンモック（suburethral hammock）を作る、中部尿道スリングは中部尿道に置き運動時の尿道後壁の動きを制限するというものです。

術前評価

咳テストによる尿道過可動性の確認は大切で、咳や腹圧をかけたときに尿道が30°以上動いたときに陽性と判断され[25]、手術成績は良好です。膀胱内圧測定や尿道内圧測定などのカテーテル挿入を伴う尿流動態検査は、症状が複雑な場合に施行されます。例え

※1　傍尿道および膀胱頸部周囲組織と膣壁前面を恥骨後面の骨膜に縫い付ける。
※2　傍尿道および膀胱頸部周囲組織をCooper靭帯に縫い付ける。

ば、咳テスト陰性、混合性尿失禁、下部尿路の手術既往、神経因性膀胱、残尿量が多い、POPを合併し排尿障害を有するものなどの症例が対象です。OAB[26]や内因性括約筋不全が存在すると治療成績が悪くなります。内因性括約筋不全の定義は、最大尿道閉鎖圧（maximum urethral closure pressure：MUCP）≦20cmH_2O[27]や腹圧下漏出時圧（abdominal leak point pressure：ALPP）＜60cmH_2O[28]とされています。

治療成績

下腹部に放射線療法を施行していると、健常な腹直筋筋鞘が採取できないことがあります。筋膜スリング手術は中部尿道スリング手術失敗症例にも施行されます。その治療成績は、29.9%の中部尿道スリング手術既往のある全体264人を対象とした場合、成功率は84.7%であり、尿失禁手術の既往は手術成績に影響しません[29]。筋膜スリング手術の欠点は、手術時間の延長（自家筋膜スリング採取の時間を要する）、入院日数の増加、恥骨上部の漿液腫や創部ヘルニア発生の危険性があげられます。過去15年間の筋膜スリング手術の術後尿禁制率は61～97%とかなり差があり、これは、尿禁制の定義がまちまちであることが原因とされます。術後のde novo urgency/切迫性尿失禁の発生頻度は2～20.8%とされています。混合性尿失禁に対しても、PVSは有効な手段であり、治癒率も単純な腹圧性尿失禁症例の場合と同等です。筋膜スリング手術はstress-induced DOにも有効な治療選択肢で、その治療成績も同等です。再発性腹圧性尿失禁にも筋膜スリング手術の治療成績は良好です。

術後合併症

筋膜スリング手術によってBOOが起こると、尿閉、DO、排尿困難が起こります。術後も継続する切迫性尿失禁や尿意切迫感の発生率は8～25%です。一過性の尿閉は通常10日以内に改善し、それでも解除できない尿閉は5%以下とされています。術後6週間以内であれば、スリングを緩めることで下部尿路閉塞は改善できます。尿道遊離術の成功率は65～93%ですが、0～19%の患者で腹圧性尿失禁が再発します。スリング切断術の成功率は84～100%であり、手術時間の短縮が可能で、尿道遊離術よりも合併症率は低いとされます。

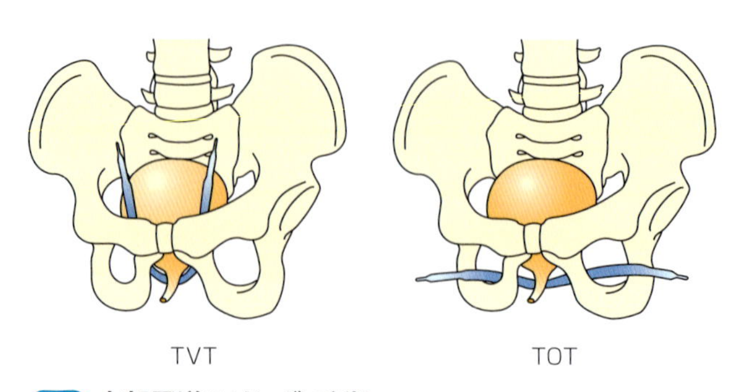

図2 中部尿道スリング 手術

中部尿道スリング（MUS）手術

代表的なTVTとTOTについて記載します。使用するスリングは、プロリンより作られた人工スリングです。術前評価はPVSと同様です。

手術方法

中部尿道スリング手術では、中部尿道にスリングを置くことは共通ですが、恥骨後式（TVT）と経閉鎖孔式（TOT）の２つのアプローチがあり（図2）、両者間の比較では、若干手術成績や合併症も異なります。従来、術中に咳テストを施行し、尿が多少漏れる程度にスリングを調節して固定していましたが、再現性の問題、局所麻酔での咳テストで患者さん自身の痛みが強いこと、さらに最近では咳テストをしなくても良好な成績であるという報告もあり[30]、以前よりも行われなくなりました 。一般的に中部尿道スリング手術では、尿道とスリングの間を4mm程度あけるとされています。TVTもTOTも、術中膀胱鏡は尿道や膀胱への誤穿刺の存在を否定するために必須とされています。万が一誤穿刺した場合は、トロッカーを抜去し、再穿刺で対応しています。

手術成績

TVTもTOTも成績に差はなく、短期的に見ると治癒率は50～96%の成績です（表3）。混合性尿失禁に対する中部尿道スリング手術の成績は、Segalらの報告では術後切迫性尿失禁が消失する症例は57.3%であり[31]、純粋な腹圧性尿失禁を対象としたときよりも成績は落ちるものの、選択枝になり得ます。

表3 TVTおよびTOTの手術成績（文献8より改変）

報告者	N	TYPE	観察期間（月）	治癒率	評価方法	de novo urgency	尿閉率
TVT							
Ward (2002)	175	Gynecare TVT	6	66%	パッドテスト	NR	0%
Wadie (2005)	28	Gybecare TVT	6	92%	尿流動態検査	0%	10.7%
Persson (2002)	38	Gynecare TVT	12	89%	尿流動態検査	3%	0%
Liapis (2002)	36	Gybecare TVT	24	84%	パッドテスト	22%	0%
Basu (2013)	33	Advantage Fit	36	81%	アンケート	NR	NR
TOT							
Wang (2006)	31	Monarc	6	NR	パッドテスト	9.7%	NR
Schierlitz (2008)	71	Gynecare TVT-O	6	55%	尿流動態検査	10%	4.9%
Tricello (2011)	238	Gynecare TVT-O	12	96.4%	咳テスト	0%	0%
Zullo (2007)	37	Gynecare TVT-O	12	89%	尿流動態検査	0%	0%
Adel-Fattah (2014)	31	Gynecare TVT-O	36	50%	アンケート	NR	NR

NR：記載なし

内因性括約筋不全症例では、固着尿道（尿道が動かない）やlow leak point pressureの場合、中部尿道スリング手術成績は悪いとされています。しかし、leak point pressureが低いだけで中部尿道スリング手術の成績を予想することは難しく[32]、尿道の過可動性がある限り、内因性括約筋不全患者でも中部尿道スリング手術は有効であるとされます。

再発症例については、TOTよりもTVTのほうが治癒率が高いとされますが、初回症例よりも成績が落ちます（62% vs 86%　p<0.001）。再試行例では、de novo urgency/切迫性尿失禁が有意に高いとされます[33]。従って、再発症例であっても中部尿道スリング手術は推奨されます。

POP合併腹圧性尿失禁については、最近ではPOP手術のみを先行施行し、その後の腹圧性尿失禁の状況により中部尿道スリング手術を施行するという二期手術がスタンダードとなっています。OPUS study[34]では、POP単独手術よりもPOP+中部尿道スリング手術群のほうが術後尿失禁発生は有意に低い（43.0% vs 27.3%）ものの、トロッカー損傷、尿路感染症、出血の合併症の頻度が有意に高かったとされます。以上より、POP合併腹圧性尿失禁については、術前に患者の希望と治療ゴールを十分に確認してから二期手術を施行すべきとされています。

また、高齢者における中部尿道スリング手術成績はよくありません。この理由は、高齢者では混合性尿失禁の存在が多いことや、尿道可動性の低下が多いためと推測されています。

術後合併症

スリングの腟露出頻度は、0.5〜8.1%です。露出範囲が狭ければ、結合型エストロゲン＋抗菌薬クリームを塗布しながら経過をみて、無効であれば切除・トリミングをして創部を閉鎖します。それでも無効であれば、経腟アプローチによりスリングを摘出します。スリングの一部を切除しても、大部分の患者は尿禁制は保たれるとされています。トロッカーの誤穿刺率は、TVTおよびTOTで2.7〜23.8%[35, 36]および0〜1.3%[37]で、TOTのほうが低いです。尿道内・膀胱内へ露出したスリングへの対応は、内視鏡的に切除し、うまくいかなかった場合は経腟的アプローチで尿道切開、スリング切除、さらに自家筋膜スリングやmartius fat pad graftを追加することもあります。

TVTよりもTOTにおいて大腿部・鼠径部痛が多くみられ、TVT 1.7% vs TOT 26.4%と下肢痛の頻度が高く、RCT試験を中止した報告もあります[38]。大部分の術後鼠径部痛や下肢痛は、鎮痛薬投与・安静・理学療法などの保存療法により対応できます。MUS術後の尿路感染症の発生頻度は22〜31%でした[37]。手術創部の合併症である皮膚感染や骨盤膿瘍は、重症化するのは稀ですが、診断されるのに数年かかることもあります。術後排尿障害の原因は、スリングの吊り上げ過ぎや不適切な固定位置（膀胱頸部に寄り過ぎる）によって閉塞を起こすか、もともと存在した排尿筋収縮力低下があげられます。術後にPOPが徐々に進行し、下部尿路閉塞の原因になることもあります[39]。TVTとTOTを比較したRCTでは、術後排尿困難に対する処置（2.7% vs 0%）、尿閉率（6週間以上のカテーテル留置）（3.7% vs 0.7%）と、TVTにおいて頻度は高いです。

中部尿道スリング術後の尿路閉塞は一過性のことが多く、短期間の間欠的自己導尿で対応できます。ブジーによる尿道拡張は、尿道の瘢痕化やスリング穿孔を誘発するので安易に施行すべきではありません[40]。中部尿道スリング切断術を施行するのであれば、3ヵ月以内にすべきとされています。術後3ヵ月以上経過すると、スリングが周囲の組織と固着し、スリングが十分に伸びず、改善しないとされています。また、中部尿道スリング術後の性機能障害は、高くて20%[41]で性交時尿失禁が消失し、性機能は改善するとされています。すべての腹圧性尿失禁手術の死亡率は約3/10,000と推定されています[42]。

引用・参考文献

1) Housami, F. et al. Persistent detrusor overactivity after transurethral resection of the prostate. Uro Rep. 9 (4), 2008, 284-90.
2) Foster, RT. et al. A prospective assessment of overactive bladder symptoms in a cohort of elderly women who underwent transvaginal surgery for advanced pelvic organ prolapse. Am J Obstet Gynecol. 197 (82), 2007, e1-4.
3) Sivaslioglu, AA. et al. A randomized comparison of polypropylene mesh surgery withsite-specific surgery in the treatment of cystocele. Int Urogynecl J Pelvic Floor Dysfunct. 19, 2008, 467-71.
4) Illiano, E. et al. Urodynamic findings and functional outcomes after laparoscopic sacropopexy for symptomatic pelvic organ prolapse. Int Urogynecol J. 30, 2019, 589-94.
5) Leng, WW. et al. Enterocystoplasty or detrusor myectomy? Comparison of indications and outcomes for bladder augmentation. Urology. 161 (3), 1999, 758-63.
6) Yokoyama, O. et al. Onabotulinumtoxins A (botulinum toxin type A) for the treatment of Japanese patients with overactive bladder and urinary incontinence: results of single-dose treatment from a phase Ⅲ, randomized, double-blind, placebo-controlled trial (interim analysis). Int J Urol. 27, 2020, 227-34.
7) Noblett, K. et al. Results of prospective, multicenter study evaluation quality of life, safety, and efficacy of sacral neuromodulation at twelve months in subjects with symptoms of overactive bladder. Neurourol Urodyn. 35 (2), 2016, 246-51.
8) Wein, AJ. et al. Campbell-Walsh Urology. 11nd ed. Amsterdam, Elsevier. 2016, 4176p.
9) Foote, J. et al. Postprostatectomy incontinence, Pathophysiology, evaluation, and management. Urol Clin North Am. 18 (2), 1991, 229-41.
10) Lepor, H. et al. The impact of open radical retropubic prostatectomy on continence and lower urinary tract symptoms : a prospective assessment using validated self-administered outcome instruments. J Urol. 171 (3), 2004, 1216-9.
11) Comiter, CV. Surgery Insight : surgical management of postprostatectomy incontinence-the artificial urinary sphincter and male sling. Nat Clin Prac Urol. 4 (11), 2007, 615-24.
12) Lai, HH. et al. 13 years of experience with artificial urinary sphincter implantation at Baylor College of Medicine. J Urol. 177 (3), 2007, 1021-5.
13) Montageue, DK. et al. Artificial urinary sphincter troubleshooting. Urology. 58 (5), 2001, 779-82.
14) Elliott, DS. et al. Mayo Clinic long-term analysis of the functional durability of the AMS 800 artificial sphincter : a review of 323 cases. J Urol. 159 (4), 1998, 1206-8.
15) Stern, JA. et al. Long-term results of the bulbourethral sling procedure. J Urol. 173 (5), 2005, 1654-6.
16) Cornel, EB. et al. Can advance transobturator sling suspension cure male urinary postoperative stress incontinence?

J Urol. 183 (4), 2010, 1459-63.
17) Fischer, MC. et al. The male perineal sling : assessment and prediction of outcome. J Urol. 177 (4), 2007, 1414-8.
18) Faiena, I. et al. Conservative management of urinary incontinence in women. Rev Urol 17 (3), 2015, 129-39.
19) 日本排尿機能学会 / 日本泌尿器科学会編．女性下部尿路症状診療ガイドライン．第２版．東京，リッチヒルメディカル，2019，187p.
20) Colombo, M. et al. Burch colposuspension versus modified Marchall-Marchetti-Krantz urethropexy for primary genuine stress urinary incontinence : a prospective, randomized clinical trial. Am J Obstet Gynecol. 171 (6), 1994, 1573-9.
21) Ward, K. et al. A prospective multicenter randomized trial of tension-free vaginal tape and colposuspension for primary urodynamic stress incontinence: two-year follow-up. Am J Obstet Gynecol. 190 (2), 2004, 324-31.
22) Demirici, F. et al. Long-term results of Burch colposuspension. Gynecol Obstet Invet. 51 (4), 2001, 243-7.
23) Leach, GE. et al. Female Stress Urinary Incontinence Clinical Guideline Panel summary report on surgical management of female stress urinary incontinence. The American Urologynecological Association. J Urol. 158 (3pt 1), 1997, 875-80.
24) Auward, W. et al. The development of pelvic organ prolapse after colposuspension : a prospective, long-term follow-up study on the prevalence and predisposing factors. Int Urogynecol J. 17 (4), 2006, 389-94.
25) Bergman, A. et al. Urodynamic appraisal of the marshall-marchetti test in women with stress urinary incontinence. Urology. 29 (4), 1987, 458-62.
26) Richeter, HE. et al. Predictors of treatment failure 24 months after surgery for stress urinary incontinence. J Urol. 179 (3), 2008, 1024-30.
27) Fritel, X. et al. Predictive Value of urethral mobility before suburethral tape procedure for urinary stress incontinence n women. J Urol. 168 (6), 2002, 2472-5.
28) McGuire, EJ. et al. Clinical assessment of urethral sphincter function. JUrol. 150 (3), 1993, 1452-4.
29) Athanasopoulos, A. et al. Efficacy and Preoperative Prognostic Factors of Autologous Fascial Rectus Sling for treatment of female stress urinary incontinence. Urology. 78 (5), 2011, 1034-8.
30) Adamiak, A. et al. The efficacy and safety of the tension-free vaginal tape procedure do not depend on the method of analgesia. Eur Urol. 42 (1), 2002, 29-33.
31) Segal, JL. et al. Prevalence of persistent and de novo overactive bladder syndrome after the tension-free vaginal tape. Obstet Gynecol. 104 (6), 2004, 1263-9.
32) Rodriguez, LV. et al. Does Valsalva leak point pressure predict outcome after the distal urethral polypropylene sling? Role of urodynamics in the sling era. J Urol. 172 (1), 2004, 210-4.
33) Stav, K. et al. Repeat synthetic mid urethral sling procedure for women with recurrent stress urinary incontinence. J Urol. 183 (1), 2010, 241-6.
34) Wei, JT. et al. Outcomes following vaginal prolapse repair and mid urethral sling (OPUS) trial. Clin Trials. 6 (2), 2009, 162-71.
35) Andonian, S. et al. Randomized clinical trial comparing suprapubic arch sling (SPARC) and tension-free vaginal tape (TVT) : one-year results. Eur Urol. 47 (4), 2005, 537-41.
36) Porena, M. et al. Tension-free vaginal tape versus transobturator tape as surgery for stress urinary incontinence: results of a multicenter randomized trial. Eur Urol. 52 (6), 2007, 1481-90.
37) Richeter, HE. et al. Retropubic versus Transobturator Midurethal slings for stress incontinence. N Engl J Med. 362 (22), 2010, 2066-76.
38) Hinoul, P. et al. A randomized, controlled trial comparing an innovative single incision sling with an established transobturator sling to treat female stress urinary incontinence. J Urol. 185 (4), 2011, 1350-5.
39) Volkmer, BG. et al. Surgical Intervention for complications of Tension-free Vaginal Tape Procedure. J Urol. 169 (2), 2003, 570-4.
40) Mishra, VC. et al. Voiding dysfunction after tension-free vaginal tape : a conservative approach is often successful. Int Urogynecol J Pelvic Floor Dysfunct. 16 (3), 2005, 210-4.
41) Mazouni, C. et al. Urinary complications and sexual function after the tension-free vaginal tape procedure. Acta Obstet Gynecol Scand. 83 (10), 2004, 955-61.
42) Bekker, M. et al. Sexual function improvement following surgery for stress incontinence : the relevance of coital incontinence. J Sex Med. 6 (11), 2009, 3208-13.

薬物療法

桜十字病院 泌尿器科 上級顧問　吉田正貴
国立長寿医療研究センター 泌尿器外科　西井久枝　野宮正範
愛知医科大学看護学部 老年看護学　横山剛志

Point

❶ 過活動膀胱（overactive bladder：OAB）に対する第一選択薬はβ_3作動薬と抗コリン薬である。
❷ β_3作動薬は抗コリン薬と効果は同等であり、抗コリン作用に伴う副作用がみられない。
❸ 前立腺肥大症（benign prostatic hyperplasia：BPH）の尿排出障害に対する第一選択薬はα_1遮断薬とPDE5阻害薬である。
❹ 大きな前立腺腫大（30mL以上）では、α_1遮断薬と5α還元酵素阻害薬の併用は選択肢の一つである。
❺ 前立腺肥大症に伴うOABの治療においては、α_1遮断薬とβ_3作動薬あるいは抗コリン薬の併用は選択肢の一つである。

はじめに

下部尿路症状（lower urinary tract symptom：LUTS）は下部尿路に関係した症状であり、大きくは蓄尿症状、尿排出症状、排尿後症状に分かれます[1)]。LUTSの治療においては、薬物療法が第一選択となる場合がほとんどです。本項では蓄尿症状と尿排出症状のそれぞれの代表的疾患であるOABとBPHの薬物療法について述べます。

蓄尿症状の治療（過活動膀胱〈OAB〉を中心に）

蓄尿症状の治療薬としては表1に挙げるような薬剤があります。ここでは、各薬剤の特徴について説明します。

表1 OAB（頻尿・尿失禁）の治療薬

一般名	用法・用量
β_3アドレナリン受容体作動薬	
ミラベグロン	50mgを1日1回経口服用
ビベグロン	50mgを1日1回経口服用
抗コリン薬	
オキシブチニン	1回2～3mgを1日3回経口服用
オキシブチニン 経皮吸収型製剤	貼付剤1枚（オキシブチニン73.5mg/枚含有）を1日1回、1枚を下腹部、腰部または大腿部のいずれかに貼付
プロピベリン塩酸塩	20mgを1日1回経口服用。20mgを1日2回まで増量可
酒石酸トルテロジン	4mgを1日1回経口服用
フェソテロジンフマル酸塩	4mgを1日1回経口服用。1日8mgまで増量可
コハク酸ソリフェナシン	5mgを1日1回経口服用。1日10mgまで増量可
イミダフェナシン	0.1mgを1日2回経口服用。1日0.4mgまで増量可
その他の薬剤	
フラボキサート塩酸塩	1回200mgを1日3回経口服用
牛車腎気丸	1日7.5g2～3回分割投与
エストロゲン	

β_3アドレナリン受容体作動薬（β_3作動薬）

ミラベグロン（mirabegron）

わが国で創製・開発され、世界に先駆けて発売されたOAB治療薬です。β_3アドレナリン受容体に選択的に作用することにより、膀胱の蓄尿機能を高め、OABの諸症状を改善します。本剤の特徴は、症状改善効果に加えて抗コリン薬に特徴的な副作用（口内乾燥や便秘など）がほとんど認められない点です。国内外の多くの臨床試験において、その有効性と安全性が示されています[2)]。日本で承認を得ているOAB治療薬7剤について、日本人を対象としたプラセボ対照比較試験10試験（8,732例）のメタ解析では、抗コリン薬は排尿回数などの有効性指標の改善が高い薬剤ほど口内乾燥・便秘の発現率が高い傾向が認められました。しかしβ_3受容体作動薬の有効性は抗コリン薬とほぼ同等で、口内乾燥・便秘の発現率はプラセボと差がないことが示唆されました[3)]。また、循環器系に対する安全性が示されています[4)]。Yamaguchiらは本剤と抗コリン薬との併用療法の有用性について報告しています[5)]。さらに，高齢OAB患者への有用性に関する報告も多く[6, 7)]、認知機能への影響の少なさを示した報告や[8)]、高い服薬継続率を示した報告も見られます[9, 10)]。

ビベグロン（vibegron）

ビベグロンは、世界に先駆けて本邦で行われた第Ⅲ相試験によりその安全性と有効性が確認され、2018年に発売された新規β_3作動薬です[11]。本剤の大きな特徴は，分子構造にピロリジン環を有し、肝代謝の影響を受けにくい点です。CYP3A4や2D6などの酵素に対する阻害作用・誘導作用を示さないため，薬物相互作用がほとんどみられないとされています。また、肝機能や腎機能障害による用量調節は不要な薬剤です。本剤の国内承認用量は50mgで、これまでの報告でOABの各症状やQOLに対して効果を示し、副作用も軽微であることが示されています。国内での第Ⅲ相試験のpost-hoc studyで切迫性尿失禁[12]や夜間頻尿[13]ならびに65歳以上の高齢者に対する有用性が確認されています[14]。リハビリテーション病院での神経因性、非神経因性OAB患者を対象とした服薬継続率の検討で、本剤の高い継続率が示されています[15]。

抗コリン薬

OAB治療の第一選択薬であり、有効性と安全性が確立されています。しかし、抗コリン薬の使用にあたっては、全身のムスカリン受容体の遮断作用による副作用を十分に考慮する必要があります。

オキシブチニン（oxybutynin）

オキシブチニンは抗ムスカリン作用に加え、平滑筋の直接弛緩作用と麻痺作用を有しています。本剤の臨床研究は数多くあり、有効性については十分に立証されています[1]。しかし、抗ムスカリン作用にもとづく副作用の発現頻度が、ほかの抗コリン薬に比較しても高いです。また、本剤は脳血管関門を通過し、中枢神経系の副作用（認知機能障害など）を引き起こす可能性があります[16]。そのため、特に高齢者での使用に際しては注意が必要です。

高齢者の安全な薬物療法ガイドライン[17]においても、可能な限り使用しないよう記載されています。なお、本剤の保険適用疾患は、神経因性膀胱または不安定膀胱（無抑制収縮を伴う過緊張性膀胱状態）における頻尿、尿意切迫感、尿失禁であり、OABは含まれていません。

オキシブチニン経皮吸収型製剤（oxybutynin patch）

本邦初の経皮吸収型のOAB治療薬です。わが国での試験でOABの各症状に対して有効であり、経口抗コリン薬に比べて副作用が少ないことが報告されています[18]。また，夜間頻尿や高齢者に対する有用性[19, 20]についても報告されています。本剤は経口投与が困難な症例や経口の抗コリン薬により副作用がみられる症例、経口薬を多数服用しているような患者で特に有用と考えられます。

ただし、貼付部位の皮膚反応に注意が必要で、皮膚刺激低減を目的とした改良型製剤も開発されています[21]。

プロピベリン塩酸塩（propiverine）

抗ムスカリン作用とカルシウム拮抗作用を有する薬剤です。海外を中心に、本剤とプラセボや他剤との比較をした大規模なRCTが行われており、OABの症状に対する有用性があり、副作用が少ないことが報告されています[22]。わが国でもOAB患者を対象とした試験が行われており、有用性が確認されています[23]、また、混合性尿失禁に対する有用性も示されています[24]。

酒石酸トルテロジン（tolterodine）

世界初のOAB治療薬として承認された薬剤です。ムスカリン受容体サブタイプへの選択性はなく、膀胱組織への移行性と結合親和性が高く、唾液腺に比較して膀胱選択性が高いことが確認されています。4mg/日/回投与によって、OABの各症状やQOLの改善を認め[25]、高齢OAB[26]および重症OAB[27]を含めた患者への有効性と安全性が示された薬剤です。

コハク酸ソリフェナシン（solifenacin）

わが国で創製・開発された抗コリン薬で、OAB治療薬として初めて承認された薬剤です。ムスカリン受容体M3に対して比較的親和性が高く、唾液腺に比べて膀胱に選択性が高いことが確認されています。OABにおける尿意切迫感、頻尿、切迫性尿失禁、夜間頻尿に対して改善効果が示されています[28]。また、高齢者や重症例に対する有用性が確認されていて[29]、認知機能への影響が少ないことも報告されています[30]。

イミダフェナシン（imidafenacin）

わが国で創製・開発された抗コリン薬です。ムスカリン受容体M3とM1への選択性が高い薬剤で、唾液腺に比較して膀胱選択性が高く、半減期が短い（2.9時間）、という特徴があります。尿意切迫感、頻尿、切迫性尿失禁に対して改善効果を示し、副作用も少ないことが示されています[31]。国内で行われたOAB治療薬のプラセボ対照RCTのメタアナリシスで、抗コリン薬の中では口内乾燥の発現率が最も低い薬剤でした[32]。また、夜間頻尿や睡眠障害への有用性が示されています[33, 34]。軽度認知機能障害患者の認知症への移行率が低かったという報告もあります。

フェソテロジン フマル酸塩（fesoterodine）

ムスカリン受容体サブタイプへの選択性はみられず、その活性代謝物（5-ヒドロキシメチルトルテロジン）はトルテロジンのそれと同様です。膀胱選択性が高い、中枢神経への影響が少ないなどの特徴を有し、また4mg、8mgの2製剤を有し、用量可変の薬剤でもあります。さまざまな試験により、OABの各症状に対する有効性と安全性が示されています[35]。また、65歳以上のOABのみを対象とした高齢患者や健康状態が脆弱な（フレイル）高齢OAB患者への有用性も報告されています[36, 37]。

これらの結果などが評価されて、高齢者に適切な薬物療法を行うためのツールであるFit fOR The Aged（FORTA）を用いて下部尿路症状の治療薬を評価した国内外のLUTS-FORTAにおいて、OAB治療薬の中で唯一、FORTA分類のClass B（高齢者における有効性は明らかであるが安全性に懸念がある薬剤）に分類されています[38, 39]。

フラボキサート塩酸塩（flavoxate）

抗ムスカリン作用はありませんが、ニューロンのドパミンD_2受容体、アデノシンA_1受容体やアドレナリンα_2受容体の遮断作用から排尿抑制に働くと考えられています。ほとんど副作用はないことが、経験的には認められています[40]。

その他の薬剤

牛車腎気丸（ゴシャジンキガン）は有効性を支持する根拠は十分ではありませんが、女性OAB患者に対して有効との報告があります[41]。

またエストロゲンは、尿意切迫感や切迫性尿失禁の治療に対して長年にわたって経験的に使用されてきており、最近、有効性を示すいくつかのRCTが散見されるようになっています。経口投与と局所投与（腟内）があり、特に局所投与についてはその有効性が確認されています[42]。全身投与はほかの併存する病態（骨粗鬆症など）がある場合に適用が推奨されます。

βアドレナリン受容体作動薬（クレンブテロール〈clenbuterol〉）は気管支喘息などの治療薬として用いられている薬剤ですが、外尿道括約筋の収縮を増強させると考えられ、わが国では腹圧性尿失禁治療薬の適応となっています[43]。

尿排出症状の治療（前立腺肥大症〈BPH〉治療薬を中心に）

前立腺肥大症（BPH）治療薬としてのα_1遮断薬

現在、わが国でBPH治療薬として使用、開発されている薬剤を表2に示しました。α_1遮断薬は、前立腺と膀胱頸部の平滑筋緊張に関係するα_1アドレナリン受容体を阻害して、前立腺による閉塞の機能的要素を減少させ、症状を軽減させます。症状の改善は比較的早期からみられ、症状緩和は約2/3にみられますが、反応性を予測することは困難です。主な副作用としては、起立性低血圧、易疲労性、射精障害、鼻づまり、頭痛、

表2 Male LUTS/BPH の治療薬

α₁遮断薬

一般名	用法・用量	
タムスロシン塩酸塩	0.2mg／日 1日1回	年齢、症状により適宜増減する。
ナフトピジル	25〜75mg／日 1日1回	1日1回25mgから投与を始め、効果が不十分な場合は1〜2週間の間隔をおいて50〜75mgまで漸増し、1日1回経口投与する。
シロドシン	8mg／日 1日2回分割投与	症状に応じて適宜減量する。
テラゾシン塩酸塩水和物	1〜2mg／日 1日2回分割投与	1日1mgから投与を始め、1日2mgに漸増し、1日2回に分割経口投与する。なお、症状により適宜増減する。
ウラピジル	30〜90mg／日 1日2回分割投与	1日30mgから投与を始め、効果が不十分な場合は1〜2週間の間隔をおいて60〜90mgまで漸増し、1日2回に分割経口投与する。なお、症状により適宜増減するが最高投与量は90mg。
プラゾシン塩酸塩	1〜6mg／日 1日2〜3回分割投与	1日1〜1.5mgから投与を始め、効果が不十分な場合は1〜2週間の間隔をおいて1.5〜6mgまで漸増し、1日2〜3回に分割経口投与する。なお、症状により適宜増減する。

※タムスロシン、ナフトピジル、シロドシンは、「前立腺肥大症」のみを適応とするので、女性には処方できない。ウラピジルは「前立腺肥大症、神経因性膀胱」を適応とするので、女性にも処方可能である。

PDE5阻害薬

一般名	用法・用量
タダラフィル	5mg／日　1日1回

5α還元酵素阻害薬

一般名	用法・用量
デュタステリド	0.5mg／日　1日1回

抗アンドロゲン薬

一般名	用法・用量
クロルマジノン酢酸エステル	50mg／日　1日2回分割投与（錠） 1日1回投与（徐放錠）

その他の薬剤

一般名	用法・用量	
オオウメガサソウエキス、ハコヤナギエキス、セイヨウオキナグサエキス、スギナエキス、精製小麦胚芽油配合剤（エビプロスタット®）	3錠／日（配合錠DB） 6錠／日（配合錠SG） いずれも1日3回分割投与	症状に応じて適宜増減する。
セルニチンポーレンエキス錠（セルニルトン®）	1回2錠 1日2〜3回	
L-アラニン・L-グルタミン酸・グリシン（パラプロスト®）	通常6カプセル／日 1日3回分割投与	
八味地黄丸（ハチミジオウガン）	6.0g、7.5g、9.0g、18錠／日 2〜3回分割投与	
牛車腎気丸	7.5g／日2〜3回分割投与	

眠気などがあります。眼科手術時には、術中虹彩緊張低下症候群[44]に注意が必要です。

現在わが国で主に使用されているα_1遮断薬は、タムスロシン塩酸塩、ナフトピジル、シロドシンの3剤です。タムスロシンとナフトピジルはα_{1A}/α_{1D}選択的遮断薬で、ナフトピジルはα_{1D}受容体に比較的選択性が高いとされています。一方、シロドシンはα_{1A}サブタイプに対する選択的な遮断薬です。いずれの薬剤も、排尿および蓄尿症状に対する臨床効果に大きな差はないとされています。ナフトピジルは、タムスロシンに比べ蓄尿症状により有効性が高いという報告もありましたが、異なる報告もあり、結論づけられてはいません。また、シロドシンとナフトピジルを12週間投与した大規模試験[45]では、国際前立腺症状スコア（IPSS)、IPSS-QOLスコアは両者とも有意に改善し、群間差はみられませんでした。しかし過活動膀胱症状質問票（OABSS)、最大尿流量(maximum urinary flow rate：Qmax）はシロドシン群のほうがナフトピジル群に比べて有意な改善がみられたと報告されています。

副作用に関しては、シロドシンは他の薬剤に比べて、射精障害の副作用が多いことが報告されています。タムスロシン、ナフトピジル、シロドシンは、「前立腺肥大症」のみを適応とするので、女性には処方できません。ウラピジルは「前立腺肥大症、神経因性膀胱」を適応とするので、女性にも処方可能です。

ホスホジエステラーゼ-5阻害薬（タダラフィル〈tadarafil〉）

一酸化窒素（NO）は、平滑筋細胞内のcyclic guanosine monophosphate（cGMP）産生を促進することにより、尿道海綿体の弛緩を促します。そのため、PDE5阻害薬はこれまで勃起障害（erectile dysfunction：ED）の治療薬として用いられてきました。また、前立腺や尿道の平滑筋もNOを介して弛緩するので、PDE5阻害薬（タダラフィル）はBPHに伴うLUTSを改善させる可能性が指摘され、わが国でも近年、BPHに伴う尿排出障害に対して適応となり、第一選択薬として使用されています。

日本におけるタダラフィル（2.5mg、5mg）とプラセボを比較した第Ⅱ相試験と、その後42週のオープンラベル延長試験において、12週時のIPSSの変化は、タダラフィル2.5mgはプラセボとの有意差はなく、5mgで有意差がみられました。またその効果は42週まで継続しました[46]。タダラフィル5mgとプラセボを比較した日本、韓国の共同第Ⅲ相試験では、タダラフィルはプラセボに比べてIPSS総スコアは投与4週、8週、12週後において有意に改善し、蓄尿、排尿サブスコア、QOLインデックスの有意な改善も認められましたが、Qmaxは有意差がみられませんでした[47]。また、患者と主治医の全般的改善印象度もタダラフィルで有意に改善がみられ、臨床的に有意な副作用は両群ともにみられませんでした[48]。

5α還元酵素阻害薬（デュタステリド〈dutasteride〉）

テストステロンは前立腺細胞に取り込まれ、細胞質の5α還元酵素によって活性型テストステロンである5αジヒドロテストステロン（DHT）に変換されます。デュタステリドは前立腺組織中に存在する5α還元酵素1型および2型の両方を阻害する薬剤で、0.5mgの持続的な投与でDHTを94.7%抑制する効果が報告されています[49]。デュタステリドによるDHTの低下は前立腺体積を縮小させ、BPHに伴う症状を改善すると考えられ、前立腺腫大の明確な患者（30mL以上）に対して有効性があるとの報告があり、α_1遮断薬との併用療法が行われています。

副作用の出現率は、勃起障害、射精障害、性欲低下、女性化乳房など性機能に関するものが高いと報告されています[50]。

デュタステリド内服中はPSAの産生が抑制され、血清PSA値は低下します。そのため前立腺がんの診断におけるPSAの評価には注意を要します。国内で行われた第Ⅲ相試験では、6ヵ月後および1年後のPSAはそれぞれ平均42.2%および46.1%減少しました[50]。そこで、デュタステリドを6ヵ月以上服用している患者のPSA値を評価する際には、測定値を2倍した値を目安として基準値と比較することが推奨されています[51]。

抗アンドロゲン薬（anti-androgen drugs）

ステロイド性抗アンドロゲン薬であるクロルマジノン酢酸エステルがあります。主な作用機序は、前立腺細胞へのテストステロンの取り込み阻害、5α還元酵素の阻害、アンドロゲン受容体とジヒドロテストステロンの結合阻害、および視床下部-下垂体-性腺系の抑制による血中テストステロンの低下です。これらの作用により前立腺が縮小し、下部尿路閉塞が軽減されると考えられています[52]。ただ、血清テストステロンの低下に伴い性機能障害の発現頻度が高いとされています。また、長期間投与の効果や安全性に対しての根拠は十分ではありません。

その他の薬剤

エビプロスタットはα_1遮断薬に比べて効果は劣りますが、α_1遮断薬と併用することで有用性を認めるとの報告があります[53]。セルニルトンは夜間頻尿などの症状に対する有効性は示唆されていますが、他覚的所見の改善効果は認められていません[54]。パラプロスト®とプラゾシン塩酸塩とのRCTでは、症状と残尿量の改善に有意差を認めませんが、尿流量の改善ではプラゾシン塩酸塩に劣ったとされます[55]。漢方薬では、牛車腎気丸は他剤との併用にて有用との報告があります[56]。これらの薬剤には副作用はほとんどないとされています。

前立腺肥大症（BPH）における併用療法について

α遮断薬と抗コリン薬あるいはβ3 作動薬の併用療法[57)]

BPH に伴う OAB に対する α_1 遮断薬と抗コリン薬の併用投与の有用性については、多くの大規模 RCT などで、プラセボ群もしくは α_1 遮断薬単独投与群、抗コリン薬単独投与群に比較して有効であることが報告されています。安全性に関しては、カテーテル留置が必要な尿閉の頻度は、ほとんどの報告で 0～1％です。また、最大尿流量に関しては、いずれの報告においても併用による悪化を認めていません。ただし、残尿については有意に増加したという報告が多く見られます。抗コリン薬を低用量から開始するなどの慎重な投与も考慮されます。

α_1 遮断薬と β_3 作動薬の併用療法については、β_3 作動薬（ミラベグロン）との併用療法の有効性と安全性が確認されている報告がいくつかあります。タムスロシン先行投与後に OAB 症状が残存する男性患者を対象とした本邦の試験では、タムスロシンにミラベグロンあるいはプラセボが 12 週間併用されました[58)]。24 時間あたりの排尿回数はミラベグロン併用群で有意に改善し、1 回排尿量や OABSS もミラベグロン併用群で有意に改善しましたが、24 時間あたりの尿意切迫感回数には有意差は認められませんでした。臨床的に問題となるような有害事象は観察されず、尿閉例もありませんでした。

α_1 遮断薬と β_3 作動薬の併用療法においては、抗コリン薬との併用療法と同様に α_1 遮断薬を先行投与し、OAB 症状が残存する場合に追加投与を行うことが推奨されます。特に、尿排出症状の程度が強い場合、前立腺体積が大きい場合、高齢者に投与する場合などには、排尿困難・尿閉などの有害事象に十分に注意する必要があります。なお、α_1 遮断薬とビベグロンの併用療法については、これまで十分なエビデンスが得られていません。

α_1 遮断薬と PDE5 阻害薬の併用療法

タダラフィル 5mg/ 日単独の連日投与と比較して、α_1 遮断薬 + PDE5 阻害薬の併用療法は、小規模 RCT あるいはメタアナリシスでは、IPSS、Qmax ともに改善が報告されています[59)]。心血管相互作用（起立性低血圧）については、前立腺選択性の α_1 遮断薬（タムスロシン、シロドシン塩酸塩水和物など）に比べて非選択性の α_1 遮断薬（ドキサゾシンなど）では立ちくらみ、血圧低下の率が高いので、注意が必要とされています[60)]。

α_1 遮断薬と 5 α還元酵素阻害薬との併用療法

前述したように、前立腺腫大の明確な患者（30mL 以上）に対して行われます。α_1 遮断薬との併用効果を検討した研究では、併用群において速やかで持続的な症状の改善が得られ、その改善度はデュタステリドあるいはタムスロシン単独群よりも大きく、最大尿流量についても併用群で最も大きく改善していました[61)]。6ヵ月〜1 年間の α_1 遮断薬と 5 α 還元酵素阻害薬の併用治療後、多くの症例においては症状の悪化をきたさず、α_1 遮断薬を中止できる可能性があると考えられます[62)]。

PDE5 阻害薬とβ_3 作動薬の併用療法

前立腺肥大症を伴う OAB に対して、PDE5 阻害薬（タダラフィル）単独で効果不十分な症例に対する β_3 作動薬（ミラベグロン）との併用療法の有効性を支持する報告があります[63)]。12 週時の OABSS 変化量をはじめ、各種症状質問票や排尿日誌の結果などは、併用群が単独群より有意に改善しました。残尿量、最大尿流量、排尿効率は併用群と単独群での差はみられず、臨床上有意な有害事象もみられませんでした。

5 α還元酵素阻害薬と抗コリン薬の併用療法、あるいはβ_3 作動薬の併用療法

いずれの併用療法もその有効性を示す報告はありますが[64, 65)]、その根拠は十分とはいえません。

α_1 遮断薬、5 α還元酵素阻害薬と抗コリン薬の 3 剤併用療法

前立腺肥大症を伴う OAB 患者に対して、タムスロシンを 8 週間以上使用しても OAB 症状が残存する患者に対して、デュタステリドあるいはデュタステリドとイミダフェナシンを 24 週間投与した結果、その有効性と安全性が評価されています。24 週後には、3 剤併用群が 2 剤併用群に比較して OABSS の有意な改善を認めました[66)]。また本試験の長期観察（52 週）[67)] においても効果は維持され、残尿の増加や尿閉は見られませんでした。

引用・参考文献

1) Appell, RA. et al. OBJECT Study Group. Prospective randomized controlled trial of extended-release oxybutynin chloride and tolterodine tartrate in the treatment of overactive bladder : results of the OBJECT Study. Mayo Clin Proc. 76, 2001, 358-63.
2) Yamaguchi, O. et al. Phase III, randomised, double-blind, placebo-controlled study of the β3-adrenoceptor agonist mirabegron, 50 mg once daily, in Japanese patients with overactive bladder. BJU Int. 113, 2014, 951-60.
3) 山口脩ほか．日本人過活動膀胱患者における過活動膀胱治療薬の有効性と安全性：プラセボ対照無作為化比較試験のメタ解析．泌尿器外科．27，2014，1731-44.
4) Hoffman, V. et al. Cardiovascular risk in users of mirabegron compared with users of antimuscarinic treatments for overactive bladder : findings from a non-interventional, multinational, cohort study. Drug Saf. 44, 2021, 899-915.
5) Yamaguchi, O. et al. Long-term safety and efficacy of antimuscarinic add-on therapin patients with overactive bladder who had a suboptimal response to mirabegron monotherapy : a multicenter, randomized study in Japan (MILAI Ⅱ study). Int J Urol. 26, 2019, 342-52.
6) Nakagomi, H. et al. Mirabegron for overactive bladder in frail patients 80 years or over (HOKUTO study). BMC Urol. 22, 2022, 40 (IV).
7) Wagg, A. et al. Efficacy, safety, and tolerability of mirabegron in patients aged ≧ 65yr with overactive bladder wet : a phase Ⅳ, double-blind, randomised, placebo-controlled study (PILLAR). Eur Urol. 77, 2020, 211-20.
8) Griebling, TL. et al. Effect of mirabegron on cognitive function in elderly patients with overactive bladder : MoCA results from a phase 4 randomized, placebo-controlled study (PILLAR). BMC Geriatr. 20, 2020, 109.
9) Soda, T. et al. Overactive bladder medication : persistence, drug switching, and reinitiation. Neurourol Urodyn. 39, 2020, 2527-34.
10) Kato, D. Persistence and adherence to overactive bladder medications in Japan : a large nationwide real-world analysis. Int J Urol. 24, 2017, 757-64.
11) Yoshida, M. et al. Vibegron, a novel potent and selective β_3-adrenoreceptor agonist, for the treatment of patients with overactive bladder : a randomized, double-blind, placebo-controlled phase 3 study. Eur Urol. 73, 2018, 783-90.
12) Yoshida, M. et al. Efficacy of vibegron, a novel β_3-adrenoreceptor agonist, on severe urgency urinary incontinence related to overactive bladder : post hoc analysis of a randomized, placebo-controlled, double-blind, comparative phase 3 study. BJU Int. 125, 2020, 709-17.
13) Yoshida, M. et al. Efficacy of novel β_3-adrenoreceptor agonist vibegron on nocturia in patients with overactive bladder : a post-hoc analysis of a randomized, double-blind, placebo-controlled phase 3 study. Int J Urol. 26, 2019, 369-75.
14) Yoshida, M. et al. Cardiovascular safety of vibegron, a new β_3-adrenoceptor agonist, in older patients with overactive bladder : post-hoc analysis of a randomized, placebo-controlled, double-blind comparative phase 3 study. Neurourol Urodyn 40, 2021, 1651–60.
15) Mukai, S. et al. The 1-year continuation rate an discontinuation factors of vibegron and mirabegron: a retrospective comparative study in a rehabilitation hospital in Japan. Low Urin Tract Symptoms. 13, 2021, 448-55.
16) Katz, IR. et al. Identification of medications that cause cognitive impairment in older people : the case of oxybutynin chloride. J Am Geriatr Soc. 46, 1998, 8-13.
17) 日本老年医学会編．日本医療研究開発機構研究費・高齢者の薬物治療の安全性に関する研究研究班編．高齢者の安全な薬物療法ガイドライン 2015．東京，メジカルビュー社，2015，172p.
18) Yamaguchi, O. et al. Efficacy and safety of once-daily oxybutynin pathch versus placebo and propiverine in Japanese patients with overactive bladder : A randomized double-blind trail. Int J Urol. 21, 2014, 586-93.
19) Yokoyama, O. et al. Once-daily oxybutynin patch improves nocturia and sleep quality in Japanese patients with overactive bladder : post-hoc analysis of a phase III randomized clinical trial. Int J Urol. 22, 2015, 684-8.
20) 吉田正貴ほか．高齢者の過活動膀胱に対するオキシブチニン塩酸塩経皮吸収型製剤の有効性および安全性：2つのランダム化比較試験の併合データを用いたサブグループ解析．泌尿器外科．28，2015，1229–37.
21) 海老原全ほか．オキシブチニン塩酸塩含有皮膚吸収型製剤（ネオキシテープ 73.5 mg）の改良と皮膚刺激性の低減効果．臨床医薬．34，2018，709-16.
22) Madersbacher, H. et al. A placebo-controlled, multicentre study comparing the tolerability and efficacy of propiverine and oxybutynin in patients with urgency and urge incontinence. BJU Int. 84, 1999, 646-51.
23) Gotoh, M. et al. Propiverine hydrochloride in Japanese patients with overactive bladder : a randomized, doubleblind,placebo-controlled trial. Int J Urol. 18, 2011, 365-73.
24) Minagawa, T. et al. FRESH study group. Therapeutic effect of propiverine hydrochloride on mixed-type urinary incontinence in women : The Female Urgency and Stress Urinary Incontinence Study of Propiverine Hydrochloride trial. Int J Urol. 25, 2018, 486-91.
25) Homma, Y. et al. Clinical efficacy and tolerability of extended-release tolterodine and immediate-release oxybutynin in Japanese and Korean patients with an overactive bladder : a randomized, placebo-controlled trial. BJU Int. 92,2003, 741-7.
26) Zinner, NR. et al. Efficacy, safety, and tolerability of extended-release once-daily tolterodine treatment for overactive bladder in older versus younger patients. J Am Geriatr Soc. 50, 2002, 799-807.
27) Landis, JR. et al. Efficacy of antimuscarinic therapy for overactive bladder with varying degrees of incontinence severity. J Urol. 171, 2004, 752-6.

28) Yamaguchi, O. et al. Randomized, double-blind, placebo- and propiverine-controlled trial of the once-daily antimuscarinic agent solifenacin in Japanese patients with overactive bladder. BJU Int. 100, 2007, 579-87.

29) Wagg, A. et al. Efficacy and tolerability of solifenacin in elderly subjects with overactive bladder syndrome : a pooled analysis. Am J Geriatr Pharmacother. 4, 2006, 14-24.

30) Wagg, A. et al. Randomised, multicentre, placebo-controlled, double-blind crossover study investigating the effect of solifenacin and oxybutynin in elderly people with mild cognitive impairment : the SENIOR study. Eur Urol. 64, 2013,74-81.

31) Homma, Y. et al. Imidafenacin Study Group. A randomized, double-blind, placebo- and propiverinecontrolled trial of the novel antimuscarinic agent imidafenacin in Japanese patients with overactive bladder. Int J Urol. 16, 2009, 499-506.

32) 山口脩ほか．日本人過活動膀胱患者における過活動膀胱治療薬の有効性と安全性：プラセボ対照無作為化比較試験のメタ解析．泌尿器外科．27，2014，1731–44.

33) 武田正之ほか．過活動膀胱患者に対するイミダフェナシンの夜間頻尿改善効果は睡眠障害およびQOL改善に貢献する（EVOLUTION Study）．泌尿器外科．23，2010，1443-52.

34) Sakakibara, R. et al. Cognitive Safety and Overall Tolerability of Imidafenacin in Clinical Use : A Long-Term, Open-Label, Post-Marketing Surveillance Study. Low Urin Tract Symptoms. 6, 2014, 138-44.

35) Yamaguchi, O. et al. Efficacy, Safety and Tolerability of Fesoterodine in Asian Patients with Overactive Bladder. Low Urin Tract Symptoms. 3, 2011, 43-50.

36) Wagg, A. et al. Flexible-dose fesoterodine in elderly adults with overactive bladder : results of the randomized,double-blind, placebo-controlled study of fesoterodine in an aging population trial. J Am Geriatr Soc. 61, 2013, 185-93.

37) Dubeau, CE. et al. Effect of fesoterodine in vulnerable elderly subjects with urgency incontinence : a double-blind,placebo controlled trial. J Urol. 191, 2014, 395-404.

38) Oelke, M. et al. Appropriateness of oral drugs for long-term treatment of lower urinary tract symptoms in older persons: results of a systematic literature review and international consensus validation process. Age Ageing. 44, 2015, 745-55.

39) Pazan, F. et al. The JAPAN-FORTA（Fit fOR The Aged）list : consensus validation of a clinical tool to improve drug therapy in older adults. Arch Gerontol Geriatr. 91, 2020, 104217.

40) Chapple, CR. et al. Double-blind, placebo-controlled, cross-over study of flavoxate in the treatment of idiopathic detrusor instability. Br J Urol. 66, 1990, 491-4.

41) Kajiwara, M. et al. Clinical efficacy and tolerability of gosha-jinki-gan, Japanese traditional herbal medicine, in females with overactive bladder. Hinyokika Kiyo. 54, 2008, 95-9.

42) Cardozo, L. et al. A systematic review of the effects of estrogens for symptoms suggestive of overactive bladder.Acta Obstet Gynecol Scand. 83, 2004, 892-7.

43) Yasuda, K. et al. A double-blind clinical trial of a β2-adrenergic agonist in stress incontinence. Int Urogynecol J. 4,1993, 146-51.

44) Oshika, T. et al. Incidence of intraoperative floppy iris syndrome in patients on either systemic or topical alpha（1）-adrenoceptor antagonist. Am J Ophtalmol. 143, 2007, 150-1.

45) Matsukawa, Y. et al. Comparison of Silodosin and Naftopidil for Efficacy in the Treatment of Benign Prostatic Enlargement Complicated by Overactive Bladder : A Randomized, Prospective Study（SNIPER study）. J Urol. 2016,pii : S0022-5347（16）31211-3.

46) Takeda, M. et al. Tadalafil for the Treatment of Lower Urinary Tract Symptoms in Japanese Men with Benign Prostatic Hyperplasia : Results from a 12-week Placebo-controlled Dose-finding Study with a 42-week Open-label Extension. Low Urin Tract Symptoms. 4, 2012, 110-9.

47) Oelke, M. et al. Treatment satisfaction with tadalafil or tamsulosin vs placebo in men with lower urinary tract symptoms（LUTS）suggestive of benign prostatic hyperplasia（BPH）: results from a randomised, placebo-controlled study. BJU Int. 114, 2014, 568-75.

48) Takeda, M. et al. Tadalafil 5 mg once-daily therapy for men with lower urinary tract symptoms suggestive of benign prostatic hyperplasia : results from a randomized, double-blind, placebo-controlled trial carried out in Japan and Korea. Int J Urol. 21, 2014, 670-5.

49) Clark, RV. et al. Marked suppression of dihydrotestosterone in men with benign prostatic hyperplasia by dutasteride,a dual 5alpha-reductase inhibitor. J Clin Endocrinol Metab. 89, 2004, 2179-84.

50) Tsukamoto, T. et al. Efficacy and safety of dutasteride in Japanese men with benign prostatic hyperplasia. Int J Urol.16, 2009, 745-50.

51) Andriole, GL. et al. Clinical usefulness of serum prostate specific antigen for the detection of prostate cancer is preserved in men receiving the dual 5alpha-reductase inhibitor dutasteride. J Urol. 175, 2006, 1657-62.

52) Fujimoto, K. et al. The effects of chlormadinone acetate on lower urinary tract symptoms and erectile functions of patients with benign prostatic hyperplasia : a prospective multicenter clinical study. Adv Urol. 2013, 2013. 584678.

53) 成岡健人ほか．α_1受容体遮断薬（ナフトピジル）に抵抗性症状を有する前立腺肥大症患者に対するエピプロスタットの追加投与の臨床的検討．泌尿器科紀要．54，2008，341-4.

54) MacDonald, R. et al. A systematic review of Cernilton for the treatment of benign prostatic hyperplasia. BJU Int. 85,2000, 836-41.

55) Yamaguchi, O. et al. Clinical evaluation of effects of prazosin in patients with benign prostatic obstruction. A doubleblind,multi-institutional, Paraprost-controlled study. Urol Int. 45, 1990, 40-6.

56) 石塚修ほか．LUTS：新たなエビデンス　漢方製剤の臨床効果：牛車腎気丸を中心として．Urol View．7，2009，81-4.

57) 日本排尿機能学会過活動膀胱診療ガイドライン作成委員会編．過活動膀胱診療ガイドライン．第２版．東京，リッチヒルメディカル，2015，220p.

58) Kakizaki, H. et al. Mirabegron add-on therapy to tamsulosin for the treatment of over- active bladder in men with lower urinary tract symptoms：a randomized, placebo-controlled study（MATCH）. Eur Urol Focus. 6, 2020, 729-37.

59) Gacci, M. et al. A systematic review and meta-analysis on the use of phosphodiesterase 5 inhibitors alone or in combination with　α -blockers for lower urinary tract symptoms due to benign prostatic hyperplasia. Eur Urol. 61,2012, 994-1003.

60) Goldfischer, E. et al. Hemodynamic effects of once-daily tadalafil in men with signs and symptoms of benign prostatic hyperplasia on concomitant　α 1-adrenergic antagonist therapy：results of a multicenter randomized, double-blind,placebo-controlled trial. Urology. 79, 2012, 875-82.

61) Roehrborn, CG. et al. Influence of baseline variables on changes in International Prostate Symptom Score after combined therapy with dutasteride plus tamsulosin or either monotherapy in patients with benign prostatic hyperplasia and lower urinary tract symptoms：4-year results of the CombAT study. BJU Int. 113, 2014, 623-35.

62) Barkin, J. et al. Alpha-blocker therapy can be withdrawn in the majority of men following initial combination therapy with the dual 5alpha-reductase inhibitor dutasteride. Eur Urol. 44, 2003, 461-6.

63) Yamanishi, T. et al. A randomized controlled study of the efficacy of tadalafil monotherapy versus combination of tadalafil and mirabegron for the treatment of persistent overactive bladder symptoms in men presenting with lower urinary tract symptoms（CONTACT Study）. Neurourol Urodyn. 39, 2020, 804-12.

64) Chung, DE. et al. Efficacy and safety of tolterodine extended release and dutasteride in male overactive bladder patients with prostates > 30 grams. Urology. 75, 2010, 1144-8.

65) Maeda, T. et al. Solifenacin or mirabegron could improve persistent overactive bladder symptoms after dutasteride treatment in patients with benign prostatic hyperplasia. Urology. 85, 2015, 1151-5.

66) Yamanishi, T. et al. Efficacy and safety of combination therapy with tamsulosin, dutasteride and imidafenacin for the management of overactive bladder symptoms associated with benign prostatic hyperplasia: a multicenter, randomized, open-label, controlled trial（DIrecT Study）. Int J Urol. 24, 2017, 525-31.

67) Yamanishi, T. et al. A 52-week multicenter randomized controlled study of the efficacy and safety of add-on dutasteride and imidafenacin to tamsulosin in patients with benign prostatic hyperplasia with remaining overactive bladder symptoms（DIrecT study）. Low Urin Tract Symptoms. 11, 2019, 115-21.

神経変調療法

宇都宮脳脊髄センター シンフォニー病院 泌尿器科 **山西友典**

Point

1. 神経変調療法（neuromodulation）には（干渉低周波療法〈interferential therapy〉を含む）電気刺激療法、磁気刺激療法、体内植込み式（仙骨神経電気刺激療法）がある。保存療法として、わが国では干渉低周波療法と磁気刺激療法が保険適用となっている。
2. 神経変調療法は、腹圧性尿失禁に対しては骨盤底筋群の収縮性を増強させるため、切迫性尿失禁に対しては主に仙髄領域の求心路刺激による排尿反射の抑制によると考えられている。
3. 電気・磁気刺激療法の尿失禁に対する有効性は、治癒 30～50%、改善 60～70%と報告され、dummy（プラセボ）装置を使用した二重盲検試験によりその有効性も裏付けられている。
4. 仙骨神経変調療法（sacral neuromodulation：SNM）は、手術療法の範疇に入り、難治性の過活動膀胱の治療として保険収載されている。

はじめに

神経変調療法とは、膀胱・尿道機能を支配する末梢神経を種々の方法で刺激し、神経機能変調により膀胱・尿道機能の調整を図る治療法であると定義されます[1]。これらには干渉低周波を含む電気刺激療法、磁気刺激療法、SNM などがありますが（表1）[2, 3]、保存療法としては電気・磁気刺激療法が保険適用となっており、SNM は手術療法の範疇に入ります。本項では、排尿機能障害、特に蓄尿障害に対する電気・磁気刺激療法につき、その作用機序、二重盲検試験の成績を中心とした治療成績および長期効果について概説します。

骨盤底電気刺激療法

骨盤底電気刺激療法は、腹圧性尿失禁にも切迫性尿失禁にも効果があります[2, 3]。腹圧性尿失禁に対する効果は、骨盤底筋群における収縮性を増強させるためとされ、切迫

表1 各刺激装置の特徴

骨盤底電気刺激療法	
利点	ポータブルのため家庭で毎日使用可
欠点	皮膚や腟、肛門への刺激や痛み（わが国で保険適用の機種はない）
干渉低周波療法（保険適用）	
利点	皮膚や腟、肛門への刺激がなく、深部を刺激
欠点	機械は比較的小さいが通院が必要（週 1〜2 回）
磁気刺激療法（保険適用）	
利点	非侵襲的（刺激痛がない）、刺激強度を強くできる、着衣のまま刺激可能
欠点	機械が大がかり、通院が必要（週 2 回）
仙骨神経変調療法（手術療法として保険適用）	
利点	常時刺激、効果は確立
欠点	植込み手術（侵襲的）が必要

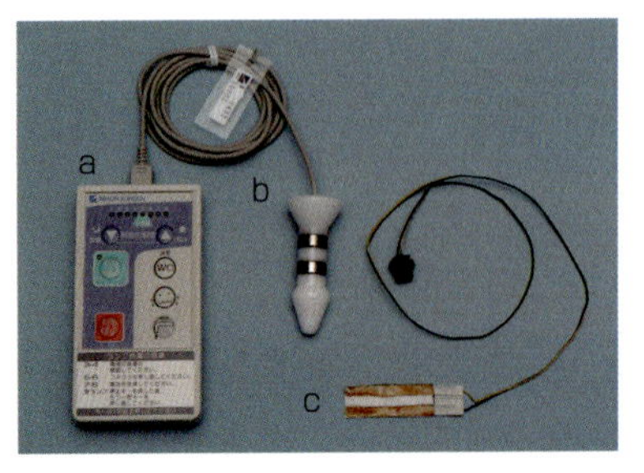

図1 ポータブル式骨盤底電気刺激装置（a）

肛門あるいは腟に電極を挿入（b）、または陰茎、陰核などに表面電極（c）を添付します。

性尿失禁（過活動膀胱）に対する電気刺激法の作用機序は、主に仙髄領域の求心路刺激が、骨盤神経（副交感神経）、遠心性神経の抑制反射、あるいは下腹神経（交感神経）の刺激により、排尿筋の収縮を抑制するためと考えられています。家庭で行える小型の刺激装置を用いた骨盤底電気刺激装置は、（わが国では保険適用となっている装置はありませんが）欧米では広く行われている方法です（図1）。刺激電極としては、肛門電極、腟電極、表面電極があります。

電気刺激療法の有効な刺激条件

腹圧性尿失禁に対する電気刺激療法の刺激条件は、刺激周波数 20Hz 以下では筋収縮が起こりにくくなりますが、50Hz 以上では筋収縮は、起こりやすいですが筋疲労も起こりやすくなります。したがって、一般に 20〜50Hz の条件が最も有効な収縮が得られると報告されています[2, 3]。また疲労を予防するために、on：off の duty cycle を 1：2、2：5 などに設定し、間欠的に刺激するほうが疲労が少ないと報告されています。切迫性尿失禁、すなわち排尿筋収縮抑制の有効な刺激条件としては、筋収縮が起こりにくくなる 20Hz 以下（5〜20Hz）がよいと言われていますが、5Hz のような低周波数では刺激痛が強くなるので、一般に 10〜20Hz 程度の周波数が効果的とされています[2, 3]。刺激電極では肛門、腟電極では電極挿入の不快感や衛生面の問題があるので、表面電極（transcutaneous electro nerve stimulation：TENS）が好まれ、陰茎背部や陰核、頸骨神経や大腿四頭筋、第3仙椎孔の上部に電極を添付する方法が報告されています（図1）。欧米では、後脛骨神経に直接針を挿入する、経皮的（後）脛骨神経刺激法（percutaneous tibial nerve stimulation：PTNS）の有効性が報告されています[3]。

刺激条件は確立したものはありませんが、患者が耐えられる範囲内での最大刺激を、1日2回、20〜30分間毎日行うのが一般的です。

電気刺激療法は、20〜30分の刺激を1日2回行うのみで効果があるので、非刺激時にも持ち越し効果（carry over effect）がみられることになります。また刺激の終了後も数ヵ月間から数年間も効果が持続すると報告されています[2, 3]。長期効果の機序は、腹圧性尿失禁では、骨盤底筋の筋肥大や訓練効果による収縮力の増強、速筋から遅筋への変化や疲労しにくい筋単位の増加が考えられています。過活動膀胱（切迫性尿失禁）に対しては、脊髄の介在ニューロンを刺激し、オピオイド、グリシン、GABAなどの神経伝達物質を放出する、あるいはβアドレナリン受容体を刺激するためと報告されています[2, 3]。

骨盤底電気刺激療法の効果は、腹圧性尿失禁、切迫性尿失禁ともに、治癒率は約30〜50%、改善率は約60〜70%とされています[2, 3]。電気刺激における無作為比較試験では、無治療との比較、プラセボとの比較、ほかの治療法との比較（磁気刺激、薬物）などによりその有効性が証明されています[2, 3]。

干渉低周波療法（図2）

干渉低周波の原理は、皮膚電気抵抗の低い2種の中周波電流（約4,000Hz）を通じ、これら中周波電流が体内で交差することによってうなり様に発生する干渉波により体内深部にある対象器官を刺激するようになっています。一般に低い周波数（1〜100Hz）は、筋収縮を起こしやすいですが通電時の痛みを伴うため、筋の収縮が思うようにいきません。高い周波数（1,000Hz以上）は、通電時の痛みはほとんどなくなりますが、筋収縮は起こりません。したがって皮膚への浸透性が優れた中周波電流を用いて、2つの異なる周波数の中周波電流（例えば、4,000Hzと4,010Hz）を体内で合成させ、その合成電流＝干渉電流の低周波成分（10Hz）で神経・筋組織の刺激を行う方法は、通電時の痛みがなく筋収縮を起こします。尿失禁に対する効果は、わが国でプラセボ（ダミー刺激）を用いた二重盲検試験で証明され、その長期成績も証明されました。わが国で保存療法として保険適用が認められた唯一の電気刺激療法です。適応症は神経因性膀胱、不安定膀胱、神経性頻尿、ならびに腹圧性尿失禁に伴う頻尿・尿意切迫感および尿失禁の改善です。ただし保険上は3週に6回を限度とし、その後は2週に1回を限度とされています。

a
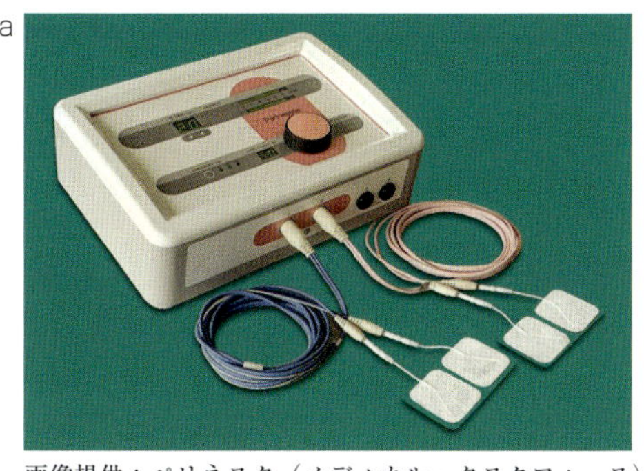

b
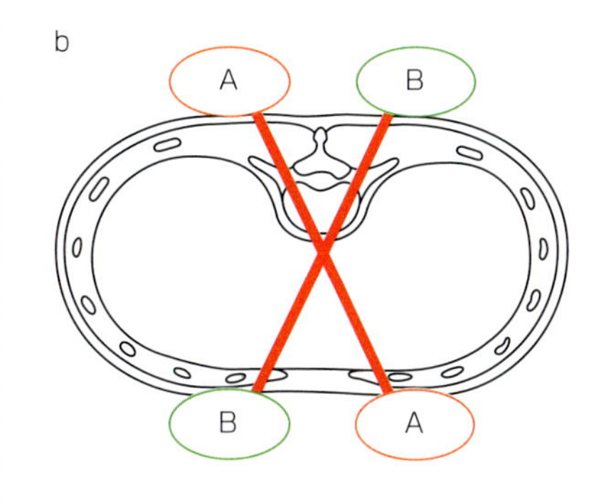

画像提供：ペリネスタ（メディカル・タスクフォース）

図2 干渉低周波刺激装置（a）と干渉低周波の原理（b）

特徴：唯一の保険適用。皮膚や腟、肛門への刺激がなく、深部を刺激できる。電極は、A-A、B-Bのように前後、左右をクロスさせて4つの皮膚電極を装着し、目的とする骨盤底を中心とするように電流を流す。

■診療報酬：処置（泌尿器科的処置）J070-2 干渉低周波による膀胱等刺激法 6/3w を限度。その後は1/2w を限度。

原理：低い周波数（1〜100Hz）は、筋収縮を起こしやすいが通電時の痛みを伴うため、筋の収縮が思うようにいかない。一方、高い周波数（1,000Hz〜）は、通電時の痛みはほとんどなくなるが、筋収縮は起きない。皮膚電気抵抗の低い2種の中周波電流（約4,000Hz）を通じ、これら中周波電流が体内で交差することによってうなり様に発生する干渉波（低周波）により体内深部にある対象器官を刺激する。

磁気刺激療法

磁気刺激療法は、電気刺激と刺激原理が同じです。すなわち、コイルに電流を流すことによりそのコイルに磁場が生じます。磁場の性質には磁場の変化速度に比例した大きさの電場が誘導されるので、コイルを生体表面に当て、変動磁場を与えると、生体内部に電流が誘起されます。この電流が、筋や神経を刺激することになります（図3）[2, 3]。磁気刺激療法は、衣服、皮膚、骨などを貫通してしまうので、肛門や腟電極を挿入することなく、着衣のまま治療することができます。さらに電気刺激のような皮膚、粘膜などの刺激痛を伴わないので、非侵襲的に神経や筋を刺激することができます。刺激する標的としては、仙髄根神経か陰部神経（骨盤底、図3）です[2, 3]。

わが国において、薬物療法抵抗性の（あるいは薬物が使用できない）尿失禁を伴う女性過活動膀胱患者を対象とした大規模無作為化比較試験が行われ、Sham刺激に対する1週間あたりの平均尿失禁回数の変化量（主要評価項目）、1回平均排尿量の変化量、尿意切迫感回数、IPSS QOLスコア（副次評価項目）における優越性が証明されました[4]。この結果により、2014年にわが国において、「尿失禁を伴う成人女性の過活動膀胱患者に対して」保険が適用されました。この保険適用における対象患者は、尿失禁を伴う成人女性の過活動膀胱患者で、尿失禁治療薬を12週間以上服用しても症状改善がみられない患者、あるいは副作用などのために尿失禁治療薬が使用できない患者となっています。また「5年以上の泌尿器科の経験または5年以上の産婦人科の経験を有する常勤の

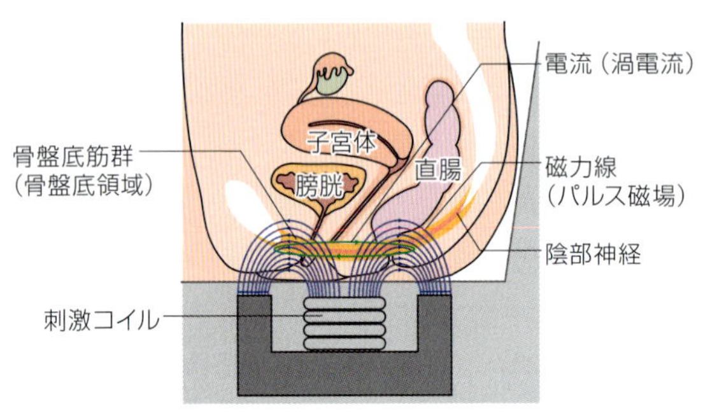

図3 磁気刺激療法の原理

体表面上に置いたコイルにパルス電流を流すと、変動磁場が生じ、磁場の変動速度に比例した電場が生体内に誘導される。この誘導電場により、変動磁場を打ち消す方向に生体内で渦電流が生じる。この渦電流が神経や筋を刺激する。神経や筋を刺激する作用は電流刺激であり、電気刺激と同じ。

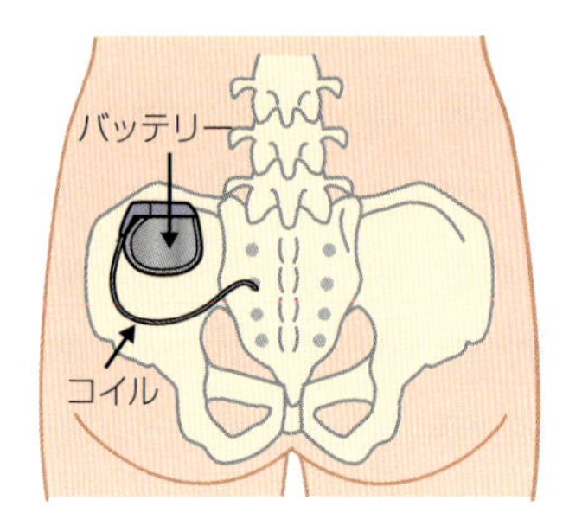

図4 仙骨神経刺激装置
(sacral neuromodulation)

仙髄（通常 S3）に電極を植込み、バッテリーで常時刺激する。

医師が合わせて２名以上配置されていること」という施設基準があります。治療回数は、「1 週間に２回まで、6 週間を限度とし算定できる。ただし、6 週間を一連とし、1 年間に２回までを限度とする」となっています。

仙骨神経変調療法（SNM）

体内電気刺激装置を仙骨孔（通常は S3）に植込み、仙髄神経根を持続的に電気刺激することにより、排尿反射を抑制する方法です。SNM は手術療法のため保存療法ではありませんが、侵襲性が高いので、保存的治療が無効であった難治性過活動膀胱（切迫性尿失禁）に保険適用があります。また、装置の植込みの適応を決定するために、通常、一時的に経皮的刺激（percutaneous nerve evaluation：PNE）でその効果を評価し、効果の期待できるものに対して永続的な植込み術を行います[2, 3]（図4）。初期のタイプでは MRI を施行できませんでしたが、最新機器では植込み術後も MRI を施行できます。

引用・参考文献

1) 日本排尿機能学会 / 日本泌尿器科学会編．過活動膀胱診療ガイドライン．第 3 版．東京，リッチヒルメディカル，2022，204p.
2) Yamanishi, T. et al. Neuromodulation for the treatment of urinary incontinence. Int J Urol. 15, 2008, 665-72.
3) Yamanishi, T. et al. Neuromodulation for the Treatment of Lower Urinary Tract Symptoms. Low Urin Tract Symptoms. 7, 2015, 121-32.
4) Yamanishi, T. et al. Multicenter, randomized, sham-controlled study on the efficacy of magnetic stimulation for women with urgency urinary incontinence. Int J Urol. 21, 2014, 395-400.

下部尿路機能障害に必要な行動療法と生活指導

コンチネンスジャパン株式会社 専務取締役 **西村 かおる**

Point

1. 排尿行為は多岐にわたり、全体の流れを確認することが重要である。
2. 生活指導にはライフスタイルの変容が必要である。
3. 行動変容は本人の目標が必要であり、具体的な方法を示しながらサポートする。
4. 下部尿路機能障害の行動療法には生活指導（life intervention）、理学療法（physical therapy）、膀胱訓練（bladder training）、計画療法（scheduled voiding regimen）、認知行動療法、リラクゼーションがある。それらを組み合わせた行動療法プログラム（behavior modification program）は効果が高いと言われている。

はじめに

普段、何気なく排尿していますが、実は非常に複雑な連続した動作であり、高い能力が必要です。正常な排尿は①尿意の知覚、②トイレ、便器の認識、③起居・移乗・移動、④衣類の着脱、⑤便器へアプローチ、⑥尿排出、⑦後始末、を連続してスムーズに行う必要があります（図1）。これら一つひとつの動作は生活上の基本となる動作であるため、それらがすべて組み合わさった排泄にしっかりかかわることは、日常生活全体に影響を及ぼします。つまり、起居、移乗、移動、更衣、保清、そして補水が適切でないと排尿もトラブルを抱えることになります。また、排泄動作を行う機能としては、判断力・認知がしっかりしていること、起居・移乗・移動動作や更衣などの運動機能が保たれていること、そして尿を溜めて出す下部尿路、つまり膀胱や尿道が正常であることが必要です。

生活指導では、排尿動作の何ができないのか、なぜできないのか、どうしたらできるようになるのかを前向きに考えていくことが大切です。また、強みを引き出し、できていることは最大に伸ばす考えも重要です。

生活のなかで当事者が実施でき、介護者も含め自己効力を感じることができる方法を一緒につくるケアが求められます。

図1 **正常な排泄動作**

一連の動作のどれか一つができなくても排泄に困難が生ずるため、流れで確認することが重要である。

行動療法（behavior therapy）とは

下部尿路機能障害にはいくつかの行動療法があります。行動療法とは、行動科学の原則に基づいて行動に治療的変容を加える試みや技法であり、対象を取り巻く条件に操作を加え、目標である適応的行動を引き出す技法、また対象の心理に指示・訓練を加えて不適応行動を是正する技法であるとされています[1)]。

下部尿路に関する具体的な行動療法としては、生活指導（life intervention）、骨盤底筋訓練（pelvic floor muscle training）を含む理学療法（physical therapy）、膀胱訓練（bladder training）、計画療法（scheduled voiding regimen）があります[2, 3)]。また、行動療法は単独でも有効ですが、種々の方法を併用することにより効果が増強されます。医療専門職による生活指導と膀胱訓練・骨盤底筋訓練を組み合わせたプログラムを行動療法プログラム（behavior modification program）と呼びます[4]。さらに不安に対して考え方を変容する認知行動療法、緊張を取り除くためのリラクゼーションもあります。実際は図2に示したようにそれぞれの症状別に指導内容が異なります。

本項では、骨盤底筋訓練を含む理学療法を除いた、行動療法と生活指導について述べます。

生活指導（life intervention）

減量

体重増加は骨盤底筋や膀胱を圧迫し、失禁の悪化要因となります。体重増加の原因は図3に示すように一つではなく、食事、運動不足、ストレス、腸内細菌叢などが関係しています。減量のためには食事日誌と生活活動日誌から現状を把握し、可能性のある行動修正を実施します。方法として食事が中心ですが、カロリーだけではなく栄養バラ

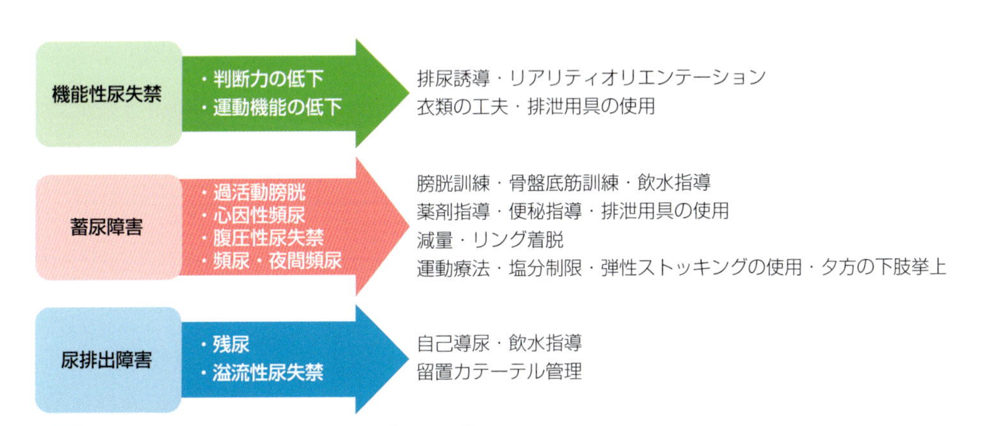

図2 下部尿路機能障害に必要な生活指導

生活指導は、機能性尿失禁、蓄尿障害、排出障害症状によって分かれる。

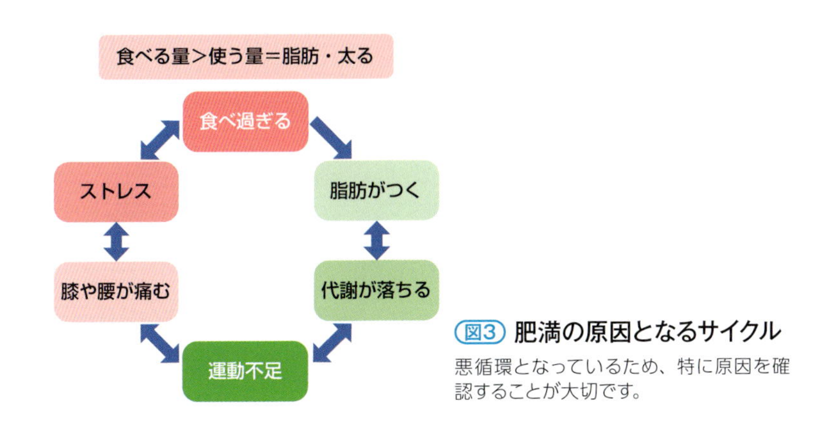

図3 肥満の原因となるサイクル

悪循環となっているため、特に原因を確認することが大切です。

ンスを考慮し、食物繊維を積極的に摂取します。また食事を楽しみながら、集中してよく噛みます。運動は体重の負荷で故障が出ないように、日常生活で実施できる筋力トレーニングやウォーキングなど“ちょこまか運動”を心がけます。急激な減量はリバウンドする可能性が高く、身体的な負担も大きいため、ライフスタイルを見直しながら、焦らず気長に継続します[5, 6]。

適切な水分摂取量（飲水指導）

失禁を気にして水分を極端に減らしたり、逆に血液をサラサラにするために過多に飲水をしていて、その結果、頻尿や尿失禁を悪化させていることもあります。血液は動脈硬化などが原因で流れが悪いため、脱水しない限り水分を多量に摂取してもサラサラにはならないことを説明し、適切な水分摂取の必要性を理解してもらいます。

具体的には、飲水量は体重（g）の2～2.5%を目安とします。例えば体重50kgの場合、50,000g × 0.02=1,000mLです。一日の排尿量では体重（kg）× 20～30mLを目安とします。例えば、体重50kgの場合、50 × 20=1,000mLです。水分摂取時間は、夜間頻尿で困っている場合は就寝3時間前に飲み終わるようにし、アルコールやカフェインといった利尿、覚醒作用のあるものは避けます[6]。

実際は尿の色で判断することが現実的で、紅茶色は脱水、透明な水のような尿は飲み過ぎ、薄い緑茶色をめざして水分摂取するように指導します[7]。

塩分制限

水分制限と合わせて、頻尿、特に夜間頻尿の患者に対する行動療法の一環として、塩分過剰摂取がある患者に対しては塩分制限が推奨されています[6]。摂取目安として、高血圧治療ガイドラインでは一日6g未満が推奨されています[8]。塩分制限の具体的方法を表1にまとめました。

表1 塩分制限の具体的方法

1. 新鮮な食材の持ち味を活かして薄味で調理する。
2. ハーブ、スパイス、果物の酸味などを利用する。
3. 低塩の酢、醤油、ケチャップやソースなどの調味料を使う。
4. 味噌汁は具たくさんにし、汁気を減らして減塩につなげる。
5. 目に見えない塩分が隠れている外食や加工食品を控える（ハムや練り物など）。
6. 塩分が多い漬け物を控える。
7. 麺類の汁は残す。
8. 味を確認してから、調味料を使う。
9. 薄味に慣れる。
10. 可能であれば、塩分計でチェックして食べる。

便秘の改善

便秘は膀胱や骨盤底筋を圧迫して、蓄尿障害を悪化させたり、前立腺肥大のある男性は尿排出障害の原因となったりします。また腸内細菌叢の悪化から肥満とも関係するので、改善が必要です。

便秘の改善の中心は下剤ではなく食事です。表2に示すように、食物繊維を積極的に摂取します。また食物繊維と同様、オリゴ糖も腸内細菌の餌となるので有効です。これらの腸内細菌の餌となるものをプレバイオティクスと呼びます。一方、プレバイオティクスを餌とする腸内細菌が含まれたものをプロバイオティクスと呼びます。具体的には発酵食品や整腸剤です。図4に示すように腸内細菌は宿主の健康にさまざまに関与していることがわかってきました。プレバイオティクスとプロバイオティクスが一緒になったシンバイオティクスが、より望まれます。下剤に頼らず、食生活を変えて腸内細菌叢を整えることが重要です[8]。

表2 食物繊維の種類と働き

食物繊維とは	ヒトの消化酵素では分解できない植物性食品の成分、不溶性繊維と水溶性繊維がある。
日本人の推奨摂取量（2020 年）	成人男性 20g／1 日以上 70 歳以上 19g／1 日以上 成人女性 18g／1 日以上 70 歳以上 18g／1 日以上 ※ 150g の便を作るには 1 日 20〜30g の食物繊維が必要と言われている。
不溶性食物繊維※	水に溶けない繊維で、水分を吸収して膨張することで腸を刺激し、排便を促す。 有害な物質を吸着して排出する。
水溶性食物繊維※	水に溶ける繊維で、便の滑りをよくし、ナトリウムを便に吸収。血圧を下げたり、 ブドウ糖の吸収を遅らせ、血糖値を下げる。

肥満改善のためにも積極的に摂取することが求められる。
※食物繊維は不溶性 2 対水溶性 1

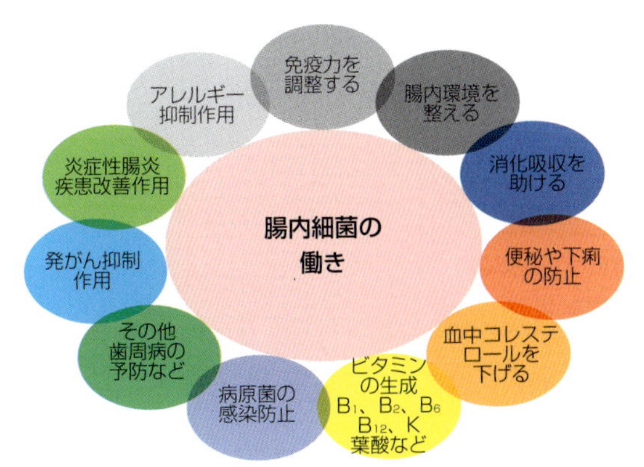

図4 腸内細菌の働き

腸内細菌はさまざまな有益な働きをしている。全身管理のために腸内細菌叢を整えることが重要である。

運動療法と弾性ストッキングの着用、下肢の挙上

運動は、肥満を改善し脂肪を減少させるという効果[4, 5]以外にも、夕方あるいは夜間における散歩、ダンベル運動、スクワットなどの運動は間質に貯留した水分を運動によるポンプ作用で血管内に戻し、また汗として対外に排出する作用があり、夜間尿量の減少に有効であるとされています。同じ効果として、8時間以上の弾性ストッキングの着用や運動時の着用、午後の下肢の挙上も推奨されています[6]。

さらに運動は、ストレス解消にもつながり睡眠障害に対しても効果があるため、夜間頻尿や便秘改善も期待できます[6]。

禁煙

喫煙は、ニコチンの膀胱収縮作用による切迫性尿失禁や、咳による腹圧性尿失禁重症度化のリスクを増大させる可能性があると報告されています[2]。タバコに依存している場合は、禁煙外来を紹介します。

膀胱訓練（bladder training）

自分でできる改善方法として膀胱訓練があります。これは、尿意をある程度がまんして膀胱を広げ、安定させる訓練です。尿はがまんすると膀胱炎を起こすため、がまんしないほうがよいと言われています。しかし実際には初発尿意は膀胱の半分ほどで感じますから、早め、早めにトイレに行く習慣をつけると、膀胱は小さくなってしまいます。早めにトイレに行く習慣をつけている場合、本当に尿が膀胱にいっぱいになって行きたくなる尿意と、何となく不安で行きたくなる尿意の見極めがつきにくくなっていますが、排尿日誌をつけてみると違いがよくわかります。実際に膀胱が尿で膨満した尿意は、下腹部の前が張るという感じで尿意を知覚します。これは起床時に感じやすい尿意です。それに対して気持ちで行きたくなる尿意は、尿道口がざわつく感じで知覚するので、がまんします。また、トイレに行くときは焦らず、がまんして尿意が落ち着いたところで行くようにします。尿意は波のようにやって来るので、数度の尿意をがまんして、限界に近づいた尿意がいったん落ち着いたところで排尿以外のことを考え、尿道を閉める骨盤底筋をしっかり締めて準備が整うまで気を抜かないようにしていくと効果的です（図5）。飲んだ量にもよりますが、ある程度がまんして3〜4時間をあけて排尿することが理想的です。

水分の取り方の工夫、そして骨盤底筋訓練も一緒に実行していきます。具体的な膀胱訓練の手順を図6に示しました[4, 7, 9]。

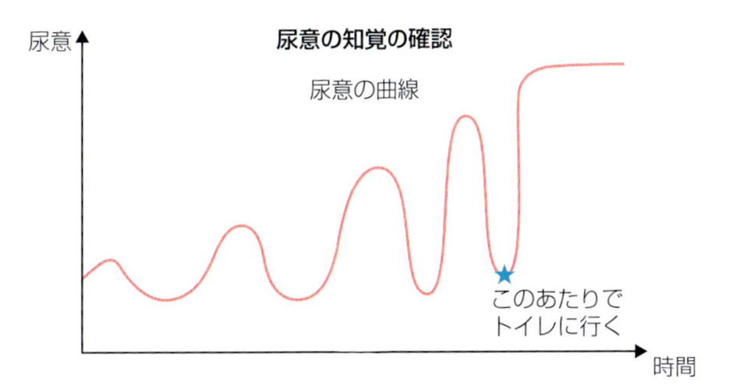

図5 尿意の知覚

強い尿意をがまんし、いったん落ち着いたときにトイレに行く。

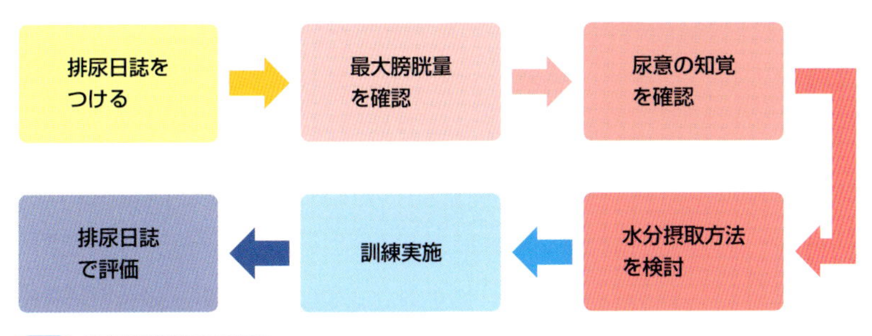

図6 膀胱訓練の手順

排尿日誌から現実的な目標を立て、尿意をがまんし、排尿日誌で評価していく。

計画療法（scheduled voiding regimens）

排尿誘導が挙げられます。排尿誘導は、自発的にトイレに行く動作が見られないときやトイレがわからないような場合に行います。排尿誘導は①排尿促進法（prompted voiding）、②習慣化排尿誘導（habit training）、③定時排尿法（timed voiding）に分類されています[10]。

排尿促進法

ある程度、尿意の自覚がある人に尿意の確認やトイレ誘導を行い、成功した場合はほめることで、失禁の改善をめざす治療法です。プロトコル通りにきちんと実践すれば、短期間で日中のおむつは外れるというエビデンスが出ています。ただし、夜間に関してはおむつが外れるとは言えません。

プロトコルを図7に示しました。誘導する人との関係がよいことや、その人がうれしいと感じるほめ方をすることが重要です。

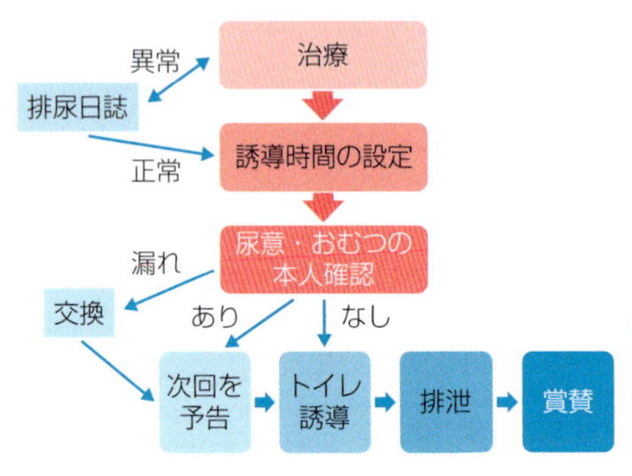

図7 排尿促進法の手順

排尿日誌から下部尿路機能に異常があるとわかったら、治療をする。正常であれば誘導時に尿意を確認して誘導する。

習慣化排尿

その人の生活習慣に合わせて、トイレに誘導する方法です。例えば、起床時、朝食後、昼食前といったように定まった習慣の前後などに決めて誘導します。この習慣に合わせてうまく排尿できる人にとってはリズムもつきますし、介護する人にとっても忘れることなく実行できます。しかし、習慣の時間がずれたり、あるいはこのタイミングに合わない膀胱機能を持っている場合は失敗してしまうことになります。個人の生活習慣に合わせることが大切なので、家庭やグループホームなど少人数で対応可能な環境が必要です。

定時排尿

ケア側が一定の時間を設定して、トイレに誘導する方法です。例えば、2時間おきなどの時間設定で誘導します。本人が尿意を訴えない場合や、時間をあけると漏れてしまうような場合は有効です。

このように排尿誘導といっても、目的と対象者が異なるため、各方法を理解して誘導を行えると双方にとって負担がありません。ただ、どの方法が的確かを見極めるためには排尿日誌をつけることが必要です。

リラクゼーション

緊張すると尿意を催すことが多い場合、リラクゼーションが必要です。その場でできる方法として、腹式呼吸があります。できるだけ長くゆっくり、脱力とともに息を吐くことで副交感神経を優位にすることができます。緊張下でも実行できるように、普段からリラックスしているときに練習し、体得しておくことが必要です。

また、身体の緊張を解くために、逆に全身に力を込めてから脱力する方法も、その場でできるリラクゼーションの一つです（図8）。

図8 脱力による緊張緩和

全身に力を入れ、息を吐きながら力を抜くことで緊張を緩和する。

否定的な考えを肯定的に考え直すためのキーワード

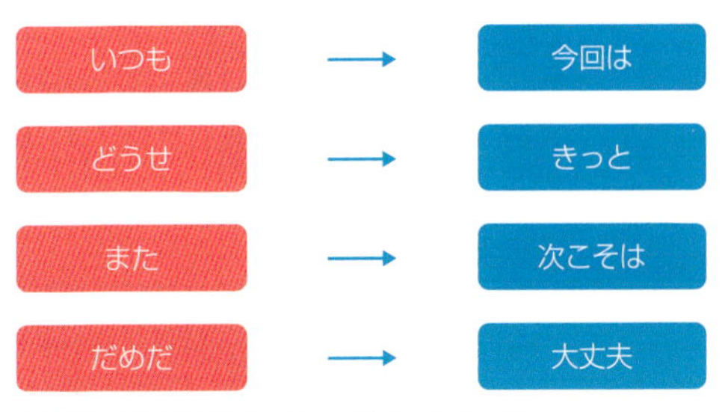

図9 認知行動療法の考え方の例

否定的な言葉を肯定的に変えることで、感情の混乱を避ける。

認知行動療法

思考は感情や行動に影響を与え、悪い方向に偏った考え方は悲観的な感情や行動につながります。そこで、考え方を修正することで感情を改善するのが、認知行動療法です[7]。具体的には、漏れを心配するあまり不安で頻尿になっていたり、行動制限がある場合に実施します。否定的な考え方のパターンがあることに気づき、肯定的な考え方ができるように再学習していきます。キーワードの例を図9に示します[11]。

まとめ

生活指導は指導者の目標設定ではなく、患者自身の目標設定が基本です。モチベーションおよび自己効力感をもつことができるように、指導者は具体的な方法を引き出し、サポーターであることを自覚してかかわることが求められています。また指導者自身がモデルとなれるよう、日々の生活で指導内容を実施することも大切です。

引用・参考文献

1) 後藤稠ほか編. 最新医学大事典. 東京, 医歯薬出版, 1987, 461.
2) 日本排尿機能学会 / 日本泌尿器科学会編. “行動療法”. 女性下部尿路症状診療ガイドライン 第 2 版. 東京, リッチヒルメディカル, 2019, 122-8.
3) 谷口珠実. “行動療法”. 失禁ケアガイダンス. 田中秀子ほか監. 東京, 日本看護協会出版会, 2007, 249-59.
4) 日本排尿機能学会 / 日本泌尿器科学会編. “行動療法”. 過活動膀胱診療ガイドライン 第 3 版. 東京, リッチヒルメディカル, 2022, 174-82.
5) 大野誠ほか. “運動療法の進め方”. 肥満症の生活指導：行動変容のための実践ガイド. 東京, 医歯薬出版, 2011, 128-48.
6) 日本排尿機能学会 / 日本泌尿器科学会編. “多尿、夜間多尿”. 夜間頻尿診療ガイドライン. 第 2 版. 東京, リッチヒルメディカル, 2020, 130-4.
7) 西村かおる. “課題発見とスキルアップのための 70 講”. 新・排泄ケアワークブック. 東京, 中央法規出版, 2018, 152-7.
8) 日本高血圧学会高血圧治療ガイドライン作成委員会編. “CQ4：高血圧患者における減塩目標 6g/ 日未満は推奨されるか？” 高血圧治療ガイドライン. 東京, ライフサイエンス出版, 2019, 71-4.
9) 光岡知足編. プロバイオティクス・プレバイオティクス・バイオジェニックス. 東京, 日本ビフィズス菌センター, 2006, 98-102.
10) 前掲書 2). “行動療法”. 134-6.
11) デビッド・D. バーンズほか. いやな気分よさようなら. 東京, 星和書店, 2013, 488p.

理学療法
（骨盤底筋訓練・バイオフィードバック療法）

名古屋大学大学院 医学系研究科 総合保健学専攻 予防・リハビリテーション科学 助教　**井上倫恵**

Point

1. 下部尿路機能障害を改善させるためには、単なる筋力強化だけでなく、骨盤底筋群をタイミングよく使えるように練習することが必要である。
2. 患者が訓練を継続できるように、医療従事者が定期的に評価を行い、適切な訓練方法を指導することが重要である。
3. 骨盤底筋群の最大筋力が著しく低下しているような症例に対しては、バイオフィードバック療法が有用である可能性がある。

はじめに

2019年に日本排尿機能学会および日本泌尿器科学会より発表された『女性下部尿路症状診療ガイドライン 第2版』では、尿失禁に対する理学療法として骨盤底筋訓練が推奨グレードA（行うよう強く勧められる）、バイオフィードバック療法が推奨グレードB（行うよう勧められる）と紹介されており、これらの治療方法の有効性が示されています[1]。本項では、下部尿路機能障害に対する骨盤底筋訓練およびバイオフィードバック療法の実際とこれまでに得られているエビデンスについて紹介します。

骨盤底筋訓練の実際

骨盤底筋群をイメージする

骨盤底筋訓練の指導を行う際には、まず骨盤底筋群の位置や機能を正しく理解してもらう必要があります。骨盤底筋群の位置は理解が得られにくいため、パンフレットや模型を使用し、実際に患者自身に恥骨や尾骨、坐骨などに触れてもらい、自身の身体における骨盤底筋群の位置をイメージしてもらうようにします。また、骨盤底筋群が骨盤内の臓器を支え、排尿や排便にかかわっている大切な筋肉であること、妊娠や出産、加齢、手術による損傷などで骨盤底筋群が脆弱化すると尿失禁などの下部尿路機能障害が引き起こされること、骨盤底筋群は随意的に動かすことができる筋肉であり、筋力強化により症状の改善を図ることができることなどを指導します。

正しい収縮方法の習得

骨盤底筋群の収縮方法を口頭で指導する際には、収縮方法をイメージしやすくするために「お小水やおならをがまんするときのように」「膣を引き締めて身体の中に引き上げるように」「便を肛門で切るときのように」「ペニスを短くするように」など、具体的な表現を用いるようにします。排尿中に実際に排尿を止める練習は残尿を増やす可能性があるため、行わないように注意します。また、膣と肛門の間にある会陰体を触診することにより、収縮が正しい方向に行えているかどうか間接的に確認することができます。収縮方法が正しく行えていれば、会陰体は頭前方に吸い上げられる方向に動きますが、収縮方法が間違っており、いきみなどがみられると会陰体は尾側に押し下げられる方向に動きます。

骨盤底筋群を収縮させる際に起こりやすい代償運動として、外腹斜筋、腹直筋、臀筋群、股関節内転筋群の収縮が挙げられます。これらの筋が誤って過剰に収縮してしまわないよう、体表面からの触診により患者に注意を促します。患者自身に上腹部や臀部を触診してもらうこともよい方法です。

ただし、下腹部の深層に位置する腹横筋は骨盤底筋群と共同収縮する筋であるため、骨盤底筋群の随意収縮時には腹横筋が共同収縮し得るということを念頭に置いておく必要があります。また、骨盤底筋群の弛緩が不十分なまま骨盤底筋訓練を行うと、十分に筋を収縮することができず、収縮感覚が得られにくくなるため、骨盤底筋群の収縮のみならず弛緩についても十分に練習するようにしましょう。

呼吸方法・訓練プログラム

骨盤底筋訓練を行う際の呼吸方法について、収縮中に息を止めてしまう患者が多く見受けられますが、息を止めないように気をつけます。息を吐きながら、あるいは自然呼吸に合わせて収縮させるよう指導します。cine MRIを用いた先行研究では、呼気の際には横隔膜と骨盤底は頭側に、吸気の際には横隔膜と骨盤底は尾側に連動して動くことが報告されています[2)]。呼吸をしながら収縮させることが難しい場合には、声に出して数を数えながら収縮させるのもよい方法です。全身を緊張させてしまう場合や骨盤底筋群の弛緩が不十分である場合には、腹式呼吸などを行うことにより十分にリラックスした状態にしてから骨盤底筋訓練を行うようにします。

訓練プログラムは速筋線維および遅筋線維の両方が強化できるように、瞬発的な収縮と持続的な収縮とを組み合わせたプログラムとします。患者の骨盤底機能や生活スタイルなども加味したうえで、個々の患者に合わせて実施可能なプログラムを提案し、1日のうちで数回に分けて原則として毎日実施してもらいます。訓練を実施する際の姿勢については、仰臥位、仰臥位で臀部を挙上させるブリッジの姿勢、側臥位、四つ這いの姿勢、坐位、立位などさまざまな姿勢で行うようにします。難易度としては、重力の補助があるブリッジの姿勢や頭を低くした四つ這いの姿勢が最も負荷が小さく、次いで除重力位である仰臥位および側臥位、最も負荷が大きくなるのは抗重力位である坐位、立位の順です。肢位の工夫により、患者の筋力に合わせて訓練の負荷量を調整することができます。どの姿勢で行うのが最も収縮感覚が得られやすいか、どの姿勢なら日常生活の中に取り入れやすいか、患者に確認することもよいでしょう。

さらに、くしゃみ、咳、重い物を持ち上げるなど、腹圧の増大により尿失禁が誘発されるような動作を行う直前から動作中にかけて、意識的に骨盤底筋群を収縮させる習慣をつけるように指導します。このような習慣を身につけることで、骨盤底筋訓練を始めて1週間の早期の段階で尿失禁が軽減されると報告されています[3)]。また、尿意切迫感を感じたときに骨盤底筋群の収縮と弛緩を繰り返すことにより、尿意切迫感を抑えることができるといわれています。単に骨盤底筋群の筋力強化を図るだけでなく、骨盤底筋群をタイミングよく使えるように練習することも下部尿路機能障害を改善させるうえで重要です。

医療従事者による評価・指導の重要性

骨盤底筋訓練を始めてから尿失禁改善効果が出現するまでには3ヵ月は必要である[4)]とされていますが、我流で骨盤底筋訓練を行っている場合には、訓練方法が合っているのか否かわからず、効果が出現する前に訓練を止めてしまう患者も多く見受けられます。一方、医療従事者による指導がない、もしくはほとんどない場合と比較して、医療従事者による定期的な指導があったほうが自覚的な尿失禁症状の改善が良好であることが報告されています[5)]。このことからも、患者が適切な方法で訓練を継続できるように、医療従事者が定期的に尿失禁症状や骨盤底機能の評価を行ったうえで、適切な訓練方法を指導することの重要性がうかがえます。

骨盤底筋訓練のエビデンス

骨盤底筋訓練は骨盤底筋群の筋力増強を促し、尿失禁症状を改善させ、QOLを向上させることが報告されています[4,6]。骨盤底筋訓練はコクランシステマティックレビューにおいて腹圧性尿失禁に対する治療の第一選択肢として推奨されると報告[4]されているほか、『女性下部尿路症状診療ガイドライン 第2版』においても推奨グレードA（行うよう強く勧められる）として紹介されています[1]。また、高齢女性の腹圧性尿失禁を対象とした場合にも有効であることが報告されています[7]。妊婦または産後の女性を対象とした骨盤底筋訓練は、尿失禁のある女性においては悪化に対する予防効果がある一方、尿失禁のない女性も含めた場合には対照群に対する優越性がみられないという報告もあることから、『女性下部尿路症状診療ガイドライン 第2版』においては推奨グレードB（行うよう勧められる）として紹介されています[1]。さらに、前立腺全摘除術後の男性尿失禁患者に対する経会陰超音波を用いた術前からの骨盤底筋訓練は、早期尿禁制獲得を促進することが明らかになっています[8]。

Sapsfordらは、尿禁制が保たれている女性において腹横筋と骨盤底筋群は共同収縮すること[9]、腹横筋の収縮により尿道内圧が上昇すること[10]、腹横筋の収縮により尿流を途絶することができること[11]を明らかにしています。骨盤底筋訓練に腹横筋訓練を併用することによる加算効果を検証した無作為化比較対照試験では、骨盤底筋訓練単独と比較して骨盤底筋訓練に腹横筋訓練を併用した群では、収縮時膣圧の変化量が有意に高値であったが、そのほかのすべての評価指標において有意差は認められなかったと報告しています[12]。コクランシステマティックレビューでは、収縮時膣圧は腹圧により影響を受ける可能性があることや、医療従事者からより多くの注意を向けられることが交絡因子となっている可能性があることから、この結果を、骨盤底筋訓練に腹横筋訓練に併用することによる加算効果と解釈することは困難であると指摘しています[5]。以上のことより、骨盤底筋訓練に腹横筋訓練を併用することによる有効性はいまだ明らかになっていないといえます。

バイオフィードバック療法の実際

患者のなかには、骨盤底筋群の収縮感覚が低下しており、経膣触診や体表面からの触診を実施されても収縮感覚が得られにくい場合があります。そのような場合に有用であるのが、バイオフィードバック療法です。バイオフィードバック療法では、膣内圧計や筋電図（図）などを用いることにより、骨盤底筋群の収縮を触覚、視覚、あるいは聴覚を利用して確認しながら骨盤底筋訓練を行います。

膣内圧計を用いたバイオフィードバック療法では、膣内に筒状の圧センサーを挿入し、表示された膣内圧が目標値に達するように、視覚的に確認しながら骨盤底筋群を収縮させます。

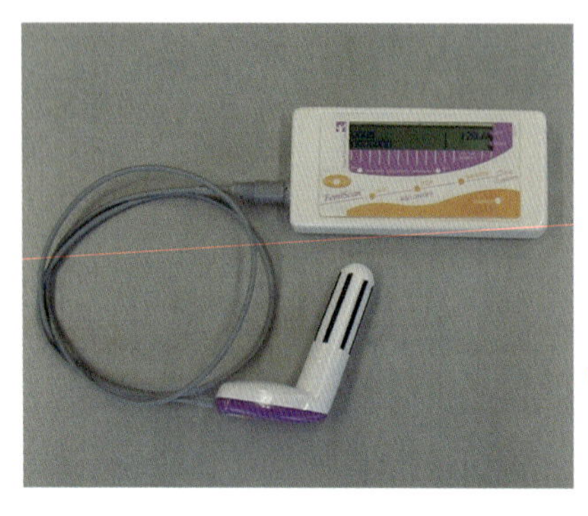

図 クリニック用筋電図バイオフィードバック機器
（画像提供：株式会社メディカル・タスクフォース）

筋電図を用いたバイオフィードバック療法では、電極がついたプローブを腟内に挿入することにより骨盤底筋群の筋電図波形を導出します。パソコンのモニター上にはあらかじめガイド波形が表示されており、患者はリアルタイムに表示される自身の筋電図波形を確認することにより、骨盤底筋群の収縮を視覚的に確認することができます。また、収縮時間、収縮回数、目標値など、各パラメータを変更することができるため、独自のプログラムを作成することが可能です。

バイオフィードバック療法のエビデンス

バイオフィードバック療法は骨盤底筋群の筋力増強を促し、尿失禁症状を改善させ、QOLを向上させることが報告されており[6,13]、『女性下部尿路症状診療ガイドライン 第2版』において推奨グレードB（行うよう勧められる）として紹介されています[1]。わが国において行われた腹圧性尿失禁に対する骨盤底筋訓練と筋電図を用いたバイオフィードバック療法の無作為化比較対照試験では、骨盤底筋訓練にバイオフィードバック療法を併用することによる加算効果は認められなかったと報告しています[6]。この結果は、群間でプログラムが統一されている場合にはバイオフィードバック療法の加算効果は認められなかったとする、コクランシステマティックレビューのサブグループ解析の結果と同様の傾向を示しています[6,13]。しかし、初期評価時における骨盤底筋群の最大筋力が著しく低値であったものを対象としてサブグループ解析を実施したところ、骨盤底筋訓練にバイオフィードバック療法を併用した群のほうが介入後の筋力増強が大きい傾向を示しました[6]。このことから、骨盤底筋群の最大筋力が著しく低下しているような症例に対しては、バイオフィードバック療法が有用である可能性が推測されます。

おわりに

尿失禁などの下部尿路機能障害に対する骨盤底筋訓練やバイオフィードバック療法といった理学療法は患者のQOLを向上させる有効な治療方法です。2016年度に「排尿自立指導料」が新設されたことにより、下部尿路機能障害患者に対して、看護師や理学療法士などの医療従事者が骨盤底筋訓練やバイオフィードバック療法を指導する機会が増えてきました。医療従事者が尿失禁症状や骨盤底機能を正しく評価し、その結果にもとづき適切な治療を提供することができれば、より多くの下部尿路機能障害患者のQOL向上に寄与できるものと考えられます。診療報酬改定を契機に、より一層、下部尿路機能障害に対する理学療法の普及が促進されることを願っています。

引用・参考文献

1) 日本排尿機能学会 / 日本泌尿器科学会編. 女性下部尿路症状診療ガイドライン 第2版. リッチヒルメディカル, 東京, 2019, 128-34.
2) Talasz, H. et al. Phase-locked parallel movement of diaphragm and pelvic floor during breathing and coughing-a dynamic MRI investigation in healthy females. Int Urogynecol J. 22, 2011, 61-8.
3) Miller, JM. et al. A pelvic muscle precontraction can reduce cough-related urine loss in selected women with mild SUI. J Am Geriatr Soc. 46, 1998, 870-4.
4) Dumoulin, C. et al. Pelvic floor muscle training versus no treatment, or inactive control treatments, for urinary incontinence in women. Cochrane Database Syst Rev. CD005654, 2010.
5) Hay-Smith, EJ. et al. Comparisons of approaches to pelvic floor muscle training for urinary incontinence in women. Cochrane Database Syst Rev. CD009508, 2011.
6) Hirakawa, T. et al. Randomized controlled trial of pelvic floor muscle training with or without biofeedback for urinary incontinence. Int Urogynecol J. 24, 2013, 1347-54.
7) Sherburn, M. et al. Incontinence improves in older women after intensive pelvic floor muscle training : an assessor-blinded randomized controlled trial. Neurourol Urodyn. 30, 2011, 317-24.
8) Yoshida, M. et al. May perioperative ultrasound-guided pelvic floor muscle training promote early recovery of urinary continence after robot-assisted radical prostatectomy? Neurourol Urodyn. 38, 2019, 158-64.
9) Sapsford, RR. et al. Contraction of the pelvic floor muscles during abdominal maneuvers. Arch Phys Med Rehabil. 82, 2001, 1081-8.
10) Sapsford, RR. et al. The effect of abdominal and pelvic floor muscle activation patterns on urethral pressure. World J Urol. 31, 2013, 639-44.
11) Sapsford, RR. The effect of abdominal and pelvic floor muscle activation on urine flow in women. Int Urogynecol J. 23, 2012, 1225-30.
12) Sriboonreung, T. et al. Effectiveness of pelvic floor muscle training in incontinent women at Maharaj Nakorn Chiang Mai Hospital : a randomized controlled trial. J Med Assoc Thai. 94, 2011, 1-7.
13) Herderschee, R. et al. Feedback or biofeedback to augment pelvic floor muscle training for urinary incontinence in women. Cochrane Database Syst Rev. CD009252, 2011.

清潔間欠自己導尿管理

山梨大学大学院総合研究部医学域排泄看護学 非常勤講師　**田中純子**

Point

1. 清潔間欠自己導尿（clean intermittent catheterization：CIC）とは、定時的に患者（または家族）が、素手で尿道からカテーテルを挿入し、膀胱内の尿を排出する排尿方法のことを言う。
2. CIC は、患者がトイレで実施することができるため、手技を習得することで社会復帰が可能になる。
3. CIC の導入は、下部尿路機能の評価に加え、身体能力や認知機能、精神的状況、患者を取り巻く環境について情報収集を行い、患者や家族と話し合ったうえで検討する。
4. CIC の回数と実施時間は、個々の患者の膀胱容量と膀胱コンプライアンスの状態、生活時間を考慮して設定する。
5. CIC の指導時は、患者自身が主体的に取り組むことができるよう支援することが重要である。

清潔間欠自己導尿の原理

CIC は、1972 年に Lapides によって提唱された排尿方法です。Lapides は、重篤な尿路感染症を予防するためには、CIC による頻回かつ完全な尿排出が最も重要であり、カテーテルの無菌操作は不要であることを実証しました。

毎日、定時的に患者（または家族）が、素手で尿道からカテーテルを挿入し、膀胱内の尿を排出するのが、CIC の原則です（図1）。膀胱は、CIC によって繰り返し導尿を行うことにより、自然に排尿をしているときと同様に、蓄尿による「弛緩」と排尿による「収縮」を繰り返すことができます。症例によっては、繰り返される「弛緩」と「収縮」の動きにより、いったん低下した排尿機能の回復も期待できます。

導尿を行わず、膀胱内に大量の尿が溜まってしまうと、膀胱壁は過伸展をきたします。過伸展が続いた膀胱壁は、血流が低下し感染しやすい状態に陥ります。膀胱内に多少の細菌が侵入しても、残尿なく排尿するか、カテーテルによって細菌尿を排出すれば、膀胱内で細菌が増殖し感染症を引き起こす前に、細菌を体外に排出してしまうことが可能

導尿の方法

①手を洗う。またはウエットティッシュや清浄綿で手を拭く。

②衣類や下着を下げ、導尿しやすい姿勢を取る。

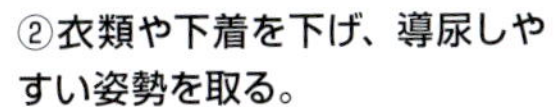

③尿の出口（尿道口）を清浄綿で拭く。

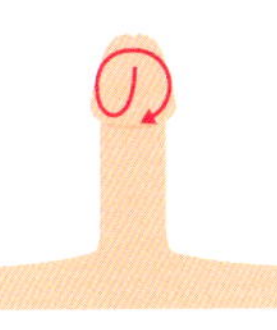

男性：片手で陰茎を持ち、もう一方の手で中心から「の」の字を書くように、洗浄綿で尿道口を拭く。

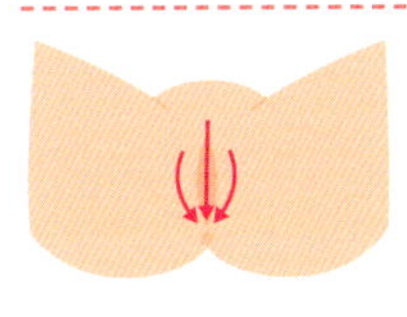

女性：片方の手で陰唇を広げ、もう一方の手で前から後ろに向けて洗浄綿で尿道口を拭く。

④カテーテルを準備する（必要な場合は潤滑剤を用いる）。

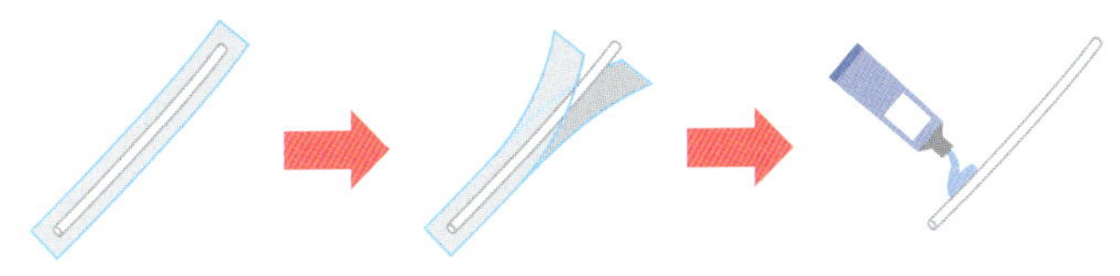

⑤カテーテルを尿道口に挿入する。
※尿道口に痛みがある場合には、尿道口部分に潤滑剤を塗ってからカテーテルを挿入する。

男性：片手で陰茎を持ち、もう一方の手で鉛筆を持つようにカテーテルを持ち、尿道口に挿入する。

※尿道内に痛みがある場合には陰茎（尿道）を持ち上げるようにし、ゆっくりカテーテルを挿入する。排尿することを思い浮かべ、力を抜いて深呼吸をしながらカテーテルを挿入する。

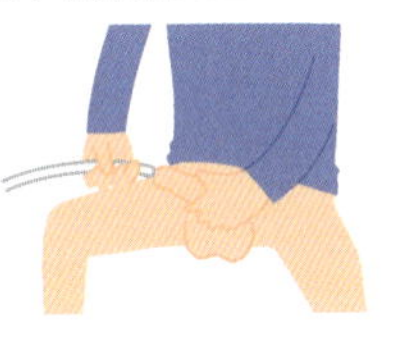

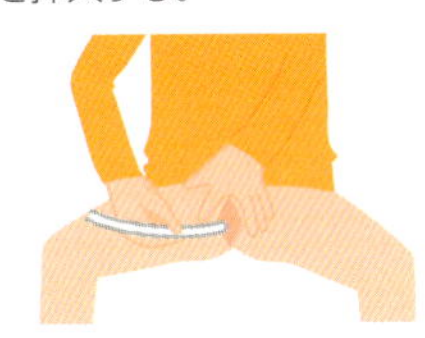

女性：片手で陰唇を広げ、もう一方の手で鉛筆を持つようにカテーテルを持ち、尿道口に挿入する。

⑥尿が出終わったらカテーテルをゆっくりと引いていき、尿を完全に出し切ってからカテーテルを抜く。

⑦再利用型のカテーテルの場合は、水道水で洗浄し消毒液の入ったケースに戻す。
※消毒液は1日1回交換する。

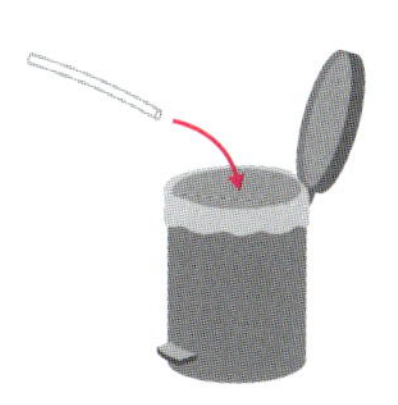

※使い捨てのカテーテルの場合は、不燃ごみとして廃棄する。

図1 CIC の実際

表1 CIC のメリットとデメリット

メリット	デメリット
①膀胱機能や腎機能を保護できる。 ②膀胱機能が回復する可能性がある。 ③排出障害による頻尿や尿失禁が改善できる。 ④体動制限がない。 ⑤尿閉を自己解除できる。 ⑥社会生活に復帰することが可能である。	①カテーテル挿入に伴うトラブル（出血や疼痛など）が起こる可能性がある。 ②時間的、空間的制約を受ける。 ③ CIC に必要な物品を携帯しなくてはならない。 ④経済的に負担がかかる。

です。膀胱内に細菌尿が溜まったままの状態が続くと、細菌数は時間を追って増殖し、重篤な感染症を引き起こす危険性があるので注意が必要です。また、排出障害のために膀胱内の圧力が上昇し膀胱尿管逆流が引き起こされた場合、細菌尿の逆流によって急性腎盂腎炎や敗血症を発症することもあります。

通常、排尿のとき以外は、膀胱内の圧力が高くなることはありません。しかし、排出障害を伴う場合、膀胱内には許容量を超えた大量の尿が溜まり続けます。そのため、許容量の大きな膀胱であれば低圧を維持することができますが、許容量の小さな膀胱では、尿の膀胱尿管逆流や水腎症、腎機能障害が引き起こされる可能性があります。CIC を導入することで、これらの排出障害に伴うリスクを回避することができます。

CIC は手技を獲得できれば、患者自身がトイレで簡単に実施することができるため、患者の社会復帰も可能です。ただし、カテーテルの挿入に伴う出血などのトラブル、繰り返し導尿を行わなければならないために生じる制約など、デメリットがあることも事実です。CIC の導入を検討する場合には、これらのメリットやデメリットについて、患者や家族と話し合っておくことが重要です（表1）。

CIC を導入する最大の目的は、排出障害を有する患者やその家族の生活の質（quality of life：QOL）の向上にあります。尿を体外に排出する方法としては、尿道カテーテルの留置や膀胱瘻の造設など、ほかの方法も考えられます。CIC を導入することで得られるメリットによって、患者の QOL の向上が導かれる可能性があるかどうかをアセスメントすることが求められます。

清潔間欠自己導尿の適応

脊髄疾患、糖尿病や骨盤内臓器の手術などに伴う末梢系障害による神経因性膀胱、前立腺肥大症などを伴う下部尿路閉塞、膀胱拡大術や新膀胱造設術による尿排出障害など、膀胱内の尿を自然排尿によって排出することが困難な場合に CIC の導入が考慮されます。臨床的には、100mL 以上の残尿が認められた場合に CIC の導入が検討されますが、残

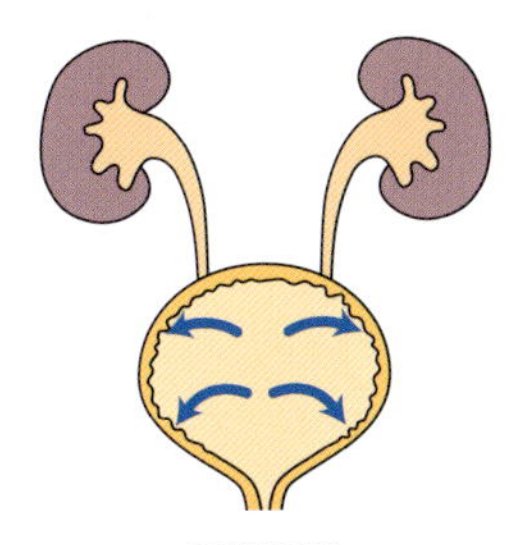

正常膀胱
蓄尿量に応じて膀胱は伸展し、低圧を維持することができる。

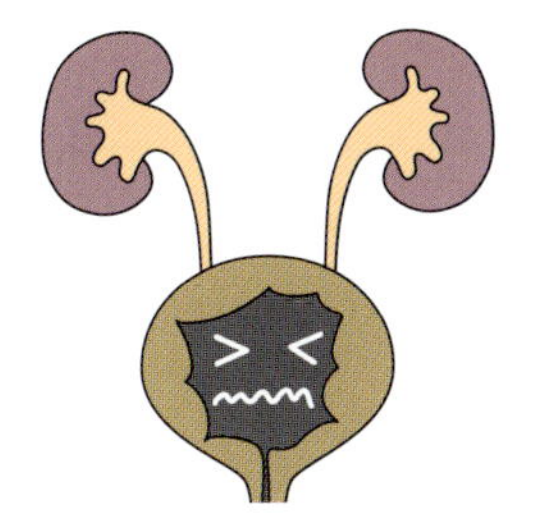

高圧膀胱（低コンプライアンス膀胱）
蓄尿時に膀胱が十分に伸展せず、膀胱内の圧力が上昇する（目安として、膀胱内圧測定により 20mL/cmH_2O 以下のもの）。

図2 膀胱コンプライアンス

尿が 100mL 以上あったとしても必ずしも CIC が必要になるとは限りません。たとえ 100mL 以上の残尿が認められても、膀胱が低圧のまま蓄尿でき自然排尿が可能であれば、CIC を導入せずに薬物療法で様子をみることもあります。逆に、膀胱容量が小さく、蓄尿時に膀胱内圧が上昇してしまう低コンプライアンス膀胱の場合は、膀胱尿管逆流や水腎症を併発する前に CIC の早期導入が検討されます（図2）。

しかし、CIC の手技を習得し、在宅で安全に継続していくためには、患者がカテーテルを把持するための手指の機能や CIC を行うときの姿勢を保持する筋力、CIC の方法を理解するための認知機能などが必要です。また、CIC を継続できる時間や場所を確保できるか、経済的負担を担うことができるか、支援が必要な場合は家族や介護者の状況も考慮する必要があります。そして、CIC の導入を検討する際に何よりも重要なことは、CIC を導入することによって、患者や家族の QOL が向上する可能性があるか、患者や家族が CIC に希望をもって取り組むことが可能か、という視点でアセスメントをすることです。

患者の下部尿路機能の評価に加え、身体能力や認知機能、精神的状況、患者を取り巻く環境について情報収集を行い、患者や家族と話し合ったうえで、CIC の導入を検討します。

清潔間欠自己導尿のセルフケア指導

患者が CIC の手技を習得するためには、セルフケア指導が欠かせません。個々の患者の身体能力や認知機能、ライフスタイルなどをアセスメントしたうえで指導を開始します。

必要物品

CIC の必要物品を図3に示します。カテーテルは、通常 12Fr または 14Fr を使用します。大別すると、消毒液が入った専用容器にカテーテルを保管して繰り返し使用する再利用型と、導尿したら廃棄する使い捨て型の２種類があります。（図4図5）使い捨て型は、洗浄や消毒の手間はありませんが、導尿回数分のカテーテルを携帯しなくてはいけません。また、男性の場合は、汚物入れが設置されている公衆トイレは少ないため、使用済みのカテーテルを持ち帰らなくてはならないことも多いのが実状です。再利用型は、携帯するのは専用容器に入ったカテーテル１本のみですが、導尿後にカテーテルを水道水で洗浄してから専用容器に入れたり、消毒液を毎日交換したりする手間がかかります。

再利用型のカテーテルは繰り返し使用するため、耐久性の高いやや硬めのシリコン製の材質になっています。使い捨て型は、塩化ビニール製でやや柔らかいものと、親水性

図3 CIC の必要物品

セフティカテ
（画像提供：クリエートメディック）

セフティカテ ファストキャス
（画像提供：クリエートメディック）

ピュールキャス
（画像提供：クリエートメディック）

図4 再利用型カテーテル

親水性コーティングなし

サフィード® ネラトンカテーテル
（画像提供：テルモ）

親水性コーティングあり

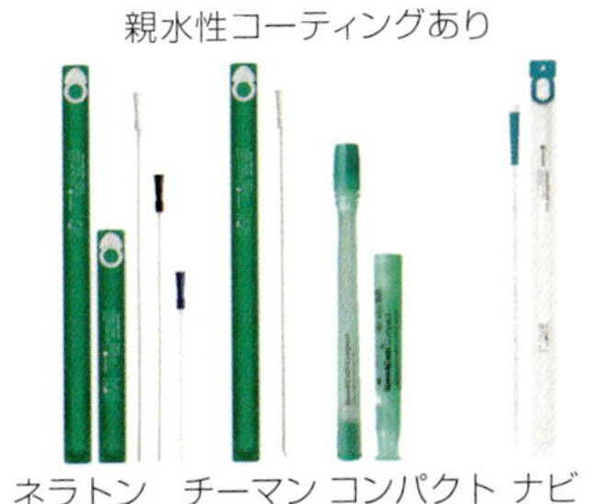

スピーディカテ®
（画像提供：コロプラスト）

MAGIC3 GO™間欠導尿カテーテル
（画像提供：メディコン）

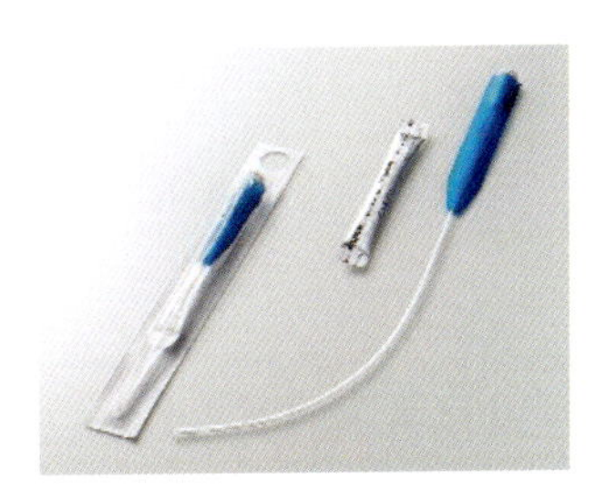

RUSCHフロー キャスクイック
（画像提供：クリエートメディック）

図5 使い捨て型カテーテル

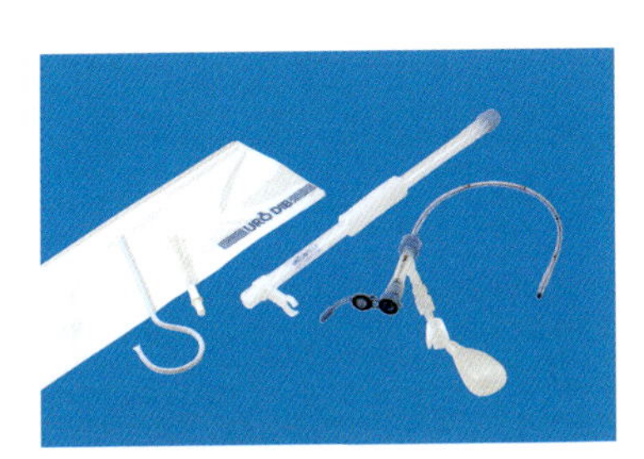

図6 間欠式バルーンカテーテル
（画像提供：ディヴインターナショナル）

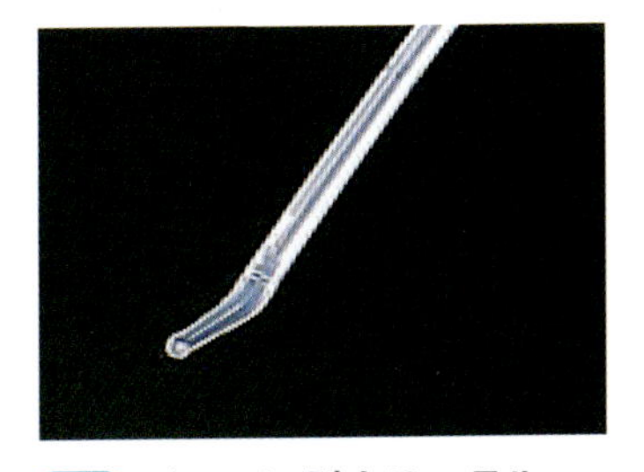

図7 チーマン型カテーテル
（画像提供：クリエートメディック）

コーティングされたやや硬めのカテーテルがあります。そのほかに、夜間多尿で夜中に何度もCICが必要な場合や、旅行で自由にCICを行えないことが想定される場合に、自分でカテーテルを留置したり外したりできる間欠式バルーンカテーテル®も、大変便利な製品です（図6）。また、前立腺肥大症を伴う場合は、カテーテルの先端が硬く尖った形状のチーマン型自己導尿カテーテルを使用すると、カテーテルが挿入しやすいことがあります（図7）。

このようにCICのためのカテーテルには、特徴のある製品が多々ありますが、製品の特徴によって医療費の保険点数が異なるため、患者の経済的な状況を考慮して選択す

表2 CICの保険算定

在宅自己導尿指導管理料		1,400点
特殊カテーテル加算		
・再利用型		400点
・非親水性使い捨て型		1,000点
・親水性使い捨て型	月60〜90本	1,700点
	月90〜120本	1,900点
	月120本	2,100点
・間欠式バルーンカテーテル		1,000点

る必要があります。表2にあるように、使い捨て型を使用する場合は、再利用型を使用する場合よりも自己負担額が高くなります。脊髄損傷患者などの1級障害者以外では、自己負担額が高くなります。また、親水性コーティングされたカテーテルはコーティングのないカテーテルよりも保険算定額は高額となります。1級障害者以外では、患者の自己負担額も大きくなります。

CICの回数と実施時間の設定

CICの回数と実施時間は、個々の患者の膀胱容量と膀胱コンプライアンスの状態、生活時間を考慮して設定します。膀胱内圧が上昇し続けると、膀胱内の尿が尿管を逆流し水腎症や腎盂腎炎を引き起こす要因になります。膀胱を低圧に維持するために、膀胱内圧が上昇する前に導尿をして尿を排出することが大切です。残尿が大量にあっても膀胱が低圧を維持できる状態であれば、CICの回数や実施時間は、患者の生活時間に合わせて柔軟に設定することが可能です。一方、低コンプライアンス膀胱の場合、膀胱内圧の上昇によって水腎症などが引き起こされる危険性があるので、CICの回数や実施時間には厳重な管理が必要になります。

高コンプライアンスで膀胱容量が300〜400mL程度の成人患者を例に、CICの回数と実施時間を図8に示しました。1日の排尿量を300mLで割ると、1日に必要なCICの回数がわかります。いつCICを実施するかについては、患者の生活時間やCICが可能な時間帯を考慮し、患者と話し合って決めます。実際に、決められた時間にCICを行ってもらい、1回ごとの時間と導尿量（自然排尿がある場合は、排尿量と導尿量を足す）を記録します。1回の導尿量が300mL程度になるように、患者と話し合いながら実施可能なCICのスケジュールを決めていきます。

カテーテルの挿入方法の指導

CICのセルフケア指導で、最も難しいのはカテーテルの挿入方法の指導です。男性は、尿道が長く前立腺があるため、尿道に強い痛みやカテーテルの挿入のしにくさを感じる

図8 CICの回数と実施時間

ことが少なくありません。一方、女性は腟と尿道口の位置が近いため、カテーテルを誤って腟に挿入してしまうことがあります。これらの課題を乗り越え、CICの手技を習得できるよう患者をサポートしていきます。

男性患者

尿道をまっすぐに伸ばすイメージで、陰茎を上方に向けて引っ張りながら、潤滑剤を十分につけてゆっくりカテーテルを挿入していきます。カテーテルが、尿道球部と前立腺部まで届くと抵抗（挿入しにくさ）を感じるため、深呼吸をして体の力を抜いてから、さらにカテーテルを深く挿入していくようアドバイスします。ただし、無理にカテーテルを挿入すると、前立腺部から出血をしたり、尿道損傷を引き起こしたりする可能性があるため注意が必要です（図9）。

女性患者

腟へのカテ―テルの誤挿入を避けるためには、尿道口と腟の位置の違いを患者に理解してもらうことが必要です。指導時は、最初に腟の位置を患者に確認してもらいます。患者の指で実際に腟に触れてもらい、腟の位置を理解してもらいます。次に、指導者が尿道口にカテーテルを挿入し、患者にカテーテルが挿入された尿道口を指で触ってもらいます。両者を繰り返し指で触ってもらうことにより、患者は尿道口の位置を正しく理解し、鏡を用いることなく容易にカテーテルを尿道口に挿入できるようになります（図10）。

CICのセルフケア指導のポイント

CICでは、厳重なカテーテルの無菌操作よりも、頻回かつ完全な尿排出が優先されます。

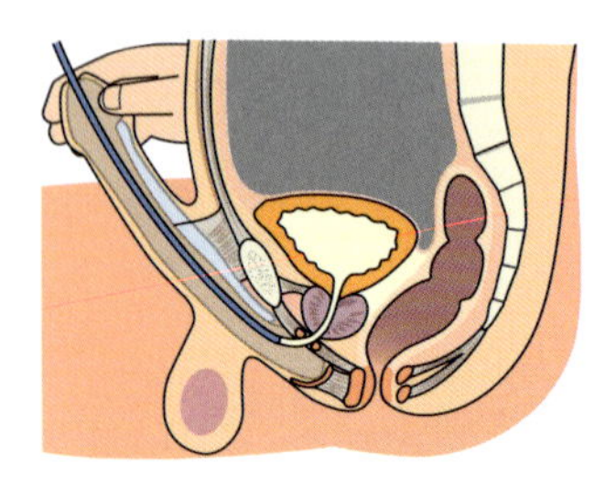

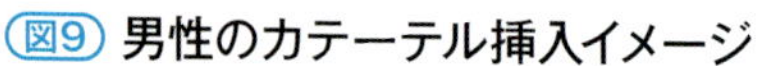

図9 男性のカテーテル挿入イメージ

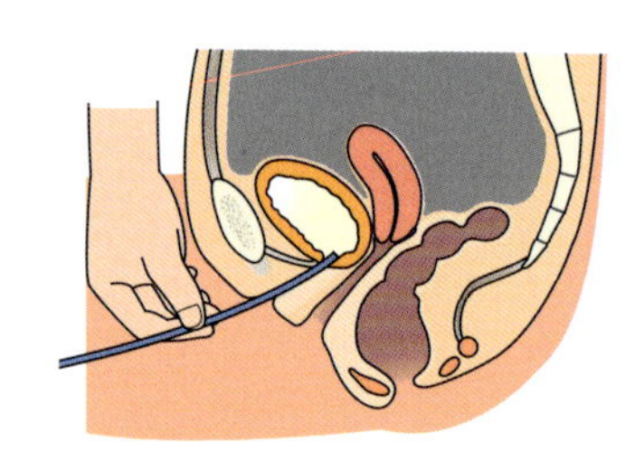

図10 女性のカテーテル挿入イメージ

導尿を実施する前の手洗いは、便の後始末をした後や目に見える汚れがついている場合は必要ですが、絶対にしなくてはならない行為ではありません。構造上、トイレで手を洗っても、ドアノブやトイレの蓋、衣類などに手が触れることは避けられません。カテーテルを触れる前に手指消毒を行う方法もありますが、必須ではありません。尿道口の消毒も、日頃から尿道口やその周囲を清潔にしておけば、あえて必要な行為ではありません。便の付着や帯下など、明らかな汚れがあるときは、温水洗浄便座などを使用して汚れを取り除きます。手洗いや尿道口の消毒を必須としないのは、それらの行為が面倒なために、導尿の回数が減ることを懸念するからです。CICは、患者自身が暮らしのなかで繰り返し行う排泄行為です。たとえ災害時であっても、その場の状況に合わせてCICを実施することが必要になります。そのため、手洗いや尿道口の消毒ができなくても導尿は実施するべきであるという優先順位の考え方を患者に説明しておくことや、できるだけ簡単に実施できる方法を個々の患者の状態に合わせて考えていくことが大切です。

指導時は、患者自身が主体的にCICに取り組むことができるよう支援することが重要です。いつ、どこで、何を使って、どのようにCICを行うのか、患者自身が言語化し、実際に行動に移すことができるように、指導者は意識して患者にかかわることが大切です。そして、患者自身がCICの手技を習得することによって得られるメリットを実感できるよう、具体的な目標を設定し、その目標がかなえられるように支援します。例えば、「家族と一緒に旅行に行きたい」「友人とレストランに行きたい」など、CICが外出先でも自由に実施できるようになることで達成できる目標を設定します。目標を達成することによって、患者は自信をもち、主体的にCICを継続することが可能になっていきます。

引用・参考文献

1) 田中純子．すぐにわかる！使える！自己導尿指導BOOK．田中純子ほか編．大阪，メディカ出版，2012．214p.

2) Lapides, J. et al. Clean, intermittent self-catheterization in the treatment of urinary tract disease. J Urol. 107, 1972, 458-61.

3) Lapides, J. et al. Further observations on self-catheterization. J Urol. 116, 1976, 169-71.

4) 後藤百万．今日からケアが変わる排尿管理の技術Q & A 127．泌尿器ケア冬季増刊．後藤百万監．大阪，メディカ出版，2010，264p.

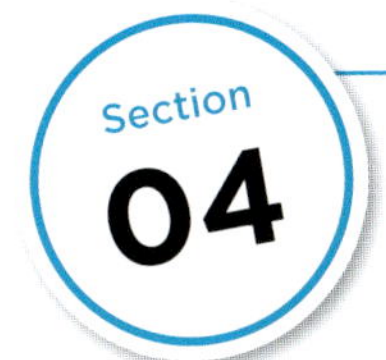

膀胱瘻の管理方法

山梨大学大学院総合研究部医学域排泄看護学 非常勤講師 田中純子

Point

❶ 膀胱瘻は、経尿道的にカテーテルを挿入することが困難な場合や尿道カテーテルの留置が長期になり、カテーテルによる外尿道口の裂孔や尿道痛などの刺激症状が著しい場合に適応が考慮される。
❷ 膀胱瘻のメリットは、尿道カテーテルと比較して、カテーテルによる不快感や刺激症状が少なく、細菌尿の頻度が低いことが挙げられる。
❸ カテーテルが抜去された状態で、長時間放置してしまうと瘻孔が閉鎖してしまう危険性があるため、自然抜去がないように予防すること、抜去時は速やかに受診するように患者に説明しておくことが大切である。

膀胱瘻とは

膀胱瘻とは、下腹部の腹壁から膀胱へ通じる瘻孔をつくり、尿道を通さずに尿を排出する尿路管理方法です（図1）。神経因性膀胱や下部尿路閉塞により尿閉になった場合、通常は、尿道からカテーテルを挿入して尿排出を試みます。しかし、尿道狭窄や尿道損傷などを合併すると、経尿道的にカテーテルを挿入することが困難なことがあります。このような場合、腹壁から膀胱穿刺を行い、カテーテルを留置して尿を排出します。また、尿道カテーテルの留置が長期になり、カテーテルによる外尿道口の裂孔や尿道痛などの刺激症状が著しい場合にも、膀胱瘻の適応が考慮されます。

膀胱瘻のメリットとしては、尿道カテーテルと比較して、カテーテルによる尿道や前立腺部、下腹部などの不快感や刺激症状が少ないこと、腟や肛門からカテーテルの挿入口が離れているため細菌尿の頻度が低いこと、太いカテーテルを挿入することが可能なためカテーテル閉塞の頻度が低いこと、経路が短く瘻孔が目視できるためカテーテルの交換が容易であることが挙げられます。しかし、腹部にカテーテルが挿入されていることによるボディイメージの低下や、病院でカテーテルを交換する手間や経済的負担などのデメリットもあります。

膀胱瘻カテーテルの種類と構造

膀胱瘻の造設には、図2に示すようなキット製品が使用されます。膀胱瘻を造設する際に、ピッグテール型（図3）やマレコ型（図4）のカテーテルを使用した場合は、造設時にカテーテルを皮膚縫合します。しかし、バルーン型とは異なり、牽引するとカテーテルが抜去してしまう危険性があるため、カテーテルはテープで厳重に固定しておく必要があります。特に、造設後1ヵ月間ぐらいまでは、カテーテルが抜去されたままの状態でいると、瘻孔が自然閉鎖してしまう可能性があります。そのため、患者や家族

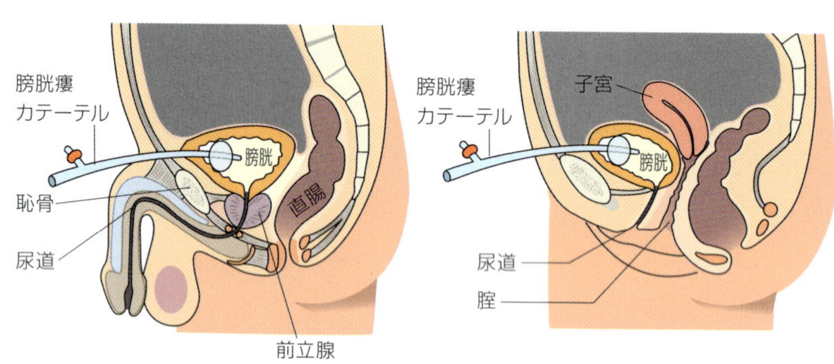

図1 膀胱瘻（左：男性、右：女性）

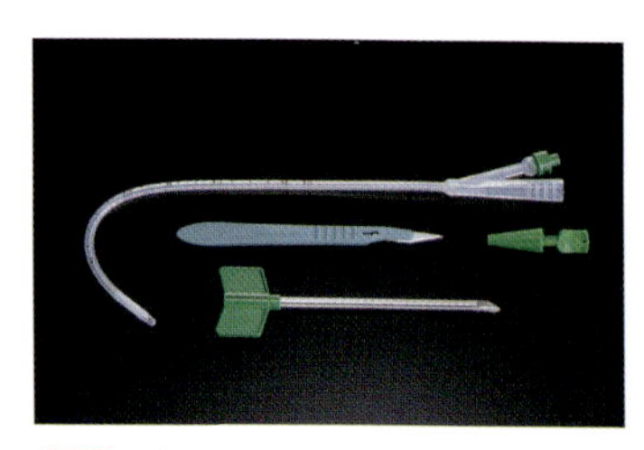

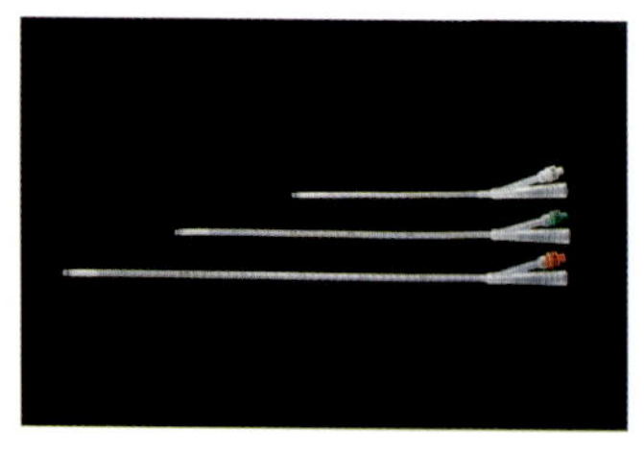

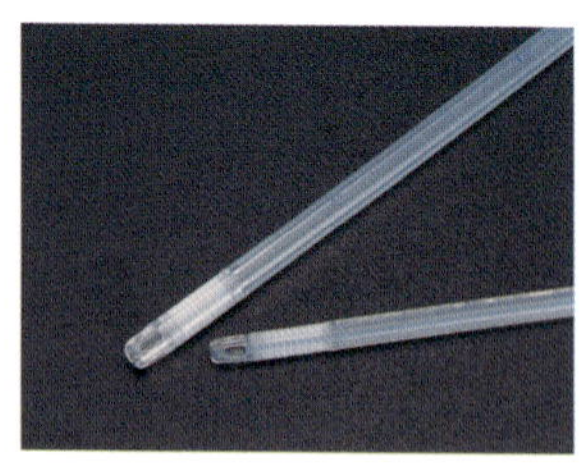

図2 膀胱瘻造設キットとバルーン型カテーテル（画像提供：クリエートメディック）
膀胱内の尿が流出しやすいように、先端開口で側孔がある。

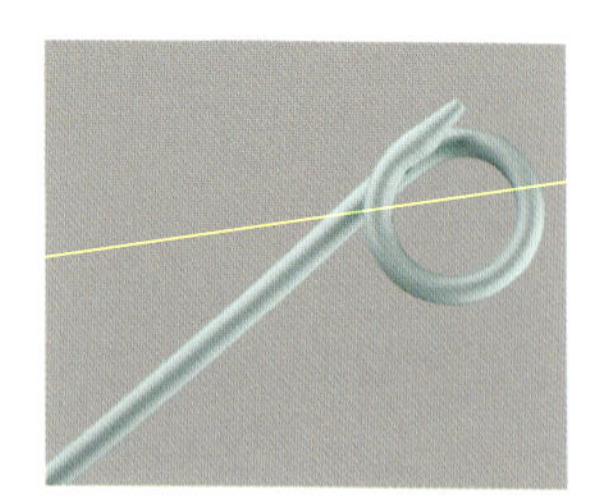

図3 ピッグテール型カテーテル
(permission for use granted by Cook Medical, Bloomington, Indiana)

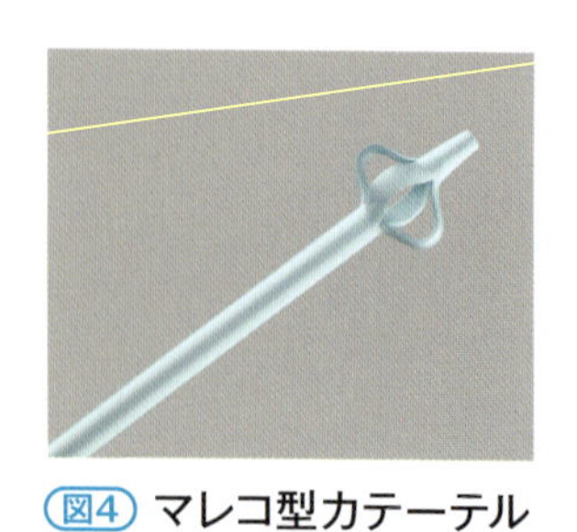

図4 マレコ型カテーテル
(permission for use granted by Cook Medical, Bloomington, Indiana)

にはカテーテルを引っ張らないこと、カテーテルが抜去してしまった場合には、ただちに報告してもらうように、あらかじめ説明しておくことが大切です。

膀胱瘻カテーテルの交換方法

膀胱瘻の瘻孔が完成し、バルーン型カテーテルを交換することができるようになれば、ガイドワイヤーを用いずに、カテーテルの閉塞が起こる前に定期的に交換します。交換時期は、尿道カテーテルと同様で特に定められていませんが、通常は4週前後で交換することが多く、2ヵ月以上、同じカテーテルを留置し続けることはしません。膀胱瘻カテーテルの太さは、患者の瘻孔の大きさや尿の性状、カテーテル閉塞の時期や頻度などに合わせて決めます。瘻孔が完成した状態であれば、16〜18Frのカテーテルが用いられます。

カテーテルを交換するときは、仰臥位で膀胱瘻が目視できるように下腹部を露出します。カテーテルを抜去した後に、すぐに新しいカテーテルを挿入できるように準備しておきます。カテーテルの挿入長を確認した後、インフレーションファネルのバルブに10mLのシリンジをつけて固定水を抜きます。古い固定水は廃棄し、シリンジに新しい固定水（滅菌蒸留水）を5mL吸って準備します。カテーテルを抜き、素早く瘻孔部を消毒して新しいカテーテルをあらかじめ確認しておいた挿入長と同じ長さを挿入します（図5）。カテーテル内の尿流出を確認するか、尿流出が目視できない場合は、膀胱洗浄を行って膀胱内にカテーテルが挿入されていることを確認してから、固定水を注入します。カテーテルを蓄尿袋に接続し、カテーテルの挿入部にガーゼを当ててテープで固定します（図6）。

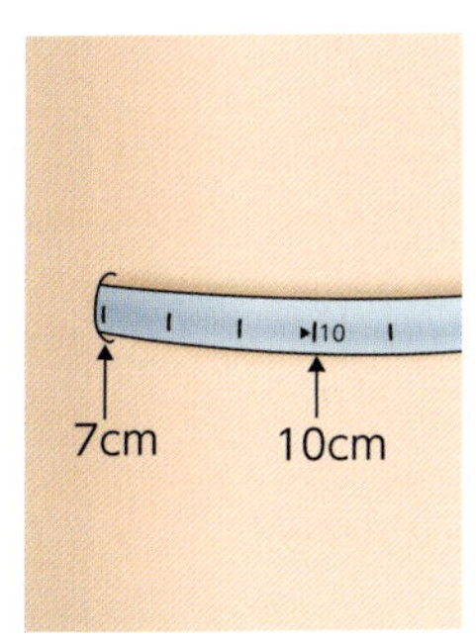

図5 膀胱瘻カテーテルの挿入長

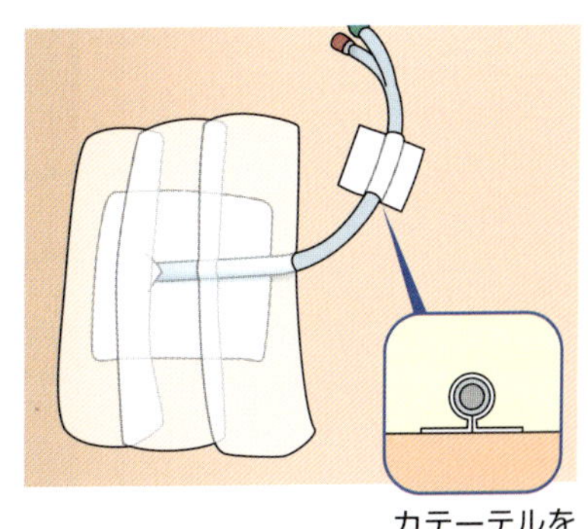

図6 膀胱瘻カテーテルの固定方法

膀胱瘻の管理方法

基本的な管理方法は、尿道カテーテルの管理方法と同様です。ここでは尿道カテーテルと異なる点のみを解説します。なお、閉鎖式システムが用いられている膀胱瘻カテーテルは、現在のところ商品化されていません。そのため、カテーテルと蓄尿袋の接続部は手指衛生をして清潔に取り扱うように注意することが大切です。

自然抜去、事故抜去の予防

カテーテルが抜去された状態で長時間放置してしまうと、瘻孔が閉鎖してしまう場合があります。そのため、自然抜去や事故抜去がないように予防することが大切です。蓄尿袋は下肢に装着したり、ポシェットなどに入れて常に身につけたりしておくことにより、立ち上がり時や歩行開始時にカテーテルが引っ張られて抜去してしまうのを防ぐことができます。カテーテルの固定水は、時間の経過とともにバルーンの浸透圧の関係で減少していきます。そのため、5mL 注入したはずの固定水が、1ヵ月後のカテーテル交換のときには 3mL 程度になってしまうというような現象が起こり得ます。固定水が減少することにより、カテーテルが自然抜去してしまうこともあるため、固定水の量は、個々の患者のカテーテル交換の時期や減少量を加味して、あらかじめ多めに注入しておくか、途中で固定水の量を確認して減少した分を追加注入するなどの対応が必要です。

また、患者や家族にはカテーテルの挿入長を伝えておき（わかりにくい場合はマジックで挿入長の部分に印をつけておく）、挿入の長さに変化があった場合や下腹部の違和感や膨満感、高熱、血尿などの自覚症状があった場合、蓄尿袋に尿が溜まらない、瘻孔部から尿が漏れ出すなどの場合は、すぐに病院に連絡して相談するよう伝えておくことが大切です。同時に、カテーテルの抜去時には、必ず病院に連絡して受診するように説明します。

瘻孔部のスキンケア

瘻孔部の消毒は、カテーテルの交換時以外は不要です。ただし、瘻孔部の皮膚は清潔を保つことが大切です。毎日、石けんを泡立てて愛護的に洗浄し、石けん分が皮膚に残らないように微温湯で洗い流しましょう。皮膚を傷つけないように水分を拭き取り、新しいガーゼを当ててテープで固定します。

入浴・シャワー浴の方法

膀胱瘻があっても入浴することに問題はありません。膀胱瘻から体内に水が入ることはありませんので、患者や家族には安心して入浴をするように説明します。ただし、カテーテルの事故抜去のリスクが考えられる場合には、固定は外さずに入浴するほうがよいでしょう。入浴前に袋内の尿を廃棄し、袋をつなげたまま尿の逆流に気をつけて入浴する方法と、袋を外してカテーテルプラグをつけて入浴する方法があります。患者の状態に合わせて、入浴方法を検討するとよいでしょう。

引用・参考文献

1) 日本泌尿器科学会 / 尿路管理を含む泌尿器科領域における感染制御ガイドライン作成委員会編．尿路管理を含む泌尿器科領域における感染制御ガイドライン．改訂第 2 版．メディカルレビュー社．2021，48，106-18.

2) 八木橋祐亮．膀胱瘻・腎瘻カテーテル，尿管ステント：適応，造設法と合併症を知り，安全な管理を行う．INTENSIVIST．8，2016，637-46.

3) 井上玲奈ほか．膀胱瘻カテーテルを留置した患者さんへの退院指導．泌尿器ケア．20，2015，1111-7.

排泄用具（おむつ）

杏林大学医学部付属病院 皮膚・排泄ケア認定看護師　平山 千登勢

Point

❶ おむつの種類には、パッドタイプ、テープタイプ、パンツタイプ、2way タイプ（テープとパンツタイプの両方が使用可能）、フラットタイプの５種類がある。
❷ 身体機能・認知機能とコストを考慮して、吸収量、サイズ、形状、扱いやすさなどから選択する。

はじめに

排泄用具のなかでも「おむつ」は、活動状況や ADL、認知機能や年齢など、さまざまな段階の人に使用できる、比較的安価で手に入りやすく、使いやすい便利な排泄用具の一つです。しかし、サイズが合わないものを使用して横漏れにより衣服を汚染したり、複数のおむつを重ねて使用した結果、かえって横漏れや蒸れで皮膚障害を生じたり、活動が制限されたりと使い方が難しい側面も持ち合わせています。使用するおむつによって適切なサイズを選択するための測定部位が異なるため、注意が必要です（表）。

おむつの種類と特徴

パッドタイプ（図1）

吸収量がごく少量～2,000mL 程度まで、多数の製品があります。形状や吸収量、吸収体の場所や男性用・女性用などさまざまな特徴があり、品揃えが豊富です。組み合せて

表 おむつ選択のポイント

おむつの種類	テープタイプ	パンツタイプ	2way タイプ
サイズ選択で測定する部位	ヒップ	ウエスト	ウエスト

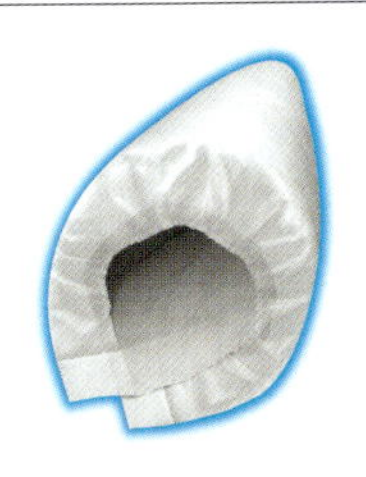 アテント（画像提供：大王製紙） 尿とりパッドスーパー吸収 男性用	 ライフリー （画像提供：ユニ・チャーム） 男性用さわやか薄型	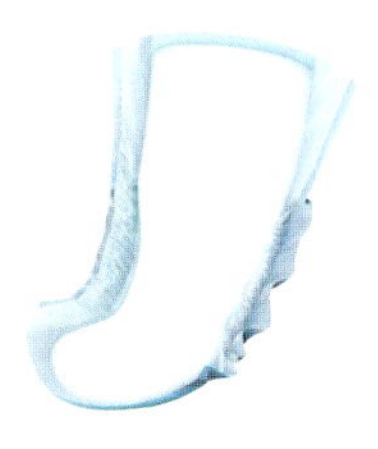 ポイズメンズパッド （画像提供：日本製紙クレシア） 安心タイプ
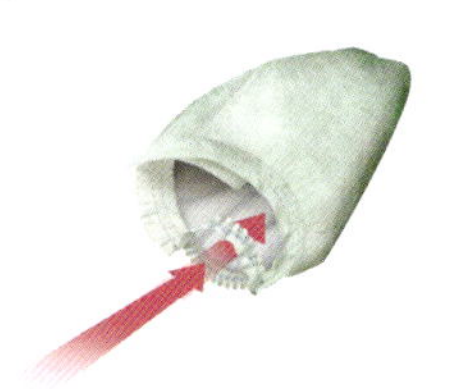 サルバ 尿とりパッドスーパー男性用 （画像提供：白十字）	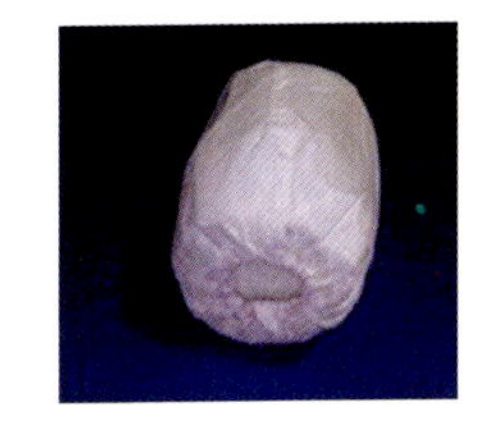 メールユリンガード （画像提供： メディカル・タスクフォース）	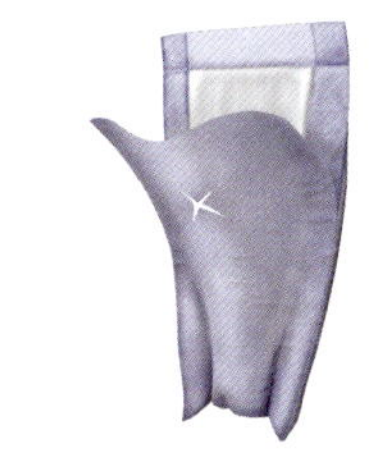 P.U サルバ オーバーナイト男性用 （画像提供：白十字）

利点	・おむつ交換時に尿の拡散がパッドの吸収体範囲で収まっていれば、パッドの交換だけで済み、おむつにかかる手間やコストが軽減される。
欠点	・テープタイプのおむつなどと組み合わせて使用する際、不快感や違和感のため、利用者自身が勝手に外すことや、肌とおむつの間に隙間ができて尿が漏れて、寝衣や寝具の汚染につながることもある。 ・長期間の着用により、蒸れや皮膚障害につながる可能性がある。

図1 パッドタイプの利点と欠点

使用するおむつに合わせて、パンツタイプ専用やテープタイプ専用に作られたパッドもあります。布製のものには、男女兼用のものや再利用型のものもあります。特に男性用失禁パッドは広げたまま使用するものや、陰茎や陰嚢を挟んだり包むものなど、形状も吸収量も種類が豊富になってきています。陰茎が3cm以上あれば、ポケット式や包んだり挟むものも使用可能です。陰茎が3cm以下の場合は、広げて使用するもののほうが脇から漏れません。最近の女性用パッドは、より薄型で吸収力が高く、色や包装デザインなど工夫された製品が多いというのも特徴の一つとして挙げられます。

テープタイプ（図2）

吸収量は400～1,000mL程度で、吸収体の範囲が広くて吸収量が多いです。足を通す手間をなくし、テープ位置を変えることで体型・体のサイズに対応させるため、装着しやすくなっています。自身で装着するには操作が難しいですが、臥床する時間が長く、寝たきりの人などには介護者にとって扱いやすいおむつです。サイズはヒップサイズで表示しています。

	利点	・男女兼用で、長時間おむつ交換ができない場合に便利。 ・体位による尿の流れ方の違いにも対応できる。 ・尿取りパッドと組み合わせて使用すれば、繰り返し使用できる。
	欠点	・価格が比較的高く、蒸れやすい。 ・尿取りパッドと併用することで体にフィットしにくく、不快感や違和感が出現することがある。 ・坐位や立位でのテープ付けが難しい場合もあり、トイレやポータブルトイレを利用する人は、介護者がいても困難なことが多い。

図2 テープタイプの利点と欠点

	利点	・腹部に伸縮性のギャザーがあり、下着のようにフィット感がある。 ・自身で着脱が可能。活動しやすい。 ・サイドがマジックテープで開いたり、指が引っ掛けやすく引き上げやすい工夫がされたものもある。
	欠点	・股にギャザーがついていても調整ができず、痩せた人や足が細い人は、鼠径部に隙間が生じて尿漏れしやすい。 ・おむつ内で複数回排尿したり排尿量が多い人は、漏れやすい。

図3 パンツタイプの利点と欠点

パンツタイプ（図3）

吸収量は200～1,000mL程度までありますが、吸収体の範囲がテープタイプに比べて狭くなっています。臥位や坐位では、尿量が多いと吸収に時間がかかり、股脇から横漏れすることもあります。近年、特にパンツタイプは、動きやすくて蒸れにくく、装着していることが目立ちにくい薄型や色なども豊富で、横漏れしないためのギャザーなどさまざまな工夫がされています。基本的にトイレで排泄する人にとって活用しやすいですが、介護者にとっても扱いやすく、ズボンを脱がなくても着脱できるものなど、種類も形状も多様に進化しています。サイズはウエストサイズで表示しています。

2wayタイプ（図4）

吸収量は400～1,200mL程度で、吸収体の範囲もパンツタイプより大きいです。日中の活動時や吸収体の範囲はテープタイプに近いため、体位の変化による尿の流れ方にも比較的対応可能です。サイズはウエストサイズで表示しています。

フラットタイプ（図5）

平面で、吸収量は300～2,000mL程度が多いです。吸収体が全面で広範囲のものが多く、両面に吸収できるものもあります。おむつカバーや固定用パンツなどのアウターと組み合わせて使用するため、アウターのサイズや形状選択が漏れないポイントとなります。

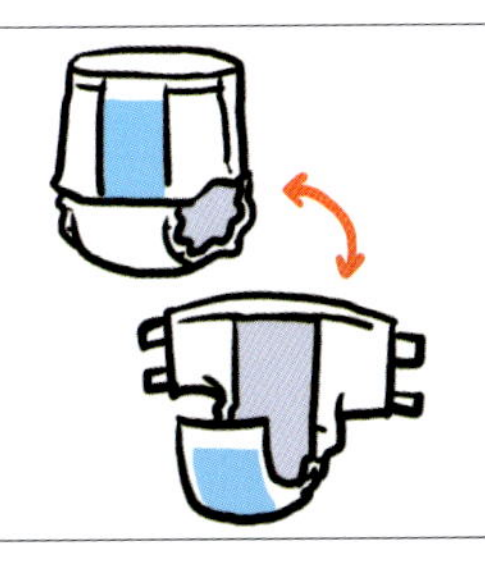

	利点	・パンツタイプと同様の形状で、自身で着脱可能なうえ、テープ式にもなるので介護者も装着しやすい。日中は活動し、夜間はおむつ内に排尿する人に適している。 ・側腹部のミシン目を切るとテープがあり、さまざまな体型・体のサイズにフィットしやすい。
	欠点	・価格が比較的高く、蒸れやすい。 ・尿取りパッドと併用することで体にフィットしにくくなったり、不快感や違和感が出現したりすることがある。

図4 2wayタイプの利点と欠点

	利点	・価格が比較的安い。 ・パッドよりも大きいものが多く、臥位が多い人に適している。 ・広げて使用することも、折りたたんで使用することも可能なため、使い方の工夫によっては介護用品の一助となる。
	欠点	・広げて使用する際には、水分が拡散しやすい。また、形状が平面でギャザーや横漏れ防止機能がないものが多く、隙間ができやすく漏れやすい。 ・使用時に体にフィットするように折り曲げたりするなど、当て方にコツが必要。 ・蒸れやすく不快感や違和感が出現することがある。

図5 フラットタイプの利点と欠点

おむつの装着方法のポイント

ギャザー機能を活かす（図6）

パッドと併用時は、おむつのギャザー内に収まる大きさを選択します。おむつのギャザーを立ててつぶさないように注意します。

最も吸収する場所に当てる（図7）

テープ式おむつのウエスト部分のギャザーをウエストと合わせます。女性の場合、おむつや尿取りパッドは、尿を最も吸収する中央部分を山型に持ち、谷間の尿道口に合わせます（山型あて）。男性の場合は、パッドの尿を最も吸収する中央部分を谷型に持ち、尿道口に合わせます（谷型あて）。尿取りパッドは、お尻の割れ目が隠れるように当てます。

隙間を作らない（図8）

テープ式おむつのギャザーを持ち、尿取りパッドを包み込むようにして、鼠径部に隙間がないようにギャザーを立てた状態でおむつを当てます。お尻の縁に合わせ、テープを止める前におむつを上方に引き上げます。

a　ギャザー機能を活かす方法

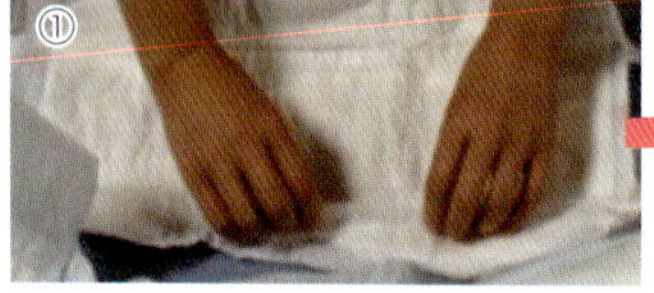

おむつを広げ、両サイドのギャザーを立ててから使用する。

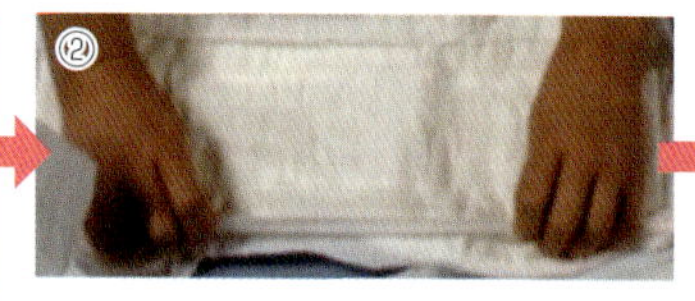

ギャザーを立てて、形を作る。

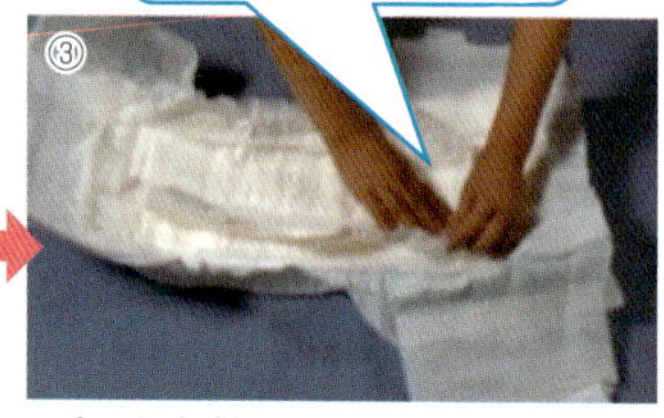

パッドを併用する際は、パッドをおむつのギャザーに入れ込み、はみ出さないことが漏れないポイント。

b　ポイント

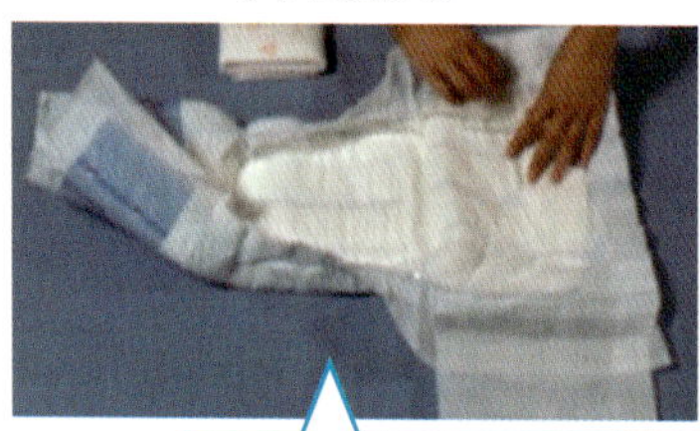

×
上下・左右に振って広げない

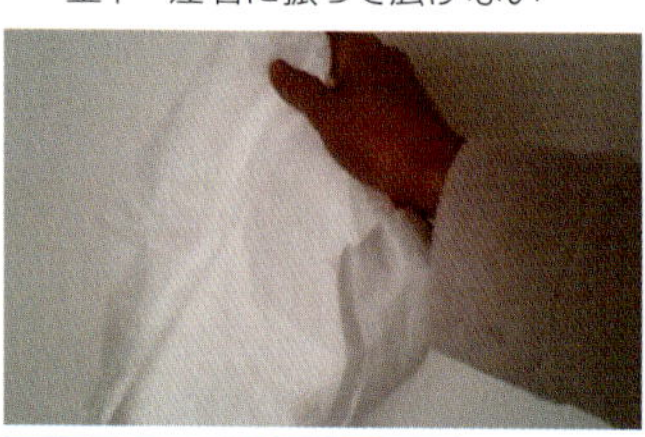

おむつを広げるときは、パサッと振るように広げるとポリマーが移動して吸収体が崩れてしまい、水分の吸収を妨げるため、丁寧に広げる！

図6　おむつを当てる前に（文献1より作成）

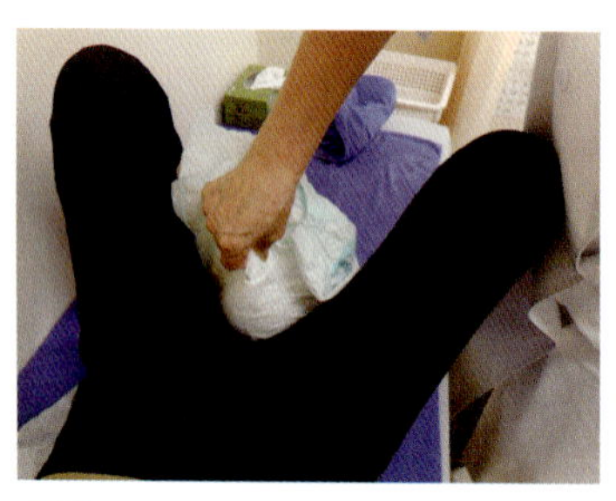

おむつとパッドを合わせて内側を山にして一緒に持ち、陰部に隙間が出ないように当てる。

図7　パッドを使用した場合のおむつとパッドの持ち方

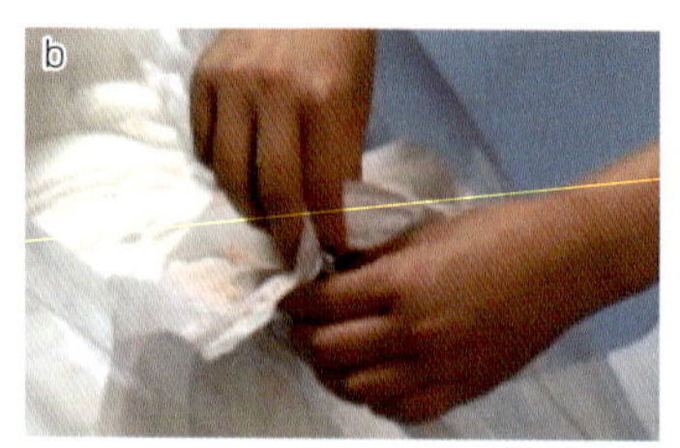

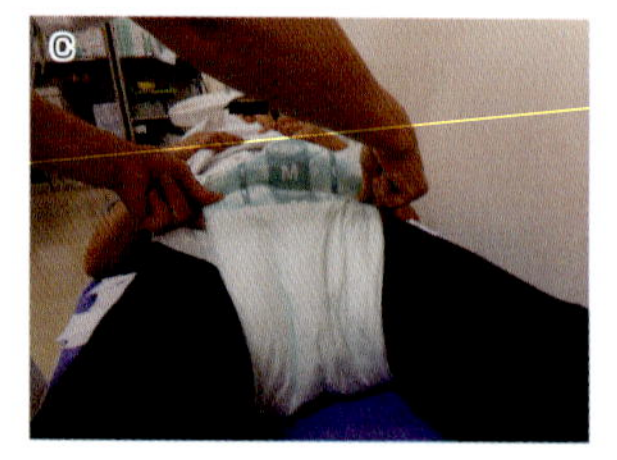

図8　パッドがずれない、鼠径部が擦れない、鼠径部から尿が漏れない当て方のポイント

(a) 女性の場合はおむつを谷折りにして持ち、陰部に当てる。(b) 男性の場合はおむつを山折りにして持ち、陰部に当てる。(c) 鼠径部はおむつを無理に引っ張らず、タックを取るようにしてそのまま引き上げる。

左右前後に偏りのないように当てる

テープは、左右片方ずつで止めるとおむつが引っ張られて中心がずれやすいので、下のテープを止めて、次に上のテープを止めます。その後、体を横向きにして、おむつを引っ張り上げてたるみを解消します。装着後におむつがずれてしまうことを防ぐためには、図9のように、上のテープを前腸骨棘にかけて下方に向けて止めます。

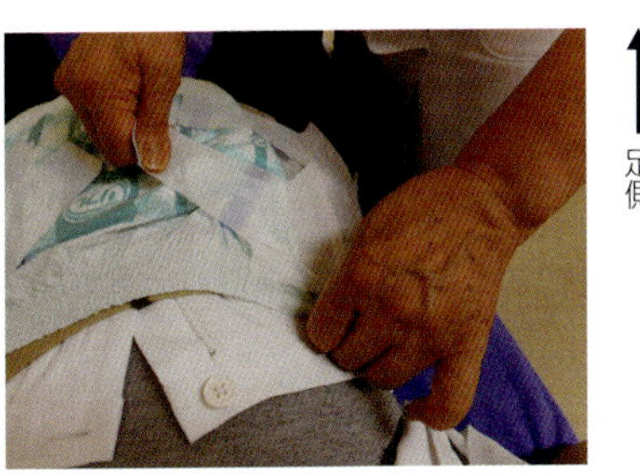

図9 おむつがずれないテープの止め方
前腸骨棘にテープをかけるようにして下方に引いてから止める。

引用・参考文献

1) 紙おむつのあて方４つのポイント（DVD）．東京，白十字．
2) 日本創傷・オストミー・失禁管理学会編．排尿自立支援加算、外来排尿自立指導料に関する手引き．東京，照林社，2020，29-30.
3) 辻奈美．おむつの選択と使い方：根拠に基づくおむつケア．臨床看護．39，2013，831-6.
4) 平山千登勢．日本創傷・オストミー・失禁管理学会編．第１～14 回下部尿路症状の排尿ケア講習会テキスト．2016，52-64.
5) 穴澤貞夫ほか．排泄リハビリテーション：理論と臨床．東京，中山出版，2009，432p.
6) 石井賢俊ほか．らくらく排泄ケア：自立を促す排泄用具選びのヒント．大阪，メディカ出版，2008，180p.
7) 平山千登勢．"排泄用具（おむつ）"．下部尿路機能障害の治療とケア．大阪，メディカ出版，2017，198-203.

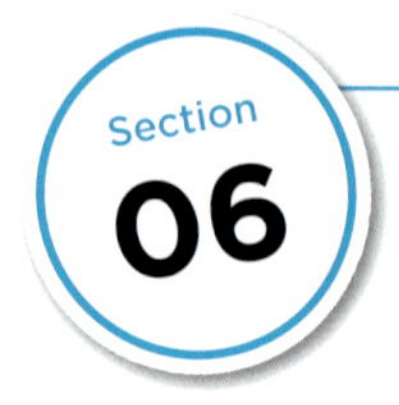

排泄用具・排泄補助用具

東京都リハビリテーション病院６階病棟主査 皮膚・排泄ケア認定看護師 **高崎良子**

Point

❶ 排泄障害の状態とニーズをアセスメントします。
❷ 目的を明確にします。
❸ 使いこなす訓練も必要です。
❹ 目的を達成したか、評価をします。

はじめに

ソーシャルコンチネンス※1を確立するための方法の一つとして、排泄用具・排泄補助用具の活用があります。中間ユーザーであるわれわれ専門職が多くの排泄用具※2・排泄補助用具※3の種類や特徴を把握していることは、患者の選択肢を広げることにつながります。

ただし、既成の製品や、ある人に使ってよかったものが、似たような状況だからといってほかの人に合うとも限りません。排泄ケアはオーダーメイドのケアです。用具に振り回されず、その人に合わせて使いこなす工夫をしましょう。

目的

排泄障害が一時的なものであれば、表1の①②が主となります。永続的なものであれば、退院後の生活を想定して目的を明確にします。

表1 排泄用具・排泄補助用具を使用する目的

①二次障害の予防
② QOL の向上
③自立度を高める
④介護負担の軽減

※１ 排泄障害があったとしても問題なく生活できる状態。
※２ ここでいう排泄用具とは、おむつや尿器など、直接排泄物に接する物や身に着ける用具を指します。
※３ 排泄補助用具とは、昇降便座や手すり、車いすなど、排泄行為を補助する用具を指します。

排泄用具・排泄補助用具適用の視点

用具の適用にあたっては、単に状況に用具を当てはめるのではなく、排泄障害の改善の可能性やニーズをアセスメントして選択します（表2）。

排泄障害別排泄用具・排泄補助用具の適応

排泄障害のタイプとその状態

改善の可能性をアセスメントすることで、①どのような目的に見合う用具が必要なのか、②使用期間は障害が改善するまでの一時的なのか、③障害の改善が困難で長期間使用するのかを明確にしやすくなります（表3）。

表2 排泄用具・排泄補助用具適用の視点

排泄用具を使用する前
・排尿障害の改善の可能性を検討する ・障害だけでなく、残存機能の評価をする ・誰にとって、何が問題・課題か、ニーズを整理する ・本人と介護者の希望を確認し、目標を共有する
排泄用具の選択段階（選択基準）
・ニーズ（希望や好みにも配慮） ・尿意・便意の有無 ・排泄障害のタイプと状態（尿・便単独か／両方か、排泄物の量・頻度） ・性別 ・ADL（運動・認知機能）／セルフケア能力 ・家庭や社会での役割 ・生活様式と環境（自宅／外出先／職場・学校） ・介護力 ・経済面など
導入時
・目的を明確にする ・評価目標と評価時期を設定する ・試用できるものは、試用して検討 ・日常生活に定着できるよう、使いこなす訓練も必要（複数の介助者・介護職がかかわる場合は、使用方法を指導し、統一したケアができるようにする） ・デメリットへの対策を準備する
評価時（必ず評価する）
・本人を含め、関係者と共有する ・問題や希望が解決したか評価する ・主観も評価する ・期待する結果が得られなかった場合、その要因を分析する ・現在の用具や環境で工夫できないか検討する ・ほかの用具に変更する場合、その目的を明確にする

表3 排泄障害別排泄用具・排泄補助用具の適応

排尿障害	目的	主な排泄用具
尿失禁共通	不随意に漏れる尿を受け止める	おむつ、パッド、パッドを固定する下着、装着式収尿器、防水シーツ
	尿による汚染から皮膚を保護する	皮膚保護剤
腹圧性尿失禁	骨盤臓器の脱出を抑える	フェミクッション、リングペッサリー
	少量の尿失禁を吸収する	軽失禁用パッド 軽失禁用下着
	失禁量を減らす（男性）	ペニクランプ
過活動膀胱	トイレに間に合う	着脱しやすい衣服 ポータブルトイレ、各種尿器
尿排出機能障害	腎臓の保護	導尿カテーテル 尿道留置カテーテル
機能障害性尿失禁	残存機能を活かし障害を補うことで、自立度を高める、もしくは、介護負担を軽減する	残存機能と障害に合わせた福祉用具、尿器、便器、衣服

おむつ以外の主な排泄用具の種類と特徴

軽失禁用下着

尿を吸収できる布製下着で、吸収量は10～120mL程度です。男性用と女性用があります（図1）。

尿パッドを固定する下着

パッドを固定するためにフィット性に富む下着です。防水性はありません（図2）。

コンドーム型収尿器

陰茎に装着し、連結チューブを用いて蓄尿袋に接続して尿をドレナージするものです。陰茎の太さに応じてサイズ選択します。単品系と二品系、粘着するタイプとバンド状のもので圧迫固定するタイプがあります（図3）。

男性用尿器

採尿口に陰茎を差し込む収尿器です。床上、坐位、立位でも使用可能です（図4）。

例	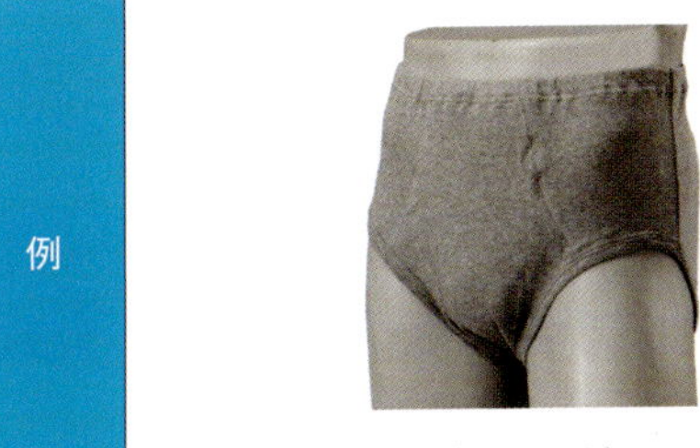 男性用 安心パンツ（画像提供：ニシキ）	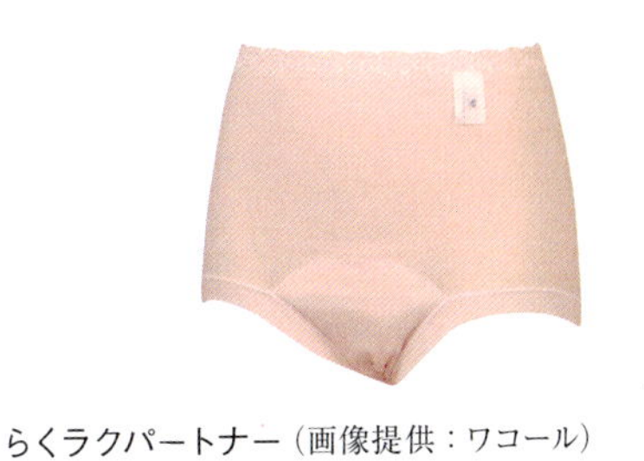 女性用 らくラクパートナー（画像提供：ワコール）
利点	・下着と同じような外観と装着感 ・洗濯し再利用できる ・パンツ式紙おむつに比べて着脱が容易	
欠点	・少量しか吸収できない	

図1 軽失禁用下着

例	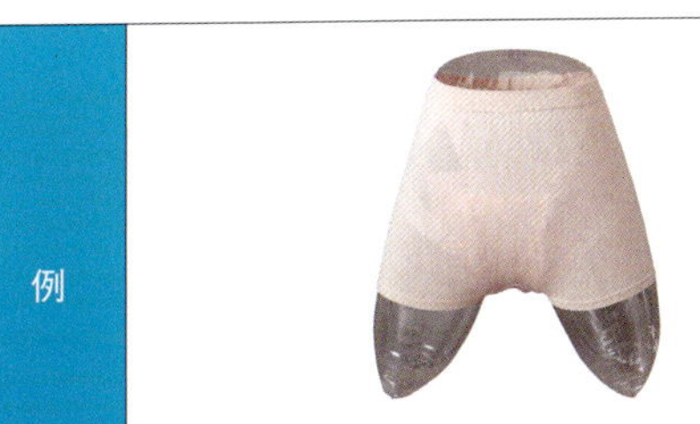 サルバ おしりピッタリパンツ （画像提供：白十字）	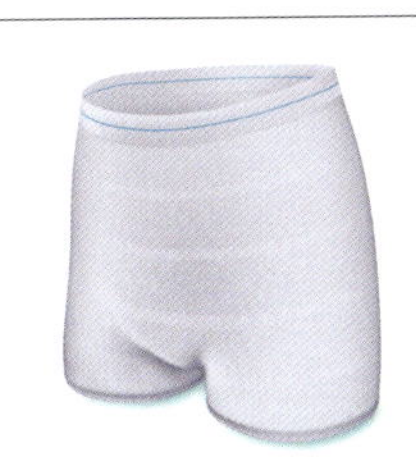 TENA フィックス® （画像提供：ユニ・チャーム メンリッケ）
利点	・通気性がある ・洗濯し再利用できる	
欠点	・パッドの吸収量や当て方が不適切だと漏れる可能性がある	

図2 尿パッドを固定する下着

例	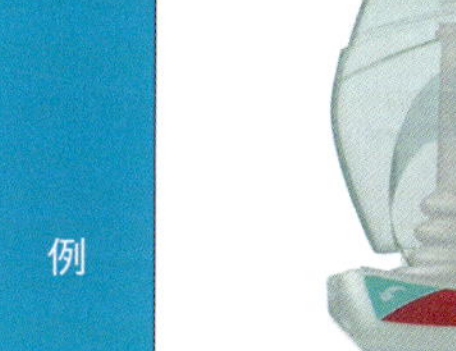 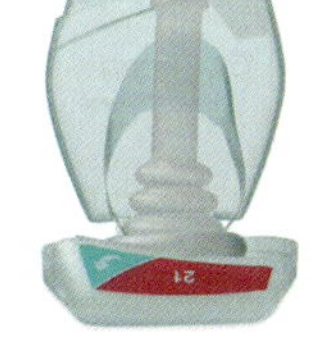 コンビーン オプティマ E （画像提供：コロプラスト）	 コンビーン® セキュアーツーピース （画像提供：コロプラスト）	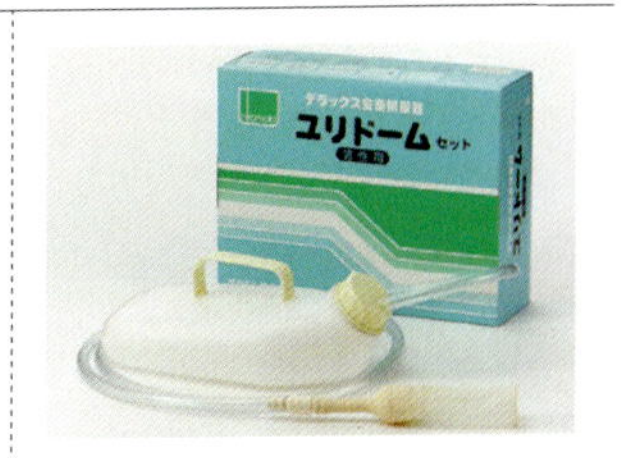 ユリドーム® （画像提供：オカモト）
利点	・体位にかかわらず使用できる ・尿意の有無にかかわらず使用できる		
欠点	・ペニスの長さが 3cm 以下は基本的には不適応 ・密着することや粘着剤による皮膚障害の可能性がある		

図3 コンドーム型収尿器

例	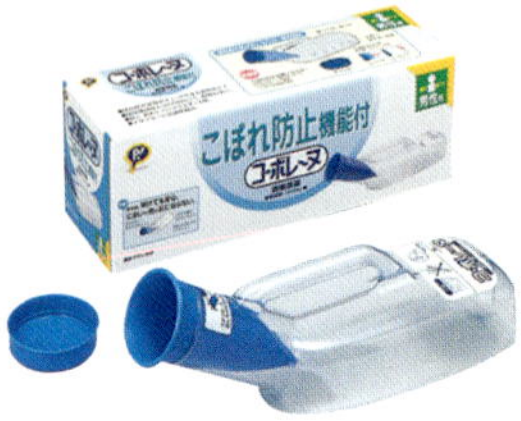 コ・ボレーヌ® (画像提供：ピップ) 逆流防止弁付きで、採尿後に尿がこぼれるのを防止する。高温洗浄機は使用できない。
利点	・軽量で安価
欠点	・蓄尿量が限られるので、定期的に尿を廃棄する必要がある

図4 男性用尿器

例	 ユリフィット 尿器 女性用自立（画像提供：アロン化成）
利点	・軽量で安価 ・床上でも腰上げせず使用可能
欠点	・外尿道口の位置や外陰部の形状が尿器と合わなければ漏れる ・押し当てる必要がある ・蓄尿量が限られるので、定期的に尿を廃棄する必要がある

図5 女性用尿器

女性用尿器

採尿口を外陰部に押し当てる収尿器です。床上での使用のほか、坐位で使用できるものもあります。外尿道口の位置や外陰部の形状は個人差があるため、床上で使用する際には、床面からの外尿道口の高さと、尿器採尿口の高さが適合するものを選択します。るい痩（そう）のため外陰部周囲の皮下組織が薄い場合は採尿口が密着せず尿が漏れることがあるので、採尿口が軟らかく密着しやすい材質および形状のものを選択します。床上で自己採尿する場合は、自己採尿用のハンドルのものを選択します（図5）。

蓄尿可能な尿器

蓄尿容器が付属しており、多量の尿を蓄尿することが可能です。自己採尿、介助採尿で使用できます。床上、坐位、立位で使用できます。短時間ごとの尿廃棄が困難な場合に、廃棄頻度を減らすことができるという利点があります（図6）。

例	（上）男性用（下）女性用 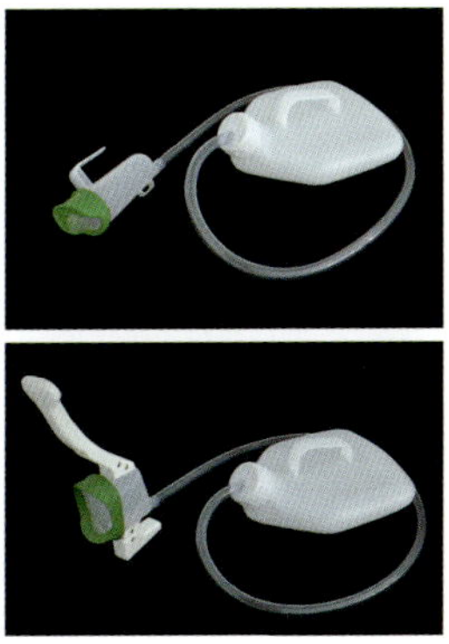 安楽尿器 デラックス （画像提供：浅井商事）	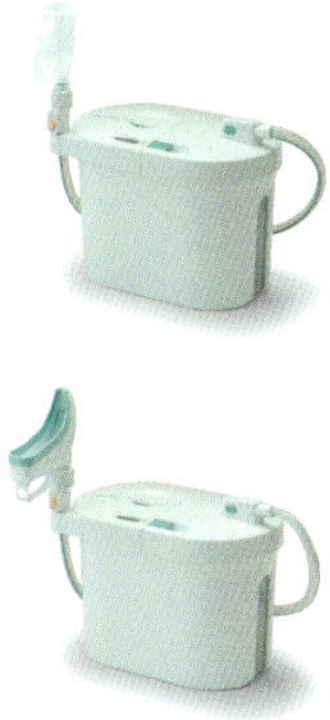 スカットクリーン® （画像提供：パラマウントベッド）	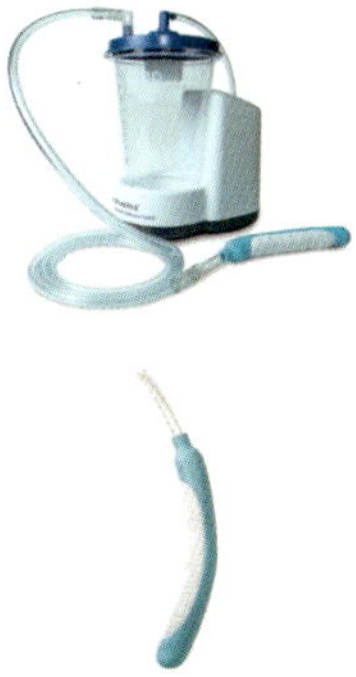 ピュアウィック ™ 女性用体外式カテーテル（画像提供：メディコン）
特徴・利点	・1,500mL の蓄尿が可能 ・採尿レシーバーは男性用と女性用がある	・レシーバーに尿が流れるとセンサーで感知し、自動的に蓄尿タンクへ吸引する ・男性用と女性用のレシーバーがある ・自己採尿、介助採尿で使用できる ・床上、坐位、立位で使用できる ・介護保険の利用が可能 ・3ℓまで蓄尿できる	・会陰部にカテーテルをあて、尿を吸引してキャニスターにドレナージする ・臀部の尿汚染を軽減できる ・ケア頻度が少なくて済む
欠点	・高低差を利用して蓄尿容器にドレナージするため、ベッド使用が原則 ・高温洗浄機は使用できない	・電力が必要 ・吸引時にモーター音を伴う	・痩せている人や体動の多い人では、密着しにくいことがある ・便失禁や月経には不適 ・電力が必要

図6 蓄尿可能な尿器

便器

性別にかかわらず、尿も便も受け止めることが可能です（図7）。

ポータブルトイレ

性別にかかわらず、尿も便も受け止めることができます。移乗可能な人に使用します。材質、形状、特徴は製品により異なります。体格、生活動作能力、家屋環境など、その人に合ったものを選択します（表4）。

例	安楽便器 パッド付（画像提供：浅井商事）	らくらくクリーン（画像提供：総合サービス）
特徴・利点	・多くの看護職および介護職になじみがある ・高温洗浄機の使用が可能	・腰上げ不要な便器。先端をマットレスに押し付けてすくい上げるようにして当てる。排泄後は、平行に引き抜く。ワイドタイプとスリムタイプがあり、スリムタイプは開脚が困難な場合に使用する。介助で使用する ・腰上げ不要なため、介助者の負担を軽減できる
欠点	・腰上げが必要なので、腰上げできない人に使用する場合、介助者の負担となる ・使用時間が長いと臀部の痛みを伴う	・排泄後、排泄物をこぼさないように配慮して取り除く必要がある ・高温洗浄機は使用できない

図7 便器

表4 ポータブルトイレ

利点	・多量の蓄尿が可能 ・形状がトイレに近いため、排泄用具としての認識をしやすい ・介護保険や身体障害者手帳の利用が可能
欠点	・配置する場所が必要

その他

移乗に介助が必要だが、トイレが狭い、介護量が少ないなどの理由で、車いすからトイレに移乗することが困難な場合、臀部にスリングの当たらない移動用リフトや入浴用車いすを活用する方法もあります。リフトは移動用具として、入浴用車いすは入浴補助用具として、介護保険の利用が可能です。

引用・参考文献

1) 石井賢俊ほか．らくらく排泄ケア：自立を促す排泄用具選びのヒント 改訂３版．大阪，メディカ出版，2008，180p.

トイレ環境・生活環境整備

日本歯科大学 新潟生命歯学部 耳鼻咽喉科学 講師　松本 香好美

Point

❶ トイレ環境・生活環境の整備は、排泄自立に向けた重要な支援方法の一つである。
❷ トイレ環境・生活環境の整備は、自立促進と介護量軽減、転倒予防を主目的に行う。
❸ ベッドの高さや向き、ベッドマットレス、ベッド手すり、照明、下衣・履物の整備は、生活環境整備の基本である。
❹ トイレ環境・生活環境の整備は、施設および家屋の改修や福祉用具の選定、自助具作製などのさまざまな手法を用いて行う。

排泄自立に向けたトイレ環境整備・生活環境整備の目的

排泄自立や介護負担の軽減は、下部尿路機能、排泄動作、トイレおよび生活環境の3つの側面から考える必要性があります[1]。なかでもトイレおよび生活環境においては、下部尿路機能との関連で、夜間頻尿や過活動膀胱に関連する転倒および転倒骨折の予防のために環境整備が必要です。また排泄動作との関連では、①排泄動作のしやすさ、②排泄動作再獲得の際の安全性および安定性、③予測される転倒・転倒骨折の予防、④排泄介護の介護負担軽減などのために環境整備を行う必要があります。環境整備は、対象者が有する疾患や機能障害、予後予測などを考慮し、それぞれの対象者においてアセスメントを実施したうえで、医師や看護師、理学療法士、作業療法士などの多職種で検討し整備を行います。（表）にトイレおよび生活環境整備のアセスメントすべき項目と内容を示します[2]。

排泄自立に向けたトイレ環境整備・生活環境整備の基本

トイレおよびポータブルトイレの環境には、共通して実施すべき整備の基本のポイントがあります。

表 トイレおよび生活環境整備のアセスメントポイント（文献2より著者作成）

ID:	氏名：　様			年　月　日
場所	チェック			アセスメント内容
項目	はい	いいえ	評価不要	
ベッドサイド				
ベッドの高さ	□	□	□	ベッド端坐位時に両足底がしっかりと着く高さである
	□	□	□	ベッド端坐位から立ち上がりやすい高さである
	□	□	□	ベッドの高さ・角度を自分で調整できる
ベッドの向き	□	□	□	非麻痺側に起き上がることができるようなベッドの向きである
スペース	□	□	□	（車いす使用の場合）ベッド周辺には車いす操作に十分な広さがある
マットレスの硬さ	□	□	□	起き上がり時に肘をついた際や端坐位時に沈み込まない硬さである
ベッド手すり	□	□	□	起き上がり時に身体を支えやすい手すりである
	□	□	□	起き上がり時に身体を支えやすい位置に手すりがある
	□	□	□	立ち上がり時に身体を支えやすい手すりである
	□	□	□	立ち上がり時に身体を支えやすい位置に手すりがある
	□	□	□	（車いす使用の場合）移乗に使用しやすい手すりである
コール	□	□	□	必要に応じてナースコールを使用できる
照明	□	□	□	夜間に安全に移動ができるような照明がある
	□	□	□	手が届く位置にスイッチがある
	□	□	□	照明の ON/OFF を自分で操作ができる
ポータブルトイレの高さ	□	□	□	立ち上がりやすく，着座しやすい便座の高さである
ポータブルトイレの向き	□	□	□	効率的に安全に移乗できるよう，ベッドとポータブルトイレは 90° の位置関係である
ポータブルトイレの手すり	□	□	□	不要な手すりははね上げるか，取り外しができる
下衣・履物				
下衣	□	□	□	下げやすい適度なゆるみがある
	□	□	□	ズボンの裾は下げたときに踏まないように足首の部分で締まっている
履物	□	□	□	履きやすく脱げにくい履物である
	□	□	□	履物の足底が滑りにくい素材である
車いす・杖				
車いすのサイズ	□	□	□	標準型車いすや低床型車いすなど体型に合っている
	□	□	□	駆動する際に，十分に踵部および足底の接地ができる（つま先で駆動していない）
	□	□	□	ブレーキレバーにリーチして，自力でブレーキ / 解除ができる
杖の種別	□	□	□	運動機能に応じた杖を選定されている．例）T 字杖，四点杖，ロフストランド杖など
杖のサイズ	□	□	□	杖の長さは体型に合っている
トイレまでの動線				
距離	□	□	□	居室ベッドからトイレまでの距離が対象者の機能や能力に適している
床面	□	□	□	段差がない
	□	□	□	滑りにくい素材である
	□	□	□	不要な物，障害物がない
	□	□	□	車いす駆動や歩行器・杖を使用する場合，十分な廊下幅がある
手すり	□	□	□	適切な高さの手すりがある
照明	□	□	□	夜間に安全に移動ができるような照明がある
トイレ				
扉	□	□	□	引き戸（横にスライドするタイプ）で，開き戸ではない
	□	□	□	十分な開口幅がある
	□	□	□	容易に開閉できる
	□	□	□	（自動扉の場合）通過する間に閉まらない
手すり	□	□	□	移乗（立ち上がり，方向転換，着座）の際に使用しやすい位置に手すりがある
	□	□	□	手すりの太さや長さが対象者の機能や能力に適している
便器	□	□	□	立ち上がりやすく，着座しやすい便座の高さである
	□	□	□	洗浄弁が使用しやすい位置にある
ペーパーホルダー	□	□	□	適切な高さにある
	□	□	□	（片麻痺患者の場合）片手でもカットしやすいペーパーホルダーである
	□	□	□	（片麻痺患者の場合）非麻痺側にペーパーホルダーがある
洗浄弁	□	□	□	手が届く位置にリモコンスイッチがある
	□	□	□	ボタン操作しやすいリモコンスイッチである
スペース	□	□	□	（車いす使用の場合）車いす操作に十分な広さがある
	□	□	□	介助者が入っても介助しやすい適度な広さがある
	□	□	□	扉および開口幅などの影響で無駄な方向転換をする必要がない
床面	□	□	□	段差がない

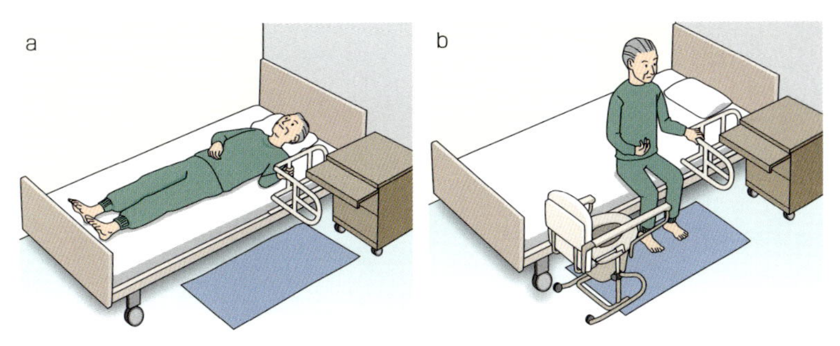

図1 トイレ自立に向けたベッド環境の整備

(a) 起き上がる際のベッド周辺スペース(右片麻痺患者の場合)。
(b) ベッド周りの環境(ポータブルトイレ使用の場合):ベッドや介助バー、ポータブルトイレの環境整備は排泄自立支援に大きく影響する。

ベッドの高さ

ベッドの高さは、ベッド臥位から起き上がり、端坐位保持をとる際、両足底が接地する高さであり、なおかつ立ち上がりやすい高さに調整します。股関節が90°屈曲位よりも伸展位にあり、つまり膝関節の高さより上方に位置するよう、かつ膝関節は90°屈曲位で端坐位を保持できるように調整します。立ち上がり動作が可能になることは、移乗や歩行自立につながり、そしてポータブルトイレ自立やトイレ自立の促進にもつながります。

ベッドの向き

ベッドは壁と接していることが多く、そのためスペースは起き上がる方向に必要です。

例えば右片麻痺患者の場合、背臥位から左肘を支えにして起き上がっていくので、背臥位での非麻痺側(左側)は壁面ではなく、車いすやポータブルトイレを置くスペース側となります(図1-a)[3]。ベッドの向きが逆の場合には、できる限り早い時期にベッド位置の調整が必要です。

ベッドマットレス・ベッド手すり

褥瘡予防のためのマットレスや柔らかいマットレスを敷いている場合、起き上がりで肘をつく際に頭部から上半身の体重を支持することができないため、硬めのマットレスに変更します。

ベッド柵ではベッドからの立ち上がり時の重心の前方移動がしづらく、90°にスイングさせた介助バー(図1-b)は、その部分を把持することで、前方移動がしやすくなり、立ち上がりや立位保持の安定性を図ることができます。

照明

夜間排尿に備え、暗い状況下でも、ベッドの読書灯が容易にON/OFFができるように工夫します(図2)。また夜間に足元を照らし、安全に移動が可能となるように、部屋内の照明や廊下の照明を完備します。

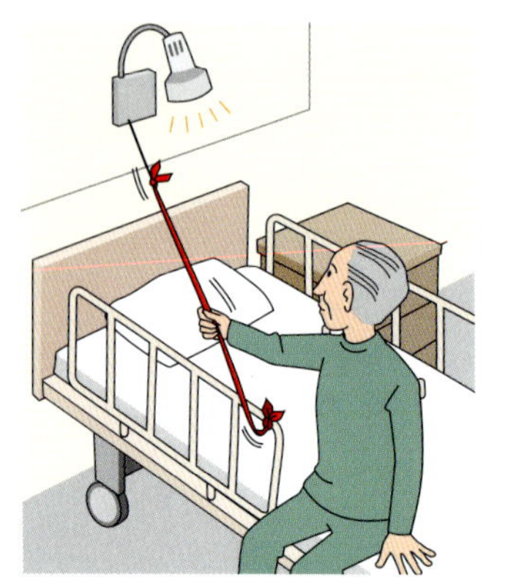

図2 読書灯のON/OFFの工夫

読書灯のON/OFFのひもは短いため、そのひもに長いひもをつなぎ、ベッド柵に結ぶと暗闇の中でも容易にONが可能となる。

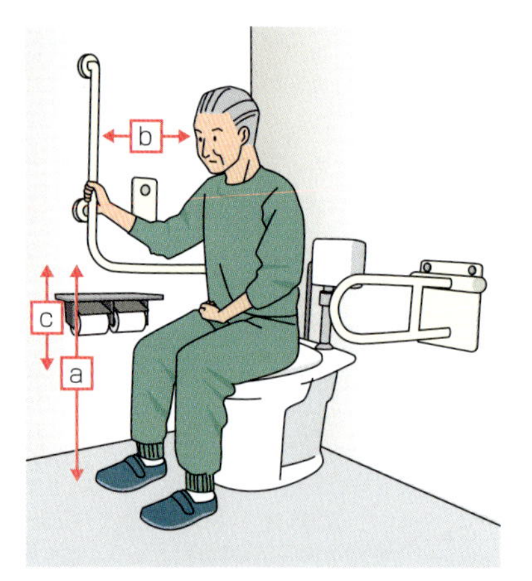

図3 左片麻痺患者が使いやすいトイレ

左片麻痺患者は、非麻痺側の右手で手すりを握る。このトイレでは、トイレ内移動用の横手すりは床から70cm（a）に、L字型手すりの縦手すりは便器先端から20cm前方（b）に、L字型横手すりは便座面から上方25cm（c）に設置されている。

下衣・履物

排泄後の立ち上がり時に下げたズボンの裾を踏んで転倒することを避けるために、図1-aのように裾にも緩やかにゴムが入っているズボンを勧めます[3)]。また、履物は移乗や移動の際に不安定な動きとなるスリッパを避け、脱着しやすい靴を選定し使用を勧めます。

トイレ・ポータブルトイレでの排泄自立に向けた環境整備

トイレ環境

トイレまでの距離

対象者の部屋からトイレまでの距離は、尿意から尿排出までがまんできる時間内に移動可能な距離とします。その時間内にトイレ移動が間に合いそうになければ、部屋や部屋内のベッド位置の変更が必要です。

トイレの構造

脳血管障害の場合、右および左片麻痺の人が存在するため、施設においては対称的な構造のトイレが必要です。対象者が便座に座った状況で壁面の手すりを持つ手が非麻痺側となります。図3は、右手で手すりを握るので左片麻痺の人が使用しやすいトイレです。右片麻痺患者の場合には逆の設定になります。

トイレ扉・トイレ出入り口

トイレ扉には、引き戸か開き戸、カーテン扉などがあります。動作上、引き戸

図4 引き戸

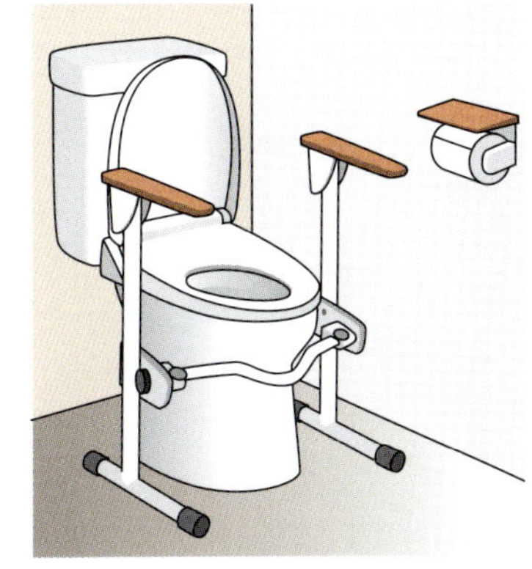

図5 トイレ用簡易手すり

（図4）が安全です。開き戸では、開く際に重心が後方へ移動し、バランスを崩して後方へ転倒する危険性が高いため、特に脳血管障害、パーキンソン病、高齢者などの対象者には避けます。カーテン扉はプライバシーの問題がデメリットですが、出入りが容易で自立促進とトイレ個室内で転倒などの事故があった際にも、即座に対応できる点がメリットです。自宅においては、引き戸と敷居の段差解消が推奨されます。開き戸が変更不可能な場合には、転倒予防のために、扉横に縦手すりを設置します。

手すり

トイレ個室内の手すりは、トイレ内移動や移乗、坐位保持に必要です。手すりの設置位置は身長に左右されますが、トイレ内移動用の横手すりは、おおよそ床から70cm程度に設置します。移乗用には、車いすから便座、便座から車いすの立ち上がり時に、L字型手すりの縦手すりもしくは横手すりを利用します。壁面に設置されるL字型手すりの縦手すりは、便器先端から20〜30cm前方に、L字型横手すりは便座面から上方22〜25cm程度に設置します（図3）[4)]。

自宅で、トイレ内の壁面の構造によっては、壁面への手すり設置が困難な場合があります。その際には、便器の周りに固定する簡易手すりの設置（図5）を検討します。

便器

身体障害者用の洋式便器本体の高さは一般の腰掛便器よりも高く、便座までの高さは45cm程度で、高齢者用ではありません。床から便座までの高さは、排泄のしやすさ、立ち上がり・着座動作、坐位姿勢の安定性に影響を与えます。床から便座までの高さは、対象者の排泄のしやすさを最も重視すべきであり、立ち上がり動作のしやすさは、手すりを把握する位置や立ち上がり動作の指導などで対応します。

自宅の便器が和式であれば、据置型便座を利用して洋式に変更する（図6）、もしくは和式便器を洋式便器に取り替えます。ただし、洋式トイレでは前方空間を検討しなければなりません。洋式トイレでは、着座および立ち上がり動作において、重心を上下方

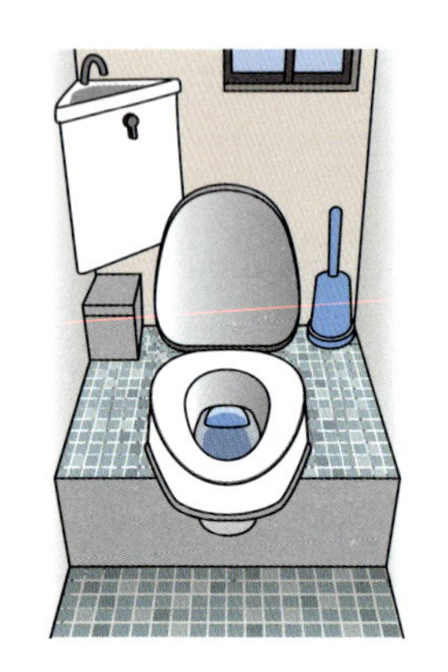

図6 据置型便座を用いた洋式への変更

据置型便座（段差式和式トイレ用）を用いて洋式トイレへ変更した例。

図7 男子小便器近くの足型シール

練習時に、対象者の両足を足型シールの上に合わせるように誘導する。

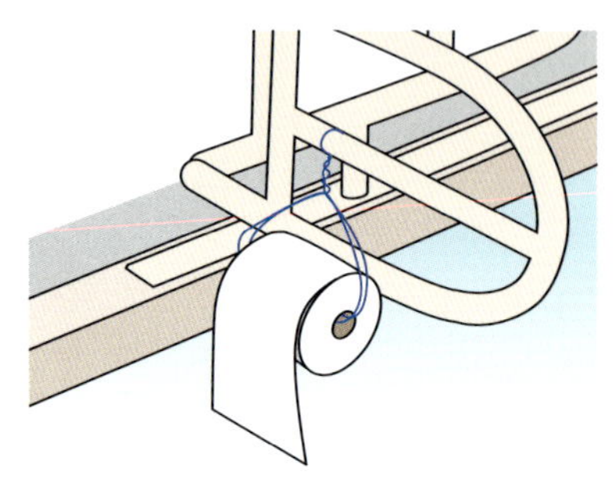

図8 トイレットペーパーホルダー

針金ハンガーで作成したトイレットペーパーホルダーは、費用も手間もかからず、便利な用具である。

向と前後方向に移動させる必要があります。したがって、便器先端からおおよそ60cm以上の前方空間が必要です[5]。また便座が低く、補高が必要で40〜43cm程度の高さ設定でよい場合は、温水洗浄便座を用いることも案の一つです。

ペーパーホルダー

ペーパーホルダーは、手が届き、重心移動によってバランスを崩さない範囲に設置します。便座先端部より10〜15cm程度前方で、便座面より上方に25〜30cmの位置がよいといわれています[4]。片麻痺患者の場合、片手で紙を切り取りしやすいワンハンドカット機能を有するペーパーホルダーがお勧めです。

洗浄弁

通常、タンクレバーや手動フラッシュバルブは便座後方にあり、レバーまで手が届かない、または押せない場合があります。その場合、自動便器洗浄のリモコンスイッチを手の届く範囲に設置します。センサーによって便器洗浄をするタイプは自立促進にはなりますが、排泄後の尿や便の状態を把握できないという問題点があります。

床面

高齢者は尿勢低下のため、離れた位置から排尿すると便器内に尿が届かない場合があり、小便器周辺を汚してしまいます。その対策として、男子小便器近くには足型シールを貼ります（図7）。

ポータブルトイレ環境

ポータブルトイレは、動作の安全性や安定性を確保するため、原則として図1-bのように90°の方向転換で移乗が可能な位置に設置します。ポータブルトイレ座面はベッド

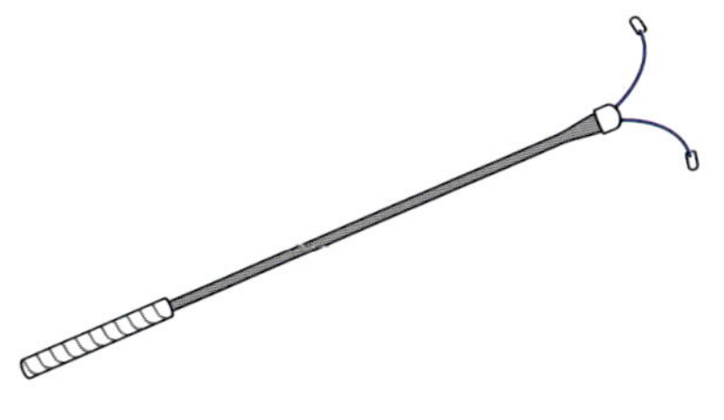

図9 リーチャー

リーチャーは手の届かないところの操作をする際に便利な自助具である。操作のしやすさは、リーチャーの長さと重さに関係する。作業療法士がベッドで計測し、対象者の状態に合わせて作成する。

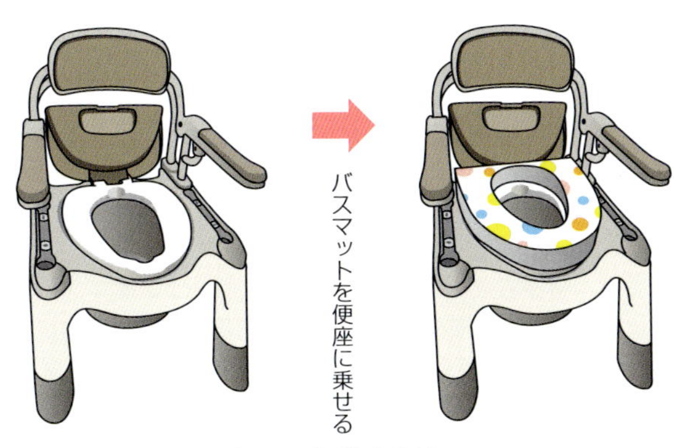

図10 バスマットを用いた補高便座

対象者に必要な補高に合わせて、便座の形にカットしたバスマットを重ね貼り合わせた自助具である。この補高便座は18mmを3枚貼り合せている。

と高さを合わせ、またベッドに接する側のポータブルトイレの手すりは取り外す、または跳ね上げをします。またトイレットペーパーホルダー（図8）や多床室のカーテンを開閉するリーチャー（図9）などの自助具があると動作がしやすくなり自立促進となります。関節可動域制限で通常の便座の高さには着座できない場合、ポータブルトイレ便座の補高にはバスマットを用いて作製した補高便座（図10）を用います。この自助具は対象者の状態に応じた高さ調節が可能であることが利点で、また対象者が使用時にのみ便座に載せるものなので、共有スペースである施設トイレや自宅でも有用性があります。これらの自助具の必要性は、作業療法士と話し合い、作業療法士に作製依頼をします。

引用・参考文献

1) 今西里佳．“排泄自立に向けたアプローチによりケアハウスの入所に至ったケース”．介護老人保健施設の作業療法．新井健五編．東京，医歯薬出版，2016，272-82.
2) 今西里佳・松本香好美．蓄尿症状を伴う脳血管障害患者の排尿活動アセスメント．WOC Nursing．3（8），2015，46-55.
3) 田尻寿子．排尿障害患者の作業療法（トイレ動作：更衣動作，衣服の工夫，ポータブルトイレの選択など）．MB Med Reha．14,2002, 55-61.
4) 中原雅美．“トイレの環境整備”．生活環境学テキスト．細田多穂監．東京，南江堂，2016，91-100.
5) 金沢善智．“トイレにおける福祉生活環境整備”．利用者から学ぶ福祉住環境整備．東京，三輪書店，2007，68-74.

排泄動作評価・練習

新潟医療福祉大学 リハビリテーション学部 作業療法学科 教授 **今西里佳**
日本歯科大学 新潟生命歯学部 耳鼻咽喉科学 講師 **松本 香好美**

Point

❶ 排泄動作評価・練習は、排尿自立への重要な支援方法の一つです。
❷ 排泄動作評価では、各動作方法や自立度、動作遂行に要する時間を確認します。
❸ 排泄動作練習では「できる動作」を増やし、「している動作」へ支援します。
❹ 排泄動作の自立判定評価は、多職種連携で行います。

排泄動作評価と排泄動作練習

排泄動作自立とは、①尿意を感じ、排泄場所や排泄方法の想起をした後に、起居移動、下衣上げ下げ、尿排出後の会陰部清拭などの一連の動作を他者の介助を必要とせず、②疲労のない時間内で手順通りに安全に動作可能なことを指します。排泄動作に関して、

表1 排尿自立度①②スコア（文献1より改変）

①移乗・移動

0	自立	・手すりや車いす、杖などが不要で、自力で移乗・移動している。 ・手すりや車いす、杖などが必要だが、一人で移乗・移動ができる。
1	一部介助	・監視で移乗や移動ができる。 ・ほとんど監視でよいが、必要時、患者に触れる程度である。 ・移乗時に軽く引き上げる程度である。
2	ほとんど介助	・移乗時に立ち上がりと方向転換に介助が必要である。 ・全介助、2 人介助が必要である。

②トイレ動作

0	自立	・自力で衣類を下し、排泄後会陰部を清潔にし、衣類を再び上げることができる。
1	一部介助	・安全のため介助者が監視をしている。 ・服を下げ、お尻を拭くことはできるが、服を上げることは介助者が行う。
2	ほとんど介助	・服を下げるかお尻を拭くことを介助者が行う。

排尿自立指導料算定のための排尿ケアチームでは、初回および定期的な評価時に、表1の排尿自立度①②スコア[1]を使用して、生活場面における①移乗・移動と②トイレ動作（下衣上げ下げおよび会陰部清拭）の評価を行います。

そして、排尿動作自立度のマトリックス（表2）を参考に、対象者の機能予後や希望などを考慮したうえで、尿器、ポータブルトイレ、トイレなどの排泄用具と目標（自立もしくは介助量軽減）を検討し、具体的な動作評価と練習計画を立てます。具体的な動作評価と練習計画には、尿器使用の排尿活動評価表（表3）やポータブルトイレ使用の排尿活動評価表（表4）、トイレ使用による排尿活動評価表（表5）[2]などを使用します。

表2 排尿動作自立度のマトリックス

		①移乗・移動		
		2点（ほとんど介助）	1点（一部介助）	0点（自立）
②トイレ動作	2点（ほとんど介助）	◎尿器・自立もしくは介助量軽減 （詳細な評価）表3参照 （重点課題）①臥位で下衣上げ下げ ②起居 ③尿器操作 ◎ポータブルトイレ・介助量軽減 （詳細な評価）表4参照 （重点課題）①起居・立位・移乗 ②臥位で下衣上げ下げ・清拭 ◎トイレ・介助量軽減 （詳細な評価）表5参照 （重点課題）①起居・立位・移乗	◎ポータブルトイレ・自立もしくは介助量軽減 （詳細な評価）表4参照 （重点課題）①移乗 ②立位もしくは臥位で下衣上げ下げ・清拭 ◎トイレ・介助量軽減 （詳細な評価）表5参照 （重点課題）①移乗・車いす駆動・歩行 ②立位で下衣上げ下げ	◎トイレ・自立 （詳細な評価）表5参照 （重点課題）①「できない」動作項目 ②「していない」動作項目
	1点（一部介助）	◎尿器・自立 （詳細な評価）表3参照 （重点課題）①臥位で下衣上げ ②起居 ③尿器操作 ◎ポータブルトイレ・介助量軽減 （詳細な評価）表4参照 （重点課題）①起居・立位・移乗 ②臥位で下衣上げ ◎トイレ・介助量軽減 （詳細な評価）表5参照 （重点課題）①起居・立位・移乗	◎ポータブルトイレ・自立 （詳細な評価）表4参照 （重点課題）①移乗 ②立位もしくは臥位で下衣上げ ◎トイレ・介助量軽減もしくは自立 （詳細な評価）表5参照 （重点課題）①立位で下衣上げ ②移乗・車いす駆動もしくは歩行	
	0点（自立）	◎尿器・自立 （詳細な評価）表3参照 （重点課題）①起居 ②尿器操作 ◎ポータブルトイレ・介助量軽減 （詳細な評価）表4参照 （重点課題）①起居・立位・移乗 ◎トイレ・介助量軽減 （詳細な評価）表5参照 （重点課題）①起居・立位・移乗	◎トイレ・自立 （詳細な評価）表5参照 （重点課題）①移乗 ②車いす駆動もしくは歩行	◎トイレ・自立 （詳細な評価）表5参照 （重点課題）①「していない」動作項目

◎：目標

表3 尿器使用の排尿活動評価表（側臥位で尿器使用・男性の場合）

	氏名：　　　様	年　月　日　時　分	日中　・　夜間

本人・家族への質問：「尿意を感じてから尿が出るまでどのくらいがまんできますか？」
＿＿＿＿＿＿分程度

活動手順	評価項目	自立度				動作遂行に必要な時間	練習の必要性
		自立	見守り要	一部介助要	全介助要		
尿意を感じる	尿意を感じる	□可能			□不可能		
排尿方法を想起する	排尿方法を想起する	□可能			□不可能		
布団をめくる	掛け布団をめくる	□	□	□	□	分	□
	掛け布団から（麻痺側の）上下肢を出す	□	□	□	□	分	□
下衣を下げる	背臥位にて、膝立て位で、下衣を下げる	□	□	□	□	分	□
側臥位になる	体幹を回旋して側臥位になる	□	□	□	□	分	□
尿器受けから尿器を取る	尿器受けに手を伸ばして、尿器を取る	□	□	□	□	分	□
尿器操作する	尿器口に男性器を挿入して保持する	□	□	□	□	分	□
	尿がこぼれないように、尿器を把持する	□	□	□	□	分	□
尿を排出する	尿を排出する	□可能			□不可能		
尿器を尿器受けに戻す	尿をこぼさずに尿器を尿器受けに戻す	□	□	□	□	（　分）	□
背臥位になる	側臥位から背臥位になる	□	□	□	□	（　分）	□
下衣を上げる	膝立て位で、下衣を上げる	□	□	□	□	（　分）	□
（尿廃棄を依頼する）	コールをして、尿廃棄を依頼する	□	□	□	□	（　分）	□
布団を掛ける	掛け布団を掛ける	□	□	□	□	（　分）	□

例えば、移乗・移動が一部介助レベル（1点）、かつトイレ動作が一部介助レベル（1点）で、トイレ自立を目標とする場合、表5の評価表を使用して、排泄動作のどの項目ができていないのか、どの程度の介助を必要とするのか、また一つの動作にどの程度の時間を要するのかを詳細に把握します[2)]。動作時間を把握する理由は、尿意切迫感があり尿意から尿排出までがまんできる時間が短い場合に、動作工程の途中で間に合わずに尿失禁が生じることや性急に動作を行うことを想定し、動作方法を検討する必要があるからです。

各動作は「できる動作」と「している動作」の2つの観点で捉えることが必要です。「している動作」とは、対象者が実際の生活場面で実行している実用的な動作を指します。一方、「できる動作」とは、対象者は実際の生活場面では実行はしていないが、理学療法や作業療法実施などの場面では、指示や促しによって遂行できる動作を指します[3)]。対象者の排尿動作自立支援において、理学療法士および作業療法士は動作評価お

表4 ポータブルトイレ使用の排尿活動評価表

ID:	氏名: 様	年 月 日 時 分	日中 ・ 夜間

本人・家族への質問:「尿意を感じてから尿が出るまでどのくらいがまんできますか?」 ______分程度

活動手順	評価項目	自立度				動作遂行に必要な時間	練習の必要性
		自立	見守り要	一部介助要	全介助要		
尿意を感じる	尿意を感じる	□可能			□不可能		
排尿方法を想起する	排尿方法を想起する	□可能			□不可能		
布団をめくる	掛け布団をめくる	□	□	□	□	分	□
	掛け布団から(麻痺側の)上下肢を出す	□	□	□	□		
起き上がる	起き上がる	□	□	□	□	分	□
ベッドに座る	坐位を保持する	□	□	□	□	分	□
	床面に足底を接地し、接地確認をする	□	□	□	□		
カーテンを閉める	カーテンを閉める	□	□	□	□	分	□
ポータブルトイレの蓋を開ける	ポータブルトイレの蓋を開ける	□	□	□	□	分	□
ポータブルトイレへ移乗する	立ち上がる	□	□	□	□	分	□
	立位を保持する	□	□	□	□		
	立位で方向転換する	□	□	□	□		
下衣を下ろす	下衣を下げる間、バランスは安定している	□安定	□見守り		□不安定	分	□
	下衣を十分に下げる	□	□	□	□		
ポータブルトイレに座る	ポータブルトイレ便座に着座する	□	□	□	□	(分)	□
尿を排出する	尿を排出する	□可能			□不可能		
使用済みパッドを抜き取る)	使用済みパッドを抜き取る	□	□	□	□	(分)	□
紙を取って清拭する	紙を取る	□	□	□	□	(分)	□
	尿道口を清拭する	□	□	□	□		
(交換用パッドを下着に敷く)	交換用パッドを下着内に敷く	□	□	□	□	(分)	□
便座から立ち上がる	便座から立ち上がる	□	□	□	□	(分)	□
下衣を上げる	下衣を十分に上げる	□	□	□	□	(分)	□
	下衣を上げる間、バランスは安定している	□安定	□見守り		□不安定		
(パッドの装着具合を調整する)	パッドがフィットするように調整する	□	□	□	□	(分)	□
ポータブルトイレからベッドへ移乗する	床面に足底を接地し，接地を確認する	□	□	□	□	(分)	□
	手すりを持って、立ち上がる	□	□	□	□		
	立位を保持する	□	□	□	□		
	立位で方向転換し、ベッドに着座する	□	□	□	□		
手洗いをする	ウェットティッシュで手を拭く	□	□	□	□	(分)	□
	(ペットボトルに入った水で手を洗う)	□	□	□	□		
ポータブルトイレの蓋を閉める	ポータブルトイレの蓋を閉める	□	□	□	□	(分)	□
ベッドに横たわる	頭の位置を確認しながらベッドに横たわる	□	□	□	□	(分)	□
布団を掛ける	掛け布団を掛ける	□	□	□	□	(分)	□

表5 トイレ使用による排尿活動評価表（移動方法：車いす）（文献2より著者作成）

ID:	氏名:　　　　　　　　様	年　月　日　時　分	日中　・　夜間

本人・家族への質問：「尿意を感じてから尿が出るまでどのくらい我慢できますか？」＿＿＿＿＿＿分程度

活動手順	評価項目	自立度				動作遂行に必要な時間	練習の必要性
		自立	見守り要	一部介助要	全介助要		
尿意を感じ、排尿場所や方法を想起する	尿意を感じ、排尿場所や方法を想起する	□可能			□不可能		
布団をめくる	掛け布団をめくり、（麻痺側の）上下肢を出す	□	□	□	□	分	□
起き上がる	起き上がる	□	□	□	□	分	□
ベッドに座る	坐位を保持する	□	□	□	□	分	□
	床面に足底を接地し、接地確認をする	□	□	□	□		
履物を履く	安定した坐位保持をしながら履物を履く	□	□	□	□	分	□
	履物を履いた後、足底を接地し、接地確認をする	□	□	□	□		
ベッドから車椅子へ移乗する	車椅子が適切な距離に位置していることを確認する	□	□	□	□	分	□
	車椅子にブレーキがかかっていることを確認する	□	□	□	□		
	立ち上がり、立位保持する	□	□	□	□		
	立位で方向転換し、車椅子に着座する	□	□	□	□		
フットレストに足を上げる	（麻痺側の）フットレストを下ろす	□	□	□	□	分	□
	（麻痺側の）フットレストに（麻痺側の）下肢を上げる	□	□	□	□		
ブレーキを解除する	ブレーキを解除する	□	□	□	□		□
トイレまで移動する	ベッド→トイレ　ベッド横で（バックで）車椅子を駆動する	□	□	□	□	分	□
	ベッド→トイレ　直線、曲がり角において車椅子を駆動する	□	□	□	□		
	車椅子駆動中、物や人へぶつかる	□なし	□たまに	□かなり	□いつも		
ドア（カーテン）開閉と施錠を	ドア（カーテン）を開ける	□	□	□	□	分	□
	ドア（カーテン）を閉め、鍵を掛ける	□	□	□	□		
便器前に車椅子を停める	便器に近づき、適切な位置で停止する	□	□	□	□	分	□
車椅子から便座に移乗する	ブレーキを掛ける	□	□	□	□		
	（麻痺側の）フットレストから（麻痺側の）下肢を下ろす	□	□	□	□		
	（麻痺側の）フットレストを上げる	□	□	□	□		
	床面に足底を接地し、接地確認をする	□	□	□	□		
	手すりを持って、立ち上がる	□	□	□	□		
	立位を保持しながら、方向転換する	□	□	□	□		
下衣を下ろす	下衣を下げる間、バランスは安定している	□安定	□見守り		□不安定	分	□
	下衣を十分に下げる	□	□	□	□		
便座に座る	便座の形に合わせて着座する	□	□	□	□	分	□
尿を排出する	尿を排出する	□可能			□不可能		
（使用済みパッドを抜き取る）	使用済みパッドを抜き取る	□	□	□	□	（　分）	□
紙を取って清拭する	紙をとり、尿道口を清拭する	□	□	□	□	（　分）	□
洗浄弁を操作する	洗浄弁を操作して水を流す	□	□	□	□	（　分）	□
（交換用パッドを下着に敷く）	交換用パッドを下着に敷く	□	□	□	□	（　分）	□
便座から立ち上がる	便座から立ち上がる	□	□	□	□	（　分）	□
下衣を上げる	下衣を十分に上げる	□	□	□	□	（　分）	□
	下衣を上げる間、バランスは安定している	□安定	□見守り		□不安定		
（パッドの装着具合を調整する）	パッドがフィットするように調整する	□	□	□	□	（　分）	□
車椅子へ移乗する	立位で方向転換し、車椅子に着座する	□	□	□	□	（　分）	□
フットレストに下肢を上げる	（麻痺側の）フットレストを下ろす	□	□	□	□		□
	（麻痺側の）フットレストに（麻痺側の）下肢を上げる	□	□	□	□		
ブレーキを解除する	ブレーキを解除する	□	□	□	□	（　分）	□
車椅子を駆動する	便器近くからバックで車椅子を駆動する	□	□	□	□	（　分）	□
（パッドを汚物入れに入れる）	パッドを汚物入れに入れる	□	□	□	□	（　分）	□
手を洗う	洗面台に近づき、両手を洗う	□	□	□	□	（　分）	□
ドア（カーテン）開閉と開錠をする	鍵を開け、ドア（カーテン）を開ける	□	□	□	□	（　分）	□
	ドア（カーテン）を閉める	□	□	□	□		
ベッドまで移動する	トイレ→ベッド　直線、曲がり角において車椅子を駆動する	□	□	□	□	（　分）	□
ベッドそばに車椅子を停める	ベッドに近づき、適切な位置で停止する	□	□	□	□	（　分）	□
ブレーキを掛ける	ブレーキを掛ける	□	□	□	□	（　分）	□
車椅子からベッドへ移乗する	（麻痺側の）フットレストから（麻痺側の）下肢を下ろす	□	□	□	□	（　分）	□
	（麻痺側の）フットレストを上げる	□	□	□	□		
	床面に足底を接地し、接地確認をする	□	□	□	□		
	手すりを持って、立ち上がる	□	□	□	□		
	立位保持しながら、方向転換し、ベッドに着座する	□	□	□	□		
履物を脱ぐ	安定した坐位を保持しながら履物を脱ぐ	□	□	□	□	（　分）	□
ベッドに横たわる	頭の位置を確認しながらベッドに横たわる	□	□	□	□	（　分）	□
布団を掛ける	（麻痺側の）上下肢をベッドに上げ、掛け布団を掛ける	□	□	□	□	（　分）	□

よび動作練習を通して、「できる動作」を増やし、「している動作」につなげる役目を果たします。その流れとしては、一動作ずつ介助レベルから見守りレベルへ、そして自立へと自立度を上げる支援を行います。看護師および介護士は対象者の「している動作」の維持および向上の支援を行います。最終的には一連のすべての排泄動作が自立に至るまで、随時、多職種で連携して評価を実施し、排泄動作の自立促進支援を行います。以下に、尿器やポータブルトイレ、トイレ使用別に排泄動作評価・練習のポイントを示します。

尿器使用による排尿自立に向けた排泄動作評価・練習

排尿動作自立度のマトリックス（表2）において、移乗・移動が2点レベルで、トイレ動作レベルが0～1点レベルの場合、認知機能低下や高次脳機能障害がなければ、早期にベッド上排尿自立が見込めます。尿器使用の評価時に重視する点は、①排尿肢位での尿器操作が可能であるか、②尿器の底を男性器よりも下の位置でキープできるか、という点です。

起居

尿器使用での排尿は、通常、側臥位やギャッジアップ半坐位、端坐位などの肢位で行います。排尿肢位の決定は、①その肢位まで自力で動くことが可能、②肢位保持や尿器受けからの尿器の取り出しが可能、③採尿後、尿が入った尿器の尿器受けへの戻しが可能、④尿器口への男性器の挿入と保持が可能で、どのような時間帯でも行える肢位とします。

側臥位の場合、背臥位での下衣下げを実施後、例えば片麻痺患者の場合は非麻痺側への寝返り動作が必要です。そして側臥位の保持をしながら尿器操作の可否が重要なポイントになります。また、ベッドの背上げをして半坐位での尿器使用は、ベッドのコントローラーの使用法を覚えて、操作可能な方が適応となります。起き上がりから端坐位保持が可能な場合には、背臥位での下衣下げを実施後、端坐位で尿器を使用するという方法もあります。起き上がりは表6のように行います。起き上がりや端坐位保持は、排尿動作能力向上において非常に重要な動作です。

掛け布団操作

ベッド上での尿器操作や尿器口への男性器の挿入のためには、目視確認が必要なため、背臥位で十分に掛け布団をめくる練習が必要です（図1）。

表6 起き上がり手順（片麻痺患者の場合）

①麻痺側の肘を非麻痺側の手で体の真ん中まで持ってくる
②非麻痺側の足で麻痺側の足を引っ掛けて両膝を曲げる
③非麻痺側へ体幹を回旋させて側臥位となる
④両足をベッドの外へ出す
⑤「おへそを見るように」と頭頸部を曲げることを促す
⑥非麻痺側の肘でベッドを支持する
⑦頭頸部を持ち上げる
⑧非麻痺側前腕部で支持し、体幹を起こす
⑨非麻痺側手掌支持で、さらに体幹を起こす
⑩端坐位をとる

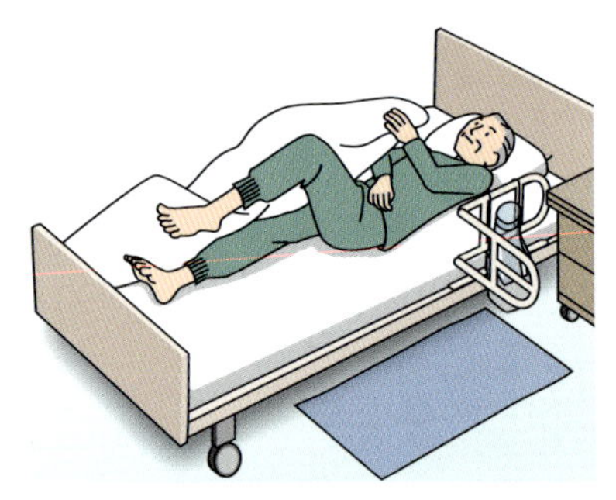

図1 掛け布団操作

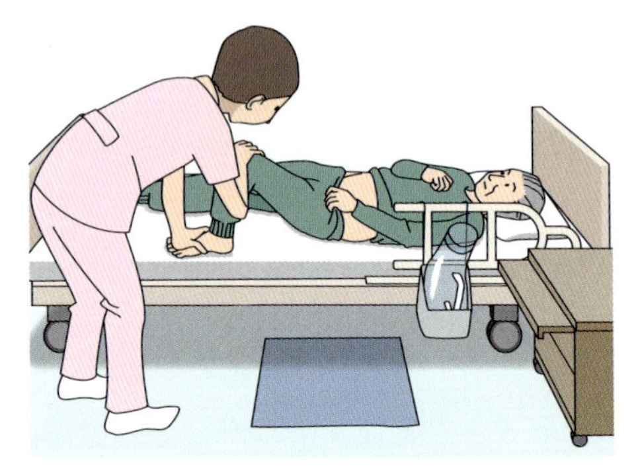

図2 ベッド上での下衣上げ下げ

背臥位での下衣上げ下げ

背臥位での下衣上げ下げは、膝屈曲位で殿部を挙上して行う動作です。膝屈曲位で足部を固定し、「おへそを天井へ突き上げるようにして腰を浮かしてください」と指示します。股関節伸展と体幹伸展運動で殿部を上げながら同時に下衣後面を足部の方向に向かって下げる動作と、殿部をベッドに下ろして下衣前面を下げる動作を繰り返して、左右の下衣を下げます（図2）。下衣を上げる動作はこの逆になります。

尿器および収尿器操作

尿器受けから尿器を取り、男性器を尿器内に挿入します。このとき図3のように、尿器の底が男性器より下に位置していないと採尿できず、尿がこぼれて衣服や寝具が汚れます。この失敗は認知機能低下や構成障害を有する対象者に多いので、尿器の導入は慎重に行う必要があります。

ポータブルトイレ使用による排尿自立に向けた排泄動作評価・練習

ポータブルトイレは、トイレまでの移動が困難である、トイレまでの距離が遠い、立

a
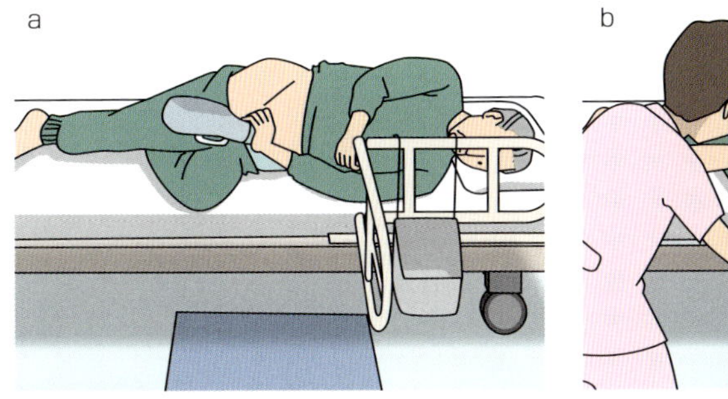
b
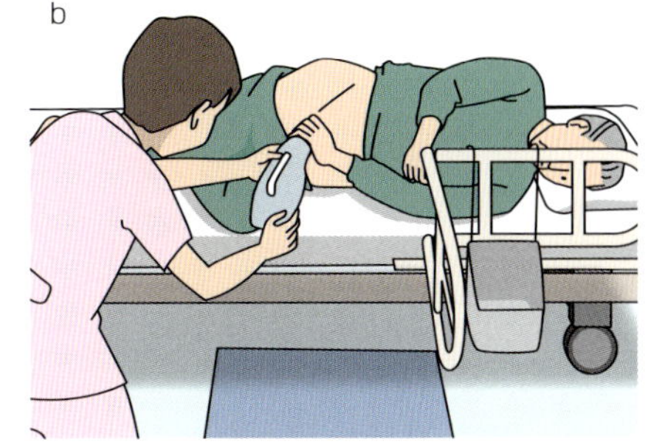

図3 尿器操作

(a) 尿器の底が尿道口よりも上方になっているため、排尿すると尿がこぼれる状況である。
(b) 尿器の底を尿道口よりも下方でキープするように指導している。

位保持での下衣上げ下げが困難である、夜間のトイレ排尿が危険である、夜間のトイレ排泄に介護者がいない、夜間に数回の排尿があり転倒リスクが高い、尿意切迫感がありトイレまで間に合わない、自宅のトイレ改修が構造上困難であるなどの場合に、ベッド横に設置して使用します。評価および練習項目は表4を利用します。

移乗（ベッドとポータブルトイレ間）

ベッド柵はサイドレールよりも前方への体重移動が行いやすい介助バーを選びます。表4の起き上がり後、立ち上がる前に端坐位姿勢を整えます。端坐位姿勢は、まずは左右均等に体重がかかるよう、骨盤を起こします。そして、支持基底面を広く確保するように両足間を肩幅に広げ、足底接地をします（図4）。支持基底面とは、両足を肩幅に開いた状態で立っている際の両足の足底とその間の部分を合計した面積を言い、広いほど安定します。立ち上がる前の足底接地の確認は転倒予防の重要なポイントです。

次にベッドに浅く腰掛け、介助バーを把持します（図5）。端坐位姿勢で膝屈曲位90°から約10°屈曲し（足部を後方へ引いて）、立ち上がる際に「おじぎをしてください」と声を掛けます。さらに体幹を前傾するように誘導し、殿部離床の際に重心が足の位置まで前方移動したところで、上方への重心移動を連動させて立ち上がり（図6）、直立位になります。手すりを持っている側の下肢を軸に90°の方向転換をし（図7）、そして再び「おじぎをしてください」と声を掛け、体幹を前屈し、着座します。

下衣上げ下げ

立位での下衣下げ動作を評価する際には、①手すりを使用した立位姿勢が安定しているか、②立位でかがむ姿勢を保ちながら膝周囲へリーチが可能か、③麻痺側腰部や殿部へのリーチが可能か、を確認します。立位での下衣上げ動作では、①ポータブルトイレ

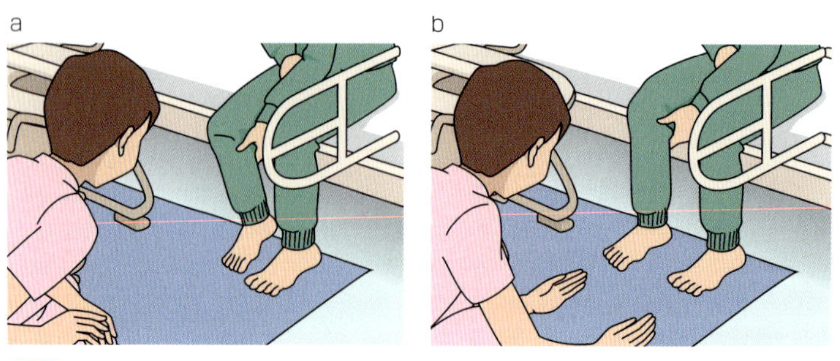

図4 両足底の接地

(a) 片麻痺側の右足が足底接地していない状態だったため、肩幅に開くよう、口頭で促す。
(b) 肩幅を示して、移乗前には必ず確認するように指導する。

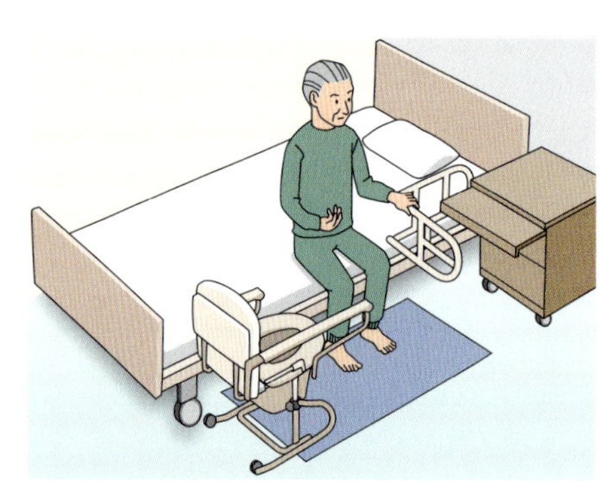

図5 移乗前の端坐位姿勢

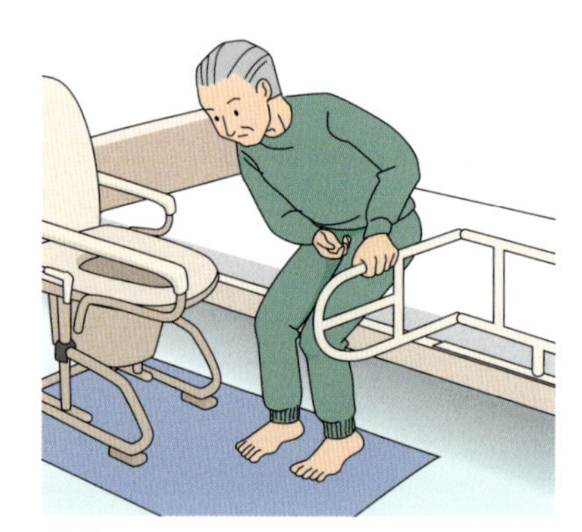

図6 移乗（立ち上がり動作）

から立ち上がる前に下衣を膝上まで上げておいて立ち上がり、②シャツを下衣の中にしまうことができるか、③麻痺側の上げ忘れがないか、という点を評価します[4]。

立位が不安定な場合には、ベッド側の下肢に重心を移動し、ベッドに寄りかかって立位安定を図ります（図8）。立位や端坐位で下衣上げ下げが不可能な場合には背臥位で行います（図2）。

ポータブルトイレ蓋開閉操作

ベッド端坐位にてポータブルトイレの蓋開閉を行う際には、重心を前側方に移動させて行います。片麻痺患者の場合、蓋へのリーチは、通常麻痺側への重心移動を必要とし、バランスを崩しやすい動作となります。端坐位で重心移動をしながら前側方へリーチする練習を行いますが、バランス習得が困難な場合にはリーチャーという自助具の使用を検討し練習を行います（図9）。

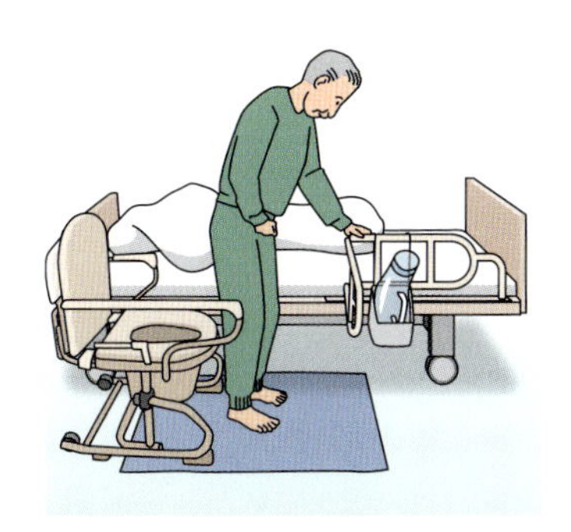

図7 移乗（方向転換）

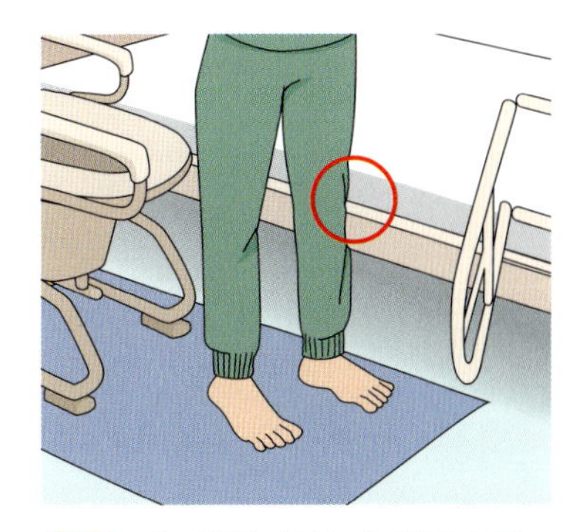

図8 ベッドサイドにおける立位での下衣上げ下げ

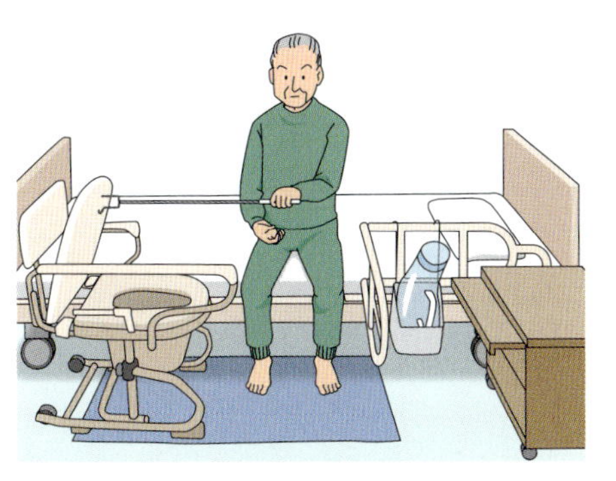

図9 リーチャーでポータブルトイレの便座蓋を操作

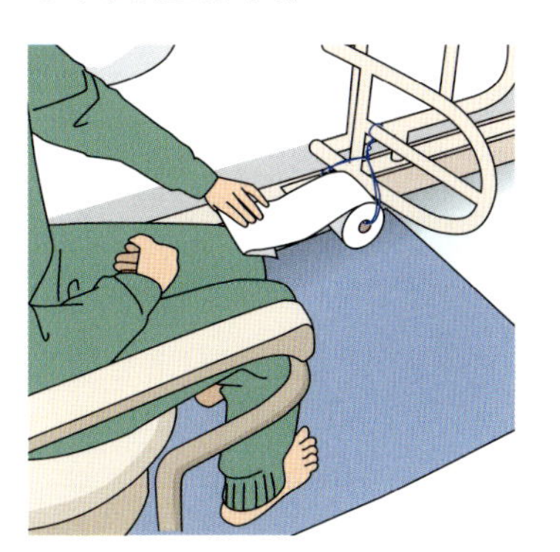

図10 ペーパーカット

ペーパーカットと清拭

図10のような環境整備をして、トイレットペーパーをポータブルトイレ着座で取り、片麻痺患者の場合は片手でちぎる練習をし、尿道口を清拭します。あるいは、ベッド上で過ごしている際に、あらかじめ1回分ずつのペーパーを切って置いておく工夫を促します[5)]。

ベッド周りのカーテン操作

多床室では、プライバシー保護かつ自立促進のため、ベッド端坐位でのカーテン操作も重要な動作の一つとなります。カーテン操作は、図11のようにリーチャーや孫の手を利用して行います。

トイレでの排尿自立に向けた排泄動作評価・練習

トイレ使用評価および練習項目は表5を使用します。

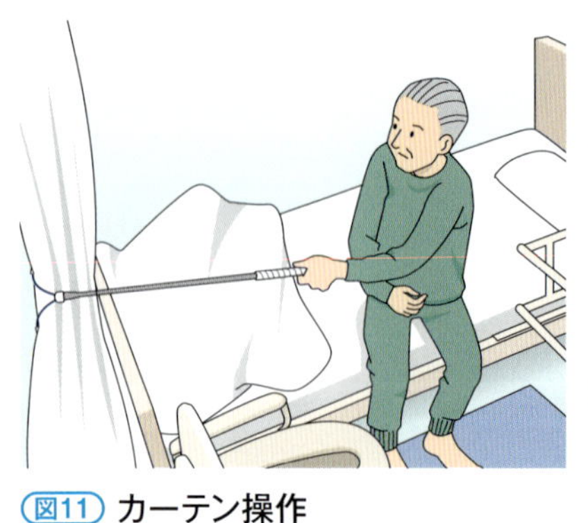

図11 カーテン操作

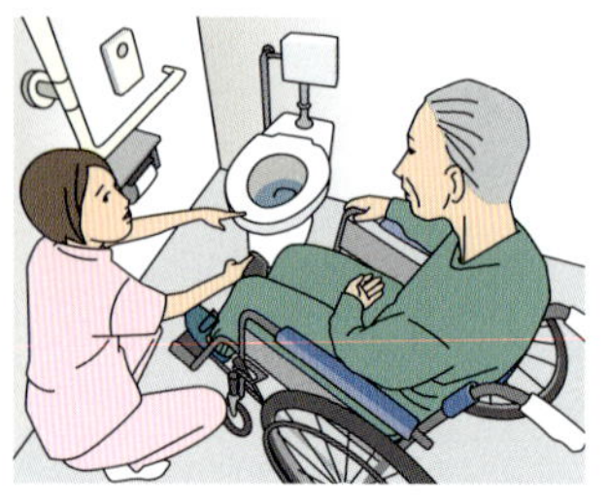

図12 トイレ便器移乗位置

便座先端とフットレストの角が合う位置に停車する。

図13 移乗前の浅い坐位姿勢

移乗

車いす使用の場合、排尿ごとにベッドと車いす間および車いすと便器間で計4回の移乗が必要です。車いすと便器間の移乗は、まずは図12のように車いすを便器に接近させて停止する位置の確認が重要です。そして、車いす上で、少し浅く坐り（図13）、肩幅に広げた両足と両足の足底接地を確認し、手すりを把持して立ち上がります。片麻痺患者の場合は、非麻痺側下肢を軸足として、方向転換を行います。

車いす駆動・車いす操作

車いす駆動時、対象者は駆動する足を前方に振り出し、踵部を使用して駆動できなければ、推進力は得られません。小柄な方が標準型車いすに乗車すると、つま先で駆動することになり、なかなか進みません（図14）。このような場合には車いすの変更が必要です。

車いす使用では、①適切に車いすのブレーキ掛けができるか、②移乗前には必ずフットレストから下肢を下すか、③足を下ろした後にフットレストを上げるか、④両足底の接地と両足の幅を確認して立ち上がるか、の4つの動作の評価・練習が転倒予防のためにも重要です。ブレーキおよびフットレストの操作を忘れる対象者は、半側空間無視や認知機能低下の対象者に非常に多くみられますので、慎重な評価と練習が必要です。

履物着脱

車いす駆動時やトイレ内での移乗では、靴を装着している必要があります。片麻痺患者の場合、ベッド端坐位で、麻痺側の下肢を非麻痺側の大腿部に乗せて非麻痺側の手で装着する動作（図15）を行います。この動作には下肢の関節可動域や体幹の柔軟性、バランス能力が影響します。

図14 車いすつま先駆動

図15 靴脱着

図16 下衣上げ下げ（縦手すりにもたれて）

トイレでの下衣着脱

両上肢が使用可能な場合は、股関節および膝関節屈曲位で体幹を前屈しながら下衣を上げ下げします。または、片方の手で手すりを把持し、もう一方で下衣を上げ下げします。片麻痺などで立位バランスに不安定さがある場合には、縦手すりにもたれて実施する方法（図16）や便器にもたれて実施する方法など、いずれも非麻痺側に重心を移動し、実施します。そして麻痺や立位バランスの改善に伴い、安全性や安定性を考慮したうえで、麻痺側下肢に重心を移動して実施するように指導します。

排泄動作自立判定

排泄動作の動作ごとの練習と一連の通し練習が進み、各動作が遠位見守り（離れた位置での見守り）で安全に行えるようになった段階で自立判定を行います。看護師や介護士、理学療法士、作業療法士などの多職種で、日中および夜間の各動作の自立判定評価の検討をします。評価においては、排泄動作自立判定評価表（表7）[6]を準備して、数日間かけて排尿ごとの全動作の危険性の有無を確認します。ポータブルトイレもしくはトイレ使用については、転倒予防の観点から慎重に評価を行います。表7は1日分の車いす利用によるトイレ使用の排泄動作自立判定評価の例です。数日間の評価後、多職種が集まり、排尿動作の安全性および安定性を認めると、排尿動作自立支援のゴールに到達したことになります。

表7 排泄動作自立判定評価表の使用例（車いす利用によるトイレ使用）（文献6より著者作成）

動作項目		□月　△△日　起床後1回目の排尿　～　翌朝　起床後1回目の排尿まで											
	排尿時刻	6:00	7:20	8:45	11:30	12:50	15:30	17:30	19:20	22:05	1:30	4:20	6:20
1	布団をめくってベッド上で起き上がる	4	4	4	4	4	4	4	4	4	4	4	4
2	ベッド端坐位で靴を履く	4	4	4	4	4	4	4	4	4	4	4	4
3	車いすのブレーキを確認する	4	4	4	4	4	4	4	4	4	4	4	4
4	ベッドから車いすへ移乗する	4	4	4	4	4	4	4	4	4	4	4	4
5	フットレストの操作をする	4	4	3	4	4	4	4	4	4	4	4	4
6	ベッド横から車いすを駆動する	4	4	4	4	4	4	4	4	4	4	4	4
7	トイレまで車いすを駆動する	4	4	4	4	4	4	4	4	4	4	4	4
8	ドアを開け、トイレ内へ入り、施錠する	4	4	4	4	4	4	4	4	4	4	4	4
9	便器前でブレーキを掛ける	4	4	4	4	4	4	4	4	4	4	4	4
10	立ち上がり、立位で下衣を下げる	4	4	4	4	4	4	4	4	4	4	4	4
11	便器へ移乗する	4	4	4	4	4	4	4	4	4	4	4	4
12	排尿後、紙をとる	4	4	4	4	4	4	4	4	4	4	4	4
13	清拭をする	4	4	4	4	4	4	4	4	4	4	4	4
14	立ち上がり、立位で下衣を上げる	4	4	4	4	4	4	4	4	4	4	4	4
15	車いすへ移乗する	4	4	4	4	4	4	4	4	4	4	4	4
16	フットレストの操作をする	4	4	4	4	4	4	4	4	4	4	4	4
17	車いすのブレーキを解除する	4	4	4	4	4	4	4	4	4	4	4	4
18	手を洗う	4	4	4	4	4	4	4	4	4	4	4	4
19	トイレ外へ車いすを駆動する	4	4	4	4	4	4	4	4	4	4	4	4
20	ベッドまで車いすを駆動する	4	4	4	4	4	4	4	4	4	4	4	4
21	ベッド横でブレーキを掛ける	4	3	4	4	4	4	4	4	4	4	4	4
22	フットレストを操作する	4	4	4	4	4	4	4	4	4	4	4	4
23	車いすからベッドへ移乗する	4	4	4	4	4	4	4	4	4	4	4	4
24	ベッド端坐位で靴を脱ぐ	4	4	4	4	4	4	4	4	4	4	4	4
25	ベッド上に横たわり，布団を掛ける	4	4	4	4	4	4	4	4	4	4	4	4
合計		100	99	99	100	100	100	100	100	100	100	100	100
見守り者サイン		Y	W	N	Y	W	I	W	T	T	S	S	T

<判定基準>
4点：危険性はまったく感じられない。動作はスムーズだった。
3点：危険性はほぼないものと思われる。動作は手順や動作方法を誤りそうになるが自己修正可能だった。
2点：少し危険性を感じ、一部介助した。
1点：危険性を感じ、介助した。

引用・参考文献

1) 日本創傷・オストミー・失禁管理学会.「排尿自立支援加算」「外来排尿自立指導料」に関する手引き. 東京, 照林社, 2020, 17-36, 27.

2) 今西里佳ほか. 蓄尿症状を伴う脳血管障害患者の排尿活動アセスメント. WOC Nursing. 3, 2015, 46-55.

3) 上出直人. "ADL評価". PT・OTビジュアルテキスト：ADL. 柴喜崇ほか編. 東京, 羊土社, 2015, 21-35.

4) 澤潟昌樹ほか. ADL障害の評価ポイントとアプローチー排泄・入浴動作を中心に. 作業療法ジャーナル. 45, 2011, 223-9.

5) 野上雅子. 脳血管障害者の排尿障害に対する作業療法. Monthly book medical rehabilitation. 148, 2012, 21-9.

6) 今西里佳. "排泄自立に向けたアプローチによりケアハウスへの入所に至ったケース". 介護老人保健施設の作業療法. 新井健五ほか編. 東京, 医歯薬出版, 2016, 279.

カテーテル管理と排尿自立支援

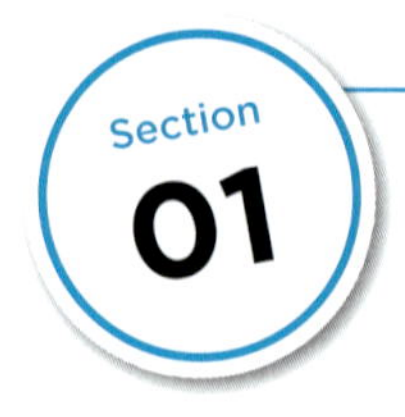

尿道留置カテーテル管理の適応（カテーテル抜去の適応と不適応）

東京都リハビリテーション病院 副院長／泌尿器科 鈴木康之

Point

1. カテーテルの特性を知り、その利点を生かす手腕が医療者に求められている。
2. 尿道留置カテーテルでは、複雑性尿路感染症が必発である。
3. 尿道留置カテーテル使用のコツは期間限定である。
4. 抜去後の下部尿路機能障害合併率は、年齢、下部尿路閉塞、合併症や体力に左右される。
5. 排尿管理法は、社会的背景も含めて総合的に判断する。

はじめに

医学会の“泰斗”である William Osler（1849-1919）は「医療はサイエンスに基づいたアートである」という格言を残しています。これは排尿管理法の決定においても参考になる言葉です。サイエンスの見地からは、一定期間以上のカテーテル留置は感染・尿路刺激などにより禁忌で、重度尿排出低下には間欠導尿で対応すべきです。アートの見地からは、尿道留置カテーテルは尿排出機能に優れ利便性も高く、患者・医療者・介護者の福音ともなっている事実も無視できません。よって医療者は、サイエンスとしての医学的観点と、アートとしての現実的問題の両者を天秤にかけ、個々の患者の管理法を判断すべきです。

本項で解説できるのは主にサイエンスの部分です。アートの部分は、対象患者の心理的要素のみならず社会・経済的背景なども含め、総合的に現場の医療者が判断すべきものです。また、決定した排尿管理方法も、状況変化に柔軟に対応すべきものと考えます。

尿道留置カテーテルの使用理由

わが国で年間1,000万本が消費されるという尿道留置カテーテルは、さまざまな使用理由（表1）があります。手術や集中治療室などでの全身管理には、単位時間尿量の把握が不可欠で絶対的適応と言えます。さらに膀胱損傷や尿路手術後も同様に、絶対的適応と考えます。また、失禁尿が皮膚炎や褥瘡悪化などの原因となる場合の対応として使用される際も、治癒までの期間限定で、相対的適応と考えることもできます。尿排出機能低下については後述します。問題は、留置理由が不明の尿道留置カテーテルです。これは、臨床現場で高頻度に遭遇します。このような症例の抜去可否判定には、抜去後に自尿が確認され残尿がないかを判断する必要があり、時間と労力を必要とします。多忙な現場では、カテーテル交換継続が手間は省けるため、ズルズルとカテーテル管理が続いてしまうことになります。さらに、社会的適応に関しては、対象患者の病態のみならず周囲の人員などの多因子を考慮すべきで、サイエンスを強調するあまり無闇な抜去が患者・介護者の生活の質を悪化させてしまうことも無視はできません。特に、夜間限定の留置カテーテルで本人も介助者も十分な睡眠がとれる利点は特筆すべきものです。

尿排出機能低下によるカテーテルの使用

膀胱と尿道からなる下部尿路の機能（表2）は“蓄尿”と“尿排出”です。蓄尿障害は、臨床的には（切迫性や腹圧性などの）尿失禁*として出現し、生活の質を悪化させます。一方で尿は腎で産生され、体内の余剰水分、老廃物（代謝産物）のほぼ唯一の排出経路であり、尿排出機能障害は生命維持に直結します。

よって加齢や各種疾患で下部尿路機能障害が生じた場合には、尿排出機能回復が優先されます。また、尿には尿素が含まれ尿素分解菌の格好の栄養分で、常に尿路感染症のリスクがあります。尿路感染症の見地からも、速やかな全量の尿排出は重要です。

表1 尿道留置カテーテルの使用理由

- 全身管理での単位時間尿量把握
  - 手術中、集中治療室、重症
- 治療目的
  - 尿路手術後・尿路損傷
  - 失禁尿対策：皮膚炎・褥瘡治療
- 尿排出機能低下
  - 膀胱機能低下、全身機能低下、体位（臥位）
- 理由不明
  - 初診時からカテーテル管理
- 社会的適応
  - 医学理論（サイエンス）VS
    具体的妥当性（アート）

表2 下部尿路機能

- 尿を溜める（蓄尿：交感神経：NA：α_1、β_3）
  漏らさずに充分量を溜める（QOL 維持目的）
- 尿を出す（尿排出：副交感神経：ACh：M）
  速やかに全部出す（生命維持目的）

蓄尿は交感神経により促進される。交感神経節後線維末端から分泌されるノルアドレナリン（NA）はα_1受容体、β_3受容体を刺激し蓄尿を促進する（よってα遮断は尿排出を促進する）。尿排出は副交感神経で促進され、副交感神経節後線維末端から分泌されるアセチルコリン（ACh）はムスカリニック（M）受容体を刺激し、膀胱排尿筋を収縮させ尿排出を促進する。

＊尿失禁のなかで、溢流性尿失禁だけは尿排出障害で、最も悪化した状態だが、残尿測定で容易に鑑別できる。

表3 尿排出障害治療

- ・薬物療法
  - ・交感神経遮断薬
    - α1遮断薬
  - ・PDE5阻害薬
  - ・副交感神経刺激薬*
    - コリン作動性薬
    - （ベタネコール塩化物など）
    - コリンエステラーゼ阻害薬
    - （ジスチグミンなど）
- ・その他その他（手術など）

第一選択は薬物療法でα1遮断薬が最初に使用される。タムスロシン塩酸塩（ハルナール®）、ナフトピジル（フリバス®）、シロドシン（ユリーフ®）などは下部尿路選択性が高いが、保険診療上は前立腺肥大症が適応で、女性では選択性のないウラピジル（エブランチル®）が使用される。また、PDE5阻害薬（phosphodiesterase 5 inhibitor）も有用性は高い。また、ベタネコール塩化物やジスチグミン臭化物などの副交感神経刺激薬は、排尿筋の収縮力を改善させる効果が期待できるが、コリン作動性クリーゼ*の副作用がある。また、その他として大きな前立腺肥大症には5α還元酵素阻害薬なども有用である。また、手術適応の前立腺肥大症や尿道狭窄などの下部尿路閉塞による尿排出障害には、手術療法が最も効果的である。

*コリン作動性クリーゼ：悪心、嘔吐、腹痛、下痢、唾液分泌過多、発汗、徐脈、血圧低下、縮瞳等で投与中止。アトロピン硫酸塩投与推奨。

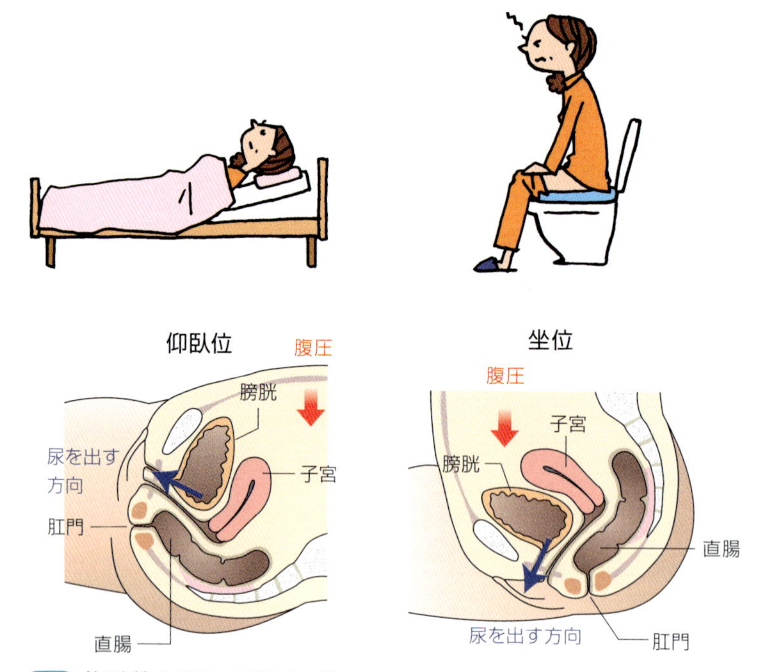

図1 仰臥位と坐位の腹圧の違い

仰臥位では腹圧が十分に加わらないが、坐位（立位）では腹圧が直接膀胱（下方）にかかり内臓重量も加わり排泄は容易となる。健常人でも排尿は立位か坐位で行われる。

表3に尿排出障害治療法を列挙します。また、尿排出には体位（図1）が重要で、臥位では正常人でも排尿は容易ではありません。

尿排出機能を正確に評価するものは排尿時の勢い（尿流量）ですが、その測定には専用機器（尿流計）が必要です。このため、臨床的には残尿量評価が尿排出機能の代用とされ、事実、残尿量とその増加が尿路感染や腎機能障害などの各種合併症を招きます（図2）。一般臨床では残尿測定がスクリーニングとして頻回に行われ、その専用機が多数発売され広く用いられています。

尿排出障害は、残尿が50〜150mL[1]を超える頃から複雑性尿感染症のリスクが高まります。治療（表3）を行っても、残尿量低下が認められない場合にはカテーテル法が適応されます。

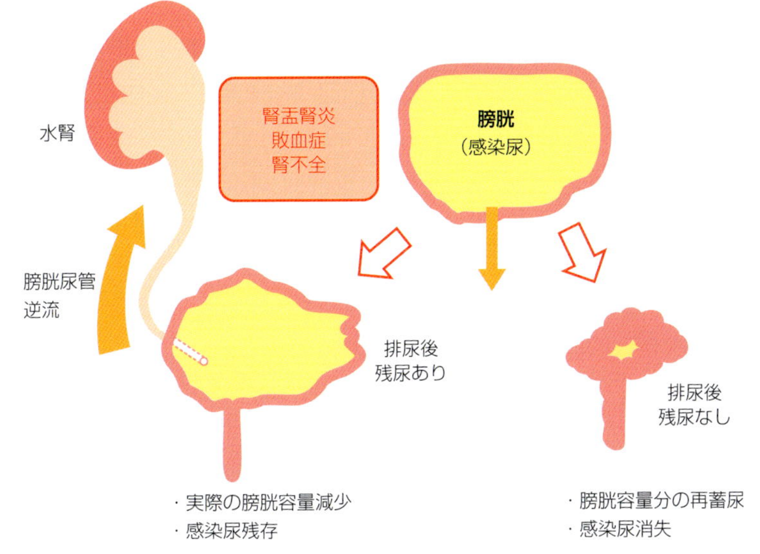

図2 残尿増加による障害

膀胱内に感染尿（中央上部）が400mLあると仮定する。この尿が残尿なく全部排出されると、感染尿もすべて排泄されるため感染は容易に治癒（単純性尿路感染症）する。また、その後400mL尿が貯留後に次回の排尿が行われる（右側）。一方、100mLしか排出されずに300mLの尿が残ると、感染は遷延する。これに抗菌薬を投与しても菌交代現象を起こすのみである（複雑性尿路感染症）。また、その後100mL貯留しただけで次回の排尿が必要となる（頻尿）。また、感染の遷延で膀胱の逆流防止弁が破綻し膀胱尿が腎に逆流（膀胱尿管逆流）する。逆流により尿路感染は発熱を伴う重症の腎盂腎炎となる。これが放置されると敗血症となり命にかかわる状態となる。一方、逆流した尿が無菌であったとしても腎盂内圧の上昇は水腎症を悪化させ、進行とともに腎実質が破壊されるため、放置すると腎不全となる。このように尿排出障害は進行・悪化で生命予後に関係すると推定される。

清潔間欠自己導尿と留置カテーテル

カテーテルの使用法は、留置カテーテル法と間欠導尿法に分かれます（表4）。広く用いられる留置法は、経尿道的に留置されるのが通常です。長期にわたる場合には複雑性尿路感染（図3）（図4）と膀胱刺激（図5）が不可避ですが、尿道合併症が回避可能な膀胱瘻が選択されることもあります（図6）[2]。また、期間（時間）限定で留置の利便性を享受する方法として、間欠留置カテーテル法（間欠式バルーンカテーテル）もあります。これは夜間使用が多いため、ナイトバルーンの別名があります。適切な夜間睡眠は患者のみならず介護者にとっても不可欠で、その利便性は無視できません。また、外出、レジャーなどでも使用され患者の生活の質維持に寄与しています。

表4 留置法と間欠法の比較

尿路カテーテルの特徴	留置法（バルーンカテーテル）	間欠法（清潔間欠自己導尿）
尿路感染	不可避	防止可能
自力排尿機能判定	不可	可能
ドレナージ効果	確実	不確実*
条件	閉塞前に交換	自己導尿が原則** 認知・視力・上肢機能など
管理	一般医療者	専門医療者

＊：重度夜間多尿には適応不可
＊＊：短期なら可能

尿路感染の観点では、留置法は抜去以外に治療できない複雑性尿路感染が不可避である。それに対し間欠法は、適切な手技で感染予防が可能である。また、カテーテルが留置されていると自力排尿が可能になっても判断できないのに対し、間欠導尿では自力排尿の判定が可能である。一方で、カテーテル留置では（閉塞のない限り）膀胱内の尿は確実に排出されるのに対し、間欠導尿では不十分な手技では膀胱内の尿を全部出すことはできない。また、留置カテーテルは定期交換で管理可能であるのに対し、間欠法は（長期には）自己導尿が原則となり、患者本人が導尿の意義と注意点を理解・意図できる認知機能と、実行できる視力と、上肢機能を持ち合わせていることが不可欠である。また、管理にあたっては、留置法は一般医療者で十分であるのに対し、清潔間欠自己導尿の管理には専門の医師や皮膚・排泄ケア認定看護師などが必要である。

撮影条件
試験装置：日本電子株式会社製　走査電子顕微鏡 JSM-T 220A
コーティング：Au コーティング：10 m A 5min
加速電圧：10kV
撮影倍率：5,000 倍
試料傾斜：0°～45°

図3 尿道留置カテーテル表面

（資料提供：株式会社メディコン）

無菌的に尿路内に留置されたカテーテル表面であるが、5 日後には細菌が全面を覆い尽くしている。

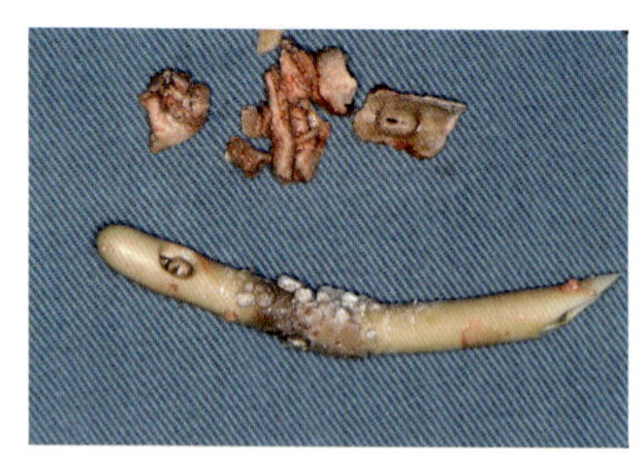

図4 自己抜去時に切断、膀胱に半年留置

難治性尿路感染症患者から摘出された膀胱異物結石である。6ヵ月前、ある手術当日の夜に（違和感から）尿道留置カテーテルを自己抜去したが、その際に先端が膀胱内に残存したためと判明した。

抜去可否の判定と抜去後の下部尿路機能障害合併因子

尿道留置カテーテルを抜去し自尿が出るか否かは、基本的に“抜去”でしか判定できません。ただ、排尿姿勢（図1）がとれない場合や体力低下状態では、自尿を期待するのは困難なことが多いです。また、尿排出機能に影響しやすい薬物や加療（膀胱後面の手術、放射線治療など）の有無も参考にすべきですが、臨床的には“排尿姿勢”と

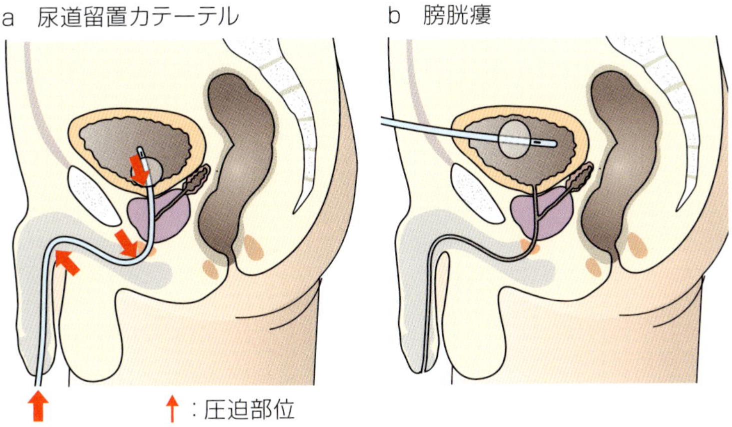

a　尿道留置カテーテル　　b　膀胱瘻

↑：圧迫部位

図5 膀胱瘻

尿道留置カテーテル（a）では、尿道が圧迫され血流低下・疼痛を起こすことがある。膀胱瘻（b）はこれを回避できる利点がある。長期留置カテーテル管理を余儀なくされる例では、膀胱瘻が選択される場合も多い。

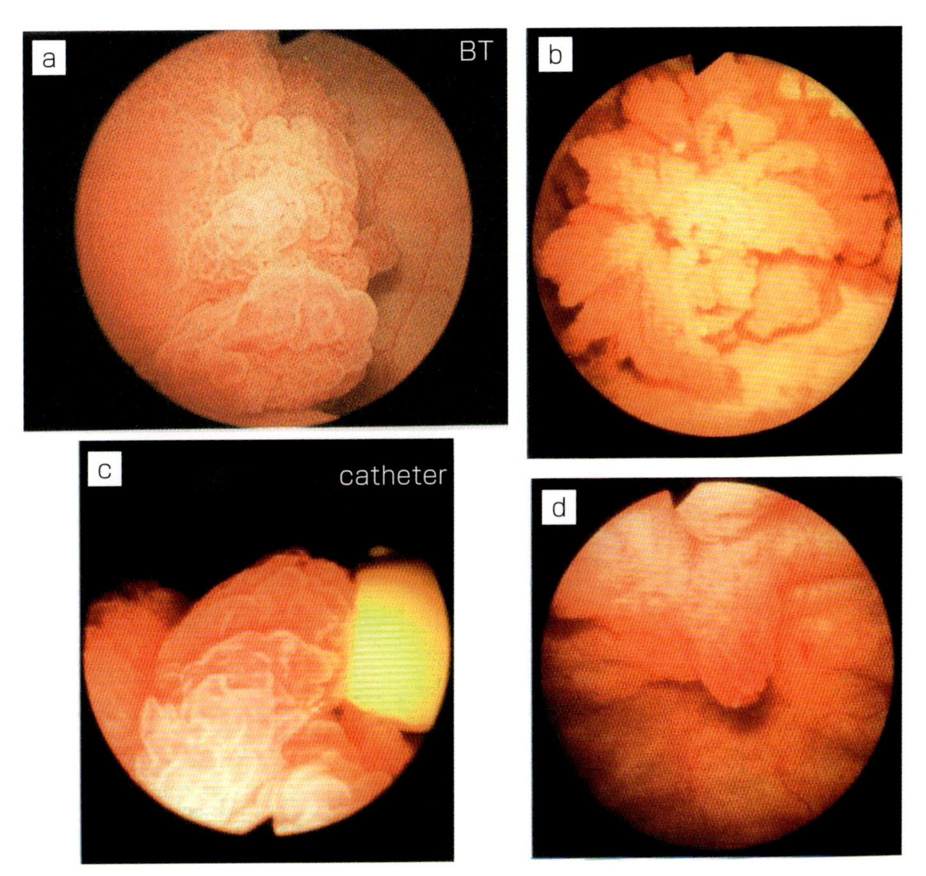

図6 膀胱鏡写真（文献 2 より引用）

a、b の写真は膀胱腫瘍である。c の写真は尿道留置カテーテル（黄色）の刺激により膀胱腫瘍のような大きな粘膜浮腫（異物肉芽腫）を形成している。d は、留置カテーテル抜去直後で、同様の所見がみられる。

表5 意欲の指標

点	1）起床（wake up）
2	いつも定時に起床している。
1	起床しないことがある。
0	自分から起床することがない。
点	2）意思疎通（communication）
2	自分から挨拶する、話しかける。
1	挨拶、呼びかけに対し返答や笑顔
0	反応がない。
点	3）食餌（feeding）
2	自分ですすんで食べようとする。
1	促されると食べようとする。
0	食事に関心がない、まったく食べない。

点	4）排泄（on and off toilet）
2	いつも自ら尿意便意を伝える。あるいは、自分で排尿排便を行う。
1	ときどき尿意、便意を伝える。
0	排泄にまったく関心がない。
点	5）リハビリ、活動（rehabilitation, activity）
2	自らリハビリに向かう、活動を求める。
1	促されて向かう。
0	拒否、無関心。

意欲の指標は起床や意思疎通などの5項目に分かれ、各項目0〜2点で評価し、その合計点で表される。意欲の指標が体力の評価基準として最適かは議論があるが、この判定法は医療知識の有無にかかわらず誰でもが判定できるという利点がある。

表6 下部尿路機能障害合併予測因子

1 年齢（加齢）
2 合併症・原疾患の重症度
下部尿路閉塞（前立腺肥大症）の程度
高血圧・糖尿病などの罹患期間、コントロール、内服薬
原疾患の程度
3 骨盤内手術の既往
悪性疾患か（子宮がん、直腸がん、前立腺がん、など）
術後の放射線治療、化学療法の有無
4 日常生活動作
坐位がとれるか、維持できるか？
5 その他
認知機能、上下肢機能、視力、意欲、体力、など

“体力低下”が最も重要と感じています。意欲の指標（表5）で6点以上は自力排尿が可能であるため、カテーテル抜去後、自尿がなくても、間欠導尿を行うと経過とともに自尿が期待でき、一方で意欲の指標が3点以下は自力排尿が不可能だとの報告もあります[3)]。

下部尿路機能障害合併の予測因子についての、レベルの高いエビデンスはありません。しかし、日常臨床で強く感じる要素として、前述の内容をさらに具体的に表6に示しました。このなかで加齢は最重要で、一般に80代後半以降は、抜去後尿閉のリスクも高いです。逆に50代以下では抜去後に尿排出障害を合併しても、追加の薬物療法などで対処可能なことが多いです。評価が欠かせない合併症は前立腺肥大症（benign prostatic hyperplasia：BPH）の閉塞の程度です。また、糖尿病、高血圧、動脈硬化などの合併疾患は、重症度やコントロールの程度が、尿排出機能のみならず体力低下にも結びつきます。薬剤は内服後血液に吸収され、全身を循環し目的臓器以外の尿路にも同程度の作用をもたらします。尿排出を妨げる（副交感神経遮断作用である）抗コリン作用は、三環系抗うつ薬をはじめとして、自律神経作動薬に分類されない多くの薬剤が、これをもつことは広く知られています。原疾患の重症度も重要で、例えば同じ脳卒中でも、麻痺の範囲、程度の要因が重要です。骨盤内悪性腫瘍手術は、リンパ節郭清などで下部尿路の支配神経を切断・障害するため、重要な要素です。よって、良性腫瘍（子宮筋腫、前立腺肥大症など）では目的の腫瘤だけを切除するため、影響しないことが多いです。また、局所進行性の子宮がんなどで根治率の上昇を目的に追加される放射線療法は、残存神経をさらに障害します。追加化学療法も体力低下、日常生活動作能力低下に結びつきます。日常生活動作は、坐位がとれるか否かが最重要因子ですが、そのほかにも移動能力などの全身機能も重要因子となります。

上記の因子は、BPH 以外はお互い表裏一体の関係です。例えば、高齢者は排尿姿勢がとりにくく、合併症が多く体力・意欲が低下していることが多いです。また、糖尿病合併例でもコントロールが良好例は日常生活動作、体力ともに良好ですが、コントロール不良例はこれらが不良です。

可能になったらすぐ抜去？ 指導は？ カテーテルの素材は？

疾患の治癒過程で回復期になり、臨床的にカテーテル抜去が可能と判断された患者はすみやかに留置カテーテルを抜去したほうがよいのでしょうか？

脊髄損傷（対麻痺）の自己導尿例で尿路感染の観点での答え[4]は「イエス」です。

この際に重視すべきは自己導尿の指導[5]です。これが充分に患者に理解され、注意点が順守[6]されると予後が良好なものなります。一方で自己導尿ができない四肢麻痺では、経尿道的留置よりも膀胱瘻（図5）をすすめる[7]意見もあります。近年、導尿用のカテーテル素材で親水性コーティングのカテーテルが普及しています。健康保険で認められていますが高価であるという問題もあります。これを尿路感染や尿道合併症の観点で比較すると、従来型のものに比較し親水性コーティングのカテーテルが優れ[8,9]、医療経済学的にも許容されるとの見解[10]も報告されています。

以上、サイエンスを中心に述べました。臨床現場では、患者の状態や社会背景などを考慮し、排尿管理の方針を決定するのが医療者としての役割と考えます。

引用・参考文献

1) 吉野恭正ほか．排尿障害患者の残尿量と尿路感染の関連．臨床泌尿器科．54，2000，455-7.
2) 三木誠．"膀胱尿道鏡検査" 日常診療のための泌尿器科診断学．吉田修監．東京，インターメディカ，2002，81-7.
3) 鈴木康之ほか．急性疾患回復期高齢尿閉患者の自力排尿機能早期評価の試み：意欲の指標の有用性．日本創傷・オストミー・失禁管理学会誌．14，2011，252-7.
4) Kinnear, N. et al. The impact of catheter-based bladder drainage method on urinary tract infection risk in spinal cord injury and neurogenic bladder：A systematic review. Neurourol Urodyn. 39（2），2020, 854-62.
5) Hentzen, C. et al. What criteria affect a patient' s choice of catheter for self-catheterization? Neurourol Urodyn. 39（1），2020, 412-9.
6) Goodes, LM. et al. Early urinary tract infection after spinal cord injury：a retrospective inpatient cohort study. Spinal Cord. 58（1），2020, 25-34.
7) Hennessey, DB. et al. The effect of appropriate bladder management on urinary tract infection rate in patients with a new spinal cord injury：a prospective observational study. World J Urol. 37（10），2019, 2183-8.
8) Stensballe, J. et al. Hydrophilic-coated catheters for intermittent catheterisation reduce urethral micro trauma：a prospective, randomised, participant-blinded, crossover study of three different types of catheters. Eur Urol. 48（6），2005, 978-83.
9) Plata, M. et al. Hydrophilic versus non-hydrophilic catheters for clean intermittent catheterization：a meta-analysis to determine their capacity in reducing urinary tract infections. World J Urol. 41（2），2023. 491-9.
10) Watanabe, T. et al. Cost-Effectiveness Analysis of Long-Term Intermittent Self-Catheterization with Hydrophilic-Coated and Uncoated Catheters in Patients with Spinal Cord Injury in Japan. Low Urin Tract Symptoms. 9（3），2017, 142-50.

尿道留置カテーテルの管理方法

山梨大学大学院総合研究部医学域排泄看護学 非常勤講師　田中純子

Point

❶ 一般的に、尿道留置カテーテルは、成人の場合 14～16Fr、小児の場合 6～10Fr、バルーン容量が 5～10mL の 2way フォーリー型カテーテルを使用する。
❷ 尿道カテーテルの留置が一時的な場合は、カテーテルの早期抜去と尿路感染の予防に努めることが重要である。
❸ 閉鎖式尿道カテーテルキットを使用し、手指消毒を確実に行った後に滅菌手袋を用いて無菌操作でカテーテルを挿入する。
❹ 尿道カテーテルを長期に留置する場合は、カテーテルの閉塞を防止することとカテーテルや蓄尿袋が患者の日常生活の妨げにならないように、個々の患者に合わせた工夫が必要である。

尿道留置カテーテルの種類と選択

尿道留置カテーテルには、さまざまな形状や材質、太さがあり、患者の年齢や病状によって適したものを選択します。一般的には、成人の場合は太さ 14～16Fr、小児の場合は 6～10Fr、バルーン容量が 5～10mL の 2way フォーリー型カテーテルを使用します。血塊を含むような血尿などにより、持続的に膀胱洗浄をすることが必要な場合は、血塊によるカテーテル閉塞を防ぐために太さ 20Fr 以上の 3way のフォーリーカテーテルが用いられることもあります。また、前立腺肥大症の手術後など、前立腺部からの出血が認められる場合には、バルーンによる圧迫止血を目的にカテーテルを牽引して使用するため、バルーン容量が 20～60mL のカテーテルを使用します。前立腺肥大症が認められ、フォーリー型カテーテルの挿入が困難な場合は、尿道走行に沿うようにカテーテルの先端が曲がっているチーマン型カテーテルを用いることも可能です。

尿道カテーテルの材質は、表1に示すようにラテックス製やシリコン製など、さまざまな種類のものがあります。一般的には、ラテックス製が安価なため、短期留置の場合に用いられています。長期留置の場合やラテックスアレルギーがある場合には、シリコン製を選択します。シリコン製は、ラテックス製に比べ硬いため、尿道狭窄がある場合にも挿入しやすい、内腔が広いため血尿や膿尿がある場合でも閉塞が起こりにくいなどの特徴があります。近年では、ラテックス製も、シリコン製も、カテーテルの表面に親水性コーティングが施され、尿道内の摩擦が少なく尿道粘膜への刺激がやわらげられるような製品が多くなりました。尿道留置カテーテルには、銀の抗菌作用を利用した銀コーティングの製品や抗菌薬コーティングの製品もあり、短期留置における尿路感染予防への効果も報告されていますが、高価なため、一般的に使用されることが少ないのが現状です（図1 図2）。

尿道留置カテーテルの挿入方法

尿道留置カテーテルは、無菌操作で挿入します。閉鎖式尿道カテーテルキット（図3）を準備し、手指消毒を確実に行った後にセット内の滅菌手袋を使用します。男性は仰臥位、女性の場合は、挿入者が尿道口を目視できるように仰臥位で膝を立て開脚してもらいます（図4）[1]。便失禁など陰部が汚染されている場合は、カテーテルを挿入する前に陰部洗浄を行っておきましょう。患者の臀部の下に処置用シーツを敷き、下半身の露出が最低限になるようにバスタオルなどで露出部位を覆います。保温やプライバシーの保持にも配慮しましょう。

表1 尿道留置カテーテルの材質

材質	内容
熱可塑性エラストマー	プラスチック製。
オールシリコン	シリコンゴム100%。
天然ラテックスゴム	天然ゴム100%（ラテックスアレルギーに注意が必要）。
シリコンコーティング	天然ラテックスにシリコンをコーティングしたもの。
撥水性コーティング	天然ラテックスに撥水性素材をコーティングしたもの。
銀コーティング	天然ラテックスに銀をコーティングし、さらに撥水性素材をコーティングしたもの。

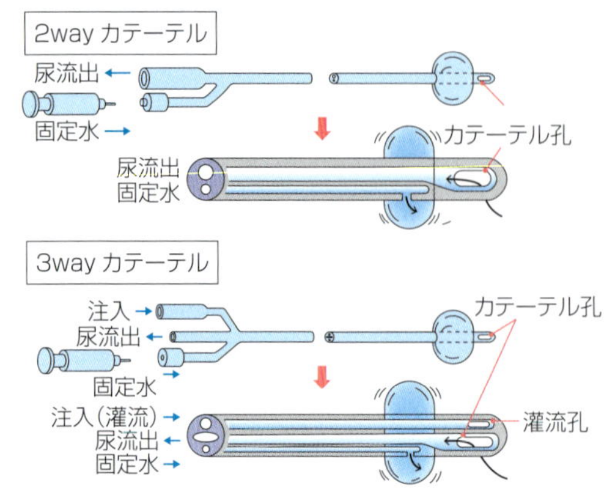

図1 尿道カテーテルの構造

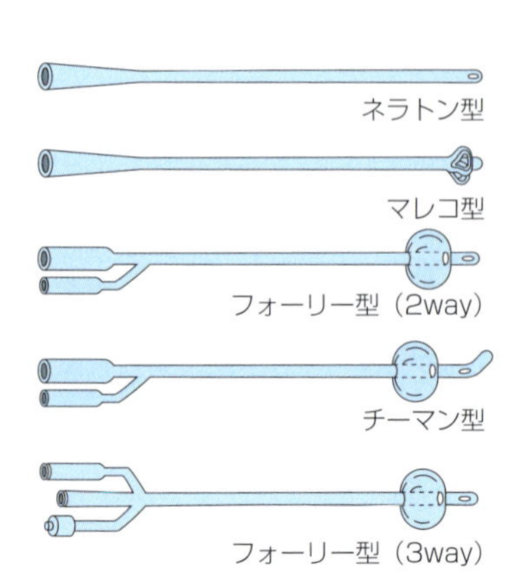

図2 尿道カテーテルの形状

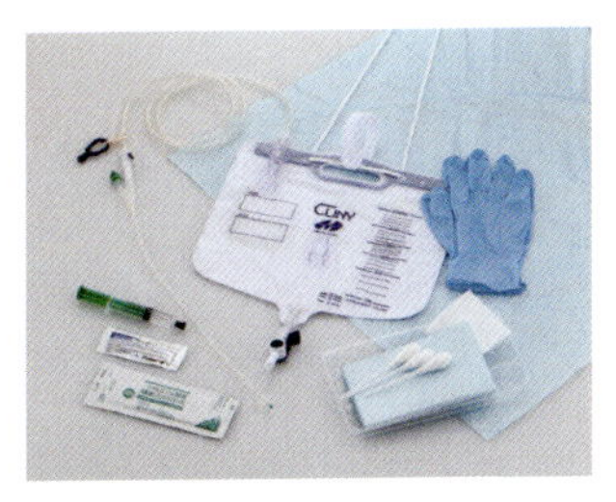

図3 閉鎖式尿道カテーテルキット
（画像提供：クリエートメディック）

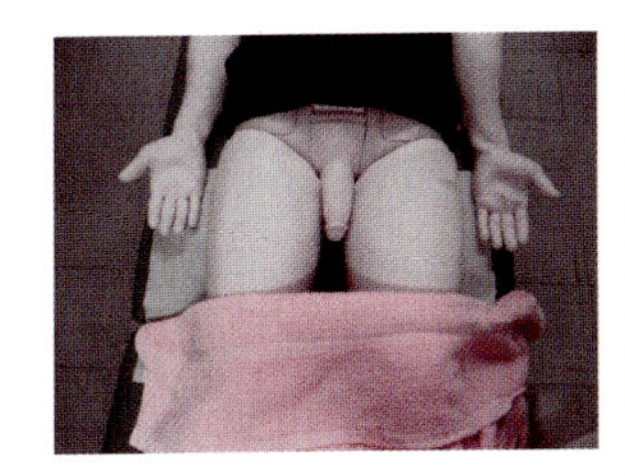
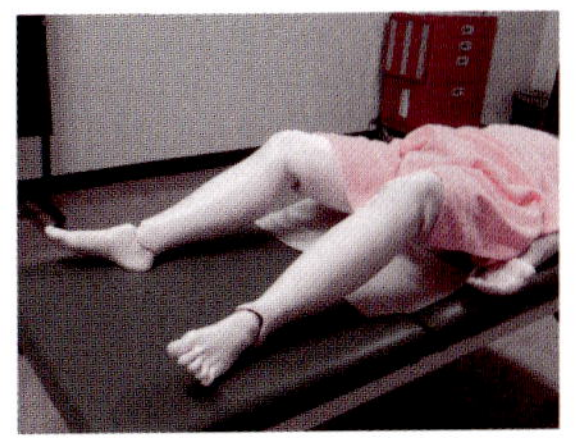

図4 尿道カテーテルを挿入するときの体位（文献1より引用）

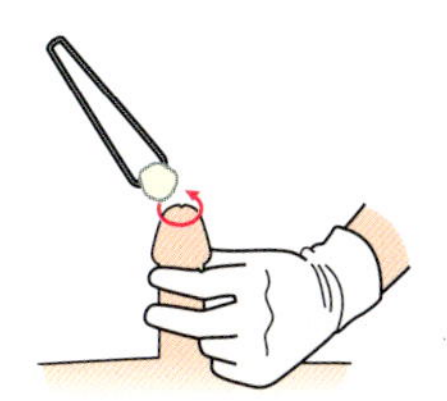
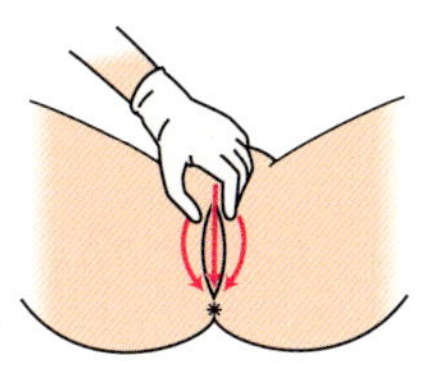

図5 外尿道口の消毒

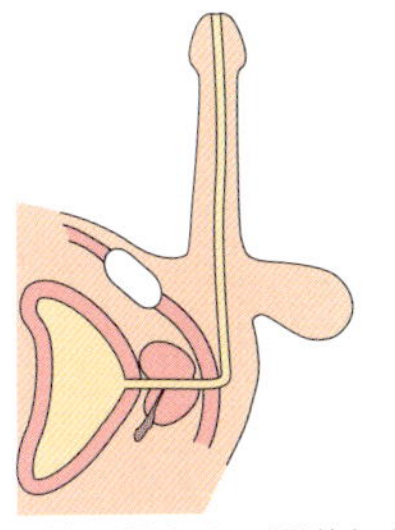

男性の場合は、尿道をまっすぐに伸ばすイメージ。

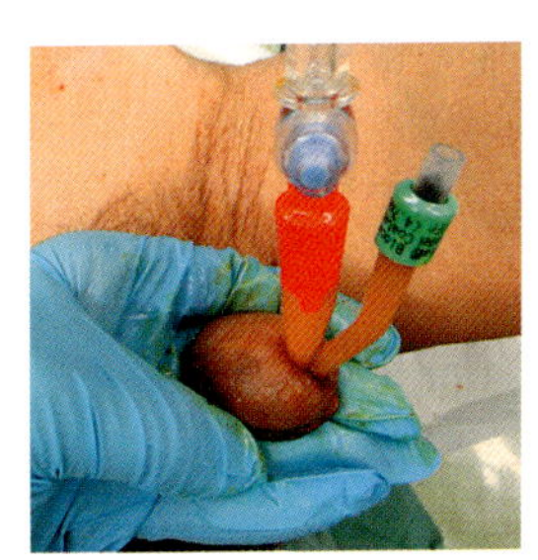

分岐部まで尿道カテーテルを挿入。

図6 尿道留置カテーテル挿入時
（右写真：文献2より引用）

閉鎖式尿道カテーテルキットの物品に不備がないこと、蓄尿袋の排出口が閉じていることを確認してから、尿道口を消毒します。男性の場合は、尿道口を中心に外側に向けて円を描くように消毒をします。女性の場合は、図5に示すように、上から下に（尿道口から膣）向けて一方向に消毒をします。

カテーテルには潤滑ゼリーを塗布し、尿道口にゆっくり挿入していきます。男性の場合は、陰茎を上方に垂直になるように引っ張り気味に保持します。そして、カテーテルの分岐部まで挿入し尿流出を確認してからバルーンの固定水（滅菌蒸留水）を注入します（図6）。女性の場合は、尿道口を目視しながらカテーテルを挿入し、尿の流出を確認後、さらに1～2cm奥にカテーテルを進めてから固定水を注入します。キットには、消毒時に使用するプラスチック製の鑷子が入っていることがありますが、この鑷子はカテーテルを把持するためのものではありません。カテーテルを鑷子で把持することで、バルーンなどを破損する可能性もあるので、基本的にカテーテルは滅菌手袋を着用した手で把持しましょう。固定水の注入後、軽くカテーテルを牽引して止まったところでカテーテルを固定します。固定時は、カテーテルが皮膚に当たらないようにテープを貼ります。緊張性水疱などのスキントラブルを起こさないように、テープは引っ張らずに貼りましょう（図7）。男性は尿道裂傷などのトラブルを防ぐために陰茎を上方に向けて下腹部に、女性は大腿部に固定します（図8）。

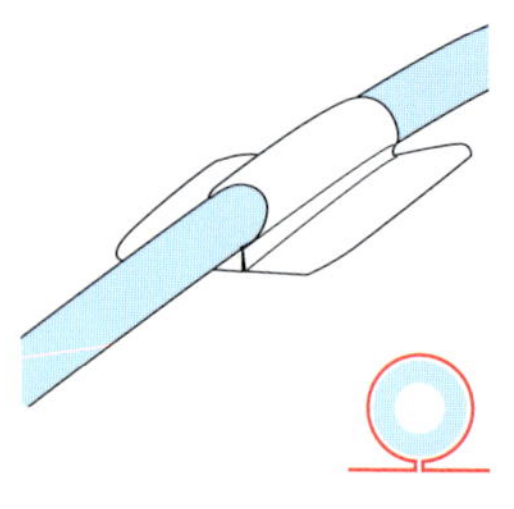

図7 テープの貼り方

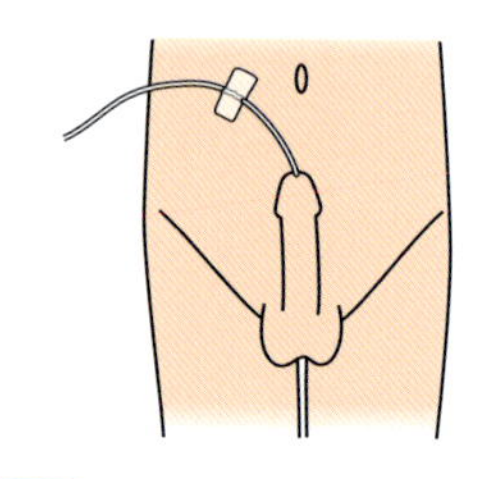

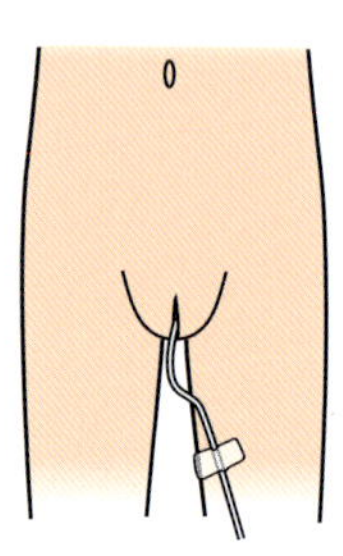

図8 カテーテルの固定位置

病院における尿道留置カテーテルの短期管理

尿道カテーテルの留置が一時的な場合は、カテーテルの早期抜去と尿路感染の予防に努めることが何よりも重要になります。尿道留置カテーテルの感染経路には、①カテーテルの挿入時に外尿道口周囲の菌が侵入する、②カテーテルと尿道口の隙間から菌が侵入する、③カテーテルと導尿チューブの接続部から菌が侵入する、④蓄尿袋の排出口から菌が侵入するという4つのルートがあります。尿路感染を防止するためには、これらのルートから菌が侵入するのを可能な限り遮断することが重要です（図9）。

病院内で行われる感染予防対策としては、以下の方法が挙げられます。

1. 尿道留置カテーテルは無菌操作で挿入する。
2. 閉鎖式尿道カテーテルを使用する。
3. 尿検査を行う際は、尿をサンプルポートから採取する（図10）。
4. 尿の排出口の清潔を保持する（図11）。
5. 陰部洗浄を行い、尿道口周囲の清潔を保持する。
6. 蓄尿袋は、導尿チューブ内の尿が逆流しないように膀胱より低い位置に保つ。

在宅における尿道留置カテーテルの長期管理

やむを得ず尿道カテーテルを長期に留置する場合は、カテーテルの閉塞を防止することとカテーテルや蓄尿袋が患者の日常生活の妨げにならないような工夫が必要になります。患者の尿量と尿を廃棄する時間、活動性などを考慮して、蓄尿袋の容量などを検討します。歩行機能に問題がない場合には、下肢に蓄尿袋を装着し、人目に触れないようにすることが可能です（図12）。高齢者など歩行機能の低下が認められる場合には、肩掛け式のバッグやポシェットを用いることにより、歩行やリハビリの妨げになりにくいです。

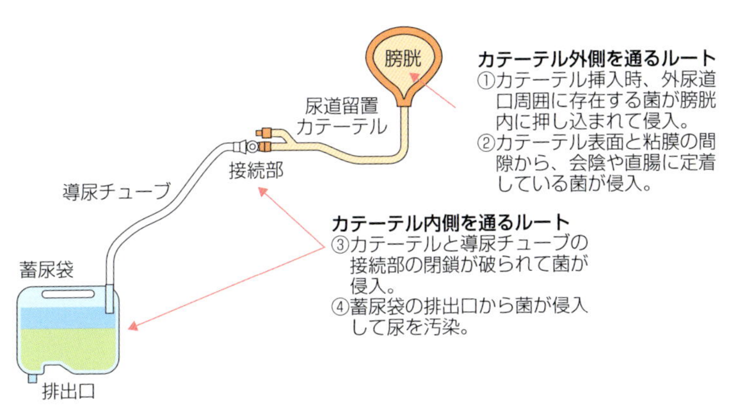

図9 尿道留置カテーテルの感染経路

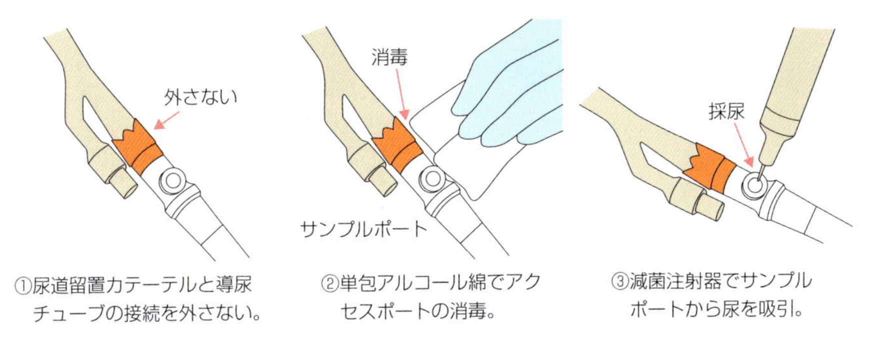

図10 サンプルポートからの尿の採取方法

尿道留置カテーテルを交換するときは蓄尿袋と一緒に交換する。尿の検体はサンプルポートから採取する。

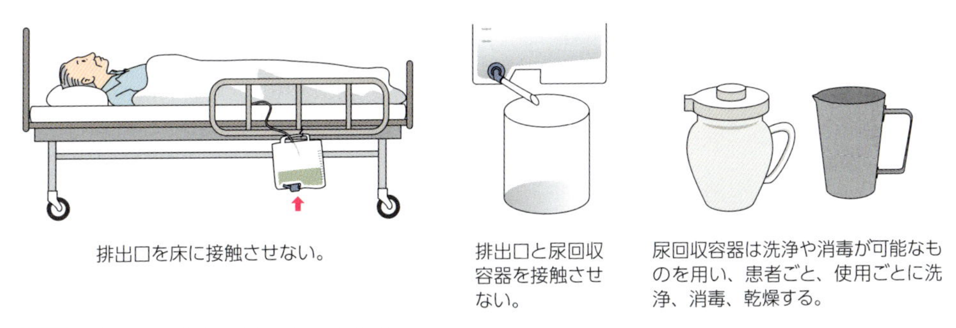

図11 排出口の清潔を保持する方法

在宅であっても、尿道口周囲の清潔を保持することは重要です。蓄尿袋は装着したまま入浴やシャワー浴をすることもできますが、転倒などのリスクがある場合や公衆浴場に入る場合には、カテーテルプラグを用いることも可能です（図13）。

カテーテルの留置が長期に及ぶ場合、カテーテルを固定する際に使用するテープの貼用によりスキントラブルを生じることがあります。皮膚刺激の少ないテープを選択し、貼用部位は毎日変えること、皮膚に粘着剤や汚れが残らないように愛護的に皮膚洗浄を行うことが大切です。皮膚が脆弱な高齢者などの場合は、皮膚保護材や被膜材を使用する、テープ固定の不要な固定装具を用いる（図14）、おむつや下着にテープや紐、ゴ

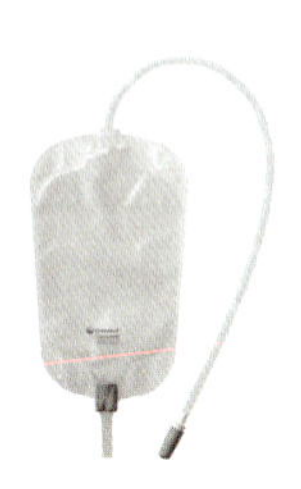
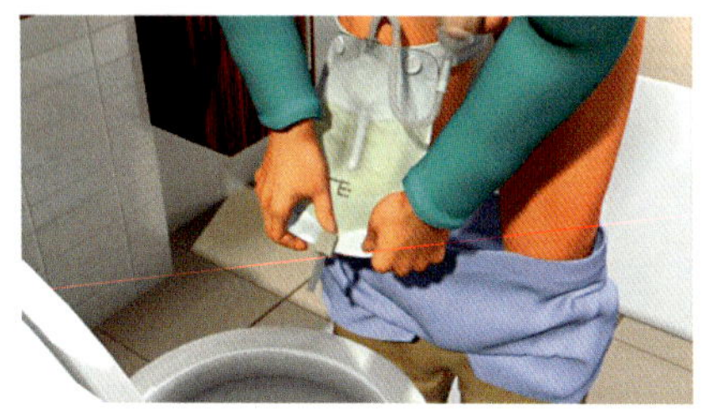

図12 レッグバッグ（画像提供：コロプラスト）

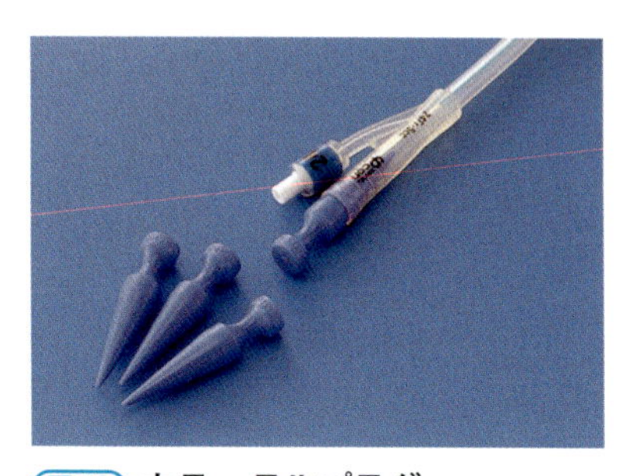

図13 カテーテルプラグ
（画像提供：富士システムズ）

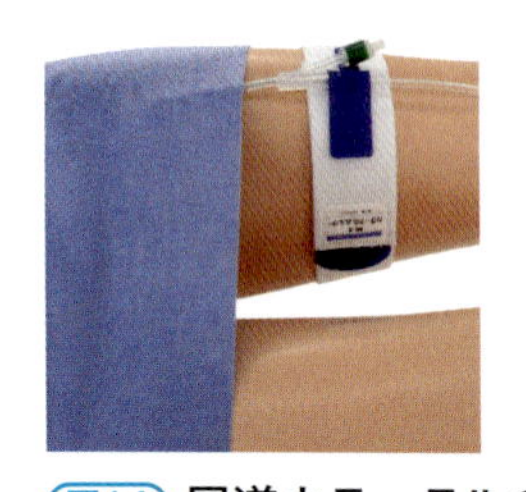
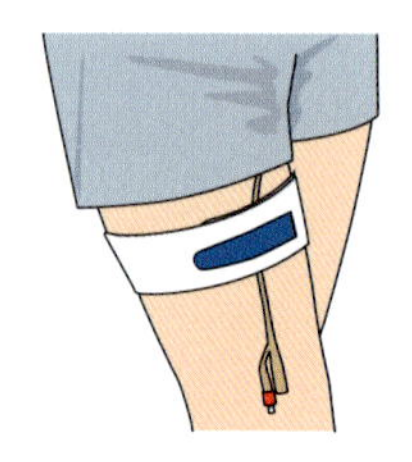

図14 尿道カテーテルの固定用具
（〈カテーテルホルダー〉画像提供：村中医療器）

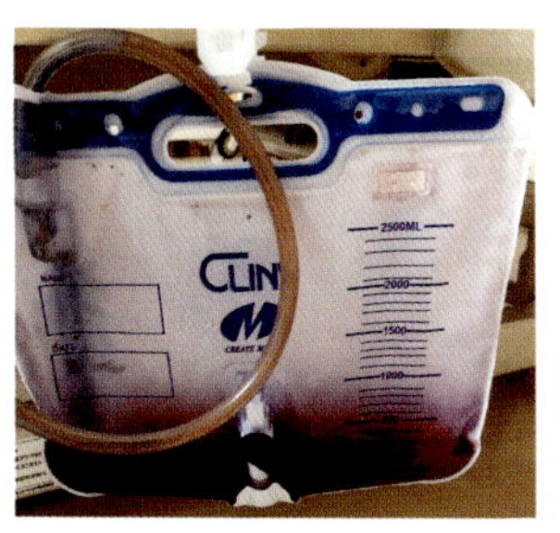

図15 PUBS（文献3より引用）

ムなどでカテーテルを固定するなどの方法があります。

また、尿路感染に便秘を合併すると紫色蓄尿バッグ症候群（purple urine bag syndrome：PUBS）を生じることがあります（図15）。細菌による色素が蓄尿バッグに付着するもので、変色そのものに問題はありません。尿路感染予防と便秘の改善が求められます。

なお、現時点では、尿道留置カテーテルの交換時期については明確に定められていません。期間を定めた定期的な交換は必要なく、尿内の結晶や浮遊物によってカテーテル内の尿流が妨げられることのないように、患者の尿性状を観察しながら交換時期を決めましょう。ただし、2ヵ月以上同じカテーテルを使用することは推奨されていません。カテーテルの閉塞がなくても、1～2ヵ月に1回はカテーテルを交換する必要があります。また、蓄尿袋は洗浄して繰り返し長期間使用することは避け、カテーテルの交換時、または汚れや着色がある場合には適宜交換することが望ましいです。

引用・参考文献

1）塚本孝枝．“尿道カテーテルの管理コツとポイント”．泌尿器ケア冬季増刊．力石辰也監．大阪，メディカ出版，2013，19-24．
2）八木橋祐亮．尿道カテーテル留置．泌尿器ケア．20，2015，471-8．
3）山辺史人．尿道カテーテル留置．泌尿器 care&cure Uro-Lo．24（4），2019，416．
4）日本泌尿器科学会 / 尿路管理を含む泌尿器科領域における感染制御ガイドライン作成委員会．尿路管理を含む泌尿器科領域における感染制御ガイドライン．改訂第2版．メディカルレビュー社．2021，42-7，106-30．
5）矢野邦夫監訳．カテーテル関連尿路感染症の予防のための CDC ガイドライン 2009．大阪，メディコン，2009，120p．http://www.medicon.co.jp/kdb/CDCG2009/
6）八木橋祐亮．尿道カテーテル：種類，選択法，管理，マイナートラブルシューティング．INTENSIVIST．8，2016，627-36．
7）有瀬和美ほか．尿道留置カテーテルの指導解説一式セット．INFECTION CONTOROL．25，2016，467-73．

排尿自立指導における尿道留置カテーテルの抜去

山梨大学大学院総合研究部 医学域看護学講座 教授 谷口珠実
山梨大学 名誉教授/客員教授 武田正之

Point

1. 排尿自立指導料における尿道留置カテーテルを抜去する前提を理解する。
2. 尿道留置カテーテルを抜去する方法を理解する。
3. 尿道留置カテーテルの抜去後、安全に排尿を管理する方法を理解する。

はじめに

尿道留置カテーテルの医学的な適応には、絶対的な適応と相対的な適応があります。尿道留置カテーテルを抜去する前提は、留置の目的が医学的に絶対的な適応ではない状況であることです。

抜去前の確認事項

抜去前における尿道留置カテーテルの適応の確認

尿道留置カテーテル：絶対的な適応患者

尿道留置カテーテルの目的が絶対的な適応患者であれば、抜去はしません。絶対的な適応患者とは[1]、①厳密な尿量測定が必要な、集中治療中の重症患者、②尿汚染を防ぐ局所管理が必要な、外陰部手術後患者や仙骨部の皮弁術などの患者です。医学的な管理のためには、留置が必要な状況です。ただし、同一患者でも、時間の経過とともに絶対的な適応が必要ではない状況になれば、相対的な適応患者に移行します。

尿道留置カテーテル：相対的な適応患者

尿道留置カテーテルの目的が相対的な適応患者であれば、抜去を検討します（図1）。

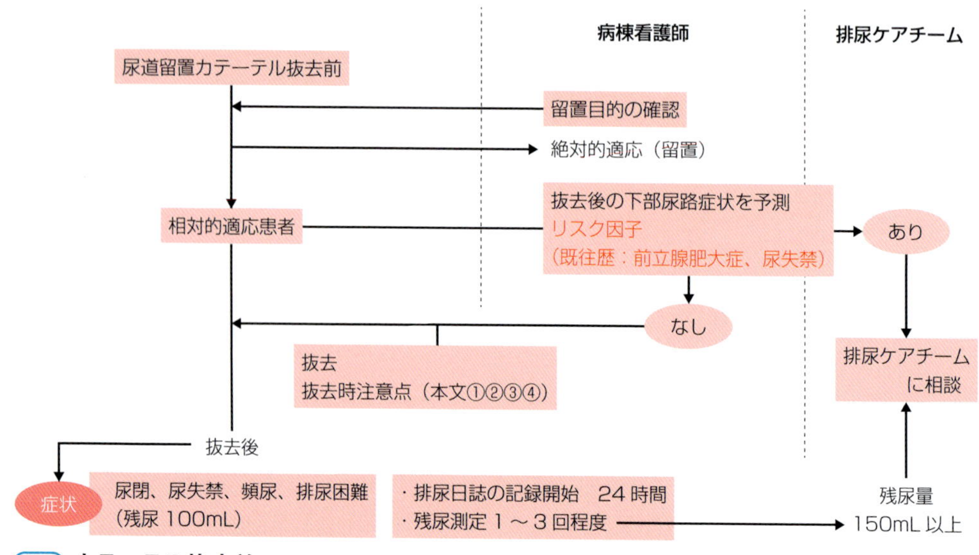

図1 カテーテル抜去前

これは、前述の絶対的な適応患者に含まれず、尿道留置カテーテル管理以外の排尿管理方法が検討できる場合のことです。例えば、日常生活動作（ADL）が低下していてトイレまでの移動動作に時間がかかるといった理由や、病棟の夜勤事情や今後在宅での介護力が不足しているからという理由による留置です。

尿道カテーテル抜去後の状態の予測

相対的適応患者の尿道カテーテルを抜去した後に、自排尿が可能となるかどうかをあらかじめ予測する必要がありますが、病棟スタッフだけでは予測が困難な場合があります。抜去前の判断に悩んだときは、排尿ケアチームに相談して、抜去の適応を検討します。カテーテル抜去前から、抜去後には何らかの下部尿路症状が出現することが予想される場合があります。

尿道留置カテーテルを抜去した後の尿閉・排尿困難が予測される場合には、間欠導尿や薬物療法の適応を検討するために抜去後の排尿日誌と残尿測定を行います。尿道留置カテーテルを抜去する前に尿閉や排尿困難を予測するには、既往歴や薬剤・治療などの情報を確認します。尿閉のリスクには、下部尿路閉塞をきたす前立腺肥大症や尿道狭窄があるため、60 歳以上の男性では既往歴に注意します。また、排尿障害は薬剤によっても引き起こされるため、服薬内容にも注意が必要です。排尿筋の収縮障害をきたしやすい疾患には、糖尿病や脊椎疾患、直腸がん、子宮がんの根治手術後の神経因性膀胱があります[2)]。留置カテーテルの抜去を検討するときには、上述の既往歴や薬剤・治療による影響を考えて、排尿ケアチームとともに抜去に向けての薬物療法の必要性や抜去後のフォローについて検討します。

尿道留置カテーテル抜去と抜去後の排尿管理

尿道留置カテーテルを抜去する当日は、その後の治療やケアを判断するために、排尿日誌と残尿測定が必要になります。このため、病棟では日勤の早い時間帯で尿道留置カテーテルを抜去するとよいでしょう。夜間多尿で日中にほとんど排尿がない高齢患者の場合は、深夜帯（就寝前）での抜去がよいこともあります。尿道留置カテーテルの抜去と抜去後の排尿管理の手順は次のとおりです。

①抜去前に、尿道留置カテーテル内の閉鎖がないことを確かめて、膀胱内を空にします。

②膀胱のバルーン内の蒸留水をシリンジを用いて空にします。

③尿道を損傷しないよう、ゆっくりとカテーテルを抜去します。抜去が困難な場合には、無理に引き抜かず泌尿器科医に連絡します。カテーテル抜去後には、カテーテルに破損がないことを確認します。

④蓄尿袋内の尿量を確認して廃棄します。抜去までの尿量と蓄尿時間については「9時尿道留置カテーテル抜去、蓄尿袋内尿廃棄○○ mL/6時間」など看護記録に残しておきます。

⑤尿道留置カテーテルを抜去した時間から、排尿日誌を24時間記入します。

⑥留置カテーテルを抜去して、3～4時間程度で排尿がなければ尿意を確認し、尿意があれば自尿を促すよう、必要に応じて移動動作の介助やトイレ環境を整え排尿誘導を行います。自排尿後には、残尿測定を行い、記録します。尿意の確認時に尿意と排尿がなければ、膀胱内の尿量を超音波器機類（2Dでも簡易超音波器機による測定でも可）を用いて確認します。膀胱内の尿量が500mL程度溜まっても排尿できない場合には、一時的導尿を行い膀胱を空にします（体格が小さい場合には、400mL程度で導尿を行います）。

⑦抜去当日の昼間は、排尿困難があってもすぐに尿道留置カテーテルを再挿入せずに、定時的に尿意と膀胱内蓄尿量を測定し、必要時に導尿を行います。夜間は時間ごとの対応が困難であれば、夜間のみ留置して、翌日以降排尿ケアチームと相談します。自排尿がなく、尿意がない場合には、急性尿閉の管理に基づき尿道カテーテルを留置して、必要な薬物療法（前立腺肥大症や神経因性膀胱に対する薬物療法など）を行う場合もありますが、一週間後には再度尿道留置カテーテルを抜去します[3)]（図2）。

⑧尿道留置カテーテル抜去後、排尿困難以外の下部尿路症状として尿失禁や頻尿があれば、尿失禁に伴う状況（例えば腹圧上昇に伴う症状や、突然の強い尿意切迫感などの有無）などや、頻尿であれば飲水量や点滴量も記入します。頻尿や尿失禁の原因が、

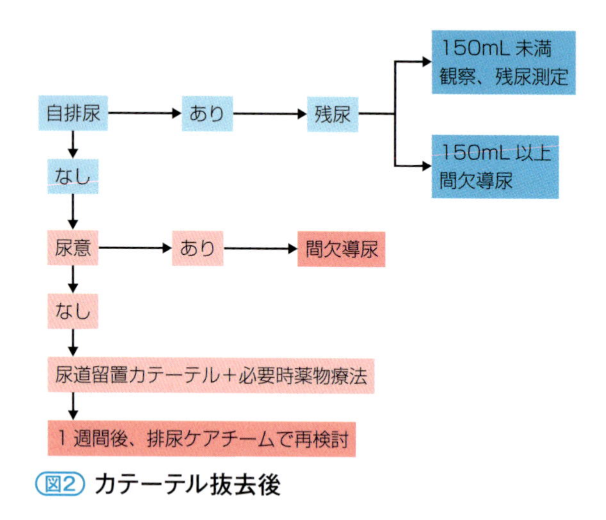

図2 カテーテル抜去後

残尿量が多いこともあるため、排尿日誌と一緒に必ず残尿測定を行い記録に残します。

⑨尿道留置カテーテル抜去後、排尿日誌と残尿測定から下部尿路障害の病態と適切な治療とケアについて、病棟看護師と排尿ケアチームがアセスメントと包括的ケアの立案を行い記録します。

⑩以後、1 週間ごとに評価を行います。評価では、下部尿路症状を正確に把握するために、病棟看護師は、ケアの実践とあわせて、1 週間ごとに排尿日誌と残尿測定を含め評価します。

おわりに

以上、尿道留置カテーテルを安全に抜去し、抜去後の排尿管理の概要を説明しました。排尿自立指導料は、尿道留置カテーテルを抜去することにより、尿路感染を予防することと、その後の排尿自立を促すことを目的として新設されました。尿路感染を防ぐことは医学的見地から病院内での感染管理としても重要です。さらに、感染を防ぎ自立を求める支援を適切に行うことで、超高齢患者が健康寿命を維持するためにも必要になることでしょう。カテーテル抜去をしたあと、望ましい排泄管理の方法を検討していくことで、社会生活を営む人としての尊厳を保つ排尿ケアとなることと期待しています。

引用・参考文献

1) 日本創傷・オストミー・失禁管理学会編.「排尿自立支援加算」「外来排尿自立指導料」に関する手引き. 東京, 照林社, 2020, 19-24.

2) 社団法人日本泌尿器学会マニュアル作成委員会. 重篤副作用疾患別対応マニュアル：尿閉・排尿困難. 平成 21 年 5 月. 厚生労働省. http://www.mhlw.go.jp/topics/2006/11/dl/tp1122-1n01.pdf

3) Odunayo, K. et al. Managemento of Acute and Chronic Retention in Men. European urology supplements. 8, 2009, 523 -9.

Section 04

カテーテル抜去後に下部尿路症状を有する場合のアセスメントとケアプラン

東京医科大学病院 看護部 皮膚・排泄ケア認定看護師　**帯刀朋代**
公益社団法人日本看護協会看護研修学校 認定看護師教育課程 皮膚・排泄ケア学科専任教員　**津畑 亜紀子**

Point

1. 排尿ケアは、考えられるタイプを挙げ→患者情報と統合してタイプを絞り込み→タイプに応じたケアを立案・実施というステップで行う（図）。
2. 考えられるタイプを挙げるのが難しいときは、溜められないのか（蓄尿期の障害）、出せないのか（排出障害）から考える。
3. ケアは、個々の状況に合わせて、退院後も継続可能な方法という視点で立案する。

Step1	Step2	Step3
考えられる下部尿路機能障害のタイプを挙げる	情報から下部尿路機能障害のタイプを絞り込む	下部尿路機能障害のタイプに応じたケアを立案する

図1 排尿ケアの流れ

事例 1

Aさんは、61歳女性、子宮頸がんの患者です。術前に子宮頸がんⅡｂと診断され、3日前に腹腔鏡下広汎子宮全摘術およびリンパ節郭清術を受けました。既往歴は虫垂炎（手術）、椎間板ヘルニア（手術）、脂質異常症があります。入院時は日常生活動作能力（activity of daily living：ADL）が自立しており、知覚も問題ありませんでした。術前の排尿も問題はありませんでした。

術後3日目の現在、ADLは自立しており、内服も術前に常用していたコレステロール合成阻害薬のみ再開となっています。昨日、尿道留置カテーテルを抜去しましたが、尿意がなく、自排尿も出ませんでした。夜間も4時間ごとに排尿を試みましたが、排尿回数（就寝後から起床時）は3回で、自排尿量は1回30mL未満の計60mLでした。残尿は毎回計測したところ、300mL前後であり、計890mLでした。残尿量が多いため、4時間ごとに看護師が導尿を行いました。退院は4日後に予定されています。

Step1 考えられる下部尿路機能障害のタイプを挙げる

事例は2日前に腹腔鏡下広汎子宮全摘術およびリンパ節郭清術を受けています。術前には下部尿路症状はなかったので、術後の現時点で考えられる下部尿路機能障害のタイプとしては、尿排出機能障害となります。膀胱には300mLを超える残尿があるため、蓄尿障害はないことも確認できます。

尿排出機能障害の原因は、主として以下が考えられます。

①排尿筋低活動を病態とした神経因性・筋原性・薬物性のもの

②排尿筋・括約筋協調不全（detrusor sphincter dyssynergia：DSD）を病態としたもの

③膀胱出口部の閉塞を病態としたもの

Step2 情報から下部尿路機能障害のタイプを絞り込む

排尿筋低活動を病態とした神経因性・筋原性・薬物性のものであるか否かの検討

事例は、2日前に腹腔鏡下にリンパ節郭清を伴う骨盤内操作を受けています。このことから、骨盤神経叢の損傷が容易に想像され、神経因性の尿排出機能障害の可能性が高まります。筋原性としては、排尿筋収縮力の低下などが背景となりますが、尿道カテーテル留置は術後の2日間のみと短期間であるため、排尿筋収縮力の低下が急激に起きたとは考えにくいです。

薬剤については、服用している薬剤が術前にも服用しており問題がなかったこと、尿排出機能障害を引き起こす副作用は高くないことから、薬剤性の尿排出機能障害の可能性も考えにくいです。

排尿筋・括約筋協調不全（DSD）を病態としたものであるか否かの検討

DSDは、高位の脊髄損傷や多発性硬化症、二分脊椎症で高率に認められるといわれています。事例では、これらの既往が指摘されていないことから、除外してもよいと考えられます。

膀胱出口部の閉塞を病態としたもの

事例は女性であり、そもそも前立腺が存在しないこと、手術中の尿道損傷といったエピソードがないことから、膀胱出口部の閉塞については除外することができます。

以上のことから、尿意の低下と残尿は、手術操作に起因した神経因性膀胱であると考えられます。

Step3 下部尿路機能障害のタイプに応じたケアを立案する

現時点では残尿量が300mL前後と多いため、導尿が必要となります。引き続き、4時間ごとに導尿を継続するとともに、自己導尿指導を開始します。また、自己導尿指導にあたり、仕事の有無と自宅・職場のトイレ環境の情報収集を行い、自己導尿が継続できるような環境調整も必要です。残尿量は、時間の経過とともに減少し、自排尿が増加する可能性もあるため、排尿日誌の記載を継続することと、自排尿が増加しても自己判断で自己導尿を中止しないよう指導を行います。また、医師によりα遮断薬・コリン作動薬などの薬物療法も検討されることが予測されるため、必要に応じて服薬指導も実施します。

事例 2

Bさんは74歳の男性で、被殻出血による意識レベルの低下のため治療目的で入院しました。血腫除去術を行いましたが、術後は右側に軽度の不全麻痺、失語、更衣失行が認められ、リハビリテーションを開始しています。身長は156cm、体重は50kgです。起き上がり、起立、立位保持は可能ですが、バランスが悪く、手を添えて危険を防止する必要があります。歩行は両手で支えて誘導する必要があります。昨日、カテーテルを抜去しました。尿意はあるようですが言葉で明瞭に表現することが困難なため、ナースコールの合図で看護師が誘導、介助しています。排泄は洋式トイレを使用して坐位で行い、衣服の着脱は看護師が介助しています。すでにパッドに失禁していることもあります。表が排尿日誌です。

Step1 考えられる下部尿路機能障害のタイプを挙げる

残尿量は80mLで、尿排出障害は強くないと判断できます。したがって蓄尿障害に伴う失禁である可能性が考えられ、以下の下部尿路機能障害の可能性があります。

①腹圧性尿失禁の可能性　②切迫性尿失禁の可能性　③機能性尿失禁の可能性

Step2 情報から下部尿路機能障害のタイプを絞り込む

起床時の6時から翌日起床前までのトイレでの排尿回数は7回です。2回については失禁で回数が不明なため排尿回数に含めていませんが、それぞれが1回分の排尿である可能性があると考えられます。1日尿量は失禁量を含め合計で1,865mLで、多尿とはいえません。日中の排尿量は1,315mL、夜間の排尿量は550mLで、1日尿量に対する夜間の排尿量の占める割合が29%程度であることから夜間の多尿はないと判断できます。最大の1回排尿量は240mLで、膀胱容量の減少は認められません。

腹圧性尿失禁であるか否かの検討

排尿日誌から得られる情報として、腹圧の生じる機会が少ない夜間の睡眠中に失禁が生じていることを考慮します。患者は高齢の男性であり、解剖学的特徴からも腹圧性尿失禁が原因である可能性は低いと考えられます。

表 Bさんの排尿日誌

就寝時間は21：00、起床時間は6：00です。

	時間	排尿（○印）	尿量（mL）	漏れ（○印）	尿意（○印）	失禁	残尿	
	6時から翌日の6時までの分をこの1枚に記載してください							
1	7：00	○	120mL	○	○	200g		
2	11：00	○	240mL		○		80mL	
3	14：20	○	50mL	○	○	200g		
4	17：00	○	185mL		○			
5	19：00	○	120mL		○			
6	21：00	○	40mL	○	○	160g		
7	24：00			○		200g		睡眠中 パッド交換
8	2：20	○	150mL	○	○	50g		
9	5：30			○		150g		睡眠中 パッド交換
10	7：00	○	200mL	○	○	100g		
11								
12								
	計		905mL			960g		

切迫性尿失禁であるか否かの検討

膀胱の容量を検討すると、11時の排尿量は240mLであり膀胱容量の減少は認められません。1日の排尿回数は7回であり頻尿ではありません。夜間帯に尿意のない失禁を生じており、尿意の切迫感が明らかではないことから切迫性尿失禁である可能性は低いと考えられます。

機能性尿失禁であるか否かの検討

腹圧性尿失禁や切迫性尿失禁の可能性が低いこと、患者は運動機能に障害があり排泄に介助を要する状態であることから、排泄動作が間に合わないことによる機能性尿失禁である可能性が考えられます。失語があり排泄介助の要請が適切なタイミングで行えていないこと、更衣失行による衣服の着脱の障害、不全麻痺による運動機能の障害から、トイレへの移動と排泄準備の困難さが失禁の原因と推測できます。機能障害の改善と障害に対する援助が必要と考えられます。

Step3 下部尿路機能障害のタイプに応じたケアを立案する

まず、排泄動作における介助の要請が十分に行えていないことに対し、排尿日誌を継続して記載しながら排泄誘導のタイミングを検討します。また言語療法を行い、介助要請が行えるよう機能回復を試みます。移動や排泄動作に介助が必要であることから、リハビリテーションを継続して機能回復を目指すと同時に、トイレに近い部屋への居室移動、介助方法や手順の統一、衣類の着脱が行いやすいようなボタンやジッパーにする工夫など、速やかに排泄ができるよう環境の調整を行います。

排尿自立支援の実施後の評価方法

東北大学大学院医学系研究科保健学専攻ウィメンズヘルス・周産期看護学分野 准教授 吉田 美香子

Point

❶ 排尿自立支援の評価は、患者個人の評価と施設全体の評価を考える必要がある。
❷ 患者個人では、排尿自立度と下部尿路機能の評価から排尿自立支援の有効性を検討する。
❸ 施設全体では、組織としての取り組みの効果を全患者と尿道カテーテル留置管理となった患者で評価する。

はじめに

排尿自立支援の評価は、①排尿自立支援を受けた患者個人が排尿自立ができたかという個人ごとの評価と、②排尿自立支援を行う施設においてどのような効果があったのかという組織全体での評価との、2つを考える必要があります。その2つに共通して使える評価の視点として、Avedis Donabedian が提唱した医療の質評価モデルがあります。このモデルでは、「構造（structure）」「過程（process）」「結果（outcome）」という3つの側面から医療の質を評価します（表）[1]。

患者個人の評価

排尿自立を目指したケア（排尿自立支援）には、下部尿路機能障害に対するケア（生活指導、膀胱訓練、骨盤底筋トレーニングなど）と、排泄動作の支援（排尿用具の工夫、運動機能のリハビリテーション）の双方が必要です。排尿自立支援を実施したら、定期的に、患者の動作能力の範囲内で排尿管理を完結できているか（排尿自立）、適切に蓄尿あるいは排尿ができているか（下部尿路機能）について評価します。そこで、排尿自立度や下部尿路機能の改善が認められれば、そのままの包括的排尿ケアを継続し、さらなる排尿自立を目指します。

表 排尿自立支援の評価

	構造（structure） 「看護組織」の状況	過程（process） 「看護実践」の質	結果（outcome） 「看護実践」の結果
個人	・個人属性 ・既往疾患 ・下部尿路機能障害 ・運動機能 ・認知機能	・排尿自立や下部尿路機能のアセスメント ・排尿ケアの内容と実施状況 ・患者の受け入れ・実践状況	・排尿自立度の改善 ・下部尿路機能の改善
組織	・排尿ケアチームのメンバー ・チーム以外で排尿ケア講習を受講している看護師の数 ・排尿ケアの重要性の認識	・尿道カテーテル抜去可能患者の同定率 ・マニュアルの遵守状況	【全患者】 ・尿道カテーテル留置患者率 【尿道カテーテル留置が行われた患者】 ・尿道カテーテル留置の延べ日数 ・退院時の尿道カテーテル留置患者数 ・有熱性尿路感染症発症率 【排尿自立支援が行われた患者】 ・排尿自立度／下部尿路機能得点の変化 ・排尿自立（得点が 0）になるまでの日数

改善が認められない場合は、ケアのどこに問題があるのか、改善が認められない原因を探ります。この視点としては、①排尿自立や下部尿路機能のアセスメント、②ケアの実施方法の適切性、③患者の実施状況（排泄方法が患者の価値観に沿ったものであり、排泄方法について受け入れや理解ができているか）があります。

また排尿自立支援の評価には、排尿動作や下部尿路機能が経過とともに変化することも考慮する必要があります。例えば脳血管疾患の場合、下部尿路機能は、発症直後（72時間以内）は尿閉となりやすいですが、数週間から数ヵ月を過ぎると排尿筋過活動による頻尿や尿意切迫感がみられるようになります。排尿動作は、運動機能のリハビリテーションにより排尿動作自体が改善します。したがって、病態などの変化を予測しながら、下部尿路機能と排尿自立について評価を行い、回復が予定通りに進んでいるか判断をします。このように評価とケアの修正を行っても、下部尿路機能の改善が認められない場合は、泌尿器科へのコンサルテーションを行い、画像検査や尿流動態検査など、下部尿路機能の詳しい検査や治療をするようにします。

日本創傷・オストミー・失禁管理学会などから出されている「排尿自立支援に関する診療の計画書」[2]では、下部尿路機能と排尿自立度について、それぞれ具体的な評価項目が提示されていますので、排尿自立支援の評価にそれを活用するとよいでしょう。

組織全体の評価

どのようなケアでも導入した有効性を評価することは重要です。一般的にケアの有効性を評価するには、従来のケアを実施する群と新たなケアを実施する群を設け、その2群間での比較を行います。しかし、同じ病棟の中で従来のケアと新たなケアをする患者を比較しようとした場合、新たなケアを従来のケアを行うべき患者に行ってしまうなどの介入の拡散（コンタミネーション）が生じてしまう問題が起こります。そのため、施設内で新しいケアを実施する病棟と従来のケアを実施する病棟を分けるということが行われますが、下部尿路機能や排尿動作の障害の内容や程度は、疾患によって大きく異なることから、排尿ケアの場合、病棟ごとにケアを割り付けて単純に比較することはできません。したがって、排尿自立支援を導入する前と導入した後での比較をすることにより効果を評価することになります。

評価指標は、①全患者、②尿道カテーテル留置が行われた患者、③排尿自立支援が行われた患者、に分けることができます（表）。

①の全患者を対象とした指標には「尿道カテーテル留置患者率」があり、ある特定の日において、入院患者全体に占める尿道カテーテル留置管理中の患者割合を算出します。

②の尿道カテーテル留置が行われた患者では、「尿道カテーテル留置の延べ日数」「有熱性尿路感染症発症率」や「退院時の尿道カテーテル留置患者数」が指標として考えられます。「尿道カテーテル留置の延べ日数」や「有熱性尿路感染症発症率」は、ある一定期間（例えば1ヵ月）において、患者ごとの尿道カテーテル留置延べ日数の総和や、発熱を伴う尿路感染症を発生した患者の割合を求めます。「退院時の尿道カテーテル留置患者数」では、入院中に尿道カテーテル留置管理になった患者に占める、退院時尿道カテーテル留置管理がされていた患者割合を算出します。

③の排尿自立支援が行われた患者では、排尿自立度と下部尿路機能の評価指標を用いた評価が可能です。例えば、排尿自立支援を行う前後あるいは経過のなかでの「排尿自立度／下部尿路機能得点の変化」や、「排尿自立度／下部尿路機能の問題が解決する（下部尿路機能評価得点が0）までの日数」などがあります。

これらの詳しい計算式は、『「排尿自立支援加算」「外来排尿自立指導料」に関する手引き』[2] に記載されていますので参考にしてください。また、施設では、排尿自立支援を開始する前に、評価指標に関する情報を自動的に集められるシステムを作っておくとよいでしょう。日本看護協会が行っているDatabase for improvement of Nursing Quality and Labor（DiNQL）を導入している病院（病棟）では、カテーテル関連の尿路感染発生率のデータを活用することもできます。

引用・参考文献

1) Avedis Donabedian. 医療の質の定義と評価方法. 東尚弘訳. 京都, 特定非営利活動法人健康医療評価研究機構, 2007, 108p.
2) 日本創傷・オストミー・失禁管理学会. 平成28年度診療報酬改定「排尿自立支援加算」「外来排尿自立指導料」に関する手引き. 東京, 照林社, 2020, 40p.

Chapter

7

下部尿路機能障害と保険診療

下部尿路機能障害に対する保険診療のポイント

医療法人伯鳳会 東京曳舟病院 泌尿器科部長　**斎藤忠則**

はじめに

世界で最速の少子化・超高齢化社会を突き進む日本では、国民総医療費が44兆円、国民介護費が11兆円を超えるなか、障害福祉を加え2024年度のトリプル改定の議論が進んでいます。新型コロナウイルス感染症の拡大、第9波が広がるなかで（2023年8月時点）、医療機関に対する補助金も2023年9月には終了し、医療機関の経営状態はますます厳しくなることが予想されます。健全な経営状態は、医療機関の継続、医療スタッフ、患者にとって重要であり、医療スタッフは健康保険診療をよく理解し、算定漏れや査定減を未然に防がなければなりません。診療報酬改定とは、医療保険制度において、医療機関が提供する診療行為に対する報酬額を定めるものです。厚生労働省は、医療の質や効率性、医療費の抑制などを考慮して、おおむね2年ごとに改定を行っています[1)]。

最近の診療報酬改定は、令和4年度（2022年4月から）に実施されました。この改定では、新型コロナウイルス感染症対策や働き方改革の推進、在宅医療や回復期・慢性期入院医療の充実などが重点的に取り組まれました[2)]。

診療報酬改定に関する詳細な説明資料は、厚生労働省ホームページでご覧いただけます[3)]。本項では、下部尿路機能障害を中心に保険項目を抽出しまとめました。重要なところ、よく質問を受ける項目については「保険メモ」としてまとめています。

下部尿路機能障害に対する保険診療の要約[1～5)]

●排尿自立支援加算（A251）（週1回200点）

包括的な排尿ケアを行った**入院患者**（入院基本料〈特別入院基本料等を除く〉または特定入院料のうち、**排尿自立支援加算を算定できるものを現に算定している患者**）**1人につき、週1回に限り12週を限度**として所定点数に加算します。

1）排尿自立支援加算は、当該保険医療機関に**排尿に関するケアに係る専門的知識を有した多職種からなるチーム**（以下、**排尿ケアチーム**）を設置し、当該患者の診療を担う医師、看護師等が、排尿ケアチームと連携して、当該患者の**排尿自立の可能性および下部尿路機能を評価し、排尿誘導等の保存療法、リハビリテーション、薬物療法等を組み合わせる**など、**下部尿路機能の回復のための包括的なケア**（以下、**包括的排尿ケア**）を実施することを評価します。

2）下記のいずれかに該当する場合に算定できます。

・**尿道カテーテル抜去後に、尿失禁、尿閉等の下部尿路機能障害の症状を有する**もの

・**尿道カテーテル留置中**であり、**尿道カテーテル抜去後に下部尿路機能障害を生ずる**と見込まれるもの

●**在宅療養指導料（B001-13）（170点）**

①当該管理料を算定すべき指導管理を受けている患者または器具を装着し、その管理に配慮を必要とする患者に対して、**医師の指示に基づき看護師等が在宅療養上必要な指導を個別**に行った場合に、**患者1人につき月1回（初回の指導を行った月にあっては、月2回）**算定します。

②1回の指導時間が**30分を超える**場合。

1）当該管理料を算定している患者または入院中の患者以外の患者で、器具（**人工膀胱、留置カテーテル**、ドレーン等）を装着しており、その管理に配慮を要する患者に対して指導を行った場合に、初回の指導を行った月にあっては月2回、その他の月にあっては月1回に限り算定します。

【保険メモ】

在宅療養指導料は指導管理料を算定している患者または人工膀胱、尿道留置カテーテルなどの器具を装着している患者を看護師が指導したときの指導料であり、ADLの評価も含めるため、指導時間は処置室に入室し衣服の着脱など含め退室までの時間が30分以上あれば算定できます。また、要点・指導時間を含め、指導内容を看護記録に明記します。ある意味、看護師の労力に対する診療報酬であり、確実な算定が必要ですが、算定できていない医療機関があるのが現状です。

●**外来排尿自立指導料（B005-9）（200点）**

入院中の患者以外の患者に対して、包括的な排尿ケアを行った場合に、患者1人につき、週1回に限り、排尿自立支援加算を算定した期間と**通算して12週を限度**として算定します。ただし、**在宅自己導尿指導管理料を算定する場合は算定できません。**

1）当該指導料は、排尿ケアチームを設置し、入院中から包括的排尿ケアを実施していた患者に対して、入院中に退院後の包括的排尿ケアの必要性を認めた場合に、外来において引き続き包括的排尿ケアを実施することを評価するものです。

2）当該指導料は、入院中に排尿自立支援加算を算定し、かつ、退院後に継続的な包括的排尿ケアの必要があると認めたものであって、次のいずれかに該当する場合に算

定できます。
・尿道カテーテル抜去後に、尿失禁、尿閉等の下部尿路機能障害の症状を有するもの
・尿道カテーテル留置中の患者であって、尿道カテーテル抜去後に下部尿路機能障害を生ずると見込まれるもの

【保険メモ】

入院中の患者以外の患者とは、保険上の語句で、外来患者＋在宅患者を指します※。

2022年度の改定で、入院中のみに算定可能であった排尿自立指導料は、DPC（diagnosis procedure combination）対象病院での入院日数の短縮により、現実には1～2回の算定でした。今回の改定により外来での算定も可能となりましたが、実際は入院→外来の連携不足によりカテーテル留置中でも算定件数は増加していません。また、紹介元や他の医療機関へ紹介される患者も多く、この場合は算定できません。排尿関連の学会より、他の医療機関でも排尿ケアチームがあれば算定できるよう、2024年の改定へ向けて要望中です。また、2022年の改定で、泌尿器科の常勤要項がなくなったため、非常勤泌尿器科医師の医療機関でも本チームがあれば算定可能となりました。

●退院時リハビリテーション指導料（B006-3）（300点）

1）**入院患者の退院に際し**、患者の病状等を考慮しながら、患者またはその家族等の退院後患者の看護に当たる者に対して、**リハビリテーションの観点から退院後の療養上必要と考えられる指導**を行った場合に算定できます。

2）指導を行ったものおよび指導を受けたものが患者またはその家族等を問わず、**退院日に1回**に限り算定できます。

3）患者入院中、医学的管理またはリハビリテーションを担当した医師が、患者の退院に際し、指導を行った場合に算定します。医師の指示を受けて、理学療法士、作業療法士が保健師、看護師等とともに指導を行った場合にも算定できます。

4）患者の運動機能および日常生活動作能力の維持および向上を目的とした体位変換、起座または離床訓練、食事訓練、**排泄訓練**、生活適応訓練、在宅保健福祉サービスに関する情報提供等に関する指導を行います。

【保険メモ】

必ずしも入院中にリハビリテーションを施行している必要はありません。

医師の指示のもと、看護師等が尿道留置カテーテルなどの排泄訓練を指導した場合に**退院日に算定**できます。退院前日に指導可能ですが、算定できるのは**退院日**のみです。

●在宅自己導尿指導管理料（C106）（1,400点）

在宅自己導尿を行っている入院中の患者以外（※前述）の患者に対して、在宅自己導尿に関する指導管理を行った場合に算定します。

カテーテルの費用は、定められている所定点数により算定します。

1）対象となる患者は、下記の患者のうち、残尿を伴う排尿困難を有する者で、在宅自己導尿を行うことが必要と医師が認めた者です。

・神経因性膀胱

・下部尿路通過障害（**前立腺肥大症、前立腺がん、膀胱頸部硬化症、尿道狭窄等**）

・腸管を利用した尿リザーバー造設術の術後

【保険メモ】

本管理料を算定するにあたっては、上述の下部尿路通過障害、新膀胱等、いずれかの傷病名が必要です。しかしながら、膀胱全摘術後の新膀胱の患者で、膀胱・前立腺が摘除されているにもかかわらず、前立腺肥大症、前立腺がん、膀胱頸部硬化症の傷病名が残っているレセプトが見受けられ、注意が必要です。

●在宅仙骨神経刺激療法指導管理料（C 110-4）（810 点）

当該管理料は、過活動膀胱に対するコントロールのため植込型仙骨神経刺激装置を植え込んだ後に、在宅において、患者自らが送信器等を用いて治療を実施する場合に、診察、治療効果を踏まえて装置の状態の確認・調節等を行い、当該治療の指導管理を行った場合に算定します。

●特殊カテーテル加算（C163）

・再利用カテーテル　400 点

・間欠導尿用ディスポーザブルカテーテル：親水コーティングあり

60 本以上 90 本未満　1,700 点 /90 本以上 120 本未満　1,900 点 /120 本以上　2,100 点

・間欠導尿用ディスポーザブルカテーテル：親水コーティングなし　1,000 点

・間欠バルーンカテーテル　1,000 点

在宅自己導尿を行っている入院中の患者以外の患者（※前述）に対して、再利用型カテーテル、間欠導尿用ディスポーザブルカテーテルまたは間欠バルーンカテーテルを使用した場合に、3月に3回に限り、所定点数を加算します。

1）在宅療養において在宅自己導尿が必要な患者に対し、療養上必要なカテーテルについて、**必要かつ十分な量**のカテーテルを支給した場合に算定します。

2）親水性コーティングを有するものについては、排尿障害が長期間かつ不可逆的に持続し、代替となる排尿方法がなく、導尿が必要となる場合等、医学的な妥当性が認められる場合であり、原則として次のいずれかに該当する場合に算定します。診療報酬明細書に**医学的根拠の記載**も必要です。

脊髄障害、二分脊椎、他の中枢神経を原因とする神経因性膀胱、その他。

●残尿測定検査（D216-2）

・超音波検査　55 点

・導尿　45 点

残尿測定検査は、患者1人につき**月2回に限り算定**できます。

1）当該検査は、**前立腺肥大症、神経因性膀胱または過活動膀胱**の患者に対し、超音波もしくはカテーテルを用いて残尿を測定した場合に算定します。

2）超音波・導尿の両者による残尿測定検査を同一日に行った場合は、主たる検査のみ算定できます。

【保険メモ】

当該検査を算定するには、**前立腺肥大症、神経因性膀胱、過活動膀胱の傷病名**が必要です。

●尿水力学的検査（D242）

・膀胱内圧測定　260点

・尿道内圧測定　260点

・尿流測定　205点

・括約筋筋電図　310点

内圧流量検査の目的で上記検査を複数行った場合には、それぞれの所定点数を算定します。

●膀胱尿道鏡検査（D317-2）　890点

当該検査は硬性膀胱鏡を用いた場合に算定します。

●薬剤（E300）

薬価が15円を超える場合は、薬価から15円を控除した額を10円で除して得た点数につき1点未満の端数を切り上げて得た点数に1点を加算して得た点数とされます。

【保険メモ】

造影剤の適応：ウログラフィン®は1993年3月より逆行性尿路造影の適応は削除されました。現在はイオパミドール（イオパミロン・オイパロミン）のシリンジ製剤を除く150、300が適応です。

●薬剤（F200）

薬剤料は、所定単位につき、薬価が15円以下である場合は1点とし、15円を超える場合は10円またはその端数を増すごとに1点を所定点数に加算します。

【保険メモ】

保険では、円を点数に返還する場合は5捨6入です。

●処方箋料（F400）

医師が処方する投薬量は、**予見することができる必要期間**に従ったもので、30日を超える長期の投薬を行う場合は、長期の**投薬が可能な程度に病状が安定**し、**服薬管理が可能である旨を医師が確認**するほか、**病状が変化した際の対応方法等を患者に周知**します。

【保険メモ】

投薬量は予見できる範囲です。投薬期間の基本は30日です。条件がありますが、最大でも90日が上限と考えます。これ以上の処方はリフィル処方箋を交付します。200床以上の保険医療機関では200床以下の医療機関へ紹介するなど対応が必要です。同一日に院内・院外の処方箋による投薬は原則として認められません。

保険医療機関および保険医療養担当規則：投薬

・投薬は、必要があると認められる場合に行います。

・**治療上一剤で足りる場合には一剤を投与**し、必要があると認められる場合に二剤以上を投与します。

・同一の投薬は、みだりに反覆せず、症状の経過に応じて投薬の内容を変更する等の考慮をしなければなりません。

【保険メモ】

急性細菌性膀胱炎で、抗菌剤と頻尿改善薬を同時に処方する医療機関が見受けられますが、抗菌剤で尿路感染症が軽快した後、頻尿が残る患者のみ頻尿改善薬を考慮します。

ストーマ処置（J043-3）

・ストーマを1個持つ患者に対して行った場合　70点

・ストーマを2個以上持つ患者に対して行った場合　120点

入院中の患者以外の患者に対して算定します。

在宅寝たきり患者処置指導管理料を算定している患者に対して行ったストーマ処置の費用は算定しません。

1）当該処置は、消化器または尿路ストーマに対して行った場合に算定します。

2）当該処置には、装具の交換の費用は含まれますが、装具の費用は含みません。

尿路ストーマカテーテル交換法（J043-5）　100点

尿路ストーマカテーテル交換法は、十分に安全管理に留意し、尿路ストーマカテーテル交換後の確認について**画像診断等**を用いて行った場合に限り算定します。画像診断等の費用は、当該点数の算定日、1回に限り算定します。

【保険メモ】

画像診断等とはX線検査（算定可）、透視診断（算定不可）、超音波検査（算定可）、を意味しますが、“等”となっているため、「泌尿器科専門医が交換後、腎盂洗浄などにより適正なカテーテル位置を確認した場合」も、その旨をレセプトに記載すれば審査上認められることがあります。

膀胱穿刺（J058）　80点

膀胱洗浄（1日につき）（J060）　60点

1）カテーテル留置中に膀胱洗浄および薬液膀胱内注入を行った場合は、1日につき、膀胱洗浄により算定します。

2）膀胱洗浄、留置カテーテル設置、導尿（尿道拡張を要する）または後部尿道洗浄（ウルツマン）を同一日に行った場合には、主たるものの所定点数により算定します。

【保険メモ】

主たるもののみ算定：保険上の語句で、点数の高い物のみ算定の意味です。

留置カテーテル設置（J063） 40点

膀胱洗浄と同時に行う留置カテーテル設置の費用は、膀胱洗浄の所定点数に含まれます。

在宅自己導尿指導管理料または在宅寝たきり患者処置指導管理料を算定している患者への留置カテーテル設置の費用は算定しません。

留置カテーテル設置時に使用する注射用蒸留水または生理食塩水等の費用は所定点数に含まれます。

【保険メモ】

上記より、バルーン用水（精製水・注射用蒸留水）は算定できません。バルーン用水が既に注入されているシリンジ付きのフォーリートレイキット等を使用することが望ましいです。

砂状沈殿物や血塊で頻回にカテーテルが閉塞する場合に、先穴カテーテルを使用することがありますが、腎盂バルーンや膀胱瘻用カテーテルを尿道に留置することは適応外使用となります。現在のところ保険診療上、尿道に使用できる先穴カテーテルはラージオープンチップ（ユーシンメディカル社製）で、その他は査定対象外となります。

導尿（尿道拡張を要するもの）（J064） 40点

【保険メモ】

女性の尿道狭窄による導尿は滅多になく、ほとんどの場合が査定対象です。

男性の尿道狭窄、前立腺肥大症による尿閉時は算定対象となります。

間欠的導尿（1日につき）（J065） 150点

間欠的導尿は、**脊椎損傷の急性期の尿閉、骨盤内の手術後の尿閉の患者**に対し、**排尿障害の回復の見込みのある場合に行う**もので、**6月間を限度**として算定します。

尿道拡張法（J066） 216点

誘導ブジー法（J067） 216点

干渉低周波による膀胱等刺激法（J707-2） 50点

入院中の患者以外（※ p292）の患者について算定します。

1）干渉低周波による膀胱等刺激法は、**尿失禁の治療**のために行った場合に算定します。

2）治療開始時点においては、**3週間に6回を限度**とし、**その後は2週間に1回を限度**とします。

磁気による膀胱等刺激法（J070-4） 70点

次のいずれかに該当する尿失禁を伴う**成人女性の過活動膀胱**患者に対して実施した場合に限り算定できます。

・尿失禁治療薬を12週間以上服用しても症状改善がみられない患者

・副作用等のために尿失禁治療薬が使用できない患者

2）**1週間に2回を限度とし、6週間を1クール**として、**1年間に2クールに限り算定**できます。

仙骨神経刺激装置埋込術（K 190-6）

・脊髄刺激装置を留置した場合　24,200点

・ジェネレーターを留置した場合　16,100点

医師の指示に従い、自ら送信機を使用し**過活動膀胱**へのコントロールを行う者で、**保存的療法が無効または適用できない**場合に限り算定できます。自ら送信機を使用することができない患者に対して実施する場合は算定できません。

仙骨神経刺激装置交換術（K190-7） 13,610点

膀胱憩室切除術（K800） 9,060点

膀胱水圧拡張術（K800-3） 6,410点

間質性膀胱炎の患者に対して行われた場合に限り算定します。

ハンナ型間質性膀胱炎手術（K800-4） 9,930点

ハンナ病変の切除または焼灼を目的として実施した場合に算定します。

膀胱脱手術（K802-2）

・メッシュを使用するもの　30,880点

・その他　23,260点

腹腔鏡下膀胱脱手術（K802-6） 41,160点

メッシュを使用した場合に算定します。

膀胱瘻造設術（K805） 3,530点

膀胱皮膚瘻造設術（K805-2） 25,200点

穿刺によらず、膀胱と皮膚とを縫合することで膀胱皮膚瘻を造設した場合に算定します。

導尿路造設術（K805-3） 49,400点

腸管を用いて膀胱からの導尿路を造設した場合に算定します。

膀胱皮膚瘻閉鎖術（K806） 8,700点

膀胱瘻閉鎖術（K808）

・内視鏡によるもの　10,300点

・その他　27,700点

●**尿道狭窄内視鏡手術（K821） 15,040点**

●**尿道狭窄拡張術（尿道バルーンカテーテル）（K821-2） 14,200点**

●**尿道ステント前立腺部尿道拡張術（K821-3） 12,300点**

全身状態が不良のため、前立腺被膜下摘出術または**経尿道的前立腺手術を実施できない患者**に対して、尿道ステントを用いて前立腺部の尿道拡張を行った場合に算定します。

【保険メモ】

尿道ステントは償還価格で算定可能です。

●**女子尿道脱手術（K822） 7,560点**

●**尿失禁手術（K823）**

・恥骨固定式膀胱頸部吊上げを行うもの 23,510点

・その他 20,680点

恥骨固定式膀胱頸部吊上術を行うものについては、恥骨固定式膀胱頸部吊上キットを用いて尿失禁手術を行った場合に算定します。

●**腹腔鏡下尿失禁手術（K823-4） 32,440点**

●**人口尿道括約筋埋込・置換術（K823-5） 23,920点**

●**尿失禁手術（ボツリヌス毒素によるもの）（K823-6） 9,680点**

1）過活動膀胱または神経因性膀胱の患者で、行動療法、各種抗コリン薬およびβ_3作動薬を含む薬物療法を単独または併用療法として、少なくとも**12週間の継続治療を行っても効果が得られないまたは継続が困難と医師が判断したもの**に対して行った場合に限り、算定できます。

2）効果の減弱等により再手術が必要となった場合には、**4月に1回**に限り算定できます。

●**膀胱頸部形成術（膀胱頸部吊上げ術以外）（K823-7） 37,690点**

●**前立腺被膜下摘出術（K840） 15,920点**

●**経尿道的前立腺手術（K841）**

・電解質溶液を用いるもの 20,400点

・その他 18,500点

●**経尿道的レーザー前立腺切除・蒸散術（K841-2）**

・ホルミウムレーザーまたは倍周波レーザーを用いるもの 20,470点

・ツリウムレーザーを用いるもの 18,190点

・その他 19,000点

超音波ガイド下に行われた場合は算定できません。

●**経尿道的前立腺核出術（K841-5） 21,500点**

●**経尿道的前立腺吊上げ術（K 841-6） 12,300点**

●**腹腔鏡下仙骨腟固定術（K865-2） 48,240 点**

メッシュを使用した場合に算定します。

●**麻酔**

麻酔法の選択については、保険診療の原則に従い、**経済面**にも考慮を払いつつ必要に応じ妥当適切な方法を選択することが必要です。

【保険メモ】

診療報酬の中でただ一つ、**経済面にも考慮**する必要性の記載があるのが麻酔です。下腹部の手術との先入観により高価な全身麻酔を安価な腰椎麻酔または硬膜外麻酔にB項査定を受けることがあるのは上記のためです。全身麻酔を選択する場合は、あらかじめ「腰椎の屈曲が強い」「抗血小板薬を内服中で薬剤を休止できない」などの詳記を必要とすることがあります。

まとめ

以上、下部尿路機能障害に対する保険診療のポイントを列挙しました。

日常診療で疑問点をもった保険項目は、ガイドラインに取り上げ、エビデンスを作成し、外保連試案に載せ、要望書を学会より提出し、中央社会保険医療協議会（中医協）医療技術評価分科会にて評価されれば次期改定に採用されます。改定年度4月改定に先駆けて、2月中旬より日本医師会の白本を使用し、各医療機関へ向けて改定講習会が開かれます。また保険審査は、社会保険診療報酬支払基金東京支部では、「医科点数表の解釈」「診断群分類点数表のてびき」「特材算定ハンドブック」「薬剤の添付文書」の4点を基に審査されます。しかし、これらの書籍を持ち歩くことは困難なのでWEB上の「しろぼんねっと」で、検索・確認されることも多くなっています。

これからは、いろいろな職種の医療関係者がグループ診療をすることが多くなり、保険上もグループ診療が評価されるようになりました。少しでも、保険に興味を持っていただくことにより、医療機関の健全な運営・継続が維持され、必ず明日からの診療に役立つと思われます。

引用・参考文献

1） 厚生労働省．診療報酬改定について．
https://www.mhlw.go.jp/stf/seisakunitsuite/bunya/0000106602.html（2023年8月閲覧）
2） 厚生労働省．令和4年度診療報酬改定について．
https://www.mhlw.go.jp/stf/seisakunitsuite/bunya/0000188411_00037.html（2023年8月閲覧）
3） 厚生労働省．令和4年度診療報酬改定説明資料等について．
https://www.mhlw.go.jp/stf/seisakunitsuite/bunya/0000196352_00008.html（2023年8月閲覧）
4） 社会保険研究所．診断群分類点数表のてびき 令和4年4月版．2022，1,048p.
5） 斎藤忠則分担執筆：社会保険研究所．特材算定ハンドブック 令和4年4月版．2022，464 p.

排尿ケアチームの連携

排尿ケアチームの連携

杏林大学医学部付属病院 看護部 師長 皮膚・排泄ケア認定看護師 **丹波光子**

Point

1. チーム医療を実践することで医療の質を高め安全を確保することができる。
2. 患者の多様なニーズに応えることができ、患者の満足につながる。
3. 尿道留置カテーテルを早期に抜去し患者に対応することで排尿の自立ができ、QOL が向上する。
4. 早期に尿道留置カテーテルを抜去することで、尿路感染などの合併症が予防できる。

はじめに

近年、医療を取り巻く環境は高度化、複雑化し、社会の高齢化に伴いより専門的な知識・技術が必要になってきています。また医師、看護師、薬剤師、栄養士、リハビリテーションなど分業が進み、それぞれの役割も拡大してきています。その複数の医療専門職が医師と同等な立場に立ち、的確な役割分担とスムーズな連携で主体的に患者にかかわることで、一人ひとりの患者の状態に合わせた治療、ケアを行う「チーム医療」が広がってきました。病院内では多職種からなる、感染対策チーム、褥瘡対策チーム、緩和ケアチーム、栄養サポートチーム（nutrition support team：NST）などさまざまなチームが立ち上がり、治療のサポートを行い活動しています。

チーム連携の必要性

チーム医療を実践することで、関連職種それぞれが、その専門性をより発揮することができ、医療の質を高め安全を確保することができます。また、患者の多様なニーズに応えることで、患者の満足度が高まり、QOL の低下予防につながり、患者にとってよりよい医療を実現することにもつながります。そのためチーム連携はとても重要になってきます。

2016年の診療報酬の改定で「排尿自立指導料」が新設されました。2020年の改定で「排尿自立支援加算」が新設され、「排尿自立指導料」が「外来排尿自立指導料」に変更されました。それに伴い病棟での排尿ケアチーム以外に、外来での排尿ケアチームも必要になりました。排泄の自立の低下が、自尊心の低下、最終的には患者のQOLの低下につながることが、今回の変更の背景にあります。排尿はトイレまでの歩行機能や排尿動作、膀胱の機能、排尿に関する訓練やケア計画が必要になります。排尿に関する専門職種がチームを作り、尿道留置カテーテル抜去後早期に患者に対応することで、患者が排尿の自立ができ、QOLの向上が図れると考えます。また早期にカテーテルを抜去することで、尿道留置カテーテルを長期留置していることで発生する尿路感染や尿道損傷などの合併症が予防できると考えます。急性期病院では、入院期間の短縮により、下部尿路症状があっても退院を余儀なくされるため、外来でも継続的なケア指導が必要です。外来で排尿ケアチームがかかわることで、患者の不安を取り去り、排尿自立が早期にできると考えます。

外来・病棟で排尿ケアチームが活動し、チーム医療を実践することで、関連職種それぞれがその専門性をより発揮することができ、医療の質を高め、安全を確保することができます。また、患者の多様なニーズに応えることで、患者の満足度が高まり、患者にとってよりよい医療を実現することにつながるのです。

排尿ケアチームの連携

病棟での排尿ケアチーム

当院での診療計画書の流れ、病棟看護師・排尿ケアチームの役割は図1の通りです。

病棟看護師が、排尿日誌や既往歴、残尿測定から尿道カテーテル留置中の患者または尿道留置カテーテル抜去後、下部尿路症状（頻尿、尿失禁、尿閉）がある患者を抽出します。

①排尿ケアチームが、抽出された患者の下部尿路機能障害の評価（排尿自立度、下部尿路機能）をします。

②障害がある場合は、排尿ケアをアセスメントし排尿ケア計画を立案します。

③1～2週間に1回計画を評価し、修正が必要な場合は修正します。

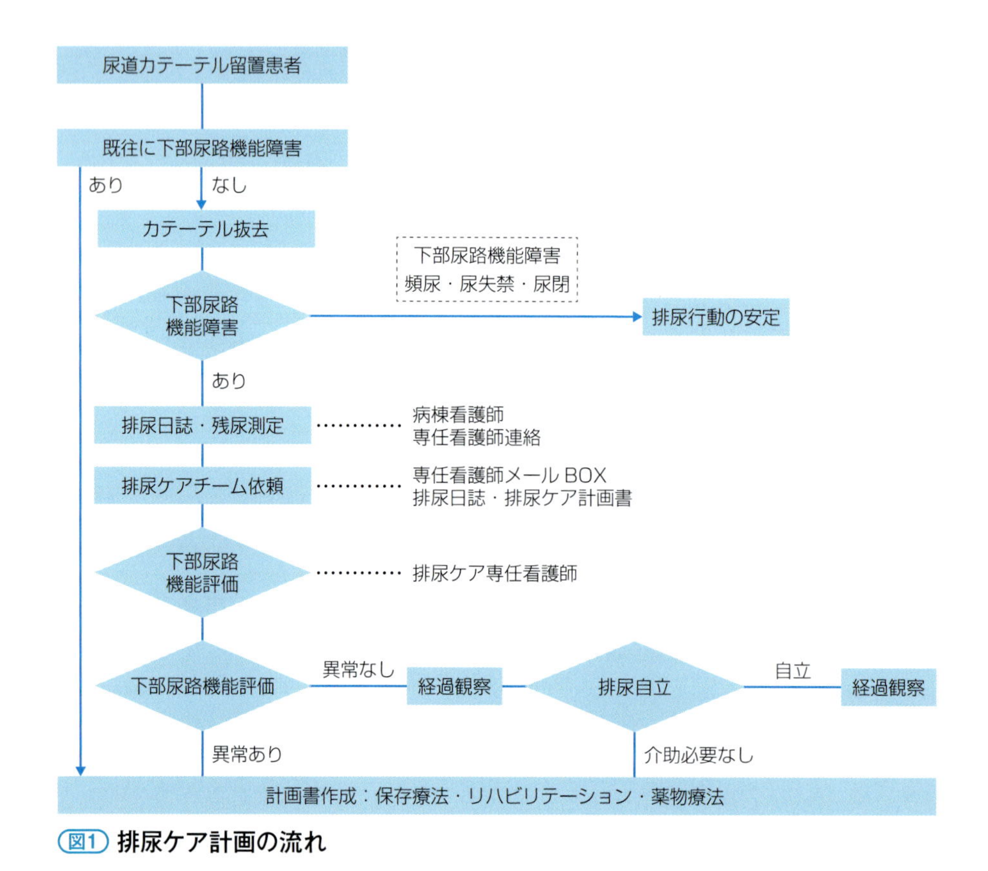

図1 排尿ケア計画の流れ

外来での排尿ケアチーム

「外来排尿自立指導料」の対象は、入院中「排尿自立支援加算」を算定した患者で、退院後も包括的なケアが必要な患者です。当院では病棟での排尿ケアチームと外来排尿ケアチームを兼務しています（図2）。ほとんどの対象が泌尿器疾患患者です。

①医師が失禁の状態や尿流量検査、残尿測定など行い、排尿状況を把握しています。

②医師が必要時内服薬の処方をします。

③骨盤底筋外来（看護外来）を受診、骨盤底筋訓練指導、日常生活指導を行っています

以上を行い、患者の自立度や排尿機能の改善について評価し、排尿自立ができるように援助していきます。

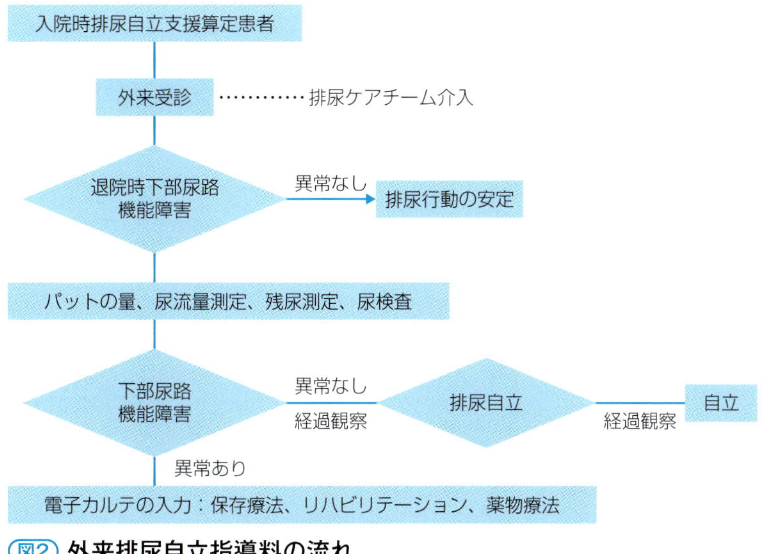

図2 外来排尿自立指導料の流れ

その他

「排尿自立支援加算」「外来排尿自立指導料」は、患者一人に対し週1回に限り、入院で加算を算定した日から12週を限度として算定できます。在宅自己導尿指導料を算定した場合には、算定はできません。

引用・参考文献

1) 日本創傷・オストミー・失禁管理学会.「排尿自立支援加算」「外来排尿自立指導料」に関する手引き. 東京, 照林社, 2020, 56p.

チーム構成員と職種の役割

杏林大学医学部付属病院 看護部 師長 皮膚・排泄ケア認定看護師 **丹波光子**

Point

❶ 排尿ケアチームは泌尿器科医師または研修を受けた医師、特定の研修を受けた専任の看護師、専任の理学療法士、作業療法士から構成される。
❷ 医師：必要な検査オーダー、薬物療法を含めた治療を計画する。
❸ 看護師：下部尿路機能の評価と看護計画の立案を行う。
❸ 理学療法士・作業療法士：排尿動作自立に向けたリハビリテーションを行う。

チーム構成員と職種の役割

①医師の役割

下部尿路機能障害がある場合は、その原因を調べ治療を行います。検査を行い、薬剤の投与などを計画します。

条件

下部尿路機能障害を有する患者の診療について経験を有する医師（3年以上の勤務経験を有する泌尿器科の医師、または排尿ケアにかかわる適切な研修を修了した医師）。

適切な研修

日本慢性期医療協会「排尿機能回復のための治療とケア講座」[1)]

※包括的排尿ケア計画：必要な検査のオーダーと治療、薬物療法

②看護師の役割

患者の身体的、精神的、社会的状況をアセスメントして、継続していけるようにケア計画を立案します。看護師は患者にとって話しやすい存在であることが多いため、治療・ケアについて確認してきます。排尿状態の把握とケア以外にも、医師と一緒に治療にも参加し、状態を説明できることも必要になります。また、退院後の自宅の環境など

も含めて、病棟看護師とケア計画を立てていきます。そのほかに、マニュアルの作成、勉強会などの企画をしていきます。

外来では引き続き、骨盤底筋訓練指導が継続できているか、そのほか日常生活指導自己導尿を開始、在宅自己導尿指導料を算定している患者は、排尿自立指導料を算定することはできません。

条件

下部尿路機能障害を有する患者の看護に従事した経験を3年以上有し、所定の研修を修了した専任の常勤看護師[1)]。

特定の研修

皮膚・排泄ケア認定看護師と、脳卒中リハビリテーション看護認定看護師（2009〜2015年度の脳卒中リハビリテーション看護認定看護師課程修了者）は、排尿自立支援に関するフォローアップ研修を受ける必要がある。

日本創傷・オストミー・失禁管理学会、日本老年泌尿器科学会、日本排尿機能学会「下部尿路症状の排尿ケア講習会」

日本慢性期医療協会「排尿機能回復のための治療とケア講座」など[1)]。

※下部尿路機能障害の評価（排尿自立度、下部尿路機能）／包括的排尿ケア計画：排尿ケアアセスメントと看護計画の立案（排泄用具選択、骨盤底筋訓練指導、自己導尿の指導など）／マニュアルの作成（依頼方法、加算までの流れ、生活指導、残尿測定方法、骨盤底筋訓練指導方法、自己導尿指導方法、排尿日誌の記録方法など）／院内排尿ケア研修の企画・運営、病棟での超音波画像診断装置の使用方法。

③理学療法士・作業療法士の役割

患者のADLの状況、全身の状況、排尿状況をアセスメントして、患者にあったリハビリテーション方法を立案します。

条件

下部尿路機能障害を有する患者のリハビリテーションなどの経験を有する専任の理学療法士、作業療法士[1)]。

※包括的排尿ケア計画：排尿動作自立に向けたリハビリテーションの計画。

④病棟排尿ケアリンクナース

病棟での勉強会の企画：下部尿路機能障害の症状を有する患者の抽出方法、排尿日誌、残尿測定方法について。

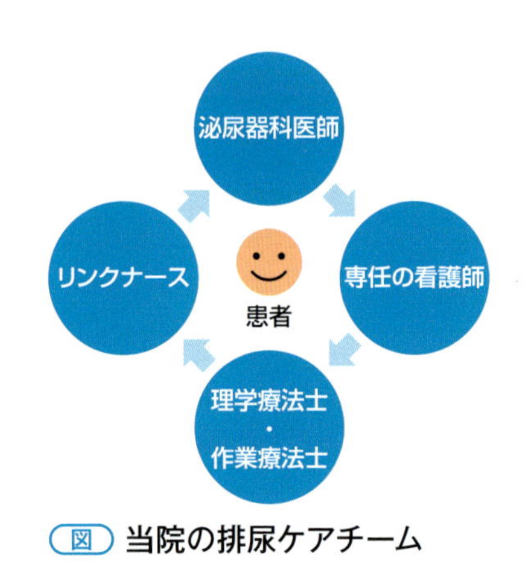

図 当院の排尿ケアチーム

①、②、③は算定条件に必要です。当院では泌尿器科医師 1 名、専任の看護師 2 名、理学療法士 3 名、作業療法士、各病棟のリンクナースを選出してもらいました。そのほかに、事務の協力も必要です（図）。

おわりに

当院では現在、排尿ケアマニュアルを作成し、排尿自立指導料算定に向けて院内講習会、病棟ごとの研修、リンクナースへの教育などを行っています。最終的にはチームが介入することで、自立度や排尿機能が改善し、患者の QOL が低下せずに退院することができ、外来排尿自立指導料加算が新設されたことで、退院後も在宅で継続していけるように自宅の環境を整えられる体制ができたと考えます。当院では排尿ケアチームの設置で、排泄自立だけではなく、排尿・排便にかかわることも見直しできるようになりました。今後はこれによる効果についても検証していきたいと思います。

引用・参考文献

1) 日本創傷・オストミー・失禁管理学会.「排尿自立支援加算」「外来排尿自立指導料」に関する手引き. 東京, 照林社, 2020, 56p.
2) 小柳礼恵. 平成 28 年度診療報酬改定新設で要チェック！排尿ケアが変わる！「排尿自立指導」の病棟での進め方. エキスパートナース. 32, 2016, 90-8.

病棟看護師が実施するための研修内容

エコーによる残尿測定

藤田医科大学 保健衛生学部 講師 / 皮膚・排泄ケア認定看護師　**小柳礼恵**

Point

1. エコーの原理を理解する。
2. 残尿測定の方法について理解し、適切な方法を選択する。
3. エコーによる残尿測定方法を理解する。

はじめに

これまで、看護師による残尿測定はカテーテルによる導尿で行われていました。導尿は正確な量を測定することは可能ですが、患者の苦痛や逆行性尿路感染のリスクが高くなるという難点があります。

また、排尿自立支援加算と外来排尿自立指導料ともに、多職種協働により患者の状態をアセスメントするための客観的指標が重要となります。その一つの指標として、可視化できる超音波診断装置（以下、エコー）による残尿測定があります。現在はフィジカルアセスメントと同時に、携帯型エコーで、ベッドサイドで定期的に残尿測定を実施している施設も多くなっています。従来使用してきた携帯式残尿測定専用機は、患者に苦痛を与えず短時間で残尿測定を実施することが可能でしたが、この専用機では1方向の測定であるため、術後の周辺臓器への滲出液の貯留などを検出してしまう場合があります。エコーでは2方向から描写し体積を計算し、周辺臓器との位置関係も同時に可視化できることから正確性が高いといえます。今回は、エコーを残尿測定に使用する際の方法と、注意点について説明します。

エコーの概要

エコー検査の利点 [1)]

- 無侵襲である
- リアルタイムな検査である
- ランニングコストがかからない
- 動態画像が取得できる
- 経時的評価（経過観察できる）ができる
- 携行性が高い

超音波を用いた看護ケアの主な流れ

まず、重症度診断と経過観察のためにエコーによる観察を選択します。次に、目的を明確化し、観察する部位に適した機器やプローブの選択、画面の見方と正常画像の確認、ベッドサイドの準備を行います。準備が整ったら患者の状態観察をし、所見に基づいたケアの選択を行います。観察後は画像を評価し、検討した結果を記録します[2]。

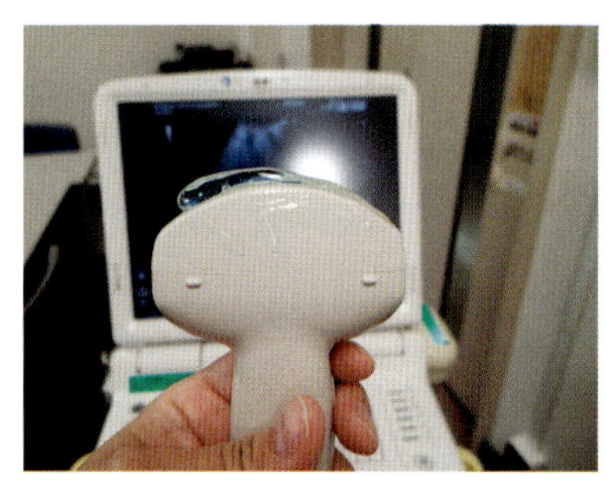

図1 2D コンベックス型プローブ

エコー検査の実際と残尿測定方法

プローブ

患者が排尿した後、仰臥位で実施します。このとき、羞恥心に配慮し、測定部位以外の露出は最小限にします。

プローブには大きく分けて「コンベックス型」「リニア型」「セクタ型」の3タイプがあります。膀胱を観察する際には、3～6MHzの2Dコンベックス型プローブ（図1）を使用します。使用する際は適量のゼリーを塗ります。

ボディマーク

プローブのボディマークは機器ごとに異なりますが、画面の上に企業ロゴなどのマークで印づけられていることが多いです。体の位置と一致させて画像を描出する必要があります（図2）。

画像の調整

一般的に使用されているエコーの設定は、画像の調整はゲイン、STC（sensitivity time control）、ダイナミックレンジ、画面拡大機能、フォーカスで行います（表）。現在、看護師が使用するエコーは簡便に撮影することが可能な機器も多くあります（後述）。

エコー画像の表現方法[3]

エコー画像は、周囲組織との比較により表現します。高エコー像は周囲組織よりも白

表 画像の調整

ゲイン	明るさ（輝度）の調整
STC	深さごとの明るさの調整
ダイナミックレンジ	コントラストの調整
画面拡大機能	ズームを調整し、検査範囲を調整
フォーカス	検査する部位の深さの調整

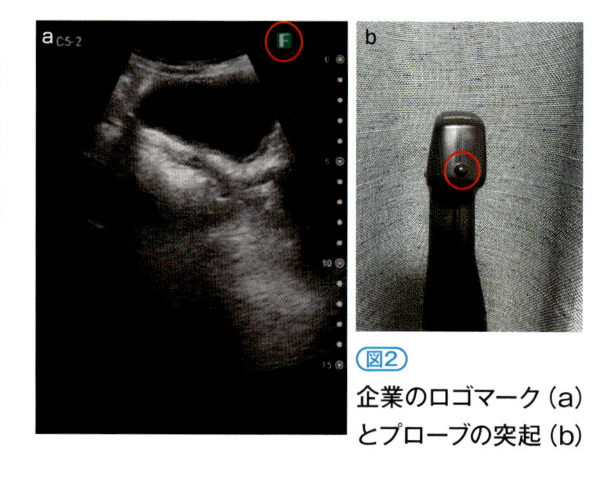

図2 企業のロゴマーク（a）とプローブの突起（b）

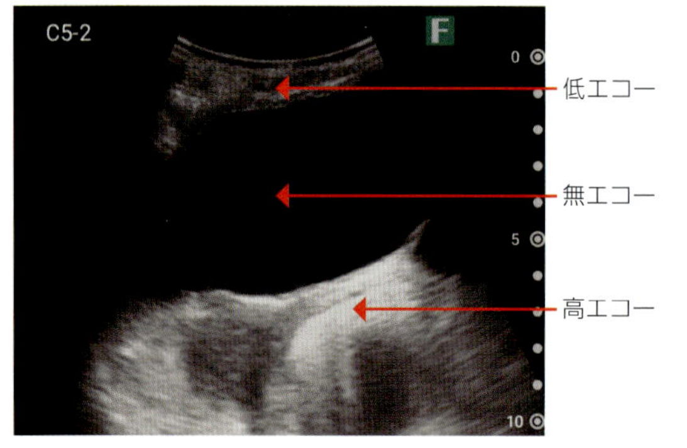

図3 エコー画像の表現方法

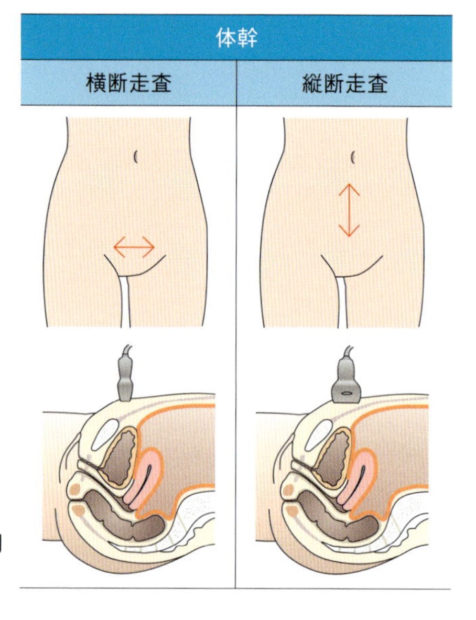

図4 エコーにおける画像の方向
横断、縦断の臓器との関係

く表現されます。等エコー像は周囲組織とほぼ同様の輝度で表現されます。低エコー像は周囲組織よりもやや黒く表現されます。無エコー像は真っ黒く表現されます（図3）。

短軸と長軸の2方向で膀胱を描出する（図4 図5）

図4の a～c を測定し、次の式に基づいて膀胱内尿量（残尿量）を算出します。

$$膀胱内尿量 = \frac{左右径（cm）×前後径（cm）×上下径（cm）}{2}$$

携帯型エコーの使用（図6）

ベッドサイドで、エコーでタイムリーに残尿測定するには、看護師でも正確な画像を描出しアセスメントすることが重要です。

前述しましたが、プローブを設定し、エコー画像から残尿量を計算するにはある程度の時間を要します。しかし、看護師が検温などの際に同時に実施できる簡便な携帯型エコーがあり、導入している施設も多くあります。携帯型エコー装置のサイズはスマートフォン程度の大きさであり、プローブはコードレスになっているものもあります。残尿測定の際に必要な項目のみの設定で撮影可能です。深さは10cmに合わせ、患者の体格により深さを調整し膀胱が描出できるように設定します。また、ゲイン（反射波）を調整することで低・高エコー像の描出画像の調整が可能です（図6）。

プローブ：恥骨結合から頭側の位置に置き、頭尾側をプローブで圧迫し、膀胱全体を観察する	
横断走査	縦断走査
左右径（a）：横断面の短軸画像における左右の最長径	●前後径（b）：矢状面の長軸画像における、膀胱底部に腹部から下ろした垂径の最長径 ●上下径（c）：矢状面の長軸画像における、前後径に垂直な最長径
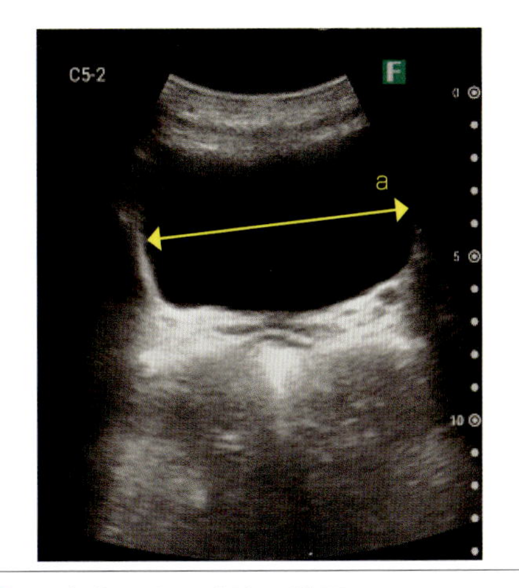	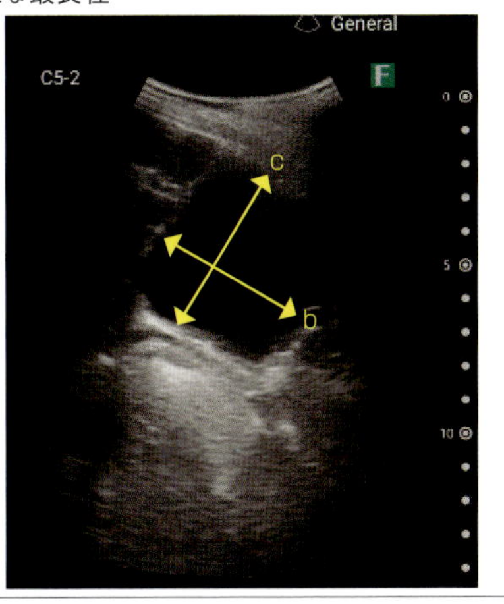

図5 2方向による膀胱の描写

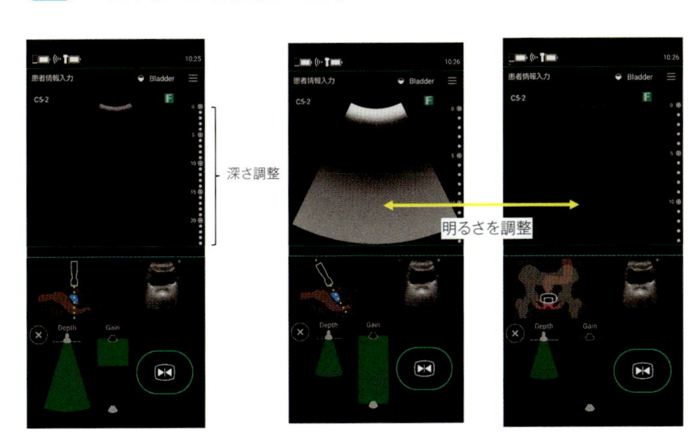

図6 iViz air 調整画面（画像提供：富士フイルム）

引用・参考文献

1) 真田弘美ほか編．"超音波検査の基礎知識"．役立つ！使える！看護のエコー．東京，照林社，2019，2-3．

2) 真田弘美ほか編．"エコー検査の実際"．看護理工学．東京，東京大学出版会，2015，159．

3) 真田弘美ほか編．"エコー画像の表現方法"．看護理工学．東京，東京大学出版会，2015，157-8．

エコーを用いた骨盤底筋訓練指導

藤田医科大学 保健衛生学部 講師 / 皮膚・排泄ケア認定看護師 **小柳礼恵**

Point

1. 定期的に下部尿路機能障害の評価を行う。
2. 失禁の種類を評価する。
3. 骨盤底筋訓練の指導と評価を実施する。

はじめに

下部尿路機能へのケアは、尿失禁、尿閉・排尿困難、尿意に分けることができます。そのなかでも、腹圧性尿失禁や切迫性尿失禁には骨盤底筋訓練を指導します。指導対象は、骨盤底筋の収縮方法について理解できる患者です。訓練ではまず、骨盤底の解剖と位置の理解、骨盤底筋訓練の原理、方法、訓練スケジュールについて患者に説明します。訓練時は、骨盤底筋を正しく収縮できることが大切になります。そのため、実際に、エコー画像を用いて骨盤底筋の収縮をバイオフィードバックしながら個別指導を行うとよいでしょう[1)]。ここでは、患者の羞恥心へも配慮した経腹超音波を用いた骨盤底筋訓練について説明します。

エコーを用いた骨盤底筋評価の実際

骨盤底筋訓練の説明

パンフレットやDVDを用いて骨盤底筋群を含めた解剖と役割を説明し、理解を得ます。(CHAPTER5-2-02 参照)

測定時の準備

測定時には、膀胱底部の確認をしやすくするために失禁しない程度に排尿をがまんし、尿を溜めてもらいます。また、腹筋部分をリラックスさせるため股関節を屈曲させた体位にするとよいでしょう。

骨盤底の評価方法

残尿測定にも使用する3〜6MHzの2Dコンベックスプローブ（CHAPTER9-01参照）を使います。この評価方法は実際の骨盤底筋の収縮機能を評価しているわけではなく、間接的に評価する方法です。実際は、プローブを恥骨直上の腹部に矢上面に置きます。このとき、骨盤底筋を収縮させた際に、膀胱底部の尿管口間隆起から尿道へ移行する膀胱底部が腹部側へ挙上する様子が観察できます（図）。

評価時に患者は、腹部に力を入れてしまい、腹筋を収縮させてしまうことがあります。その場合、膀胱底部は背部へ下降するような動きをみせます。このことを理解しておくことがポイントです。

a

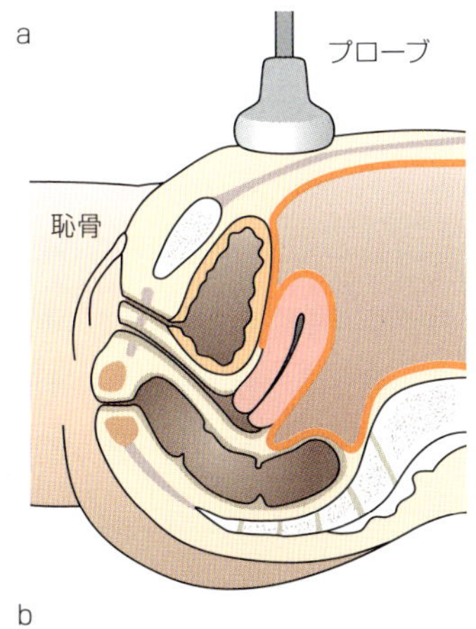

b

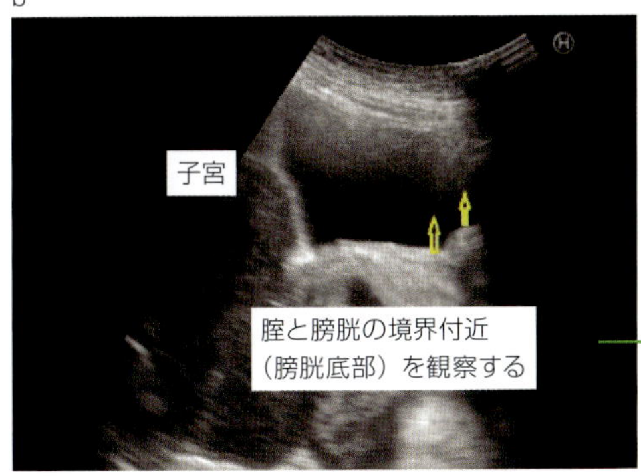

c

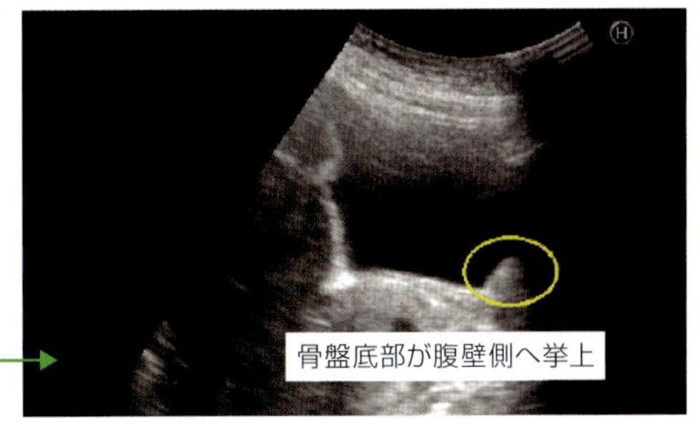

図 骨盤底部が腹壁側へ挙上する様子

残尿測定
～膀胱用超音波画像診断装置 ブラッダースキャンシステム BVI6100 の使い方～

慶應義塾大学病院 医療連携推進部 皮膚・排泄ケア認定看護師 **野﨑祥子**

Point

❶ 簡便に持ち歩くことができ、非侵襲的に測定できる。
❷ エコーゼリーを塗布し、プローブを当てるときは、気泡が入らないようにする。
❸ 数回測定し、近似値のなかで最高値を測定値とする。

ブラッダースキャンの特徴と各部の説明（図1）

超音波は液体・固体で伝わりやすく、非侵襲的に検査できるため、患者への苦痛がありません。受信したエコーを表現する方法のうち、膀胱用超音波画像診断装置 ブラッダースキャンシステム BVI6100 は、B（brightness：輝度）モードを用いており、120°の角度でスキャニングすることで膀胱を立体的にとらえ、蓄尿量を測定します。小型で、充電池内蔵、軽量のため、患者のベッドサイドに携帯し、手軽に使用できることが特徴です。

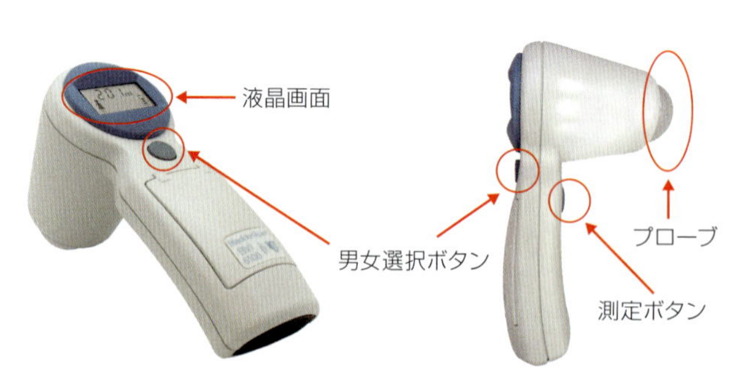

図1 膀胱用超音波画像診断装置 ブラッダースキャンシステム BVI6100（出典：Verathon Inc.）各部の特徴

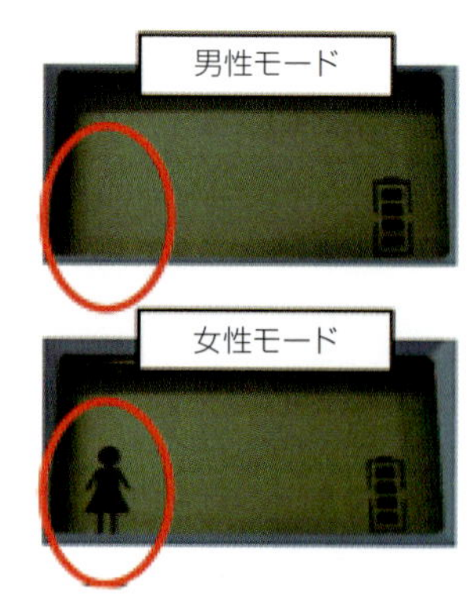

図2 スキャンモードの選択
女性モードのときは女性のアイコンが表示され、男性モードでは何も表示されません。

測定方法

①電源スイッチを入れる

充電器から持ち上げると自動で電源が入ります。充電器から外している場合は、男女選択ボタンを押すと電源が入ります。

②スキャンモードを選択する（図2）

男女選択ボタンを繰り返し押して、患者に合ったモードを選択します。子宮摘出している女性は男性モードでも構いませんが、男性は必ず男性モードで測定します。

③エコーゼリーを塗る（図3）

患者を仰臥位にさせて、腹部をリラックスさせます。プローブの灰色部分または、恥骨結合部から 3cm 程度上の腹部正中にエコーゼリーを十分に塗布します。正確に測定するために、気泡が入らないように留意します。

④プローブを当てる（図4）

患者の右側から正中線に対してプローブが垂直になるように、プローブを軽く押し当てます。膀胱が恥骨裏にあるので、液晶面を頭側に少し傾けます（図5）。

⑤測定ボタンを押し、測定する

プローブを当てた状態で測定ボタンを押すと、「ピッピッピ……」と音が鳴り、測定が始まります。測定中は、プローブがぐらつかないように注意します。

⑥測定結果を確認する（図6）

正しく測定できていれば、画面に測定値のみが表示されます。測定値の誤差が ± 15% あるため、3 回程度測定してそれぞれの数値が近似値であれば、その最高値を測定値とします。数値にばらつきがある場合は、再度測定します。測定範囲は 0〜999mL であり、残尿量が 1,000mL 以上の場合、「> 999mL」という表示が出ます。

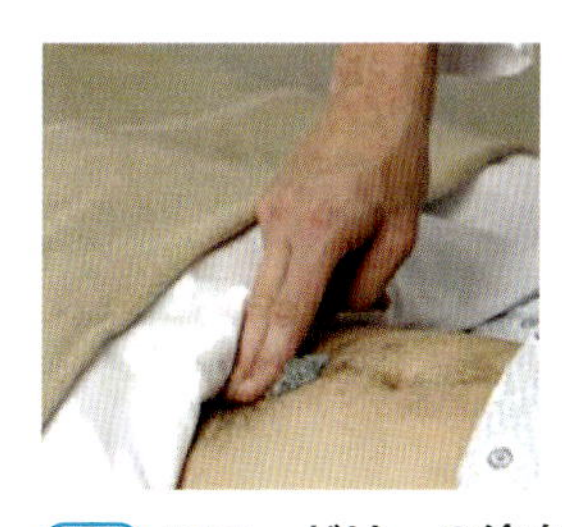

図3 エコーゼリーの塗布

⑦画面に 図7-a〜c の表示が出た場合は、プローブの照準を設定しなおし再測定する

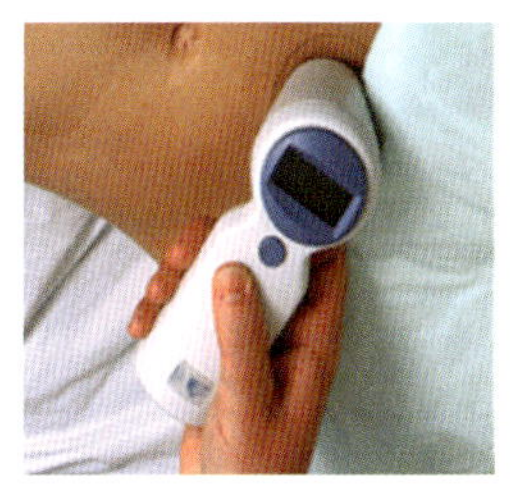

図4 プローブの当て方

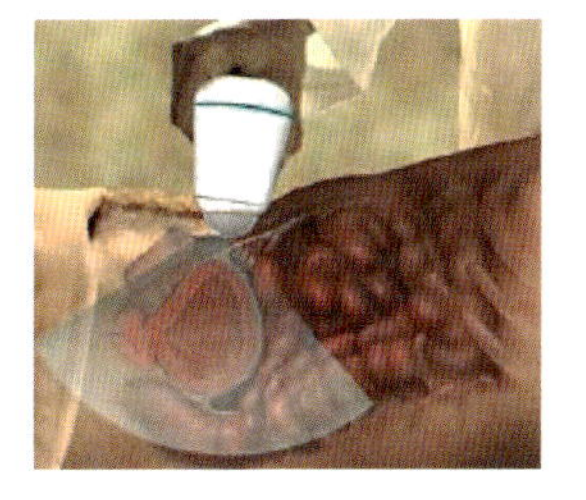

図5 プローブの照射範囲

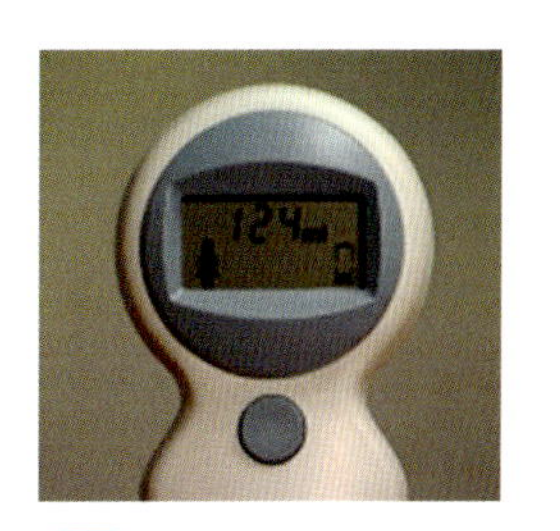

図6 測定結果の表示例

a	測定位置が膀胱の中心にない(要再測定)	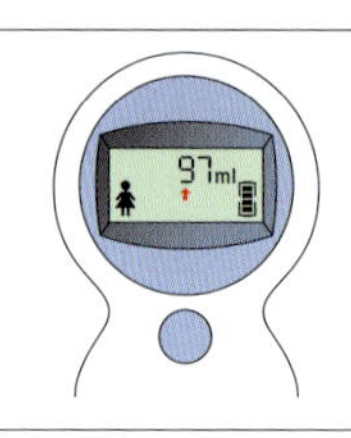	点滅する矢印は、膀胱の測定位置がずれていることを意味します。正確に膀胱容量を測定するために、矢印の方向にプローブを移動して、再測定してください。 ディスプレイの表示： ・膀胱容量 ・点滅している矢印は、修正すべきプローブの方向を示しています。矢印の方向にプローブを移動し、再度測定します。
b	測定位置が膀胱の中心にない(要再測定)	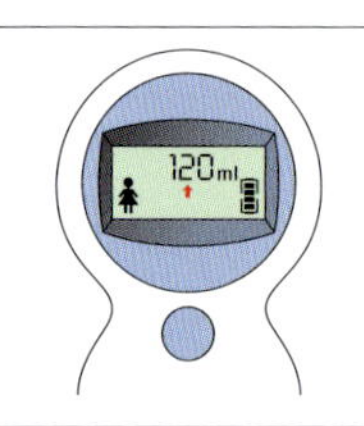	点灯する矢印は、膀胱がプローブの測定範囲の中心に確認できないので、矢印の方向にプローブを移動して、再測定してください。 ディスプレイの表示： ・膀胱容量 ・点灯した矢印は、再測定するためにプローブ位置を修正する方向を示しています。
c	膀胱が大きすぎ、測定範囲内に完全に収まりません。	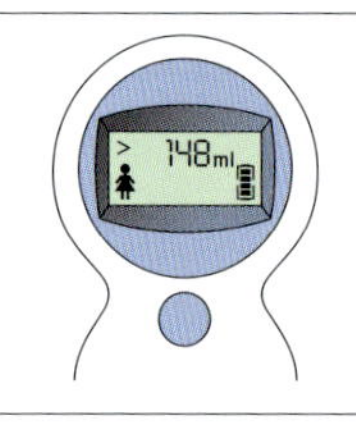	膀胱が大きすぎて、測定範囲内に収まっていません。または、使用者がプローブを強く圧迫しすぎています。 ディスプレイの表示： ・「>」の記号が付いた膀胱容量 ・点滅矢印なし ・点灯矢印なし 腹部への圧迫を軽減し、再度測定します。

図7 再測定が必要な表示

(a) 点滅する矢印が出た場合：照準を設定し直す　(b) 点灯する矢印が出た場合：照準を設定し直す
(c) >マークが出た場合：照準を設定し直す

測定のポイント

BVI 6100では、体重27kg以下では測定が不正確となるので、乳幼児は、小児対応機種や2Dエコーで測定することが望ましいです。

便秘などで腸管ガスが多く、測定できない場合は、プローブを強く押し付けることで腸管ガスが移動し、測定可能となる場合があります。

腹水貯留や妊娠中、高度肥満患者などでは測定値が不正確となりやすいため、2Dエコーや導尿など他の測定方法も検討する必要があります。

診療報酬について

「D216-2 残尿測定検査1　超音波検査によるもの55点」を算定できます。残尿測定検査は、患者1人につき月2回までは算定可能です。

残尿測定と排尿記録：定時測定の使い方

山梨大学大学院医工農学総合教育部　瀧本 まどか
山梨大学大学院総合研究部 医学域看護学講座 教授　谷口珠実

Point

❶ いつでもどこでも簡便に非侵襲的に残尿測定ができる。【残尿測定モード】
❷ 24 時間を通して膀胱内の尿量が自動計測できる。【定時測定モード】
❸ 排尿のタイミングを把握し、適切な排尿誘導に活用できる。
❹ 尿量測定が困難な高齢者や夜間帯で活用できる。

はじめに

リリアム®IP200（リリアム大塚）には主に 2 つのモードがあります。

残尿測定モードを使うと

測定時の膀胱内の尿量または排尿後の残尿を非侵襲的に測定できます。

特徴

①小型で軽量のため持ち運びがしやすく、排尿後の残尿測定をトイレやベッドサイドで簡便に行えます。車いすに乗ったままの測定もできます。
②最大 200 件の測定結果を保存でき、複数の患者に連続して測定できます。
③電池式であるため、充電のための置き場所の固定が不要です。停電時にも使えます。

定時測定モードを使うと

膀胱内の尿量を約 1 分間ごとに、継続的に測定できます。記録データから最大膀胱容量、排尿回数、平均排尿量、平均残尿量、尿意回数が自動算出されます。測定した結果を専用の印刷機またはアプリを介して、排尿記録に準じた出力ができます。

特徴

① 24 時間を通して排尿時間、1 回排尿量、残尿が記録できるため、起床時間、就寝時

間を追加すると頻度・尿量記録（frequency volume chart：FVC）の代替となります。そのため、次のような排尿の記録が難しい患者に対し活用できます。

・自記式の排尿日誌の記入が困難な高齢者、小児、意識障害患者、手指や腕に麻痺がある患者。

・尿意が不明瞭で失禁が多いため、1回排尿量が正しく測定できない患者。

・夜間頻尿や夜間多尿の患者。

②設定した膀胱容量になるとアラームが鳴る機能があるため、排尿誘導のタイミングが把握できます。機能性尿失禁の患者に対し、余裕をもって排尿誘導ができます。

③膀胱内尿量を継続的にモニタリングできるため、尿意の訴えが頻回でも自尿が少ない患者に対し、尿意と膀胱内尿量の関係を把握しながら膀胱訓練ができます。

定時測定モードの注意点

①陰毛は、ジェルパッドやテープを剝がす際に痛みとなりやすいため、対象者と相談して、必要に応じて除毛します。

②入浴時は取り外し、入浴後に再度、位置決めをします。ボタンの操作は不要です。入浴後は再装着すると測定が再開します。外す前にプローブのコードをお臍に当て、お臍の位置にテープなどでマーキングをしておくと、同じ位置に再装着できます。

③プローブと本体をつなぐコードがベッド柵などに引っかからないように注意します。

④ 12時間以上測定する場合、充電式電池の場合は十分に充電した状態で使用します。電池切れの際にはアラームが鳴るため、夜間に電池切れしないようにします。

⑤付属の腹帯は、体動によってずり上がるとプローブの固定が緩くなり、測定値に影響します。そのため、排尿時や体動時には適宜確認します。

⑥腹囲が大きく腹壁に丸みがあり、プローブ面が背面と平行にならない場合は、付属品の角度補正具を用いてプローブの角度を調整します（図1）。坐位になると腹壁の丸

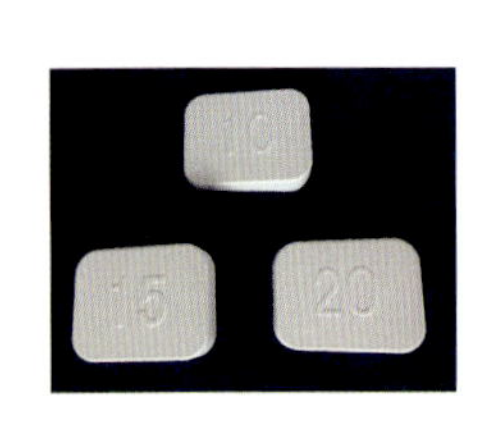

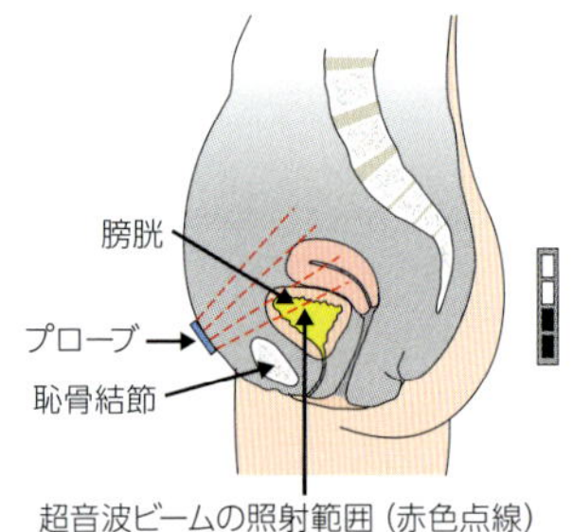

腹壁に丸みがある場合、超音波の向きが上向きになり、膀胱全体をとらえることができない。

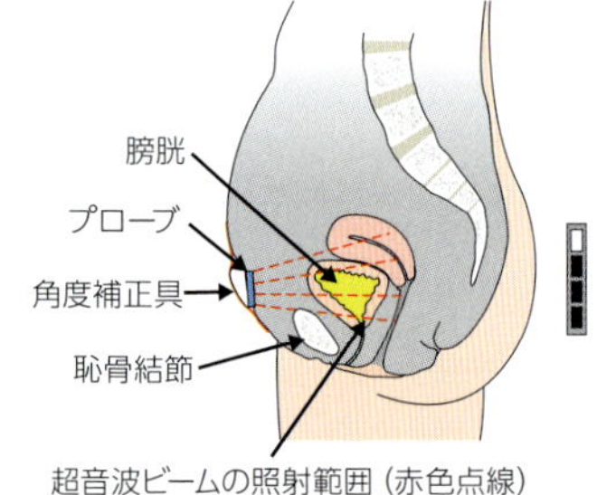

プローブに角度補正具を当てて、上向きのプローブが背中と水平になるように押し当てた状態でテープと固定帯で固定する。

図1 角度補正具の使い方

みが大きくなり、うまく測定できない場合は、日中の坐位時に角度補正具を使い、夜間の仰臥位時には外すなどの工夫が必要な場合があります。

⑦側臥位時に下腹部にたるみがある場合は、プローブの位置がずれることがあるため、適宜確認します。

リリアム® IP-200 を用いた残尿測定の使い方

残尿測定の手順

使用物品

①リリアム® IP200　②エコーゼリー

排尿を済ませます。

体位の基本は仰臥位です。坐位で測定する場合は背中を後ろに傾斜した姿勢をとります（図2）。

図2 坐位の姿勢

step 3

プローブにエコーゼリーを塗ります（図3）。

Point

エコーゼリーはプローブ面に隙間ができないように縦ラインにたっぷりつけます。

図3 エコーゼリーの塗り方

定時測定の手順

使用物品

①リリアム®IP200　②ジェルパッド　③霧吹き　④固定テープ　⑤固定帯　⑥携帯用ポーチ

膀胱に尿が溜まった状態で位置決めをします。排尿後の場合、膀胱の位置がわかりにくく、適正位置からずれる可能性があります。

step 2

プローブにジェルパッドを貼ります。

Point

気泡が入らないようにします。気泡がある場合は指で押し出します。気泡部分は超音波が届かないため注意します（図4）。

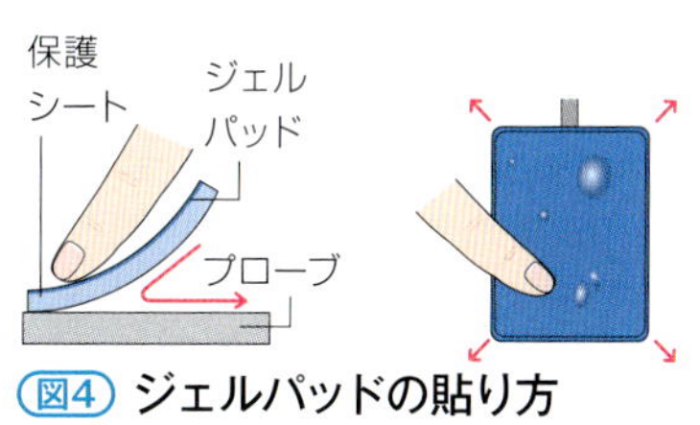

図4 ジェルパッドの貼り方

step 3

ジェルパッドの保護シートを剥がし、粘着部分に霧吹きで3～5回水をたっぷりかけます。水をかけることで粘着が弱まり、滑りがよくなります。乾くと粘着が戻ります。

step 4

腹部の臍を通る正中線と恥骨結節の位置を確認します（図5）。

Point

プローブと本体をつなぐコードが臍側にくるようにして、恥骨結節の上端から男性は約 1cm 臍側、女性は約 0.5cm 臍側の位置にプローブの下端を置きます。

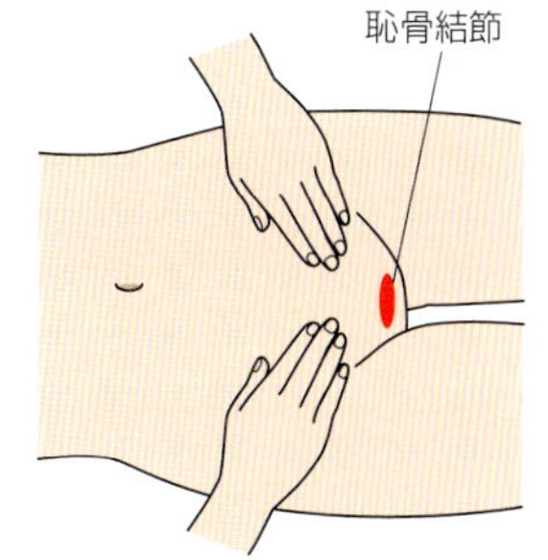

図5 恥骨の位置を確認する

step 5

決定開始ボタンを押すと、電源が入ります（図6）。
電源が入ると残尿測定が開始します。

step 6

測定が開始すると、表示画面右側の４マスのインジゲータが点灯します。インジゲータを見ながら適正位置を探します。恥骨結節の位置を正確に把握するため、一度、インジゲータの一番下のマスが白くなるまでプローブを恥骨側に下げます（図7）。

Point

- ●インジゲータ点灯しない□：骨などの固体
- ●インジゲータ点灯■：尿などの液体

step 7

恥骨結節の位置を確認したら、数ミリ程度ずつ臍側にプローブを上げていき、インジゲータの一番下のマスが黒くなった位置で止めます（図8）（図9）。ここが残尿測定の適正位置となります。

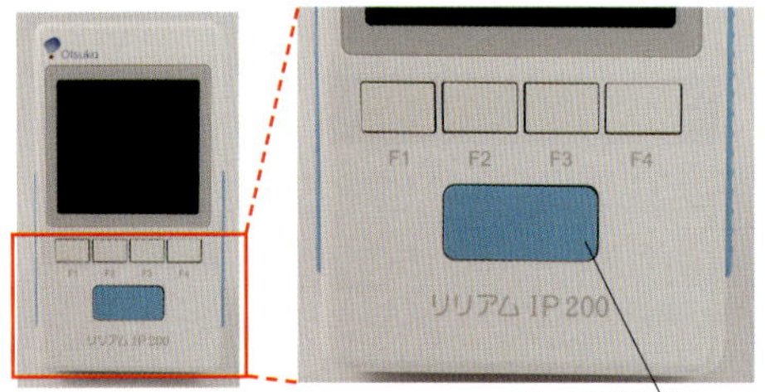

図6 決定開始ボタン（電源）

図7 恥骨結節の位置表示

インジゲータの一番下のみが白くなる位置（点線赤丸）が恥骨結節の位置

図8 適正位置表示

インジゲータの一番下のみが白から黒に点灯した位置が適正位置

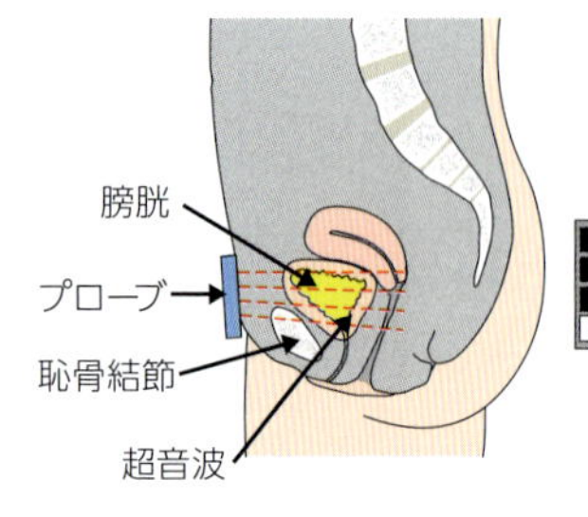

超音波の下の線が恥骨結合にあたり、インジゲータの下のマスが白くなっている状態

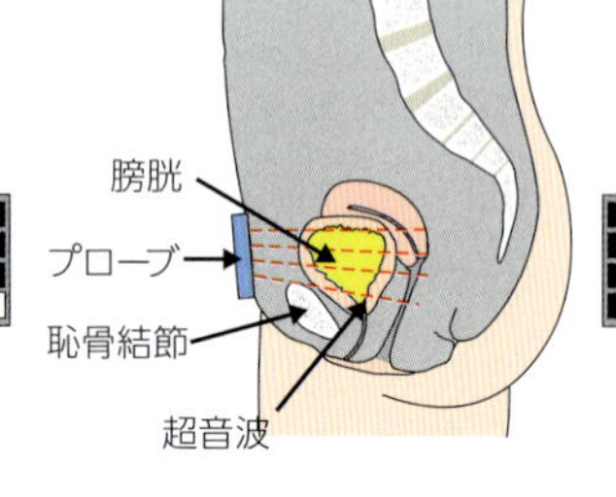

超音波が膀胱全体を捉えている状態

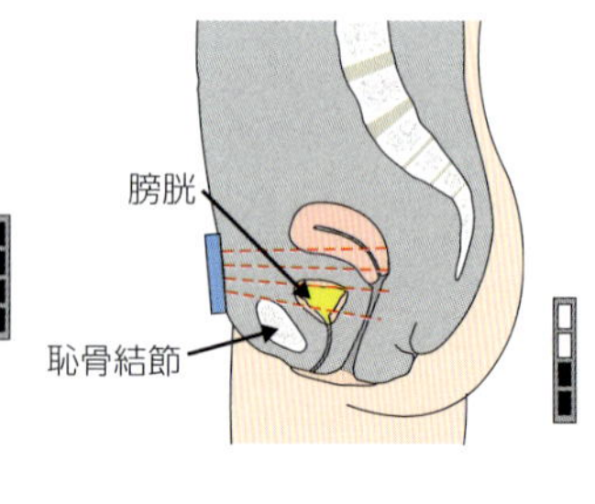

尿量が少なく、膀胱が収縮している状態：インジ ゲータは水分に当たっている部分のみ点灯する。

図9 超音波とインジゲータ点灯の関係

step 8

初期設定のオートモードの場合は、グラフの推移が約6秒安定すると自動的に判定が終了して、推定最大尿量値（mL）＝残尿が確定します。手動モードでは、決定開始ボタンを押すと、推定最大尿量値（mL）＝残尿が確定します（図10）。

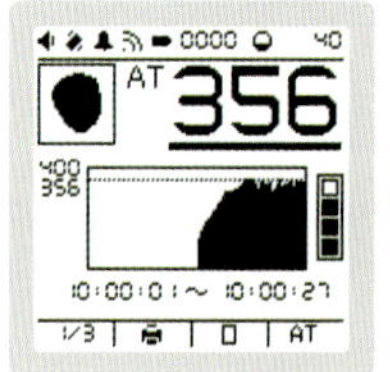

図10 残尿測定表示画面

残尿測定終了

step 8

適正位置の確認ができたら、定時測定モードに切替えます。まず、F3ボタンを押し、続けて決定開始ボタンを押します（図11）（図12）。

注）初期設定のオートモードの場合は、F4ボタン（オートモード解除）を押してからF3ボタンを押します。

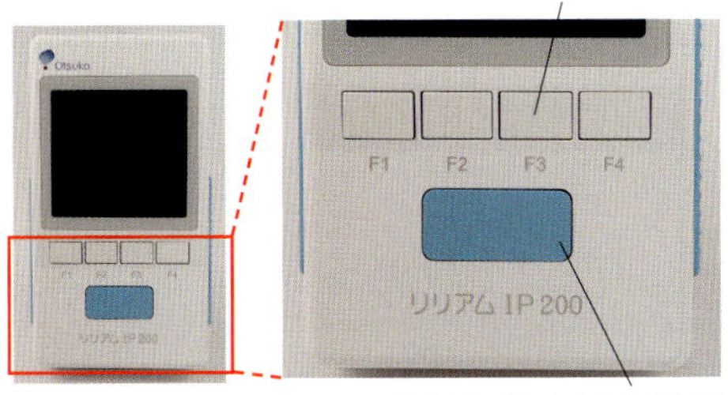
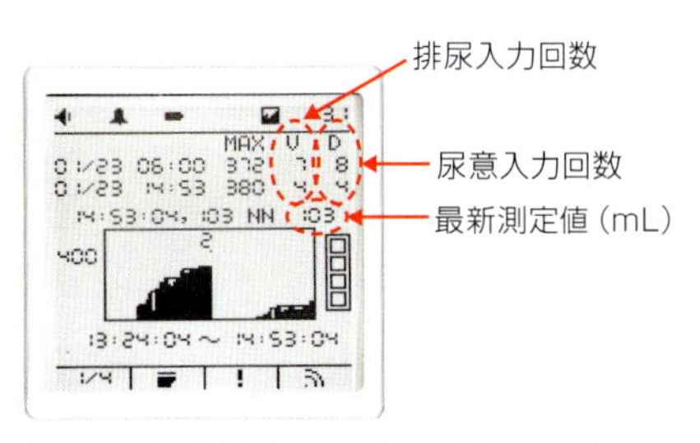

図11 定時測定モードへの切り替え方

図12 定時測定モードの表示画面

step 9

テープでプローブを固定します（図13）。
必要に応じて付属の携帯ポーチに本体を入れます。

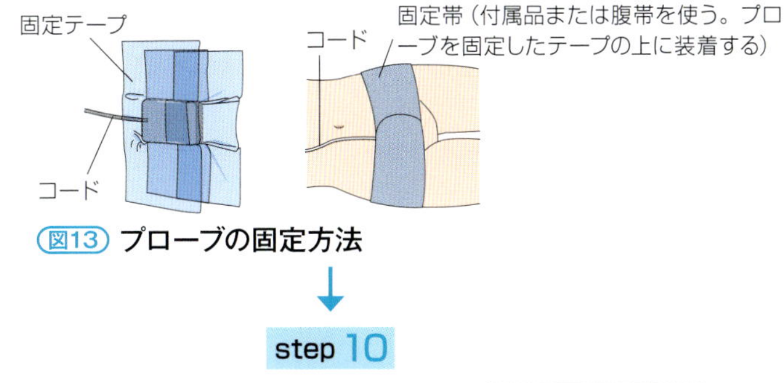

図13 プローブの固定方法

step 10

排尿回数

マークは、排尿回数カウントのアイコンです。排尿後にアイコンの下のF2ボタンを１回押すと、排尿回数がカウントされます。

尿意

! マークは、尿意回数カウントのアイコンです。尿意を感じた際にアイコンの下のF3ボタンを押すと1～5の５段階で入力できます（図14）。

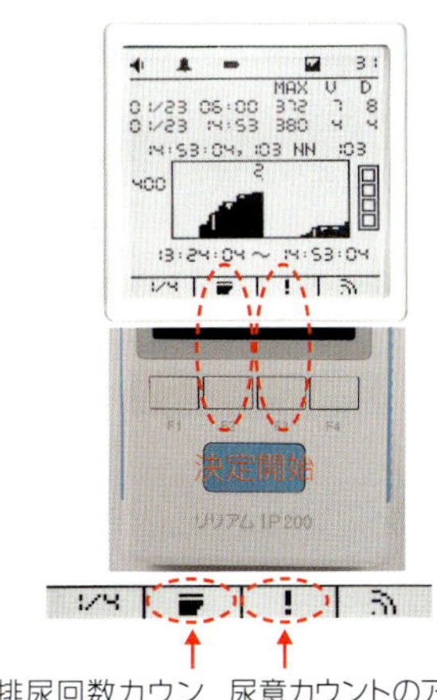

図14 排尿回数と尿意の記録ボタン

印刷

step 1

推定最大尿量値の確定後、プリンターのアイコン［プリンター］の下のF2ボタンを押します。

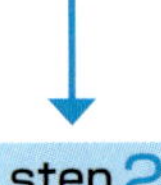

step 2

印刷機の認証番号を確認します（事前に印刷機の設定が必要）。決定のアイコン［↵］の下のF2ボタンを押す。続けて［↵］の下のF2ボタンを押します（図15）。

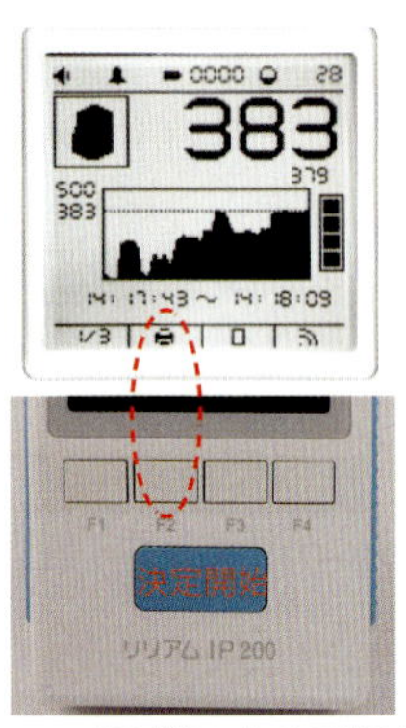

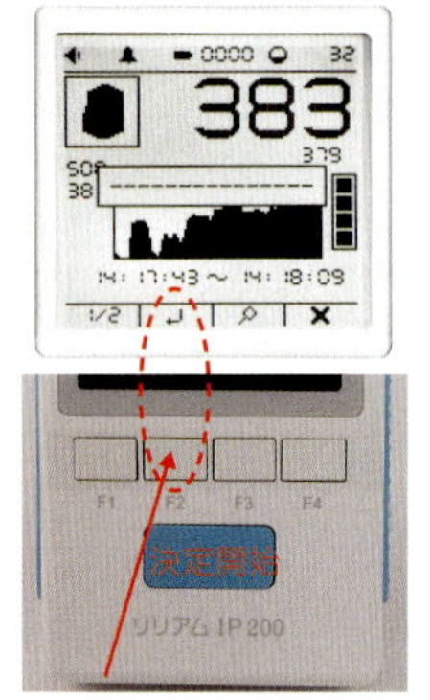

F2ボタンを２回押す。決定→確定→印刷開始

図15 印刷方法（残尿測定モード）

step 1

表示画面の左下の［1/4］の表示を［3/4］になるまでF1ボタンを２回押します。印刷のアイコンの下のF2ボタンを押します。

step 2

印刷機の認証番号を確認します（事前に印刷機の設定が必要）。決定のアイコン［↵］の下のF2ボタンを押します。続けて［↵］の下のF2ボタンを押します（図16）。測定結果を出力（図17）します。

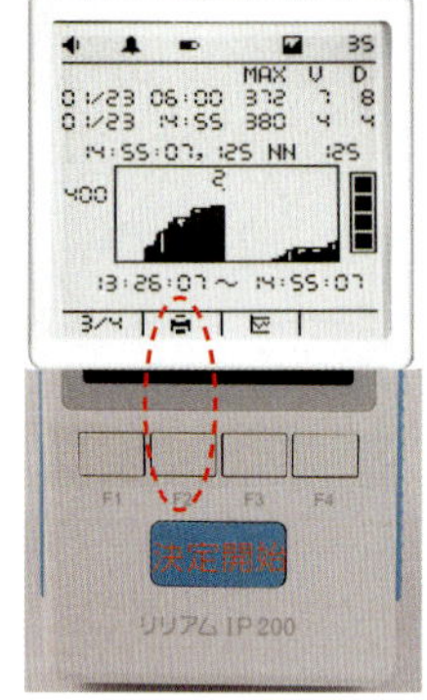

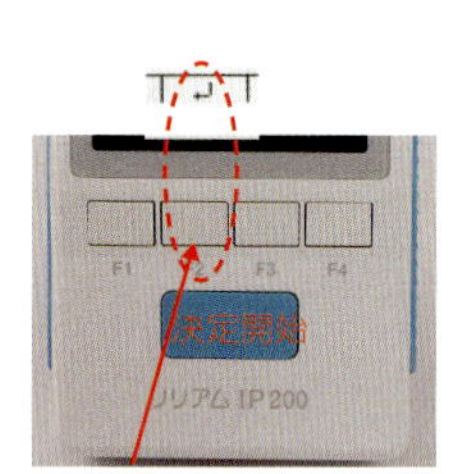

F2ボタンを２回押す。決定→確定→印刷開始

図16 印刷方法（定時測定モード）

〈専用プリンタによるデータ出力〉　〈アプリによるデータ出力〉

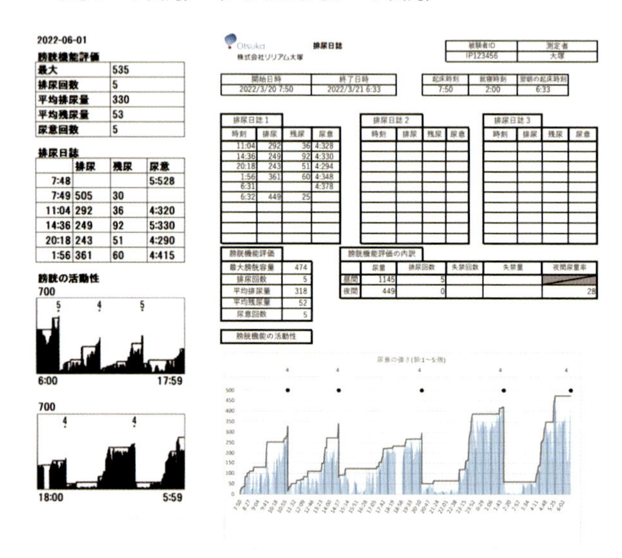

2022-06-01

膀胱機能評価

最大	535
排尿回数	5
平均排尿量	330
平均残尿量	53
尿意回数	5

排尿日誌

	排尿	残尿	尿意
7:48			5:528
7:49	505	30	
11:04	292	36	4:320
14:36	249	92	5:330
20:18	243	51	4:290
1:56	361	60	4:415

膀胱の活動性

Otsuka
株式会社リリアム大塚

排尿日誌

被験者ID	測定者
IP123456	大塚

開始日時	終了日時
2022/3/20 7:50	2022/3/21 6:33

起床時刻	就寝時刻	翌朝の起床時刻
7:50	2:00	6:33

排尿日誌 1

時刻	排尿	残尿	尿意
11:04	292	36	4:328
14:36	249	92	4:330
20:18	243	51	4:294
1:56	361	60	4:348
6:31			4:378
6:32	449	25	

排尿日誌 2

時刻	排尿	残尿	尿意

排尿日誌 3

時刻	排尿	残尿	尿意

膀胱機能評価

最大膀胱容量	474
排尿回数	5
平均排尿量	318
平均残尿量	52
尿意回数	5

膀胱機能評価の内訳

	尿量	排尿回数	失禁回数	失禁量	夜間尿量率
昼間	1145	5			
夜間	449	0			28

膀胱機能の活動性

図17 測定結果の出力

※画像・資料提供：株式会社リリアム大塚

資料編

●この1週間の状態にあてはまる回答を1つだけ選んで、数字に○をつけてください。

何回くらい、尿をしましたか					
1	朝起きてから寝るまで	0	1	2	3
		7回以下	8〜9回	10〜14回	15回以上
2	夜寝ている間	0	1	2	3
		0回	1回	2〜3回	4回以上

以下の症状が、どれくらいの頻度でありましたか					
		なし	たまに	ときどき	いつも
3	がまんできないくらい、尿がしたくなる	0	1	2	3
4	がまんできずに、尿が漏れる	0	1	2	3
5	せき・くしゃみ・運動のときに、尿が漏れる	0	1	2	3
6	尿の勢いが弱い	0	1	2	3
7	尿をするときに、お腹に力を入れる	0	1	2	3
8	尿をした後に、まだ残っている感じがする	0	1	2	3
9	膀胱（下腹部）に痛みがある	0	1	2	3
10	尿道に痛みがある	0	1	2	3

●1から10の症状のうち、困る症状を3つ以内で選んで番号に○をつけてください。

1	2	3	4	5	6	7	8	9	10	0 該当なし

●上で選んだ症状のうち、最も困る症状の番号に○をつけてください（1つだけ）。

1	2	3	4	5	6	7	8	9	10	0 該当なし

●現在の排尿の状態がこのまま変わらずに続くとしたら、どう思いますか？

0	1	2	3	4	5	6
とても満足	満足	やや満足	どちらでもない	気が重い	いやだ	とてもいやだ

注：この主要症状質問票は、主要下部尿路症状スコア（CLSS）質問票（10症状に関する質問）に、困る症状と全般的な満足度の質問を加えたものである。

主要下部尿路症状スコア（core lower urinary tract symptom score：CLSS）

（日本泌尿器科学会編．男性下部尿路症状・前立腺肥大症診療ガイドライン．東京，リッチヒルメディカル，2017，86p．より引用）

1. どれくらいの頻度で尿が漏れますか？（1つの□をチェック）	
□ なし	[0]
□ おおよそ1週間に1回あるいはそれ以下	[1]
□ 1週間に2〜3回	[2]
□ おおよそ1日に1回	[3]
□ 1日に数回	[4]
□ 常に	[5]
2. あなたはどれくらいの量の尿漏れがあると思いますか？（あてものを使う使わないにかかわらず、通常はどれくらいの尿漏れがありますか？）	
□ なし	[0]
□ 少量	[2]
□ 中等量	[4]
□ 多量	[6]
3. 全体と尿漏れのために、あなたの毎日の生活はどれくらいそこなわれていますか？	
0　1　2　3　4　5　6　7　8　9　10	
まったくない	非常に

4. どんなときに尿が漏れますか？（あなたに当てはまるものすべてをチェックしてください）
□ なし：尿漏れはない
□トイレにたどりつく前に漏れる
□ 咳やくしゃみをしたときに漏れる
□ 眠っている間に漏れる
□体を動かしているときや運動しているときに漏れる
□ 排尿を終えて服を着たときに漏れる
□ 理由がわからずに漏れる
□ 常に漏れている

国際失禁会議尿失禁質問票短縮版（international consultation on incontinence questionnaire-short form：ICIQ-SF）

（後藤百万ほか．尿失禁の症状・QOL 問診票：スコア化 ICIQ-SF．日本神経因性膀胱学会誌．12，2001，227-31．より引用）

2001年第2回 International Consultation on Incontinence にて作成、推奨された尿失禁の症状・QOL質問票。尿失禁における自覚症状・QOL評価質問票として、質問1〜3までの点数を合計して、0〜21点で評価する。点数が高いほど重症となる。

以下の症状がどれくらいの頻度でありましたか。この1週間のあなたの状態に最も近いものを、1つだけ選んで、点数の数字を○で囲んで下さい。

質問	症状	点数	頻度
1	朝起きたときから寝るときまでに、何回くらい尿をしましたか	0	7回以下
		1	8～14回
		2	15回以上
2	夜寝てから朝起きるまでに、何回くらい尿をするために起きましたか	0	0回
		1	1回
		2	2回
		3	3回以上
3	急に尿がしたくなり、がまんが難しいことがありましたか	0	なし
		1	週に1回より少ない
		2	週に1回以上
		3	1日1回くらい
		4	1日2～4回
		5	1日5回以上
4	急に尿がしたくなり、がまんできずに尿を漏らすことがありましたか	0	なし
		1	週に1回より少ない
		2	週に1回以上
		3	1日1回くらい
		4	1日2～4回
		5	1日5回以上
合計点数		点	

過活動膀胱の診断基準　尿意切迫感スコア（質問3）が2点以上かつOABSS合計スコアが3点以上
過活動膀胱の重症度判定　OABSS合計スコア
軽症　：5点以下　中等症：6～11点　重症　：12点以上

過活動膀胱症状スコア（overactive bladder symptom score：OABSS）

（日本排尿機能学会過活動膀胱診療ガイドライン作成委員会編．過活動膀胱診療ガイドライン．第2版．東京，リッチヒルメディカル，2015，105．より引用）

以下の症状がどれくらいの頻度でありましたか。この1週間のあなたの状態に最も近いものを、1つだけ選んで、点数の数字を○で囲んでください。

	まったくない	5回に1回の割合より少ない	2回に1回の割合より少ない	2回に1回の割合くらい	2回に1回の割合より多い	ほとんどいつも
この1ヵ月の間に、尿をした後にまだ尿が残っている感じがありましたか。	0	1	2	3	4	5
この1ヵ月の間に、尿をしてから2時間以内にもう一度しなくてはならないことがありましたか。	0	1	2	3	4	5
この1ヵ月の間に、尿をしている間に尿が何度もとぎれることがありましたか。	0	1	2	3	4	5
この1ヵ月の間に、尿をがまんするのが難しいことがありましたか。	0	1	2	3	4	5
この1ヵ月の間に、尿の勢いが弱いことがありましたか	0	1	2	3	4	5
この1ヵ月の間に、尿をし始めるためにお腹に力を入れることがありましたか。	0	1	2	3	4	5

	0回	1回	2回	3回	4回	5回以上
この1ヵ月の間に、夜寝てから朝起きるまでに、普通、何回尿をするために起きましたか。	0	1	2	3	4	5

IPSS：　　　　点

	とても満足	満足	ほぼ満足	なんともいえない	やや不満	いやだ	とてもいやだ
現在の尿の状態がこのまま変わらずに続くとしたら、どう思いますか。	0	1	2	3	4	5	6

QOL：　　　　点

IPSS重症度：軽度（0～7点）、中等症（8～19点）、重症（20～35点）
QOL重症度：軽度（0～1点）、中等症（2～4点）、重症（5～6点）

国際前立腺症状スコア（international prostate symptom score：IPSS）

（本間之夫ほか．International Prostate Symptom ScoreとBPH Inpact Indexの日本語訳の計量心理学的検討．日本泌尿器科学会雑誌．94（5），2003，60-9．より引用）

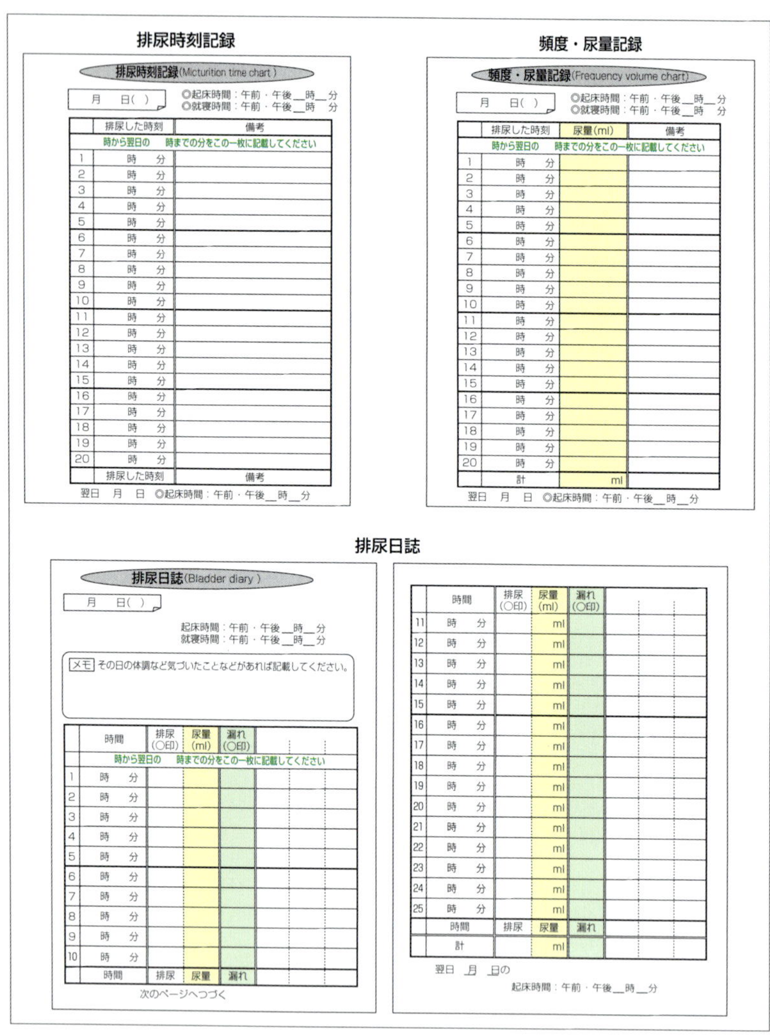

排尿時刻記録

排尿時刻記録(Micturition time chart)

月　日(　)

○起床時間：午前・午後__時__分
○就寝時間：午前・午後__時　分

	排尿した時刻	備考
	時から翌日の　時までの分をこの一枚に記載してください	
1	時　分	
2	時　分	
3	時　分	
4	時　分	
5	時　分	
6	時　分	
7	時　分	
8	時　分	
9	時　分	
10	時　分	
11	時　分	
12	時　分	
13	時　分	
14	時　分	
15	時　分	
16	時　分	
17	時　分	
18	時　分	
19	時　分	
20	時　分	
	排尿した時刻	備考

翌日　月　日　○起床時間：午前・午後__時__分

頻度・尿量記録

頻度・尿量記録(Frequency volume chart)

月　日(　)

○起床時間：午前・午後__時__分
○就寝時間：午前・午後__時　分

	排尿した時刻	尿量(ml)	備考
	時から翌日の　時までの分をこの一枚に記載してください		
1	時　分		
2	時　分		
3	時　分		
4	時　分		
5	時　分		
6	時　分		
7	時　分		
8	時　分		
9	時　分		
10	時　分		
11	時　分		
12	時　分		
13	時　分		
14	時　分		
15	時　分		
16	時　分		
17	時　分		
18	時　分		
19	時　分		
20	時　分		
	計	ml	

翌日　月　日　○起床時間：午前・午後__時__分

排尿日誌

排尿日誌(Bladder diary)

月　日(　)

起床時間：午前・午後__時__分
就寝時間：午前・午後__時__分

メモ　その日の体調など気づいたことなどがあれば記載してください。

	時間	排尿(○印)	尿量(ml)	漏れ(○印)			
	時から翌日の　時までの分をこの一枚に記載してください						
1	時　分						
2	時　分						
3	時　分						
4	時　分						
5	時　分						
6	時　分						
7	時　分						
8	時　分						
9	時　分						
10	時　分						
	時間	排尿	尿量	漏れ			

次のページへつづく

	時間	排尿(○印)	尿量(ml)	漏れ(○印)			
11	時　分		ml				
12	時　分		ml				
13	時　分		ml				
14	時　分		ml				
15	時　分		ml				
16	時　分		ml				
17	時　分		ml				
18	時　分		ml				
19	時　分		ml				
20	時　分		ml				
21	時　分		ml				
22	時　分		ml				
23	時　分		ml				
24	時　分		ml				
25	時　分		ml				
	時間	排尿	尿量	漏れ			
	計		ml				

翌日　月　日の

起床時間：午前・午後__時__分

排尿記録の３様式

（日本排尿機能学会ホームページ．http://japanese-continence-society.kenkyuukai.jp/ より引用）

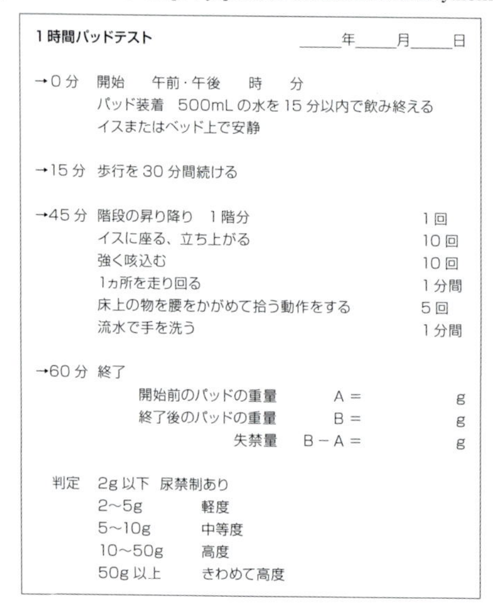

1時間パッドテスト　　_____年_____月_____日

→0分　開始　午前・午後　時　分
パッド装着　500mLの水を15分以内で飲み終える
イスまたはベッド上で安静

→15分　歩行を30分間続ける

→45分　階段の昇り降り　1階分　1回
イスに座る、立ち上がる　10回
強く咳込む　10回
1ヵ所を走り回る　1分間
床上の物を腰をかがめて拾う動作をする　5回
流水で手を洗う　1分間

→60分　終了
開始前のパッドの重量　A＝　g
終了後のパッドの重量　B＝　g
失禁量　B－A＝　g

判定　2g以下　尿禁制あり
2～5g　軽度
5～10g　中等度
10～50g　高度
50g以上　きわめて高度

1時間パッドテスト

（泌尿器科領域の治療標準化に関する研究班．“女性尿失禁診療ガイドライン”．EBMに基づく尿失禁診療ガイドライン．東京，じほう，2004，59．より引用）

索引

数字・欧文

1 時間パッドテスト ……89, 166, 328

24 時間パッドテスト ……89, 166

abdominal leak point pressure : ALPP ……91, 176

benign prostatic hyperplasia : BPH ……86, 93, 171, 181

bladder bowel dysfunction : BBD ……123, 130

Bristol stool scale ……127

Burch 法 ……175

chain cystourethrography : chain CUG …… 92

clean intermittent catheterization : CIC ……130, 214

core lower urinary tract symptom score : CLSS ……89, 326

detrusor overactivity : DO ……86, 104

detrusor-sphincter dyssynergia : DSD ……69, 282

dysfunctional voiding symptom score : DVSS ……124, 125

Dysfunctional voiding : DV ……128

holmium laser enucleation of the prostate : HoLEP …… 96

international consultation on incontinence questionnaire-short form : ICIQ-SF ……89, 158, 326

international prostate symptom score : IPSS …… 158, 327

interstitial cystitis : IC ……109

laparoscopic sacrocolpopexy : LSC ·105, 107, 171

lower urinary tract symptoms : LUTS ……104, 143, 181, 186

maximum urethral closure pressure : MUCP ……91, 176

mid-urethral sling : MUS ……170, 177

mucosal bleeding after distension : MBAD …… 111

neuromodulation ……116, 194

overactive bladder symptom score : OABSS ……89, 153, 157, 327

overactive bladder : OAB …… 35, 45, 76, 89, 123, 141, 181

pelvic floor muscle training : PFMT ……105

pelvic organ prolapse quantification : POP-Q ……101, 103

pelvic organ prolapse : POP ……81, 99, 101, 171

photoselective vaporization of the prostate by KTP laser : PVP …… 96

POP-Q システムによる計測法 ……103

post-prostatectomy incontinence : PPI ……173

P-QOL 質問票 ……102

pressure flow study : PFS …… 91

Q チップテスト …… 90

sacral neuromodulation : SNM ……194, 198

stress urinary incontinence : SUI ·····26, 99, 158, 170
tension-free vaginal mesh : TVM ····· 105, 106
tension-free vaginal tape : TVT ·····170, 174, 176
transobturator tape : TOT ·····86, 170, 174
transurethral resection of the prostate : TURP ····· 96, 171
urethral pressure profilometry : UPP ····· 91
urodynamic study : UDS ····· 49, 53, 54

あ行

溢流性尿失禁 ·····35, 39, 87, 163
飲水指導 ····· 202
エコー ····· 94, 310, 314
炎症 ·····81
塩分制限 ····· 202
小川分類 ····· 59
おむつ ·····162, 167, 228

か行

外来排尿自立指導料 ····· 150, 287, 291, 304, 310
過活動膀胱 ····· 35, 39, 48, 76, 89, 120, 123, 128, 133, 141, 153, 170, 181, 236
過活動膀胱症状スコア ·····89, 327
拡張術後粘膜出血 ····· 111
カテーテル ·····49, 53, 97, 98, 157, 214, 218, 220, 223, 262, 271, 277, 293
下部尿路症状 ·····28, 34, 93, 104, 118, 141, 153, 162, 181, 281
下部尿路痛 ····· 42
下部尿路閉塞 ····· 37, 93, 121
間質性膀胱炎 ····· 42, 109, 121, 297
干渉低周波療法 ·····194, 196
機能性排尿排便障害 ·····129
機能性尿失禁 ·····85, 163, 284
逆行性尿道造影 ····· 97
鎖膀胱尿道造影 ····· 92
計画療法 ····· 199, 205
経尿道的前立腺切除術 ····· 96, 171
減量 ·····201
行動療法 ·····112, 127, 200
国際禁制学会ノモグラム ····· 57
国際前立腺症状スコア ····· 153, 327
骨盤神経 ·····21, 64
骨盤臓器脱 ····· 82, 99, 121, 171
骨盤底筋訓練 ·····105, 200, 208, 304, 314
骨盤底電気刺激療法 ·····194
骨盤底の解剖 ·····16
骨盤内手術 ····· 268
混合性尿失禁 ·····26, 38, 85, 86

さ行

残尿感 ·····38, 41
残尿測定 ····· 43, 46, 91, 165, 279, 310, 316, 319

シェーファーノモグラム …… 57
磁気刺激療法 ……194, 197
子宮脱 ……99, 104
主要下部尿路症状スコア ……153, 157, 326
小児 OAB ……124, 126
女性の下部尿路 ……17
女性ホルモン ……81
神経因性膀胱 ……183, 216, 282, 292
神経疾患 ……62, 77
神経支配 ……20, 21
神経変調療法 ……172, 194
人工尿道括約筋植込み術 ……173
診療報酬改定 ……150
睡眠障害 ……29, 117, 121
生活指導 ……155, 199
清潔間欠自己導尿 …… 214, 265
脊髄疾患 …… 46, 70, 77, 79
脊髄損傷 ……62, 79
切迫性尿失禁 ……26, 30, 36, 38, 76, 85, 86, 120, 159, 163, 170, 184, 284, 314
仙骨神経変調療法 …… 194, 195, 198
前立腺肥大症 ……26, 50, 59, 93, 94, 121, 181, 219, 292

た行

大脳白質病変 ……62, 70
多系統萎縮症 ……62, 69
多チャンネル尿流動態検査 …… 50
多尿 ……43, 45, 48, 117, 118, 119, 163, 283
多発性硬化症 ……62, 70, 79
男性尿道スリング手術 ……174
男性の下部尿路 ……16, 26
蓄尿 ……17, 20, 28, 39, 46, 64, 66, 77, 135, 238, 263
蓄尿症状 ……28, 32, 34, 38, 83, 157, 181
蓄尿のメカニズム ……22
中部尿道スリング手術 ……86, 175, 176, 177
超音波検査 …… 47, 50, 90, 293, 318
トロッカー ……178

な行

内圧尿流検査 ……53, 82, 91
二分脊椎 ……62, 123, 130, 131, 293
尿意切迫感 ……28, 34, 36, 38, 76, 77, 86, 120, 123, 157, 184, 210, 250, 327
尿器 …… 236
尿検査 …… 43, 45, 90
尿道狭窄 ……93, 96, 264, 292, 296
尿道内圧検査 …… 91
尿道の解剖 ……17
尿道留置カテーテル ……150, 156, 262, 263, 271, 277, 281, 291, 302
尿閉 ……35, 39, 40, 45, 46, 151, 172, 176, 278, 291, 296
尿流測定 ……44, 47, 51, 91, 126
尿流動態検査 ……49, 50, 70, 76, 91, 130

認知症……30, 133
脳血管障害……62, 69, 78, 244
脳疾患……69, 77

は行

パーキンソン病……69, 78
バイオフィードバック療法……208, 211
排泄補助用具……234
排泄用具……228, 234
排尿記録……160, 319
排尿記録の３様式……89, 160, 328
排尿ケアチーム……150, 249, 290, 302, 306
排尿後症状……28, 38, 41, 181,
排尿後尿滴下……38, 41
排尿症状……28, 37, 136, 158
排尿自立支援加算……150, 287, 290, 303, 310
排尿筋過活動……39, 52, 55, 63, 69, 75, 79, 80, 86, 120
排尿筋括約筋協調不全……40, 55
排尿筋収縮……37, 40, 53, 55
排尿筋低活動……40, 55, 58, 69, 79, 87, 121
排尿筋無収縮……40, 55, 58
排尿のメカニズム……23
排尿日誌……43, 46, 48, 89, 126, 160, 163, 166, 205, 284
パッドテスト……89, 166, 328
ハンナ病変……42, 109, 297
光選択的前立腺レーザー蒸散術……96
非神経因性……77, 80, 81
腹圧性尿失禁……26, 28, 30, 35, 85, 99, 163, 167, 170, 173, 194, 236, 283
腹腔鏡下仙骨腟固定術……107, 298
フレイル……141
ブラッダースキャンシステム……165, 316
ペッサリー……105, 236
便秘の改善……203
保険診療……290
膀胱鏡検査……92
膀胱拡大術……115, 171
膀胱訓練……200, 204
膀胱頸部硬化症……96, 292
膀胱コンプライアンス……53, 56, 217
膀胱水圧拡張術……115, 297
膀胱瘻……223, 267, 297
膀胱造影……59
膀胱出口部閉塞……37, 40, 53, 56, 82, 171
膀胱内圧測定……51, 91
膀胱尿道鏡……59, 294
膀胱尿道造影……57, 92
膀胱の解剖……17
膀胱瘤……99, 100
ホルミウムレーザー前立腺核出術……96

ま行

末梢神経疾患……79

末梢神経障害 ……46, 74, 80
慢性尿閉 …… 35, 39, 40
問診 ……39, 43, 87, 156

や行

夜間多尿 ……49, 117, 163
夜間頻尿 ……28, 34, 38, 117, 136, 163
薬物療法 ……113, 127, 155, 181, 264
腰部脊柱管狭窄症 ……62, 74, 79

ら行

理学療法 …… 112, 208, 250
リラクゼーション …… 206

改訂版 下部尿路機能障害の治療とケア－病態の理解と実践に役立つ

2017年3月5日発行　第1版第1刷
2022年11月10日発行　第1版第8刷
2023年9月25日発行　第2版第1刷

編　著　谷口 珠実／武田 正之
発行者　長谷川 翔
発行所　株式会社メディカ出版
〒532-8588
大阪市淀川区宮原3－4－30
ニッセイ新大阪ビル16F
https://www.medica.co.jp/
編集担当　渡邊亜希子
装　幀　市川　竜
本文イラスト　福井典子／ホンマヨウヘイ
組　版　株式会社明昌堂
印刷・製本　株式会社シナノ パブリッシング プレス

ISBN978-4-8404-8216-5　Printed and bound in Japan

当社出版物に関する各種お問い合わせ先（受付時間：平日 9：00～17：00）
●編集内容については、編集局 06-6398-5048
●ご注文・不良品（乱丁・落丁）については、お客様センター 0120-276-115